L'été des quatre rois

15 novembre 2019

Camille Pascal

Amélie M. Godfrey
P&P, Londres

L'été des quatre rois

Juillet-août 1830

roman

PLON
www.plon.fr

© Éditions Plon, un département d'Édi8, 2018
12, avenue d'Italie
75013 Paris
Tél. : 01 44 16 09 00
Fax : 01 44 16 09 01
www.plon.fr

Composition : Soft Office
ISBN : 978-2-259-24843-3
Dépôt légal : août 2018

À la mémoire de ma grand-mère Jeannine D.-B.
qui aimait le « style Charles X » pour son élégance…

« J'ai choisi un sujet qui vous étonnera peut-être.
Mon livre s'appellera Charles X. »

Jules Barbey d'Aurevilly,
lettre à Trebutien n° 116, jeudi, décembre 1849.

« Si nous écrivions la vie du duc d'Angoulême ?
— Mais c'était un imbécile ! répliqua Bouvard.
— Qu'importe ! les personnages du second plan
ont parfois une influence énorme,
et celui-là peut-être tenait le rouage des affaires. »

Gustave Flaubert, Bouvard et Pécuchet,
chapitre IV, Paris, 1881.

« Nous y étions, nous l'avons vu, nous tous qui en parlons,
qui en discutons aujourd'hui ; mais soyons de bonne foi :
nous n'y avons rien compris. »

Armand Carrel, à propos de la révolution de 1830,
dans un article écrit pour Le National
et cité par Sébastien Charléty.

« L'Histoire se répète pour ainsi dire deux fois,
la première fois comme tragédie, la seconde fois comme farce. »

Karl Marx, « Le 18 Brumaire de Louis Bonaparte 1851-1852 »,
in La Révolution, n° 1, New York, 1852.

Une longue partie de whist

La messe est dite

Dimanche 25 juillet 1830

Au château de Saint-Cloud

Le roi ne voyait rien mais il marchait quand même, il marchait à pas lents, précédé comme à son habitude de sa main droite jetée en avant-garde pour reconnaître les lieux, ou plus exactement les meubles dont il craignait toujours l'obstacle. Le roi cherchait son prie-Dieu et ne le trouvait pas. Il fut tenté d'appeler mais il eût fallu admettre qu'il avait besoin d'aide. Bientôt le premier valet de chambre viendrait à son chevet pour lui dire « Sire, il est l'heure ! », mais il serait déjà levé, en chemise, agenouillé et priant, les pieds nus, qu'il avait fins, nerveux et blancs, chaussés dans des savates de maroquin vert dont le confort douillet ne l'avait jamais abandonné tout au long des errances de l'émigration.

Depuis l'aube, les beaux rideaux de percale du meuble d'été, tirés sur des volets dont le jeu des menuiseries ne parvenait plus à rabattre les infiltrations du jour naissant, n'opposaient qu'une très maigre résistance à ce beau matin de juillet. Le roi se retrouvait donc nimbé de ce halo tendre qui précède si souvent les apparitions mais dans lequel il lui était impossible de distinguer la moindre vision claire. Le roi priait et récitait inlassablement le Notre-Père pour repousser des images dont il affrontait les assauts. Sa nuit avait été fiévreuse, des souvenirs sales mais doux l'avaient éveillé, et la gorge souple de la belle Rosalie venait de laisser, une nouvelle fois, au creux de la paume de ses mains, des émotions qui le brûlaient au réveil comme autant de stigmates. Il confesserait bientôt le retour de ces rêves très anciens mais, pour l'heure, il cherchait à les chasser de son esprit, de peur que ces impudicités ne troublent sa prière et n'offensent Dieu. Au moment de prononcer intérieurement le *Fiat voluntas tua**, le roi se prosterna profondément, et son front vint se poser délicatement sur la soie brodée de l'accoudoir dont la fraîcheur fut un salut.

Le roi priait pour la France, il priait de toute son âme pour ce royaume que Dieu lui avait donné en garde et pour lequel il préparait de grandes choses. La France tombée à cause de ses péchés, violentée par une populace hideuse, comme sa malheureuse bru, couverte du sang de son frère, le roi martyr, asservie par un tyran qui se voulait un nouvel Auguste et qui n'avait jamais été qu'un sous-lieutenant d'artillerie, la France de ses pères, la France de Saint Louis, la France, enfin, allait renaître telle qu'elle était sortie de la cuve de saint Remi. Rien de tout ce qui avait été imposé à ses deux frères et qu'il s'était vu lui-même contraint d'accepter en montant sur le trône ne subsisterait demain. Toutes ces nouveautés, toutes ces libertés, toutes ces pensées dont on empoisonnait ses peuples ne seraient bientôt plus qu'un mauvais souvenir. Son règne effacerait ces

---

* Que ta volonté soit faite.

vilenies de la mémoire du royaume comme le règne du bon roi Henri IV était parvenu à plonger dans les eaux du Léthé les horreurs du temps de la Ligue. Lui, Charles dixième de ce nom et fils aîné de l'Église, s'apprêtait à rendre à la France la pureté de son baptême. Il en faisait le serment devant Dieu et demandait à la Sainte Vierge de le soutenir et de l'éclairer sur le chemin de la vérité.

En cet instant, il jugeait prudent d'attendre l'arrivée de ses valets car il distinguait avec beaucoup de difficulté les obstacles que les officiers du garde-meuble s'ingéniaient à disposer sur sa route, des entrelacs et des lambrequins colorés du grand tapis de la Savonnerie qui molletonnait le parquet de la chambre et sur lequel il craignait toujours de glisser tant qu'il n'était pas chaussé. Ce n'était pas un jour à tomber par terre ni à porter des lunettes.

On gratta trois fois à la porte. Effectivement il était l'heure. Saint-Aubin, premier valet de chambre de quartier, entra, s'inclina, s'approcha des deux fenêtres et déplia avec cérémonie les immenses volets intérieurs ornés par Richard Mique de trophées d'amour pour la dernière reine. La lumière éclaboussa les trumeaux de glace aveuglant le vieux monarque myope et lui fut une telle souffrance qu'il porta une main à ses yeux. Le premier valet n'eut que le temps de tirer les grands rideaux blancs pour tempérer la violence de juillet puis, s'approchant de son maître, lui indiqua, sans y paraître mais tout en le précédant, le chemin du cabinet de la chaise qui se trouvait à côté. Par une familiarité qui était un privilège de sa charge, le premier valet parlait pendant que les valets de garde-robe disposaient l'habit du jour, retapaient le lit et fermaient les courtines. Il y avait ce matin-là beaucoup de monde à Saint-Cloud, la Cour bien sûr, mais aussi les ministres, il jurait même que monsieur de Talleyrand avait fait sonner dès la première heure son pied bot cerclé de fer sur les marbres de l'escalier d'honneur. La galerie d'Apollon n'avait jamais été aussi peuplée, et les jardins s'animaient de femmes heureuses d'y promener leurs traînes. Le grand lever serait long, et l'on entreprenait déjà le premier gentilhomme de la chambre pour obtenir les entrées. À l'évocation de son grand chambellan, le roi sourit : si même le diable boiteux courait à Saint-Cloud lui présenter ses hommages de gentilhomme et prendre sa place de courtisan, alors la France était prête. Peut-être même que demain, frappé par le coup de majesté auquel le roi se préparait depuis plusieurs jours, l'ancien évêque d'Autun irait se jeter au pied des saints autels pour demander enfin pardon à Dieu avant de quitter une bonne fois pour toutes le théâtre du monde et partir expier ses fautes au fond d'un couvent. Toute l'Église de France serait auréolée de l'éclat d'un tel repentir. Saint-Aubin, qui veillait sur le ballet silencieux des valets intérieurs et donnait leurs instructions aux valets de garde-robe, se permit une moue où le doute le disputait au dédain.

Maintenant que la lumière prenait pleinement possession de la pièce et que le roi, sans bien distinguer le contour des choses, voyait tout de même plus clair au point de pouvoir aller d'un coin à un autre de sa chambre sans paraître chercher appui, il s'avança jusqu'à la fenêtre qui faisait face au lit d'apparat, releva l'espagnolette de bronze où jouaient des lauriers tressés d'or moulu, ouvrit délicatement les deux battants, posa ses mains sur le grand balcon de fer forgé et respira à pleins poumons. Un léger courant d'air se fit dont le souffle gonfla subitement les rideaux que leurs bordures de brocart ne suffisaient pas à lester. Toujours vêtu d'une simple chemise de nuit, le roi tressaillit, et ce fut délicieux. L'air embaumait, les odeurs musquées de la forêt toute proche se mélangeaient aux effluves orientaux qui émanaient de l'orangerie sur laquelle donnaient les appartements de l'aile neuve dont, comme ses frères, il appréciait tout particulièrement le séjour. Le grand parterre offrait au regard du roi une ligne de fuite protégée par l'alignement quasi militaire des grands vases de pierre. À Alger, l'armée française fraîchement débarquée occupait le palais du dey, prenait possession de ses États et de son fabuleux trésor au nom du roi de France. Le ciel, là-bas comme ici, était d'un bleu marial. Il ne faisait plus aucun doute ce matin-là que la Sainte Vierge couvrait la France, le roi et sa famille de son manteau céleste.

Demain, lorsque la partie serait définitivement gagnée, il irait à la chasse mais il ne se contenterait pas, comme la veille, de tirer dans le parc de Saint-Cloud, il partirait beaucoup plus loin et forcerait la bête jusqu'aux frondaisons de Rambouillet ; il fallait prévenir monsieur de Girardin, son grand veneur. Le médecin et le chirurgien de service supplièrent le roi de ne pas s'exposer ainsi aux fraîcheurs matinales. Certes la journée s'annonçait des plus chaudes, mais il suffisait d'un mauvais courant d'air pour que Sa Majesté prenne mal. Le roi obtempéra à regret et s'abandonna aux mains de ses valets pour se laisser coiffer, poudrer et habiller.

Le grand lever se révéla, par ailleurs, un peu plus long que de coutume, et le roi, surmontant ses préoccupations et le poids de la charge de l'État dont il n'avait jamais aimé la fatigue, eut néanmoins pour chacun les mots d'une banalité choisie qui suffisent au bonheur du courtisan. Il se retira dans son cabinet de travail, vérifia que tout était en bon ordre, puis sortit de ses appartements. Le suisse annonça à haute voix que le roi se rendait à la messe. Aussitôt, un roulement de tambour accompagné des fifres se fit entendre. C'était la musique des cent-suisses qui accompagnait la marche du roi. Dans l'antichambre de granit l'attendaient le capitaine des gardes et l'escorte d'honneur, il passa le péristyle, traversa le salon de Mars où une foule dorée et brodée commençait à se presser avant d'entamer la longue remontée de la grande galerie. Un garde du corps se tenait dans chaque travée et présentait les armes. Le roi aimait particulièrement cet endroit qui lui rappelait le Versailles de sa jeunesse et avait pris soin d'oublier que c'était là le lieu retenu par Bonaparte pour se laisser affubler, sans rire, de la dignité impériale. La lumière trop forte et sa vue basse empêchaient heureusement le monarque de se rendre compte que les tableaux de maîtres accrochés là par le Corse comme autant de trophées militaires avaient été remplacés à la hâte par de mauvaises copies après les restitutions exigées par les Alliés en 1815. Comme à l'ordinaire, le roi était précédé par le duc d'Angoulême, lui-même accompagné de tous les officiers supérieurs de la garde et de la maison civile, des militaires présents à Saint-Cloud, de l'aumônier de Sa Majesté, de ses écuyers et de tous les gentilshommes présentés heureux de pouvoir l'escorter. Le capitaine des gardes, son aide de camp et un garde du corps ne quittaient jamais la personne du roi. La duchesse de

Berry, flanquée de ses dames – moins nombreuses, il est vrai, qu'aux Tuileries –, suivait.

Tous s'écartaient maintenant sur son chemin, les courtisans les plus aguerris, ceux-là mêmes qui avaient connu la vieille étiquette, reculaient de trois pas pour exécuter, malgré leur âge, la grande et périlleuse révérence de cour. Les femmes plongeaient littéralement en espérant effleurer de leur immense panache la main du roi alors que les officiers, tous plus ou moins rescapés de l'Empire, se contentaient de claquer des talons, bien incapables qu'ils étaient de glisser à reculons sur les parquets frottés et cirés à l'excès. La garde présentait les armes à son passage. Le roi, selon son habitude, répondait aux saluts d'un geste de la main sans la porter à son chapeau. Arrivé au bout de la galerie et une fois passé dans le salon de Diane, Charles remarqua, placé dans le contre-jour des grandes baies cintrées qui ouvraient la pièce sur deux de ses côtés, un petit groupe plus galonné que les autres et qui semblait l'attendre. Bien qu'il lui fût encore impossible, à cette distance, de distinguer des visages dans cet amas compact de broderies d'or et d'argent, il reconnut au maintien si particulier de chacun d'eux les membres de son gouvernement en grande tenue. Jules de Polignac, qui présidait le Conseil depuis près d'un an, s'avança d'un pas pour s'incliner devant le roi. Son visage presque enfantin pour un homme caressé par la cinquantaine était illuminé d'une joie intense ; d'un tapotement à peine perceptible, il désigna aussitôt à l'intention de son maître l'immense portefeuille de maroquin rouge marqué aux petits fers qu'il portait sous le bras. Le roi répondit à ce geste discret par un mouvement de tête et un petit signe de la main qui valait tout à la fois salut et approbation, puis après que, conformément à l'étiquette, monseigneur le dauphin l'eut précédé, il entra de plain-pied dans la tribune de la chapelle réservée à la famille royale. La jolie duchesse de Berry trottinant sur des talons bobines un peu trop hauts pour elle fermait la marche.

Elle remarqua la taille bien prise du garde à pied placé en faction à l'extérieur des portes de la tribune haute de la chapelle et se promit d'en demander l'absolution.

Une fois que les deux battants de la porte donnant sur le salon de Diane eurent été refermés, on entendit le galop des courtisans qui se précipitaient vers l'escalier pour gagner en toute hâte le rez-de-chaussée de la chapelle où depuis le matin des valets se battaient pour leur sauver une place.

À l'intérieur de la tribune, le maréchal des logis des gardes du corps de service se raidit dans un salut impeccable. Le roi, découvert, s'inclina à l'autel et donna son chapeau à monsieur de Sambucy, aumônier de service, en lui glissant à l'oreille qu'il n'était pas en état, ce jour-là, de recevoir le corps du Christ et qu'il lui faudrait se confesser avant le soir. Puis, en échange de son chapeau, il reçut le livre d'heures des mains gantées de vert du prélat de service. Deux gardes de la manche, placés de chaque côté de son prie-Dieu et vêtus du hoqueton de soie blanche damasquiné d'argent, ne quittaient pas le roi des yeux. Ils ne s'agenouilleraient qu'au moment de l'élévation. À l'étage du dessous, le prêtre, les aumôniers, les chapelains par quartier, les chapelains honoraires, les clercs de chapelle ordinaire et tous les clercs présents ce jour-là sortaient en procession de la sacristie, l'abbé Perrot, sacristain en titre au château de Saint-Cloud, promenait partout des airs de propriétaire. Monseigneur Frayssinous, premier aumônier de la maison du roi, s'inclina devant le tabernacle puis, se retournant et levant les yeux vers la tribune, salua profondément le roi de France vers lequel tous les regards convergeaient encore. Les gardes mirent instantanément l'arme au pied.

Au moment de l'élévation, le roi se prosterna, priant à nouveau pour la France, pour ce frère martyrisé qui lui avait laissé une couronne tachée du sang de Saint Louis et pour son fils poignardé un soir de fête. Sa Majesté n'aimait pas à penser mais se plaisait à prier. Sur la recommandation de son directeur de conscience, il associa à ses prières sa pauvre femme morte depuis des lustres et dont il ne parvenait pas à se rappeler exactement le visage tant il l'avait peu regardée de son vivant. Il écouta chanter avec émotion le *Domine, salvum fac regem*[*] sur un arrangement de Cherubini, puis le *Ite missa est*[**] donna de nouveau le signal de la cavalcade qui devait permettre à des courtisans essoufflés de remonter en toute hâte du rez-de-chaussée pour venir se poster sur le trajet du roi regagnant ses appartements. Par grâce, au sortir de la messe, le monarque accordait normalement à ses gestes et à son pas la lenteur nécessaire pour permettre à cette petite foule poudrée à frimas de se trouver sur son passage et de lui faire sa cour.

«La messe est dite», répéta le roi d'un air entendu en se tournant vers son fils, le duc d'Angoulême, sans pour

---

[*] Dieu sauve le roi.
[**] La messe est dite.

autant remarquer le léger tremblement qui agitait les lèvres du dauphin à cet instant précis. Comme si ce bègue infortuné cherchait à expectorer une phrase longtemps ruminée mais dont les mots mal assortis les uns avec les autres formaient, sous sa langue, une sorte de bouillie politique impossible à cracher ni même à déglutir. Le regard du roi suffit pourtant à faire cesser tout tremblement et à figer la physionomie du prince dans cet air de stupidité qu'aucun peintre officiel ne parvenait à effacer tout à fait. De fait, jamais son fils aîné ne parut aussi idiot à son père que ce matin-là. Le vieux roi puisa peut-être dans ce regard perdu d'un successeur dont le règne serait nécessairement débile toute la détermination qui lui manquait encore. Si Dieu avait permis qu'il survive à ses deux frères, à son neveu mort au Temple et à son fils cadet, le malheureux Berry, c'était évidemment pour lui permettre d'accomplir de grandes choses avant de mourir et de laisser derrière lui une monarchie entièrement restaurée capable de soutenir le règne d'un incapable. S'adressant alors aux grands officiers de la Couronne qui lui faisaient escorte depuis le grand lever en chantant ses louanges, il leur dit en riant, mais de façon à être entendu de toute la galerie d'Apollon, qu'il se sentait encore la force de «donner quelques coups de sabre aux coquins…». La phrase était nouvelle, il l'avait simplement prononcée la veille au moment des honneurs du tableau de chasse alors que les mêmes courtisans lui faisaient compliment de son endurance après sept heures de chevauchée en forêt. Elle lui plaisait car elle était politique, il l'aimait et la répéterait jusqu'à ce que les typographes du *Moniteur* l'impriment pour l'Histoire.

Le roi, contre toute habitude, hâta néanmoins un peu le pas, il était près de treize heures, et le Conseil serait certainement bien long. Le premier gentilhomme ne le suivit pas au-delà de la porte du cabinet qu'il fit fermer en s'assurant à l'oreille qu'elle était bien loquetée de l'intérieur. Personne ne pourrait plus voir ni s'adresser à Sa Majesté avant qu'il n'en sorte. Les ministres étaient déjà installés à leur place respective lorsque le roi et le dauphin entrèrent. Le premier valet de chambre prit soin de poser à main droite de Sa Majesté la paire de lunettes qu'elle refusait obstinément d'utiliser en public, même pour la lecture du discours du trône devant les Chambres, mais qui lui était indispensable pour le fastidieux travail de cabinet. Habitués à cette coquetterie, tous les membres du gouvernement veillèrent à regarder ailleurs lorsque le roi, après avoir ouvert le bel étui de galuchat, en sortit ses lunettes cerclées d'or puis baissa légèrement la tête pour les chausser avec la plus grande discrétion. Tout fut alors très net dans son esprit et, d'un geste, il engagea le prince de Polignac à prendre la parole. Le principal ministre se racla la gorge, lança un regard de triomphe à ses collègues, fit au roi le petit compliment d'usage puis, ouvrant son immense portefeuille ministériel, en retira avec précaution une liasse de feuilles tout en expliquant que le texte des ordonnances qu'il s'apprêtait à soumettre au souverain avait été parachevé, la veille, dans son château de Millemont, selon les décisions arrêtées quatre jours auparavant. Charles X, que toutes ces précisions importunaient, demanda à Polignac de passer outre ces détails en le remerciant d'avoir fait son travail de ministre mais en lui précisant que, pour sa part, il n'avait pas besoin de tant de phrases pour faire son métier de roi. C'est à ce moment-là que l'on entendit gratter à la porte. Le roi se tut et autorisa du regard un des ministres à aller voir ce dont il s'agissait, car la porte du cabinet étant fermée, personne, pas même le premier gentilhomme, ne pouvait plus y pénétrer depuis l'antichambre. On déverrouilla la porte et l'on ouvrit. C'était monsieur de Chantelauze, le garde des Sceaux, ancien premier président à Grenoble, qui se présentait. Parfaitement inconnu à la Cour, il avait été longtemps retenu à la grille du château par des soldats méfiants. Tout à sa confusion, cet homme insignifiant par nature, indécis par métier et obséquieux par habitude, ne savait comment s'y prendre pour justifier son retard. Loin de se courroucer, le roi, que ses manières exquises de gentilhomme faisaient aimer de ses serviteurs et de ses ministres, se contenta de lui indiquer sa place d'un « allons donc, paresseux » qui suffit à détendre l'atmosphère. Tous les regards s'adoucirent, et l'on plaisanta gentiment le retardataire. Le roi profita de l'instant pour demander à l'huissier du Conseil d'ouvrir l'une des fenêtres. Aussitôt, l'odeur des orangers vint éteindre celle des parfums de cour, trop musqués.

Maintenant que le gouvernement se trouvait au complet derrière les portes du cabinet soigneusement closes, Polignac put lire les ordonnances à haute voix. Lorsque enfin il se tut, personne n'osa exprimer le désir d'émettre une opinion. Le roi regarda le dauphin et, s'adressant à lui comme à un esprit lent auquel une répétition n'est jamais inutile, lui demanda :

— Vous avez entendu ?

— Oui, père, répondit le duc d'Angoulême avec ce respect effrayé qui ne le quittait jamais lorsqu'il s'adressait au roi.

Le roi, que ce laconisme de garnison irritait, insista :

— Qu'en pensez-vous ?

Le prince, repris par ses tremblements nerveux, ferma les yeux, respira profondément et parvint à dérouler une phrase dont la longueur étonna.

— Lorsqu'un danger est inévitable, il faut l'aborder franchement, et aller tête baissée. On périt ou l'on se sauve...

Le roi n'aima pas cette «tête baissée» mais l'essentiel était que le dauphin ait parlé car cela valait approbation. Il se tourna alors vers ses ministres et les interrogea une dernière fois :

— C'est votre avis, messieurs ?

Tous acquiescèrent. Le baron d'Haussez, ministre de la Marine, tenta bien de faire entendre, non pas une opposition, bien sûr, mais au moins une nuance que personne ne comprit et, lorsque le roi s'inquiéta de savoir s'il refusait de contresigner les ordonnances, le malheureux se perdit dans les propres méandres de sa lâcheté politique.

Le roi le coupa et reprit alors, mot pour mot, un petit discours que les ministres connaissaient par cœur depuis le triomphe des libéraux aux élections législatives du mois précédent. S'adressant directement à Polignac, il lui rappela que les deux cent vingt et un députés qui, derrière Royer-Collard, avaient demandé le changement de ministère et donc son renvoi dans la fameuse adresse du 16 mars dernier, étaient maintenant deux cent soixante-quatorze, soit une majorité absolue, puis, redressant la tête et agrippant les accoudoirs de son fauteuil de bois doré, il se lança :

— L'esprit de la révolution n'a jamais abandonné une partie de la population. C'est à la monarchie qu'on en veut. Si je cédais, ils me traiteraient comme ils ont traité mon malheureux frère. Sa première reculade a été le signal de sa perte... Ils lui faisaient aussi des protestations d'amour et de fidélité ; ils lui demandaient seulement le renvoi de ses ministres. Il céda, et tout fut perdu... Si je cédais cette fois à leur exigence, ils finiraient par nous traiter comme ils ont traité mon frère.

Un silence terrible se fit comme le vendredi saint lorsque le récitant arrive à ce moment des Évangiles où le Christ expire sur la Croix, et chacun inclina la tête. Les précieux rideaux de soie de la salle du Conseil se seraient déchirés à l'instant même comme celui du Temple le jour de la crucifixion que cela n'aurait surpris personne. Polignac récitait même intérieurement un *De profundis*, et l'on pouvait croire que certains des ministres présents venaient de se signer. Heureux de son effet sur ses ministres, le roi reprit alors la parole, ajoutant d'un ton plus martial :

— Non pas qu'ils nous conduiraient à l'échafaud, car nous nous battrions, et ils nous tueraient à cheval !

Les ministres crurent entendre le roi Henri IV marcher à la bataille et se tourner vers eux pour leur demander de se rallier à son panache blanc, ils exsudaient d'admiration pour leur roi qui lui-même, content d'eux, les encouragea de la voix :

— Ainsi, messieurs, marchons avec fermeté sur la ligne que nous nous sommes tracée.

Polignac se leva pour présenter à la signature du roi les ordonnances peaufinées avec tant de soin. La première suspendait la liberté de la presse. Le roi la regarda quelques instants pour donner le sentiment qu'il la lisait attentivement puis, sans lever le nez de ce texte où les lignes dansaient une sarabande infernale et confuse sous ses yeux paresseux, il suggéra que c'était là le résultat du magnifique travail de monsieur de Chantelauze mais que le malheureux ministre avait tellement besogné la veille qu'il ne s'était pas réveillé au petit matin pour arriver à l'heure à Saint-Cloud. Cette boutade en forme de compliment fut interprétée par le garde des Sceaux comme une invitation à prendre la parole. Il se leva à son tour et, reprenant la petite note adressée l'avant-veille à Polignac pour préparer le Conseil, dit de ce ton monocorde qui faisait soupirer la Chambre dès qu'il montait à la tribune :

— C'est par l'action violente et non interrompue de la presse que s'expliquent les variations trop subtiles, trop fréquentes de notre politique intérieure. Elle n'a pas permis que s'établît en France un système régulier et stable de gouvernement...

Polignac l'interrompit en achevant la lecture du texte qu'il avait lui aussi sous les yeux et ajouta :

— Ainsi, Sire, une démocratie turbulente qui a pénétré jusque dans nos bois, tend à se substituer au pouvoir légitime.

Le roi, satisfait d'avoir choisi des serviteurs qui s'exprimaient avec tant de clairvoyance, les remercia vivement de s'être associés à son action car il savait pertinemment que cette fidélité ferait redoubler contre eux la fureur des libéraux, et il ajouta que ses ministres, comme ses sujets, pouvaient compter sur lui pour débusquer cette démocratie turbulente. Il grimaça légèrement en prononçant ce mot absurde, car il était encore assez bon chasseur pour la tirer à vue ! Le mot fit le tour de la table, et chacun d'applaudir intérieurement à tant d'esprit mais en émettant suffisamment de gloussements d'approbation et de hochements de tête pour que le roi perçoive très distinctement l'écho de leur admiration muette.

La deuxième ordonnance proclamait la dissolution d'une Chambre devenue trop libérale pour continuer à mériter la confiance du monarque. La troisième réservait désormais le droit de vote à des collèges électoraux uniquement composés des contribuables les plus fortunés du royaume. Le paiement de la patente tout comme l'impôt sur les portes et fenêtres qui sentaient par trop la petite-bourgeoisie n'entreraient plus dans le calcul de l'impôt minimal dont il faudrait s'acquitter pour devenir électeur. Les affaires de la France étaient une chose bien trop grave pour la laisser entre les mains de boutiquiers et de ferblantiers qui, le soir venu, lisaient Voltaire à la lumière de leur quinquet en buvant de la camomille puis, le dimanche venu, beuglaient les chansons de Béranger dans des estaminets.

La quatrième convoquait les collèges électoraux ainsi réformés et débarrassés de leurs redingotes de mauvaise facture pour de nouvelles élections les 6 et 13 septembre suivants.

Les dernières ordonnances, enfin, porteuses de décisions individuelles, nommaient de fidèles et précieux serviteurs du régime au Conseil d'État.

Le roi marqua un silence ; la tête appuyée sur une main alors que l'autre tenait une plume parfaitement taillée, il paraissait absorbé dans une profonde réflexion comme un vieil écolier hésitant devant la page et finit par dire, prenant à témoin l'assistance :

— Plus j'y pense, plus je demeure convaincu qu'il est impossible de faire autrement.

Ensuite il trempa délicatement la pointe de sa plume dans le magnifique encrier où des sphinx de bronze doré et profondément dédaigneux se refusaient à regarder les ministres, essuya le surplus d'encre sur une petite brosse de crin prévue à cet effet, s'arrêta encore quelques instants à deux pouces de la page et signa. Il parapha ensuite avec la même application chacune des ordonnances mais sans plus prendre la peine de faire semblant de les lire. Une fois cette lourde tâche accomplie, il déposa sa plume en équilibre sur le dos des deux sphinx dont c'était la seule utilité. Les deux bêtes, pourtant flattées, n'eurent pas un sourire.

Pendant que Polignac rangeait soigneusement les feuilles une à une dans son grand portefeuille en maroquin rouge, le roi interrogea toutefois Chantelauze, que son retard enveloppait encore de l'air de Paris, sur l'état d'esprit qui régnait dans la capitale en ce début de semaine. Sans laisser le malheureux garde des Sceaux répondre à cette question qui le mettait au supplice tant il était bien incapable, lui l'obscur provincial, d'avoir la moindre idée sur les opinions d'une ville aussi effrayante, Polignac répondit de nouveau à sa place en précisant que, la veille encore, le préfet de police Mangin s'était montré formel et lui avait assuré que, « quoi qu'on fît, Paris ne bougerait pas et qu'il en répondait sur sa tête », dix-neuf mille hommes de ligne se trouvaient dans Paris, et il suffirait de tirer en l'air pour que tout rentre dans l'ordre si jamais des factieux venaient à agiter des drapeaux.

D'ailleurs, ajoutait Polignac, en prenant néanmoins à témoin le pauvre Chantelauze qui aurait tout donné à cet instant pour n'avoir jamais été autorisé à entrer dans Saint-Cloud, le roi agissait dans la stricte légalité, la Charte que le feu roi Louis XVIII avait, dans sa bonté, octroyée à ses sujets était respectée à la lettre. Son article 14 autorisait en effet le souverain à « faire les ordonnances nécessaires pour l'exécution des lois et la sûreté de l'État». Il tenait en outre à la disposition de Sa Majesté une note juridique très précise sur l'interprétation qui pouvait être faite de ce fameux article 14 et de l'étendue des pouvoirs qu'il conférait au chef suprême de l'État. D'un geste presque violent, le roi fit comprendre que toutes ces assurances lui suffisaient amplement et qu'il n'avait pas l'intention de lire le moindre papier griffonné par des juristes. C'était déjà bien assez de les nommer au Conseil d'État en témoignage de sa satisfaction, tout le reste relevait à ses yeux de la pure chicane, et il leur abandonnait bien volontiers ce genre de délices. Il signa la dernière des ordonnances, contempla son œuvre législative puis, se tournant vers ses ministres, troussa une petite phrase historique qui lui était venue en écoutant tous ces braves serviteurs et dont il se trouvait content:

— Voilà de grandes mesures. Il faudra beaucoup de courage et de fermeté pour les faire réussir. Je compte sur vous, vous pouvez compter sur moi. Notre cause est commune. Entre nous, c'est à la vie à la mort.

Le Conseil se terminait, et la monarchie absolue était presque rétablie. Le roi regretta simplement en son for intérieur de n'avoir pas pris ses résolutions quelques mois plus tôt à l'occasion de la semaine sainte, il aurait ainsi fêté la résurrection du Sauveur en ressuscitant la France. Ce fut donc fort gai que le roi salua ses ministres et sortit de ses appartements.

Si gai qu'il sembla ne même pas s'apercevoir que la foule des courtisans était moins dense que celle qui, le matin même, se pressait sur son passage dans la galerie d'Apollon et que ceux d'entre eux qui prolongeaient leur séjour à Saint-Cloud dans l'attente de leur voiture promenaient des mines graves. S'approchant de l'un ou de l'autre, il fourrait dans ses poches avec bonne grâce les placets et les suppliques que chacun lui remettait et répondait aux flatteries d'usage par des sous-entendus sibyllins. À certains de ses vieux compagnons d'émigration, il glissait à l'oreille avec un petit sourire entendu, comme au joli temps des soupers de Bagatelle : « Savez-vous quelque chose de nouveau ? » puis, sans attendre leur réponse, les encourageait à lire *Le Moniteur* dès le lendemain.

Pendant que les voitures avançaient dans la cour d'honneur pour ramener les ministres à Paris, monsieur Guernon-Ranville, ministre de l'Instruction publique resté prudemment silencieux pendant toute la durée du Conseil, écoutait son collègue Peyronnet supputer avec Chantelauze et Polignac les magnifiques résultats que l'on pouvait raisonnablement attendre de la modification des lois électorales. S'immisçant soudain dans la conversation, il apostropha le ministre de l'Intérieur en prenant un ton faussement docte pour lui dire :

— Vous auriez pu écrire cette loi en un seul article…

Les trois ministres restèrent un instant interdits, et Peyronnet s'apprêtait à défendre de nouveau son texte lorsque Guernon-Ranville ajouta, pince-sans-rire, qu'il suffisait d'écrire :

— Les préfets feront les élections !

Ce fut un éclat de rire général, tant l'humeur, comme le temps, était radieux, et même le prince de Polignac qui ne manquait jamais de marquer, en toute occasion, la distance aristocratique qui le séparait de ses collègues, tous relativement mal nés, tomba dans cette joyeuse inconvenance.

À Paris

La voiture à six chevaux du prince de Talleyrand déboula à un train d'enfer dans la cour de son hôtel de la rue Saint-Florentin sur le coup de huit heures du soir. Les bêtes écumaient, et le cocher ruisselait à force d'avoir manié le fouet et sué sous la livrée, mais le prince, lui, restait impassible. Le blanc de céruse dont il masquait son visage depuis qu'il avait dit sa première messe ne montrait aucun signe de fatigue, et sa perruque demeurait aussi artistiquement poudrée qu'à la sortie de son petit lever. Il regardait patiemment les gants blancs du premier laquais déplier le marchepied, en descendit les marches de fer avec autant de dignité que son infirmité le lui permettait avant de s'avancer d'un pas chaloupé jusqu'au perron. Cette démarche ondoyante et nonchalante qui suffisait à le distinguer dans une foule ne trahissait aucune espèce d'agitation. Parvenu dans l'antichambre et hors de tout regard, il demanda néanmoins qu'on lui apportât son écritoire séance tenante, prit du papier et une plume pour écrire à même le marbre d'une console ces quelques mots : « *J'arrive de Saint-Cloud, jouez à la baisse.* » Une fois l'encre sablée et la lettre cachetée, le prince de Talleyrand appela son secrétaire et lui donna l'ordre de porter ce courrier sans tarder rue d'Artois pour la remettre en main propre au baron de Rothschild.

Il était près de minuit lorsque monsieur de Chantelauze, dont l'équilibre nerveux se trouvait très ébranlé par les tensions politiques de cette journée et qui ne rêvait plus, en cet instant, que de changer de chemise tant il avait souffert de la chaleur sous son armure de broderies, parvint épuisé chez l'imprimeur du *Moniteur* auquel un envoyé du ministre de l'Intérieur avait donné ordre de rester en éveil jusqu'à la visite du garde des Sceaux, de faire appel aux typographes les plus sûrs et de doubler le salaire journalier de ses ouvriers. C'est ainsi que le texte des ordonnances royales de Saint-Cloud ne fut imprimé qu'à la dernière extrémité pour que le secret du formidable «coup de Majesté» qu'elles annonçaient pût être gardé jusqu'au bout.

Jour de chasse
Lundi 26 juillet 1830

En forêt de Rambouillet

Piqueux, palefreniers et valets de limier avaient été prévenus la veille que le roi viendrait chasser à Rambouillet le lendemain. L'aube pointait tout juste mais tous étaient déjà levés depuis une paire d'heures, rasés de frais, vêtus de la livrée royale pour les uns, simplement sanglés dans leur justaucorps d'écurie pour les autres qui n'enfileraient leur veste galonnée qu'après avoir pansé les chevaux du roi. Le chenil, lui, était déjà sur le pied de guerre, les chiens pour lesquels cette agitation des hommes annonçait une journée de course et de joie tressaillaient d'excitation dans leur enclos sans oser crier ni même glapir, de peur que la voix forte comme le tonnerre de ces demi-dieux qui leur servaient de maître ne leur intime l'ordre de se taire.

Les principaux limiers, accompagnés de leur valet qui les tenait au trait, quittaient la fièvre du chenil pour entrer dans le bois et commencer leur quête depuis des points opposés choisis après de longs et mystérieux conciliabules avec le commandant des chasses. Le soleil de juillet s'était levé, déjà dominateur il serait bientôt implacable, c'était à peine si les perles de rosée avaient eu le temps de s'évaporer, aucune brume matinale n'était venue ce matin-là mouiller les sous-bois avant d'enrubanner la forêt de tulle, l'air était limpide, le ciel d'un bleu médiéval, et la terre presque sèche résistait au pied des hommes. Les veneurs, que cette chaleur contrariait un peu, prenaient soin de ne pas interrompre les trilles aigus des fauvettes en faisant craquer sous leurs bottes des morceaux de bois déjà trop secs. L'un d'eux parcourait à pas mesurés la longue distance qui le séparait du lieu-dit le Poteau-du-Chêne, il encourageait de la voix et du geste le vieux Tambeau, l'un des plus beaux flairs de la vénerie royale qui, toujours soucieux de plaire à son maître, dédaignait les odeurs fortes et les tentations de toutes sortes qu'avec malice la chaleur ordonnait à la forêt d'exhaler. Faisant une pause, le valet et son limier cherchaient à percer le secret de l'animal dont cette matinée trop chaude effaçait toute trace quand soudain le chien, le nez tendu et le fouet en alerte, se rabattit, marquant la voie et cherchant à la suivre. D'un mot presque murmuré, le veneur calma l'ardeur de son vieux compagnon qui se tint à l'arrêt, le regard fixe et la truffe frémissante lorsque tout à coup apparut l'effleurement à peine perceptible d'un pied sur cette terre où rien ne semblait vouloir s'inscrire depuis l'aube. Tenant fermement son chien par l'encolure, l'homme d'expérience se mit à genoux pour mieux déchiffrer le langage des brins d'herbe, des tiges et des mousses avant de scruter le sol lui-même, puis du bout des doigts dégagea la trace du pied. Certes l'empreinte n'était pas moulée comme à l'automne lorsque la terre peut être lue à livre ouvert, mais le talon lui parut gros et nourri, les côtés et les pinces suffisamment arrondis, fermés et bien usés, seules les allures étaient impossibles à évaluer, cependant la bête devait être d'importance. En se relevant, le valet donna raison à son chien, et les deux compères laissant là leurs brisées longèrent l'enceinte du domaine royal pour aller à la rencontre des autres. Il y avait fort à parier que l'animal fût un cerf à sa quatrième tête ou peut-être bien un dix-cors dans sa jeunesse, mais le veneur hésitait sur son âge car la forme de ce sabot l'intriguait tout de même un peu. Le tintement des harnais d'apparat et le trot des chevaux annonçant l'arrivée du prince interrompirent ses réflexions avant qu'elles ne viennent projeter sur son esprit l'ombre d'un doute. Il n'était que temps de rentrer au rapport car bientôt neuf heures sonneraient, et déjà le brillant équipage du dauphin parti tôt de Saint-Cloud pour précéder son père et préparer la chasse se présentait aux grilles du château.

Au château de Saint-Cloud

La nuit du roi avait été excellente, aucun rêve poisseux n'était venu le tarauder et, la veille, il s'était lavé du souvenir de la belle Rosalie Duthé dans l'eau pure d'une absolution reçue des mains de l'abbé Jocard, son confesseur. À peine éveillé, il sonna le premier valet de chambre avant même d'aller s'agenouiller sur son prie-Dieu car, cette fois, il voulait pouvoir se lever sans risquer la chute et, dès que le brave Saint-Aubin fut à son chevet, il lui ordonna gaiement de tirer les rideaux et d'ouvrir les volets pour voir le temps qu'il faisait. Le ciel, à ce qu'il pouvait en juger depuis son lit, était plus bleu encore que la veille, et l'odeur des orangers aurait pu faire croire à un rêve espagnol. La France attendait sa délivrance. L'heure était enfin venue d'en finir avec tous les bavards, les braillards et les coquins qui prétendaient la diriger et n'avaient fait, pendant près d'un quart de siècle, que la conduire à l'abattoir. La chasse promettait d'être magnifique, aussi demandat-il à son fidèle serviteur de vérifier que les valets de chambre ordinaires avaient préparé son habit le plus léger. Il exigea aussi que sa bourse soit remplie de pièces d'or toutes neuves car il aimait à gratifier lui-même ses veneurs et à dédommager de ses mains le marchand contraint de renverser sa carriole sur le bas-côté de la route pour éviter de mourir écrasé par les voitures des chasses ou le paysan contemplant ses blés prématurément fauchés par le sabot des chevaux. Le roi de France était partout sur ses terres, mais le pauvre monde ne devait pas en souffrir. Le soin que Sa Majesté prenait à ces importants détails d'intendance n'avait en réalité pas d'autre but que de meubler l'attente et de calmer l'impatience du monarque jusqu'à ce que le valet de chambre par semestre ne vienne, à l'accoutumée, lui apporter les journaux du matin. Dès son entrée, le gentilhomme de service fut invité à déplier *Le Moniteur* sur le guéridon aux pieds de fauve qui trônait au centre de la pièce. Cette petite cérémonie accomplie avec la lenteur exigée par l'étiquette permit au roi qui était toujours en robe de chambre de chausser ses lunettes sans que personne y prête attention. Ce fut donc d'un pas parfaitement assuré qu'il s'avança et lut avec une avidité et un intérêt que nul ne lui connaissait pour les journaux les pages du *Moniteur* où se trouvait publié en caractère d'imprimerie le texte des ordonnances. Pour la première fois de son existence, lui qui tenait tous les écrivassiers en piètre estime ressentit quelque chose comme un orgueil d'auteur puis, se tournant vers les grands seigneurs qui commençaient à entrer pour assister à son lever, il dit, se parlant en réalité à lui-même :

— Non, messieurs, la France ne m'en voudra pas car j'ai fait mon devoir.

Au sortir de la messe où il venait de communier, Charles X, le visage heureux et reposé, saluait les courtisans empressés à l'entourer pendant la lente remontée de la galerie d'Apollon puis tout au long de la traversée des grands appartements. Chacun, à la tenue bleu et rouge choisie ce matin-là, avait compris que leur maître destinait sa journée à la chasse. Ceux qui, légèrement inquiets par la rumeur de coup d'État répandue depuis l'arrivée du *Moniteur* à Saint-Cloud et les propos entendus lors du grand lever puis répétés à travers les salons, cherchaient un prétexte pour ne pas faire durer leur cour et regagner Paris, afin d'aller aux nouvelles et veiller à leurs affaires, s'en réjouirent. Les autres, rassurés par le calme qui régnait au château, le sourire du roi et la perspective d'une belle journée d'été, assaillaient déjà le grand veneur, monsieur de Girardin, afin d'en obtenir le droit de monter dans les voitures du roi ou, à tout le moins, celui de suivre la chasse avec leur propre équipage.

Le roi marqua l'arrêt à la hauteur du péristyle. C'était le signe qu'il ne regagnerait pas ses appartements et qu'il s'apprêtait à descendre le grand escalier pour se rendre à sa voiture depuis le vestibule. Il donnait déjà ses ordres lorsque la duchesse de Berry, que la foule des courtisans croyait partie le matin même pour les bains de mer à Dieppe, se précipita vers son beau-père en tenant d'une main le petit duc de Bordeaux et de l'autre l'exemplaire du *Moniteur* que le roi avait eu la délicate attention de lui faire porter. La petite Louise d'Artois, fille aînée de la duchesse de Berry, suivait derrière et devait pour sa part se contenter de tenir la main rêche de la duchesse de Gontaut, l'impérieuse gouvernante des enfants de France. À la vue de l'enfant du miracle dont les petites épaules portaient désormais tous les espoirs de la dynastie, les courtisans, pour lesquels c'était devenu une sorte d'habitude depuis déjà dix ans que Louvel avait poignardé le duc de Berry, mouillaient leur regard d'émotion. Le roi, qui éprouvait une véritable passion pour ses petits-enfants, ouvrit grand les bras pour les embrasser et déposer sur le front de son infortunée belle-fille un baiser tout paternel. Elle était belle comme le jour qui s'annonçait, simplement vêtue d'une robe d'imberline blanche brodée de guirlandes de fleurs en fil de soie lilas, sa taille minuscule prise dans une large ceinture de taffetas mauve fermée par une boucle carrée dont la nacre prenait le reflet des étoffes. Ses jolis petits pieds de danseuse glissés dans des souliers de chevreau blanc lacés sur les chevilles par des rubans de taffetas du même ton que la ceinture se mirent aussitôt sur les pointes de façon à pouvoir faciliter le geste de son royal beau-père. Une flèche d'or ornée de gros cabochons d'améthyste, chef-d'œuvre des joailliers Borgnis et Gallanty, ses fournisseurs attitrés, fixait sa chevelure blonde artistiquement remontée au-dessus du front et frisée sur les côtés en anglaises tombant sur des joues légèrement rosies par l'émotion. Le roi, que cette vision de jeunesse comblait, regretta simplement qu'un peintre n'eût pas été commandé pour fixer une scène de famille que ses décisions de la veille rendraient bientôt historique. Il en était toujours ainsi avec ces rapins d'Académie, on les couvrait de pensions, on leur offrait le voyage d'Italie, on les logeait à Rome, et ils n'étaient jamais là au moment où l'on avait besoin d'eux pour peindre les grands événements.

La jolie Marie-Caroline, qui se croyait partout sur une scène de théâtre, plongea dans une magnifique révérence et, lorsque le roi la releva, déclama comme si elle fût Mademoiselle Mars triomphant dans le rôle de Doña Sol :

— Enfin, Père, vous régnez ! Mon fils vous devra sa couronne, et sa mère vous remercie...

Elle n'osa pas, toutefois, cacher ses larmes de roman dans l'encre à peine sèche de son exemplaire du *Moniteur*, de peur de froisser son joli teint du matin.

Le vieux roi paraissait très ému, et les courtisans hésitaient même à applaudir. Pour retrouver une contenance, il se tourna vers ses petits-enfants qui faisaient des niches à leur gouvernante et leur dit ses recommandations pour la journée :

— Soyez sages, bien sages, car je n'ai plus de troupes pour vous mettre à la raison, elles sont absentes, disséminées dans toute la France et même au-delà des mers chez les Barbaresques...

Après ce petit sermon, le duc de Bordeaux ne cessa plus de pourchasser sa sœur en la traitant de sultane infidèle. Il fallut toute l'autorité de la duchesse de Gontaut pour éviter que la pauvre Mademoiselle ne soit ligotée et enroulée dans un tapis pour être vendue sur le marché aux esclaves dont le jeune prince avait fixé le siège dans le salon de Vernet car, disait-il, les ports fabuleux représentés par le peintre et encastrés dans les boiseries ressemblaient certainement à la baie d'Alger sur laquelle flottaient désormais les couleurs de «Bon Papa roi».

Après avoir salué une dernière fois sa bru et acquiescé à la liste des courtisans qui auraient le privilège de monter dans les voitures de la Cour, le roi prit place dans la sienne accompagné de Girardin, son grand veneur, du duc de Luxembourg, capitaine des gardes, et d'Armand de Polignac, le frère de son Premier ministre. Il aimait cette famille autrefois adulée par la reine Marie-Antoinette, et chacun savait que lui-même avait eu de tendres penchants pour leur mère, la belle duchesse de Polignac dont la beauté affolait autrefois l'ancienne cour. Certains murmuraient même que le roi aimait son ministre Jules de Polignac comme son propre fils.

À Paris, au faubourg Saint-Honoré

Le maréchal Marmont, duc de Raguse, ne voulait y croire. Son aide de camp était venu lui annoncer, sur le coup de dix heures, la publication des ordonnances dont il avait été informé, à l'instant même, par un officier tombant de Saint-Cloud comme une bombe sur le pavé de Paris et qui, ne cachant pas sa joie d'ultra, annonçait partout qu'enfin le roi régnait en France et que, bientôt, la Charte, les Chambres, les élections, l'esprit de parti, les palabres et les compromis politiques ne seraient plus qu'un mauvais songe. Charles X allait maintenant régner comme Louis XIV. Ce soldat prétendait même que le roi avait signé en même temps que les ordonnances une nouvelle liste de proscrits pour nettoyer le pays de tous les libéraux qui le corrompaient depuis trop longtemps. L'officier, revêtu de l'uniforme de la garde royale à cheval et portant une cuirasse étincelante, se proposait de procéder lui-même aux arrestations et, prenant l'air sombre des ligueurs d'autrefois, laissait entendre qu'il savait où les trouver, possédait les adresses et connaissait les noms – il ne restait plus, en quelque sorte, qu'à marquer leur porte d'une croix sanglante. Le maréchal ne permit pas à son aide de camp d'achever, prit un air entendu et lui donna l'ordre de se mettre en quête d'un exemplaire du *Moniteur* au lieu de venir lui débiter des sornettes. Une fois la surprise passée, la colère le saisit, soudaine et froide, car, si ces racontars exaltés étaient vrais, cela voulait dire que le roi et son cabinet l'avaient tenu soigneusement à l'écart d'une décision qui pouvait avoir des conséquences dramatiques sur l'ordre public et la tranquillité de la capitale. Or celui auquel le même roi de France avait confié sa propre sécurité en le nommant major général de la garde royale, c'était lui et personne d'autre. Lui, Marmont, le héros du pont d'Arcole, de la bataille des Pyramides et de Leipzig, lui qui avait sacrifié son honneur de soldat aux intérêts de son pays en refusant d'obéir aux ordres de Napoléon en 1814 et fait défection lors des derniers jours de la campagne de France pour rallier le drapeau blanc. Lui, élevé par l'Empereur jusqu'à sa propre gloire et qui s'était ruiné et perdu de réputation pour servir les Bourbons. Lui, Marmont, dont le nom était devenu synonyme de trahison aux yeux des demi-soldes à cause de cette triste affaire, à la suite de laquelle les mauvaises langues avaient forgé le méchant mot de «ragusade» pour l'exprimer! Lui, le vieux soldat, qui s'était vu refuser le commandement du corps expéditionnaire d'Alger au profit de ce jean-foutre de Bourmont, chouan enragé, passé à Bonaparte au retour de l'île d'Elbe pour mieux décamper à la veille de Waterloo. À Bourmont on avait offert une nouvelle campagne d'Égypte et, à lui, Marmont, on faisait des cachotteries politiques au point qu'un officier placé sous son commandement en savait plus que tout l'état-major sur ce que tramaient Polignac et sa clique de jésuites. Il comprenait maintenant pourquoi, depuis quelques semaines, chaque fois que son service le réclamait à la Cour et qu'il entrait dans une pièce où le roi devisait avec ses ministres, les conversations s'interrompaient aussitôt pour reprendre sur des sujets sans importance. Si toutes ces extravagances étaient vraies et qu'il fût ainsi trahi, il ne lui restait pas d'autre choix que de galoper ventre à terre jusqu'à Saint-Cloud pour remettre au roi son épée et sa croix de Saint-Louis avec sa lettre de démission. Il ne garderait plus sur la poitrine que la Légion d'honneur gagnée au feu et non dans ces putains d'antichambres où l'on ne pouvait plus faire un pas sans tomber sur les fantômes poudrés de l'Ancien Régime.

Son émotion et sa colère étaient telles que les battements précipités de son cœur et le feu de ses tempes lui firent craindre un moment l'apoplexie. Il se servit un verre d'eau pure et s'assit dans son beau fauteuil d'officier pour reprendre ses esprits. La tranquillité de Paris sur laquelle ouvraient ses fenêtres le rassura un peu. Le retour rapide de son aide de camp lui fit espérer des nouvelles, mais le jeune officier n'avait pas été reçu par le directeur du *Moniteur* qui refusait d'ouvrir son bureau sans un ordre écrit du roi ou du garde des Sceaux…

— Il fallait lui foutre votre sabre dans le cul ! hurla le maréchal, rendu fou à la seule idée qu'un chieur d'encre ait pu se permettre de ne pas obtempérer aux ordres d'un maréchal de France dont le sang avait coulé sur tous les champs de bataille d'Europe.

Ce pays, avec des serviteurs pareils, courait vers les abîmes, la chose était désormais certaine mais, pour l'heure, il aurait donné son bâton étoilé pour un exemplaire de ce foutu journal. Il fit aussitôt porter un mot au duc de Duras, premier gentilhomme de la chambre du roi, courtisan fidèle, homme pieux mais raisonnable, et dans lequel il était encore possible de placer un peu de confiance. La réponse fut, une fois encore, bien décevante, le seul exemplaire du *Moniteur* parvenu à la Cour était celui que le roi avait confié à la duchesse de Berry avant de monter en voiture pour la chasse et qu'elle avait fait parvenir sur-le-champ au vieux comte de Mesnard sans lequel elle ne faisait pas une réflexion. Pour autant, le duc confirmait par écrit l'existence des ordonnances. Marmont resta un moment étourdi à la lecture de ces quelques mots par lesquels il apprenait que le roi Charles X, après avoir mis tranquillement le feu au royaume, venait de partir pour la chasse… En bon artilleur, le maréchal ne pouvait croire que ce qu'il voyait. Aussi, avant de prendre un parti, voulait-il avoir lu chacune des ordonnances de ses propres yeux. Il saisit son chapeau et son sabre, ravala son amour-propre de soldat français et sortit de son hôtel de la rue de Surène pour aller frapper lui-même à la porte de son voisin le baron Fagel, ambassadeur de Hollande, dont les bureaux recevaient nécessairement les journaux officiels. L'accueil fut chaleureux, et le Batave de vieille souche, la peau tannée à la bière de son pays, confia son exemplaire du *Moniteur* à son illustre voisin. En homme du monde, il fit mine de croire que Marmont était, bien sûr, informé des décisions du roi et, en fin diplomate, il se garda bien d'ajouter le moindre commentaire sur la situation. Absorbé par la lecture de ces minuscules caractères d'imprimerie pourtant de taille à renverser un trône, le maréchal ne commenta pas davantage, ferma les pages du journal, échangea quelques propos insignifiants avec le baron de Fagel sur la beauté du *Te Deum* chanté le 10 juillet à Notre-Dame en présence de tout le corps diplomatique pour la prise d'Alger, ce qui lui fut un grand effort de maîtrise. Il remercia et prit congé. Une fois la lourde porte cochère de la résidence des ambassadeurs de Hollande fermée derrière lui, Marmont pensa que le sol se dérobait sous ses pieds. Il lui fallait absolument mettre en ordre ses pensées et pour cela échanger avec un esprit clair. La rue Saint-Florentin était à quelques pas de là mais il ne tirerait rien de Talleyrand pour lequel il avait toujours partagé l'aversion naturelle que les soldats éprouvent tout à la fois pour les diplomates, les têtes politiques et les défroqués. Il hésita un moment à se faire annoncer chez le baron de Rothschild, mais il connaissait mal le financier, ses propres affaires étaient très dérangées à telle mesure que seul un prêt personnel du roi lui avait évité la saisie, et le banquier aurait cru à une visite d'intérêt. Par ailleurs, chez ces gens-là, chaque mot valait de l'argent, le mieux était donc de garder en réserve l'or de son silence. Il eut alors l'idée d'aller sonner chez sa vieille amie la comtesse de Boigne qui vivait rue d'Anjou, à quelques pas de chez lui. La jolie pie tenait le salon le plus brillant du faubourg Saint-Honoré où elle aimait à mélanger la ville avec la Cour, l'Ancien Régime avec l'Empire et le gouvernement avec l'opposition. L'homme de 1814 lui restait extrêmement reconnaissant de l'avoir toujours soutenu face à la calomnie, même aux heures sombres de la campagne de France, lorsque l'opinion le poignardait de ses sarcasmes à chaque coin de rue. Débarrassée d'un mari riche des trésors de Golconde et gueux comme un rat d'église qui venait d'avoir le bon goût de mourir, la comtesse de Boigne aimait à couchotter avec le pouvoir ou avec ceux qui l'influençaient. Lui-même n'avait pas été insensible à cette intelligence et à cette vivacité de conversation qui voilaient maintenant d'esprit l'affaissement de ses charmes. Cette femme du monde savait être d'excellent conseil et une source inépuisable de renseignements obtenus de première main, qu'elle avait experte. En partageant de temps à autre le lit du duc de Fitz-James, elle tenait la rampe du côté des ultras et des soutiens du ministère Polignac, mais son amitié ancienne avec la duchesse d'Orléans lui ouvrait aussi les portes du Palais-Royal où l'on respirait un air plus libéral. Enfin, sa tendre complicité avec le conseiller Pasquier la plaçait au cœur du juste milieu. Ainsi cette femme de cinquante ans, en se tenant à cheval sur les deux faubourgs, était-elle devenue l'une des plus recherchées et des mieux informées de Paris. Sachant qu'elle ne partait pas pour sa maison de Châtenay avant le début du mois d'août, c'est chez elle qu'en définitive il alla tirer le cordon. Accueilli par des ouvriers qui essuyaient des plâtres, il crut à une méprise quand un maître d'hôtel le reconnut et l'introduisit. La voix de la comtesse, houspillant son armée de plâtriers et de peintres, l'amusa un instant, mais lorsqu'elle parut dans le salon, il ne put s'empêcher d'entrer immédiatement dans le vif du sujet en lançant en guise de salut militaire :

— Eh bien, on nous fait de la belle besogne !

La maîtresse de maison, croyant à une réflexion sur les embellissements qu'elle effectuait dans ses appartements, entreprit de lui montrer les esquisses de son architecte et les échantillons de son tapissier. Ce fut un quiproquo de comédie jusqu'à ce que, n'en pouvant plus, Marmont en vînt aux ordonnances. La comtesse, chez qui le démon de la politique se substituait désormais à celui de la chair, buvait ses paroles et faisait mille réflexions constitution-nelles comme si elle fût membre du cabinet. Au bout de son récit, Marmont, très abattu et le visage profondément marqué, résuma les réflexions qu'il émettait sur la famille royale depuis la fin de la matinée :

— Ils sont perdus. Ils ne connaissent ni le pays ni le temps. Ils vivent en dehors du monde et du siècle. Partout ils portent leur atmosphère avec eux, on ne peut les éclairer ni même le tenter ; tout est perdu, c'est sans ressource !

Lorsque la comtesse eut compris que le maréchal n'avait jamais été mis dans la confidence des ordon-nances par le roi et Polignac, elle ferma les yeux et vit son vieil ami tombé en disgrâce mais, avec le mépris instinctif des grandes amoureuses du pouvoir pour ceux qui l'ont perdu, elle ajouta au désarroi du vieux soldat, venu chercher chez elle un peu de réconfort, en lui déco-chant une remarque qui l'achevait moralement :

— Mais vous êtes perdu aussi, monsieur le maréchal ! Vous allez vous trouver horriblement compromis dans tout cela. Vous perdez par là votre seule explication de 1814. Vous aviez accepté de vous sacrifier pour obtenir au pays des institutions libérales! Où sont-elles, maintenant?

Pendant des années, la jolie comtesse s'était épuisée à défendre le maréchal en présentant sa trahison de Napoléon comme un acte politique courageux qu'elle justifiait toujours aux yeux des sots venus répéter sous ses lambris les mauvaises chansons de Paris. Si le maréchal soutenait maintenant le coup d'État royal, non seulement il se perdait définitivement de réputation, mais il prenait le risque de la faire passer, à son tour, pour une sotte aux yeux des sots, et cela, elle ne pouvait l'admettre. Pour l'honneur de son salon, le maréchal Marmont devait rester un champion des libertés françaises. Sinon que diraient Pasquier et La Fayette, auxquels elle servait depuis plus de quinze ans sa petite potion contre la «ragusade»? Emportée par son élan, la comtesse comparait désormais le despotisme de Bonaparte à la dictature établie par les ordonnances. Comment pouvait-il avoir accepté de désobéir au premier, sous peine de passer pour un traître à la postérité, et maintenant soutenir les secondes? Ce n'était pas tenable. Il fallait rompre immédiatement avec la cour de Saint-Cloud et ne plus se mêler de rien. Le pays était livré à des fous, il n'était plus temps de leur indiquer la direction à suivre sous peine de sauter par la fenêtre avec eux.

Marmont écoutait sa belle amie lui faire des phrases et disposer de sa carrière, de ses croix et de ses pensions comme elle le faisait quelques instants plus tôt des couleurs de ses peintres, avec ébahissement mais sans conviction. Une fois la colère passée, sa petite promenade matinale lui avait remis les idées en place, et il n'était plus aussi certain d'aller déposer son sabre au pied du trône. Après tout, il avait juré fidélité au roi. Une seule fois dans sa vie il avait manqué à son serment, c'était en 1814, et il le lisait encore tous les jours dans les regards de réprobation du peuple de Paris et de ses anciens compagnons d'armes. Cette fois, il ne manquerait pas à celui-là, quoi qu'il lui en coûtât, et, par ailleurs, – mais il ne le dirait pas aussi clairement à la comtesse –, il n'en avait pas les moyens. Ses affaires étaient dans le plus grand désordre, ses revenus sous séquestre, ses domaines aliénés et, sans la générosité de Charles X, les meubles de son hôtel auraient été vendus à la prisée comme ceux d'un vulgaire failli. Au milieu de cette débâcle financière seules sa solde, certes mirifique, de major général de la garde et les gratifications secrètes de la maison du roi lui permettaient de se maintenir à flot. Aussi, en même temps qu'il accommodait sa décision à ses intérêts immédiats, voulut-il néanmoins persuader son interlocutrice de la pertinence de ses raisons. Il la regardait avec attention tout en cherchant à la convaincre et, malgré sa mauvaise humeur, la trouvait encore charmante. Un rayon de soleil qui traversait la pièce avait été mis artistiquement à profit pour éprouver la transparence de son négligé. Cette petite manœuvre de coquette lui rappela les artifices d'une fille d'un bel embonpoint dont ils avaient les faveurs lui et Bonaparte à l'époque où, désœuvrés par le Directoire, ils arpentaient les arcades faciles du Palais-Royal à la recherche d'une bonne fortune à deux louis qui acceptât de se partager. Cette image lui donna un peu de cœur, et il monta victorieusement à l'assaut des arguments de la comtesse qui, non sans une résistance opiniâtre, se rendit à ses vues.

En effet, pour l'instant, il ne voyait pas de troubles sérieux éclater avant les futures élections dont les ordonnances fixaient la date au 3 septembre. Par ailleurs et par chance, sa période de service prenait fin opportunément le 31 août. Dès le lendemain, il partirait donc en Italie puis vers l'Illyrie sous prétexte d'aller réclamer à l'empereur d'Autriche ses revenus sur Raguse. Une fois que vingt relais de poste le sépareraient de la folie du ministère, tout pourrait bien crouler, le gouvernement, le trône et la dynastie, mais au moins il leur serait resté fidèle car il ne voulait plus se mettre dans une de ces situations où les devoirs sont si complexes qu'ils finissent par échapper à tout raisonnement.

En raccompagnant son hôte, la comtesse tenta une dernière fois de le dissuader d'aller prendre ses ordres à la Cour, elle tournait déjà dans sa tête une belle lettre au roi que l'on aurait pu rendre publique, mais ce fut en vain. Le maréchal resta de bois, et elle n'était qu'une femme. Aussi, en lui pressant délicatement le coude qu'il avait sensible depuis les coups reçus à Leipzig, elle l'invita à venir la rejoindre dès le samedi à sa maison de campagne où elle prendrait ses quartiers d'été une fois les aménagements de son hôtel terminés. Marmont, qui ne l'écoutait déjà plus, lui baisa obligeamment les mains et monta dans sa voiture, bien décidé à partir immédiatement pour Saint-Cloud, mais au moment où les chevaux passaient devant la porte de l'hôtel Rothschild, rue d'Artois, il se ravisa. Il savait le banquier Laffitte en forêt de Breteuil où ce ploutocrate aimait à compter ses arbres pour se reposer de compter ses millions mais, à en croire la présence du suisse qui plastronnait à la loge et recueillait les cartes cornées sur un immense plateau d'argent, Rothschild était à Paris, et il lui donnerait au moins les sentiments de la Bourse.

À quelques pas du boulevard Montmartre

Un petit homme rond d'une trentaine d'années, le regard vif et le verbe haut, venait de se faire déposer rue Neuve-Saint-Marc par une guimbarde, la seule voiture qu'il avait pu dénicher pour rentrer de son dimanche à la campagne, et montait déjà les marches de l'escalier conduisant aux bureaux du *National*. Ici il était presque chez lui, c'était son journal, il l'avait voulu comme une épée dans les reins du gouvernement Polignac, et Talleyrand qui ne plaçait jamais tous ses œufs dans le même panier avait su trouver l'argent nécessaire à cette entreprise politique par les voies tortueuses dont il avait le secret. Le portier venait d'ailleurs de le saluer avec une obséquiosité à laquelle ce Méridional déclassé ne pouvait pas s'empêcher d'être sensible. Les premiers échos des ordonnances précipitaient ainsi son retour. La liberté de la presse était suspendue, la guerre était donc déclarée, et elle serait sans merci. Ses pensées montaient plus vite l'escalier que ses jambes, qu'il avait fortes mais un peu courtes, ne lui permettaient de le faire, le danger mena-çait car c'étaient bien les journalistes du *National* mais aussi du *Globe* ou du *Constitutionnel* que le gouverne-ment visait directement, peut-être même que l'encre de leur ordre d'arrestation était déjà saupoudrée. Il courait le risque de dormir le soir même dans une cellule, et pourtant il ne parvenait pas à maîtriser une excitation intellectuelle qui n'allait pas sans un certain plaisir, plus vif peut-être que la perspective d'un rendez-vous galant pour cet homme habituellement froid et qui n'avait de sentiment que pour sa mère. Enfin, il se passait quelque chose en France alors que, depuis quinze longues années, les Bourbons couvraient d'un éteignoir fleurdelisé le pays de Mirabeau, de Danton et de Napoléon. L'Histoire finirait-elle par entrouvrir une porte à sa génération ? Pour eux qui n'avaient connu ni la grande aventure révolutionnaire ni les champs de bataille de l'épopée impériale, l'heure était venue, il en était convaincu, et si la bêtise d'un ministre dévot et l'aveuglement d'un vieillard couronné leur ouvraient cette porte, il fallait s'y engouffrer. Le siècle qui avançait, son siècle, avait vu un obscur sous-lieutenant d'artillerie avec un accent à peu près aussi fort que le sien s'emparer du pouvoir, se couronner lui-même empereur et commander à toute l'Europe. Pourquoi un journaliste tel que lui ne pourrait-il pas demain devenir député, ambassadeur, ministre et, qui sait, président du Conseil des ministres ? C'était son heure, il fallait prendre tous les risques, quitte à bousculer une dynastie millénaire, pour s'en saisir. Les combats politiques modernes se livraient désormais sous le regard de l'opinion, et l'opinion, il en faisait son affaire.

Lorsqu'il ouvrit la porte de la salle de rédaction, la fumée des pipes et des cigares dont c'était la grande mode lui piqua les yeux, mais il n'avait pas fait un pas qu'il fut accueilli aux cris de « Thiers ! Thiers est là ! Vive Thiers ! » Une voix de plaisantin s'amusa à lancer : « Thiers sur le trône ! », repris en chœur par toute l'assemblée qui s'apprêtait à porter le petit homme en triomphe quand une autre, saisissant la balle au bond, répondit d'un ton grave : « Oh que non, on verrait ses fesses ! » Il arrivait parfois que, les soirs de beuverie, Thiers, à bout d'arguments baissât son pantalon. Les rires fusaient, on s'esclaffait, on faisait la blague, on déclamait des sornettes. Il y avait là tout ce que l'été abandonnait de bohème littéraire sur les bords de Seine. De magnifiques gilets de soie surmontés de cravates impressionnantes cohabitaient avec des chemises qui n'avaient pas vu le battoir des blanchisseuses depuis trop longtemps et des souliers dont les bâillements rappelaient ceux de leurs heureux propriétaires endormis un peu tard dans le lit des filles. Tous portaient le cheveu long, la barbe fournie et rêvaient à la gloire de Théophile Gautier.

D'un ton impérieux, Thiers exigea le silence. L'heure était grave. Les ordonnances venaient de les condamner au chômage d'abord, à l'exil ou à la prison ensuite. Il fallait réagir, mieux encore, riposter, et pour cela établir un plan d'attaque. Au mot de chômage, les ouvriers et les typographes montés de l'imprimerie pour participer à la fête, et siffler des gorgeons aux petites flasques d'argent dont ces messieurs gonflaient toujours leurs poches, tendirent l'oreille et se rembrunirent. L'orateur n'eut pas le temps de finir que l'on entendit une cavalcade dans l'escalier. Cela pouvait-il être déjà ces messieurs de la police ? Instinctivement, tous ces hommes de plume se regroupèrent autour de Thiers comme des officiers soucieux de protéger leur général encerclé par l'ennemi. Certains sortirent même de leurs bottes de petits couteaux ridicules qui leur servaient à couper le lacet des corsets lorsque le désir était trop ardent et les femmes pâmées. La porte s'ouvrit, c'était l'ami Rémusat suivi d'Odilon Barrot, un jeune avocat membre influent de la société secrète « Aide-toi, le Ciel t'aidera » et de quelques confrères accourus au journal. Il tenait à la main le numéro du *Moniteur* sur lequel Thiers se rua. Il lut avec avidité, choisissant certaines phrases pour les faire résonner dans la pièce de sa voix de tribun. À la vérité, il jubilait, car jamais il n'aurait pu croire que le gouvernement se serait jeté dans le vide, tête la première, avec autant de bonne volonté. Depuis des mois, il ne cessait de répéter qu'il fallait enfermer les Bourbons dans la Charte pour leur rogner les ailes et là, par une sorte de miracle politique, ils venaient de sauter soudain par la fenêtre. C'était à n'y pas croire.

Charles de Rémusat, sans même reprendre son souffle, fit alors le récit de sa rencontre, le matin même, avec Dupin, l'avocat du *Constitutionnel*, dont la prudence l'avait exaspéré. L'homme de loi et l'homme de lettres avaient ferraillé plus d'une heure autour de leurs différentes interprétations de la Charte. Pour le juriste, le roi avait le droit avec lui, pour le journaliste, il n'avait plus que la force. Il ne fallait donc rien attendre de ce côté-là, pas plus que des quelques députés réunis au même moment, venait-on d'apprendre, chez Casimir Perier. Tous tremblaient, rêvant au calme douillet et à la sécurité de leur province. Thiers en était désormais convaincu, il fallait frapper un grand coup et en appeler au peuple de Paris comme aux anciens de la garde nationale supprimée en 1827. Rémusat, plus circonspect, se refusait, pour l'instant, à aller jusqu'à l'insurrection. Soucieux de négocier au plus vite un compromis, Léon Pillet, le rédacteur en chef du *Journal de Paris*, proposa alors la rédaction d'une protestation collective de tous les journalistes, de tous les publicistes, en un mot de tous les écrivains qui le voudraient. La presse était visée, la presse devait se défendre et contre-attaquer. Le génie français saurait trouver les mots pour tenir tête au vieux fantôme de l'absolutisme. Ils n'avaient que leur plume pour se défendre? Elle ferait plus de bruit aux yeux du monde que les canons de l'artillerie royale. Ce fut une acclamation générale. Oui, on allait écrire, chacun savait faire, et chacun voulut faire. On proposait, on déclamait, on gueulait, on s'embrouillait puis on recommençait, et des phrases volaient avant de retomber à plat, toutes bêtes et confuses. Chacun partageait son propre avis mais ne tenait aucun compte de celui des autres. Thiers, perdant patience, appelait au calme qui ne venait pas. Les flasques étaient vides, un petit « va-y-dire » en casquette rapportait des bouteilles de mauvais vin auxquelles on faisait un sort, la chaleur de la journée commençait à mouiller les nuques et les aisselles. Une odeur forte montait des pupitres. En désespoir de cause, le petit homme usant de ses privilèges de rédacteur en chef partit s'enfermer dans la cage vitrée du typographe, n'acceptant auprès de lui que ses amis et ses principaux collaborateurs. Ainsi pouvait-on voir à travers le vitrage Adolphe Thiers attablé une plume à la main noircissant de grandes feuilles blanches, pendant que Charles de Rémusat, Châtelain et Cauchois-Lemaire, lisant au-dessus de son épaule, se partageaient une délicieuse orangeade à la glace, le seul breuvage qui avait été autorisé à les suivre par celui qui était devenu en quelques heures le chef de l'insurrection des poètes, des copistes et des écrivains à dix sous la ligne.

Enfin le général de papier, suivi de son état-major, sortit de sa guérite de bureau. Le reste de la troupe qui avait patienté plus d'une heure l'arme au pied se leva pour entendre. Thiers se raclant la gorge rajusta sur son nez ses petites lunettes de fer qu'il avait sur le front, mit une main derrière le dos à la façon de l'empereur Napoléon et lut le texte qu'il tenait de l'autre:

— Le régime légal est interrompu, celui de la force est commencé. Dans la situation où nous sommes placés, l'obéissance cesse d'être un devoir. Les citoyens appelés les premiers à obéir sont les écrivains des journaux: ils doivent donner les premiers l'exemple de la résistance à l'autorité qui s'est dépouillée du caractère de la loi. Nous sommes dispensés d'obéir!

À cette lecture, ce fut un charivari de tous les diables, et Thiers fut assis de force sur une chaise, porté en triomphe par toute la salle comme l'était le roi Canard les jours de carnaval. Il exigea pour sa dignité d'être reposé à terre. Puis d'un petit air badin, ajoutant:

— Il faut des têtes en bas de ces petits papiers-là. Voici la mienne, il prit une plume, signa et la tendit à Rémusat en lui disant: Voulez-vous signer?

Alors ce fut une procession d'esprits forts, chacun mettant son nom sur ce qui devenait ce matin-là un nouveau serment du Jeu de paume. Ils ne racontaient plus l'Histoire dans des volumes en souscription, ils étaient en train de la faire et n'en croyaient pas leurs yeux. Une fois que tout le monde eut signé, on ne compta pas moins de quarante-quatre signatures, mais force fut de constater que quelques visages aperçus en début de matinée avaient disparu sans laisser la moindre trace d'encre sur le papier. Ces messieurs des

Débats avaient certainement eu mieux à faire que de parapher leur condamnation au bannissement et profité discrètement de la joie générale pour filer à l'anglaise. Afin de compenser ces défections, on eut alors l'idée d'en appeler aux plus grands. « Il nous faut Chateaubriand », cria l'un. « Il est parti pour Dieppe faire sa cour à la petite duchesse de Berry », répondit une voix amusée. Après tant de gravité, les sourires revenaient enfin sur les visages. « Allons chercher Lamartine », hasarda un autre. « N'y compte pas, il est à Aix-les-Bains », précisa le même. Et Sainte-Beuve ? « Il a déjà pris ses quartiers à Honfleur », répliqua la voix qui appartenait à un chroniqueur mondain et littéraire du *Figaro*. Ces absences douchaient un peu les enthousiasmes. On tenta Mérimée… Tout le monde le savait pourtant en Espagne. On ne pouvait rien attendre de Balzac qui ne rêvait que pairie, armoiries, duchesses et noblesse. Quant à George Sand, elle cachait depuis quelques mois sa baisade avec le petit Jules Sandeau chez elle à Nohant. En désespoir de cause, certains en appelèrent à Victor Hugo. Il était à Paris, la chose était assurée, car Adèle, sa femme, était sur le point d'accoucher, et Sainte-Beuve devait bientôt rentrer de son ermitage normand pour le baptême. C'est à ce moment-là que l'on entendit un ton faussement ingénu lancer qu'il était tout de même rare que l'on demande au père d'être aussi le parrain.

C'était le bel Armand Carrel qui détestait le poète et dont, quelques mois plus tôt, la critique d'*Hernani* avait été une flagellation publique. Un tonnerre de rires mit un terme à cet appel des grands absents et l'on se décida à envoyer le texte de la protestation accompagné des seuls signataires qui s'étaient trouvés là ce lundi matin. L'Histoire ne repassait pas les plats et il fallait être à Paris en cette fin du mois de juillet pour faire la révolution.

Sur la route de Ville-d'Avray

La poussière soulevée par le convoi formait sur les coteaux un panache blanc familier aux bateliers des bords de Seine. Les officiers de vénerie montés dans leurs chaises à deux chevaux ouvraient la route, annonçant aux habitants du petit village de Ville-d'Avray le passage des chasses royales. Suivaient à courte distance les pages à cheval aussi fiers de porter la livrée du roi que leurs ancêtres l'avaient été de se croiser pour délivrer le tombeau du Christ. Ils étaient tous aussi jeunes que leur nom était vieux et espéraient, par leur prestance et la tournure de leur taille, se faire remarquer du vieux monarque ou d'une jolie dame de la Cour dont les faveurs leur offriraient ce brevet de lieutenant qu'une digne mère, même en vendant ses derniers bois à bas prix, ne pourrait jamais leur offrir. Parfois ils jetaient, à travers la portière de sa voiture, un regard d'envie sur le long étui de cuir marqué de trois fleurs de lys placé en face de lui par monsieur le porte-arquebuse du roi, et qui logeait le fusil au canon damasquiné que lui seul aurait le privilège de présenter à Sa Majesté pour servir l'animal débusqué. Les petits rentiers sortis sur le pas de leur porte et pour lesquels ce déploiement de faste équestre était un spectacle se montraient les uns aux autres, avec des airs entendus, le long caisson monté sur quatre roues attaché à cette voiture de chasse, dans lequel, le soir venu, on déposerait le corps du cerf pour offrir aux chiens comme aux courtisans de Saint-Cloud le régal d'une curée froide. Enfin c'était un détachement de la garde royale appartenant à la compagnie de Noailles dont l'uniforme bleu à large plastron rouge précédait la lourde voiture tirée par huit chevaux magnifiques et conduite par un cocher formidable. À l'arrière, les postillons bien calés dans leurs immenses bottes à chaudron et vêtus comme des personnages du temps de Louis XIV donnaient l'impression de poser pour un peintre de batailles.

«Le roi! Le roi!», hurlaient les gendarmes. Aussitôt les petits rentiers, le charpentier descendu de son échafaudage, le médecin, bien connu pour être un libéral, le bonnetier retiré des affaires et le maire du village accouru à la hâte se découvraient et s'inclinaient avec respect devant le fils de Saint Louis qui leur faisait l'honneur de les régaler de sa poussière.

À l'intérieur de la voiture, le roi n'avait pas prononcé un mot depuis le départ de Saint-Cloud et condamnait ainsi les autres passagers à un silence d'étiquette. Heureusement, les vitres baissées offraient à chacun le loisir de tromper l'ennui en regardant sur le bord du chemin les jolies maisons de campagne dont on connaissait parfois les propriétaires. La monotonie de ces longs murs de meulières restait préférable à un huis clos auquel rien, sinon la beauté du ciel, ne permettait d'échapper. Parfois, le roi répondait distraitement de la main à ce qui lui était apparu comme un salut car il ne voulait jamais être désobligeant, même avec le plus humble de ses sujets. Les suspensions parfaites de la voiture, chef-d'œuvre de mécanique de Getting, carrossier de la Cour, commençaient à provoquer un léger dodelinement de tête chez Armand de Polignac, quand soudain Charles X rompit le silence en s'adressant directement au grand veneur pour lui demander son opinion sur les ordonnances publiées le matin même.

Le comte de Girardin ne crut pas manquer à sa réputation de franc-parler en répondant tout à trac et sans l'ombre d'une hésitation :

— Sire, c'est un coup d'État.

Polignac, réveillé en sursaut de sa douce somnolence, crut un instant qu'une bombe explosait au beau milieu de la voiture et eut besoin de s'agripper aux belles poignées de passementerie pour ne pas tomber de la banquette. Le duc de Luxembourg, lui, paraissait convaincu que Girardin était pris d'un accès de folie et s'apprêtait à le ceinturer dans le cas où il aurait eu la fantaisie de descendre du véhicule lancé au grand galop.

Le roi qui était ce matin-là d'humeur charmante et connaissait parfaitement les foucades de son vis-à-vis ne marqua aucune mauvaise humeur et, prenant au contraire le ton d'un précepteur cherchant à faire progresser son pupille, répliqua avec douceur :

— Toujours extrême, général ! Mais cela ne ressemble en rien à un coup d'État.

Loin de se démonter, Girardin enfonça le clou dont la pointe transperça cette fois les tempes de ce pauvre Polignac qui, le roi ayant parlé, ne pouvait plus laisser son regard ni son esprit vagabonder au-delà des vitres baissées pour faire semblant de ne rien entendre.

— Non seulement c'est un coup d'État contre un parti, mais c'est un coup d'État contre la France entière, et j'espère que, afin d'en prévenir l'effet, Votre Majesté dispose de soixante mille hommes dans Paris...

Charles X continua à parler comme il l'aurait fait à un simple d'esprit mais avec un peu plus de vivacité:

— À quoi bon une telle armée? Tout se passera sans confusion, et si tout cela n'est pas légal, c'est au moins parfaitement constitutionnel. Mes ministres me l'ont assuré!

Puis, cherchant à se justifier, le monarque expliqua que toute autorité exercée en France ne l'était que par sa seule délégation et que, en signant les ordonnances, il ne faisait qu'user de sa puissance souveraine. Il ajouta que depuis le début de son règne il marquait une trop grande complaisance aux différentes majorités de la Chambre auxquelles il avait déjà sacrifié successivement les gouvernements Villèle puis Martignac. Tout cela en pure perte dans la mesure où l'esprit de 1789, et avec lui le souvenir funeste de l'Assemblée nationale, ne cessait d'animer une petite minorité de libéraux convaincus que l'élection leur donnait des droits sur les choix politiques du roi. L'esprit public étant parvenu à un tel point d'extravagance, il convenait de le cravacher un peu. Reculer une fois encore devant cette minorité agissante, c'était accepter de monter en charrette comme son malheureux frère, et lui, à tout prendre, préférait monter à cheval. Aussi avait-il pris la décision de remercier tous ces messieurs de la Chambre et de les renvoyer devant un nouveau collège électoral uniquement composé de la partie la plus saine du royaume, celle-là même dont la fortune terrienne était le plus sûr garant de l'intelligence du vote...

À l'évocation du souvenir de 1789, le duc de Luxembourg se crut autorisé à prendre part à la conversation pour voler au secours de son roi en ajoutant qu'il n'était que temps de disperser toute cette canaille à coups de plat d'épée comme on aurait dû le faire aux Menus-Plaisirs dès juin 1789. Puis d'ajouter qu'un régiment de hussards avait bien plus de jugeote que tous les collèges électoraux du monde lorsqu'il était question d'obéir aux ordres et de tirer dans le tas.

Girardin se fit plus grave, indiquant que, selon ses propres informations, les libéraux possédaient aussi leurs relais chez les officiers, la troupe n'était donc pas aussi sûre que les ministres du roi semblaient vouloir le croire, et que, si la capitale s'échauffait, il ne répondait de rien. Osant même devancer une question que le roi ne lui posait pas, l'ancien hussard qui avait chargé à Austerlitz et reçu sa plus belle blessure à la bataille de Friedland suggéra à son maître de renoncer à sa partie de chasse pour regagner Saint-Cloud où sa présence pouvait être nécessaire.

Le duc de Luxembourg, dont le plus beau fait d'armes restait d'avoir quitté la France avec son père dès le mois du juillet 1789 comme le comte d'Artois, fut pris d'un haut-le-cœur devant un tel aplomb mais, surpris par la placidité avec laquelle le roi accueillait toutes ces impertinences d'un homme qui, fût-il bien né, avait servi fidèlement l'usurpateur jusqu'en 1814, préféra se taire ou plus exactement mâchonna son indignation.

Armand de Polignac, tout aussi effaré par la liberté de cet échange, se gardait bien d'intervenir quand le roi le prit à témoin d'un ton presque amusé :

— Eh bien, mon cher Armand, le général de Girardin n'est pas un grand partisan de votre frère…

Sans laisser son voisin répondre, le grand veneur jura ses grands dieux que, à l'instar du Premier ministre, il ne voulait rien d'autre que le bonheur de la France et la solidité de la monarchie, mais que tous les deux différaient sur les moyens nécessaires pour y parvenir.

Le roi, pour sa part, commençait à avoir des fourmis dans les jambes, et l'odeur si particulière de la forêt de Saint-Léger dans laquelle la voiture ne tarderait pas à pénétrer réveillait ses instincts de chasseur. Aussi coupa-t-il court à une conversation dont la tournure politique l'ennuyait prodigieusement, d'une phrase qui n'admettrait plus de relance :

— Vous me communiquerez vos théories, Girardin. Je serai bien aise de les connaître. Si je ne puis en faire une application immédiate, j'y songerai, et en attendant j'aurai eu le plaisir de vous entendre.

Le grand veneur comprit qu'il n'était plus permis de poursuivre, d'autant plus que la route prenait le roi au mot, car le relais de Coignières venait d'être atteint. Il était temps de dételer et de changer les chevaux que deux heures de marche par un soleil de midi venaient de crever. Rambouillet n'était plus très loin, il suffisait de longer les beaux étangs de Saint-Hubert puis l'avenue de Châtillon avant de parvenir au premier rendez-vous de la chasse fixé ce jour-là au poteau dit des Deux-Châteaux.

Il n'était pas encore une heure après midi lorsque le roi descendit de voiture pour être aussitôt entouré par une petite foule de hobereaux, de courtisans, de palefreniers, de piqueurs, d'officiers, de pages et de badauds venus à sa rencontre.

Chaque valet de limier fit son rapport au lieutenant d'Hybouville, commandant des chasses à courre. Ils avaient connaissance d'une quatrième tête dans les bois de la Pommeraie alors qu'un cerf dix-cors était rembuché près des taillis de Villarceau. Par souci d'exactitude, ils indiquaient aussi la présence d'un daguet dans le quartier de la Charmoise, mais leur attention était toute concentrée sur le cerf dix-cors jeunement dont la trace se perdait dans les environs du Chêne-du-Roi. Le comte de Girardin, après avoir rapidement pris connaissance de ces différents rapports, vint en rendre compte directement à son maître de façon un peu distraite car, depuis le matin, le soldat avait repris le pas sur le grand veneur. L'émeute pouvait s'emparer de Paris à tout moment, et le roi de France s'amusait avec ses chiens en forêt de Rambouillet. Il savait l'incurie des ministres dévots tout comme l'influence grandissante des loges et des carbonari dans l'armée. Il savait aussi que jamais Bonaparte, le jour du 18 Brumaire, ne serait parti courre le cerf en forêt de Rambouillet. Aussi prit-il sur lui de dire à l'oreille de monsieur d'Hybouville que la chasse devait être menée à la diable de manière à pouvoir être de retour à Saint-Cloud avant la tombée du jour. Le commandant de la vénerie marqua un mouvement de surprise et même de l'humeur car cette chasse avait été soigneusement préparée depuis deux jours sur un terrain particulièrement difficile, et il n'aimait pas à bâcler la besogne. C'étaient là des façons de parvenus toujours pressés par des occupations vulgaires et l'on manquait du respect dû à l'animal auquel il fallait offrir une mort solennelle. Le regard noir du comte de Girardin suffit à lui faire ravaler ses raisons. Il acquiesça en bougonnant mais enfila ses gants, ce qui chez lui était signe de désapprobation.

Entre-temps, Sa Majesté avait pris la peine d'interroger elle-même les valets de limier, pesé le pour et le contre, mesuré la sécheresse du sol de la pointe de sa botte, humé l'air de la forêt, senti le vent, consulté ses gentilshommes, flatté l'encolure des chevaux, observé l'excitation des chiens, car elle voulait une belle chasse, et il n'était pas question de frapper à une mauvaise brisée. Après un moment de réflexion, le roi se décida enfin pour l'attaque du dix-cors des taillis de Villarceau mais, sur les observations du grand veneur qui cette fois sut être persuasif, il se ravisa et précisa que l'on foulerait d'abord au poteau du Chêne pour y forcer le premier cerf. À la réflexion, le roi se dit que, après tout, il pourrait prendre les deux animaux l'un après l'autre car il avait assez de vigueur dans les cuisses à soixante-treize ans pour chevaucher jusqu'à la nuit qui tombait tard en cette saison. Il suggéra donc à son fils de prendre les devants du côté de Villarceau pendant que lui allait à l'autre brisée.

Le cri des chiens, le galop de chevaux, le son des trompes, l'éclat des équipages, l'élégance des femmes suivant la meute dans des coupés à la mode, la douceur de l'air, la limpidité du ciel, tout cela réjouissait le roi, repoussait les nuages de son esprit et les rêves trop précis de ses nuits. La course magnifique correspondait aux élans de son cœur. Il aimait à régner à cheval, mais ce bonheur simple fut de courte durée. Après un début endiablé, la chasse marqua soudainement le pas. Les chiens ne couraient plus, ils paraissaient aller au vent, flairaient un peu au hasard, incapables de suivre une voie qui avait pourtant paru tracée le matin même. Désemparés par tant de faiblesse, les piqueux donnaient de la voix, parlaient aux chiens pour les encourager, sonnaient de la trompe dans l'espoir de réveiller une meute endormie et comme ensorcelée. Une inquiétude sourde gagnait les veneurs. Le brave d'Hybouville s'interrogeait. Le roi ne comprenait plus et s'emportait. Quand enfin on crut entrevoir l'animal à travers le sous-bois. Le relancé à vue fut sonné, hommes et chiens reprenaient courage, le roi, lui, reprenait espoir. Mais, comme frappés d'un nouvel ensorcellement, les chiens retrouvèrent leur mollesse, flairaient à la diable et baguenaudaient plus qu'ils ne couraient. Sortant des fourrés, des piqueux bredouilles ne cachaient pas leur désarroi, la bête avait disparu. On perdit plus d'une heure en requêtés inutiles. Le roi maintenant s'impatientait tout à fait. Il tirait nerveusement sur les rênes de sa monture, geste très inhabituel chez cet excellent cavalier, et s'interrogeait à haute voix sur les raisons de cette débâcle. Luxembourg et Polignac se gardaient bien d'avancer une explication, quand, tout à coup, elle leur fit face. Même les chiens en restèrent un moment interloqués avant de reprendre la voie et de pousser des cris de joie. Il y avait bien un animal, mais ce n'était qu'une vieille biche, une de ces bréhaignes dont le poids fait parfois celui d'un jeune cerf et qui donnent du même pied à s'y méprendre. Cette fois, le roi était furieux et sabra de sa badine la branche d'un arbre qui lui narguait la vue, il exigea des explications, demanda à s'entretenir avec l'homme sur la brisée duquel on avait attaqué. Le malheureux serviteur se présenta dans son uniforme bleu à parements rouges couvert de terre, la trompe de cuivre portée en sautoir, intérieurement dévasté par la honte mais digne devant son maître. Il expliqua posément que le revoir ce matin-là était si mauvais que Sa Majesté elle-même s'y serait trompée car ce satané pied, bien que peu marqué, présentait tout de même des pinces si arrondies que, sur la tête de sa propre fille, il n'aurait jamais pensé à une biche. Un doute l'avait bien saisi, mais le seul animal de cette envergure, parfois croisé au petit matin, n'habitait pas ces quartiers-là. Charles X qui n'aimait rien tant que les conversations de vénerie écoutait avec une extrême attention et retrouvait sa sérénité. Il descendit même de son cheval dont il confia les rênes à un page à l'affût qui venait de bondir pour s'en saisir. Il put ainsi continuer l'échange tout à son aise, presque d'égal à égal avec cet homme dont la science était trop grande pour s'être rendu coupable d'une faute de jeunesse. Chacun mit aussitôt pied à terre, et l'on écoutait maintenant religieusement Galaor, c'était le surnom du comte d'Artois à Versailles, parlant avec ce Philémon tout crotté de sa propre honte. Les deux chasseurs discutèrent savamment sur la qualité de la voie puis de l'examen du pied lui-même quand, tout à coup, le valet ne parvint plus à rabrouer un désespoir qu'il transforma en colère contre cette sale bête à laquelle il devait aujourd'hui la plus grande humiliation de sa vie en présence du roi dont la chasse se trouvait ainsi gâchée. Le monarque, sensible à ce désarroi, consolait maintenant son serviteur et donna l'ordre que l'on tire cette femelle à vue en offrant une belle récompense puisée à même sa bourse. Il alla jusqu'à recommander le vieux veneur et son chien à monsieur d'Hybouville de peur que, après cet incident, l'homme n'allât se jeter de désespoir dans les étangs de Saint-Hubert.

Le comte de Girardin crut le moment choisi pour convaincre son maître de remonter en voiture et de regagner Saint-Cloud au plus vite, mais la déesse de la chasse n'était pas avec lui, on entendit bientôt au loin, justement du côté des taillis de Villarceau, les trompes de l'équipage de monseigneur le dauphin sonner «la Rambouillet». C'était signe que le dix-cors n'attendait plus que Sa Majesté. La chasse reprit aussitôt. Elle finirait tard et, si Paris brûlait, le roi n'en verrait même pas le spectacle depuis la terrasse de Saint-Cloud. Le général de Girardin en prit son parti, mais Diane était capricieuse, et une fois encore la chasse piétinait. Le cerf, car cette fois c'était bien un cerf, avait plus de force que les chiens épuisés par un après-midi de course vaine, et, défiant les hommes, il courait déjà vers la Croix de Vilpert. Charles X, profondément déçu, confia qu'il jouait de malchance et que, perdu pour perdu, mieux valait rentrer au château de Rambouillet pour regagner Saint-Cloud par le chemin le plus court. Girardin, soulagé, en convint. Monseigneur le dauphin, qui préparait cette chasse depuis la veille et ne s'était pas laissé prendre aux traîtrises de ce pied de biche, était d'avis de continuer. Il n'était que quatre heures de l'après-midi et, en cette fin juillet, la journée promettait d'être longue. Le roi marqua un peu d'humeur devant cette insistance, autorisa que la chasse se poursuive pour ne pas frustrer les chiens et les hommes mais exigea de son fils qu'il le suive jusqu'à Rambouillet où ils dîneraient tôt afin d'arriver à Saint-Cloud avant la nuit. Il descendit de cheval et monta en voiture. Le fusil de monsieur le porte-arquebuse resta prisonnier de son étui. C'était bel et bien une journée perdue.

Au château, un courrier de Paris attendait Sa Majesté qui le lut distraitement, écarta de son visage une mouche venue se désaltérer aux petites gouttes de sueur perlant sur son front puis, comme si la chevauchée n'avait en rien altéré les forces de ce vieillard athlétique, monta quatre à quatre les marches du haut perron sous l'inclinaison respectueuse des courtisans et des laquais.

À *Paris, sur les boulevards*

La vitre de la portière venait de voler en éclats. Une pierre lancée depuis la rue roulait déjà sur le plancher de la voiture quand une seconde vint frapper monsieur d'Haussez à la poitrine et une autre à la main alors qu'il cherchait à protéger son visage. Les pierres, maintenant, criblaient la caisse de l'élégante berline. Les bris de verre devenaient tranchants comme des guillotines. Dehors, sur les trottoirs de la rue Neuve-des-Capucines, l'hostilité sourde se faisait menaçante. Les ministres avaient été reconnus car à Paris tout le monde savait identifier les armes détestées des Polignac dont le ministère se trouvait à cent pas de là. La foule s'avançait, les cris se précisèrent, des mains s'approchèrent pour tenter de saisir les mors des chevaux et immobiliser le véhicule. À l'intérieur, le prince resta impassible, il n'avait pas été touché et tendit à son compagnon d'infortune un magnifique mouchoir brodé de la prétentieuse couronne fermée pour qu'il puisse épancher ses égratignures.

Avec la présence d'esprit des vieux serviteurs, le cocher se dressa sur le repose-pied et, tout en parlant avec douceur à ses chevaux qui tressaillaient d'inquiétude, il fit tourner en l'air son immense fouet avant de l'abattre sur le visage des émeutiers les plus téméraires. Les cris de douleur couvrirent les cris de haine, et la meute recula, libérant le passage. Obéissant à la voix de leur maître, les chevaux quittèrent le trot pour le galop. Une course effrénée s'engagea car la foule grossie, ivre de rage et maintenant conduite par des hommes défigurés, poursuivit la voiture, non plus en lui lançant des pierres mais en tirant des lames. Les postillons devaient même donner des coups de pied à ceux qui tentaient de s'accrocher aux basques de leurs livrées pour les faire tomber.

Le brigadier de gendarmerie posté devant l'hôtel du ministre comprit ce qui se passait. Il fit aussitôt ouvrir la porte cochère à deux battants et ordonna à ses hommes de charger leurs fusils. Ils devraient tirer si la voiture du ministre se trouvait près d'être renversée par la foule et étaient priés de viser les poitrines pour tuer net. Le cocher vit les battants s'ouvrir devant lui, il estima la distance à parcourir, la vitesse des chevaux et la largeur du passage, força la cadence, les roues ferrées étincelèrent le pavé de Paris. Il tint ferme les rênes d'une main et son fouet de l'autre dont il se servait désormais comme aux chasses du prince. La voiture s'engouffra dans la cour de l'hôtel suivie des gendarmes qui se précipitèrent pour fermer les énormes vantaux, mais le peuple était déjà là qui lançait tout son poids dans la bataille afin de les en empêcher. La porte se referma enfin sur une main broyée. La cour majestueuse retrouva son calme, et personne n'entendit les glapissements de douleur jetés à la rue. Monsieur le baron d'Haussez, ministre de la Marine, avait eu peur. Le préfet de police aurait-il sous-estimé Paris ? Une demi-heure plus tard, la porte s'ouvrit de nouveau pour laisser sortir les voitures vides qui s'arrêtèrent un peu plus loin sur les boulevards devant une porte dérobée. Les deux ministres en sortirent prudemment, regardant de gauche et de droite. La rue était absolument calme, ce qui eut pour effet de rassurer le prince de Polignac qui donna ordre au cocher de se rendre chez le comte de Wall, commandant militaire de la ville, qui dormait déjà à poings fermés. On le réveilla, la chemise hors de son pantalon d'uniforme, il pensait que tout cela ne serait rien. N'était-il pas temps de déployer la garde ? s'inquiéta le baron d'Haussez que ses blessures lançaient un peu. La chose était impossible rigoureusement car la garde était placée sous l'autorité du maréchal Marmont, son major général. Marmont, bien sûr ! pensa soudain Polignac car, au milieu de tous ces tracas, il avait sottement oublié de le faire prévenir. Le président du Conseil s'était pourtant bien juré de s'en charger dès la publication des ordonnances mais, une idée chassant l'autre, il ne l'avait pas fait... Qu'à cela ne tienne, il dicta aussitôt une lettre qu'un aide de camp porterait au duc de Raguse. Le soir n'allait pas tarder à tomber. L'agitation aussi. Tout cela ne serait rien.

La foule des soirs d'été envahissait les grands boulevards. Les dandys fashionables que des tantes à héritage ou des maîtresses trop pressantes n'avaient pas rappelés dans de lointains châteaux de province offraient le glaçage parfait de leurs bottes en miroir à de petites ouvrières du faubourg venues chercher l'ombre des marronniers et l'espoir d'une nuit payée. Le boutiquier promenait le nouveau châle de sa femme et le jeune commis sa maîtresse à laquelle il avait promis d'aller voir jouer *La Chatte blanche* au théâtre des Nouveautés, faute de lui offrir le voyage à Dieppe. Sa main tenait bien en vue les deux billets comme une preuve indiscutable de son amour. C'était cher mais elle était adorable, complaisante et, contrairement aux serments enflammés dont il la comblait au moment du déduit, il ne l'épouserait jamais, alors cela valait bien une baignoire aux Nouveautés. Des demi-soldes portant d'énormes rubans rouges au revers de redingotes coupées comme des uniformes fumaient leurs longues pipes d'ivoire en mâchonnant des rêves de gloire. Les blouses et les casquettes, les femmes en cheveux, plus nombreuses que d'habitude, se plaisaient à goguenarder tous ces bourgeois petits ou grands qui rechignaient à leur céder le trottoir.

Attablés chez Tortoni, Thiers et Rémusat espéraient encore l'émeute en dégustant des glaces à l'aide de longues cuillères d'argent, là où les Parisiens cherchaient un peu d'air frais et de la distraction. Rémusat rentrait à peine d'un dîner rue d'Anjou où il avait été reçu en bouche-trou, car les convives acceptables étaient rares en cette saison. On conservait à l'ombre des beaux arbres de son jardin un peu du mauvais esprit des salons du siècle passé, mais madame de Rumford dont le père et le mari, le célèbre Lavoisier, avaient été guillotinés malencontreusement le même jour n'en concevait pas un goût immodéré pour les révolutions. Elle avait, bien sûr, lâché quelques méchancetés sur le ministère et les ordonnances mais, n'attendant rien de bon d'une capitale qu'elle avait connue ivre de sang, elle fit rapidement desservir pour mieux fermer sa porte et faire préparer sa voiture. Sur le chemin du retour, Rémusat avait bien été le témoin de quelques attroupements vers les Capucines, il avait même cru discerner des cris hostiles aux ministres, mais les deux compères ne sentaient pas la fièvre d'un 14 juillet 1789 s'emparer des boulevards ; ce soir-là Paris s'amusait, et les théâtres affichaient complet. La protestation portant leur signature était désormais à l'impression. Elle paraîtrait le lendemain en contravention des ordonnances avec leurs noms attachés à cet acte de rébellion caractérisée. *Le National* serait immédiatement fermé, les presses saisies et les employés renvoyés. Peut-être même seraient-ils arrêtés, conduits à Vincennes et jugés sur l'heure par un tribunal d'exception. Au mieux ce serait la prison ou l'exil, au pire le peloton d'exécution. En 1824, Carrel, parti rejoindre la Légion étrangère espagnole pour s'opposer aux armées des Bourbons coalisés contre la constitution libérale, n'avait échappé que de peu à l'exécution publique. Face à la colère du vieux roi et à la haine des Jésuites, leur vie ne vaudrait pas cher.

Pour passer le temps et tromper l'inquiétude tout en fouillant leurs glaces afin d'en extraire de délicieux fruits confits, les deux amis imaginèrent alors la création d'un nouveau journal qui réunirait *Le Globe* et *Le National* sous un même titre pour continuer à mener une guerre fourrée contre le régime. Ils cherchaient un nom, imaginaient des montages, se demandaient si le banquier Laffitte voudrait bien continuer à les soutenir de toute la puissance de sa caisse d'escompte. Arriva alors le somptueux phaéton d'Eugène Sue, vêtu avec le luxe vulgaire d'un millionnaire des îles d'Amérique, gants jaunes et cravate à la d'Orsay, pour fêter l'héritage de son père. Cet énergumène roulant carrosse mais aimant le peuple pourrait bien financer un journal dans lequel on publierait bien sûr ses œuvres en feuilletons. Mais à peine ce dandy exotique avait-il fait son entrée chez Tortoni qu'il se lançait à haute voix dans une défense de la dynastie, du ministère Polignac et des ordonnances qu'il qualifia à plusieurs reprises de salutaires sous les applaudissements de dames appétissantes et faussement titrées.

Alors les deux révolutionnaires en redingotes et pantalons à sous-pieds hélèrent Prévost, le garçon de café le plus célèbre de la capitale qui, les reconnaissant pour des habitués, se précipita vers eux en leur demandant avec ce ton inénarrable qui en faisait un personnage si ces messieurs avaient la bonté de désirer autre chose. Ils commandèrent deux nouvelles glaces, convaincus qu'ils n'en trouveraient pas d'aussi savoureuses à la prison de Vincennes. La foule du boulevard continuait pour sa part à rouler vers ses plaisirs.

Au château de Saint-Cloud

Le dernier soleil du soir jetait l'incendie aux fenêtres du château de Saint-Cloud lorsque les équipages du roi et de monseigneur le dauphin entrèrent dans la cour d'honneur. Marmont qui faisait les cent pas dans les salons depuis plus d'une heure dévala le grand escalier pour être le premier que le roi verrait à sa descente de voiture. La lettre tardive de Polignac l'avait rejoint depuis Paris. Elle lui demandait d'assurer l'ordre et la tranquillité de la capitale dans toute l'étendue de son commandement. Il l'avait froissée de rage.

Les cochers et les palefreniers manœuvraient déjà les lourdes voitures sur les pavés de la cour lorsque Sa Majesté, avisant le maréchal, l'entretint des malheurs de la chasse avant de lui réclamer des nouvelles de Paris:

— Il y règne un grand effroi et un grand abattement, répondit Marmont avant d'ajouter que les fonds publics venaient de faire une chute extraordinaire.

Intrigué, le dauphin qui suivait son père demanda de combien les fonds étaient tombés et, alors que Marmont indiquait une perte considérable de plus de quatre pour cent dans la journée, le prince réfléchit quelques instants puis ajouta, fataliste :

— Eh bien, ils remonteront…

Cette sentence fut suivie d'un très long silence en compagnie duquel il fallut bien remonter jusqu'au cabinet du roi où le maréchal reçut l'ordre pour la nuit, puis Sa Majesté, fatiguée par la journée et toujours contrariée par cette méchante biche, fit appeler son premier valet de chambre avec l'intention d'aller se coucher.

Sang d'encre
Mardi 27 juillet 1830

Au château de Saint-Cloud

Marmont s'apprêtait à monter en voiture après une nuit passée dans l'inquiétude du lendemain quand l'huissier de la chambre se présenta. La lettre était sans appel, le roi tenait à lui parler séance tenante. La grosse écriture ronde et penchée, reconnaissable entre toutes, appartenait bien à Sa Majesté qui avait pris le soin de rédiger elle-même ces quelques mots et ne souhaitait donc pas qu'un autre ait pu entrer dans ses pensées. Le maréchal se mit à espérer. La nuit portant conseil, les brouillards de la veille s'étaient peut-être dissipés, et avec eux l'influence néfaste de ce gouvernement de cagots. Il dut pourtant attendre la fin de la messe car le roi n'entendait pas gouverner sans avoir accompli au préalable ses devoirs de chrétien. Dans les grands appartements et la galerie d'Apollon, les petites coteries de courtisans se dispersaient. Marmont préoccupé n'avait même pas eu la présence d'esprit d'aller à la chapelle et il tuait le temps en passant alternativement du salon de Mars à celui de Vénus. De l'un, il guettait l'arrivée du roi quand, de l'autre, il surveillait l'éventuelle apparition d'un courrier entrant dans la cour d'honneur avec des nouvelles fraîches de Paris. Il n'eut pas un regard pour les grandes tapisseries des Gobelins tirées de la vie de Marie de Médicis par Rubens, grande commande du règne, et qui venaient à peine d'être accrochées par le garde-meuble. Onze heures sonnèrent à la pendule aux signes du zodiaque dont Louis XVI avait admiré autrefois le mécanisme et au cadran de laquelle il avait vu s'égrener les heures de son règne jusqu'aux journées d'octobre, puis le bruit des gardes rendant les honneurs au souverain annonça enfin la fin de la cérémonie. Quelques minutes plus tard, l'huissier du cabinet venait chercher le maréchal pour l'introduire auprès du roi qui, tout aussi calme que la veille au soir et le regard encore transfiguré par l'élévation du saint sacrement, lui dit après l'avoir aimablement salué :

— Il paraît que l'on a des inquiétudes pour la tranquillité de Paris… Rendez-vous-y, prenez le commandement, et passez d'abord chez le prince de Polignac. Si tout est en ordre ce soir, vous pourrez rentrer à Saint-Cloud.

Ce fut tout. Le roi ayant ordonné, il demanda à voir ses petits-enfants. L'entretien était terminé.

Aussitôt Marmont fit appeler sa voiture. Il commandait de nouveau, et cela seul lui importait. Il sauverait la dynastie d'elle-même et, lorsque le calme reviendrait, il ne manquerait pas de dire son fait à cet imbécile de Polignac.

À Paris, au ministère de l'Intérieur

Monsieur de Peyronnet, ministre de l'Intérieur, n'aimait pas les insurrections. Il avait lui-même rédigé les ordonnances pour en finir avec tout esprit de rébellion en veillant à tenir soigneusement la main toujours tremblante de ce pauvre Chantelauze qu'un mot plus haut que l'autre suffisait à faire *chanceler*. Il aima le jeu de mots sur le nom de son collègue, se félicita d'avoir tant d'esprit pour un ministre et le nota. Il était homme d'inspiration et pensait un jour à écrire une petite pièce satirique sur le ministère pour le seul plaisir de la société d'amis choisis qu'il recevait chez lui. La presse du matin s'étalait sur son immense bureau d'acajou flammé. Elle lui avait été apportée par les hommes de police chargés de la surveillance des imprimeries. Tous les journaux libéraux étaient parus en contravention avec les ordonnances de la veille. On trouvait là, pêle-mêle, *Le Globe*, *Le Temps* et bien évidemment *Le National*, soit les principales feuilles qui distillaient leur poison dans l'opinion en toute impunité. Depuis le petit matin, il lisait et relisait cette proclamation qui appelait à la désobéissance et l'article du *Globe* dans lequel monsieur de Rémusat donnait au roi des leçons de Charte ! Au roi dont l'auguste frère avait concédé à ses sujets cette même Charte ! Une fois la première indignation passée, il s'en amusait car les auteurs de cet acte de rébellion contre l'autorité avaient eu la folie de signer leur forfait, ce qui allait évidemment faciliter le travail de ses agents. Tout cela était d'ailleurs sans importance car il avait donné ordre au préfet de police de faire saisir ces journaux interdits et de fermer les imprimeries. Intérieurement, il regrettait de ne pas avoir insisté davantage lors du Conseil afin d'obtenir un ordre d'arrestation préventif à l'encontre de tous ces écrivassiers aussi bavards que prétentieux. Polignac s'y était opposé, et le roi, toujours victime de sa bonté, avait jugé qu'il était inutile d'en arriver à de telles extrémités. Et pourtant, si seulement on l'avait écouté, il n'aurait pas été nécessaire de dégarnir les rangs de la police pour aller cueillir des feuilles de chou au petit jour. L'image de cette cueillette matinale l'amusa, elle pouvait avoir quelque succès. Il la nota aussi dans son calepin de poète.

Polignac ! Le roi n'avait d'yeux que pour Polignac, mais Polignac était un doux rêveur doublé d'un esprit faux. On disait que la Sainte Vierge lui apparaissait parfois. Si la chose était vraie, c'était à n'en pas douter un saint homme mais il fallait, en ce cas, qu'il se fasse évêque comme Rohan auquel le roi venait de remettre la barrette de cardinal, mais pas ministre, car un homme d'État doit savoir par moments plonger les mains dans la fange pour aller y chercher le crime. On ne s'adressait pas aux anges du Ciel comme aux fonctionnaires de police.

Un jour il faudrait à la monarchie des hommes déterminés et bien ancrés dans les réalités terrestres. Certes, lui ne voyageait pas dans les empyrées mais il avait exercé des fonctions réelles, il s'était élevé à la force de son travail et par ses talents, il connaissait la province, il connaissait la France, il en savait les inquiétudes, les aspirations inavouables et les rouages secrets. Ah, certes, il n'avait pas sauté enfant sur les genoux de la reine Marie-Antoinette mais sur les os pointus de sa vieille nourrice qui lui donnait aussi des taloches, et il tenait de là son sens précoce des réalités. Certes il n'était pas prince, son frère n'était pas duc et son arbre généalogique ne plongeait pas ses racines dans les profondeurs lointaines de l'empire de Charlemagne. Il n'était pas le « cousin du roi » depuis Charles IX et sa famille n'aurait jamais imaginé prétendre aux honneurs de la Cour. Sa noblesse ne comptait pas cent ans d'ancienneté mais elle avait été payée rubis sur l'ongle, et le roi Charles X venait de déposer sur son blason une belle couronne comtale. Son château en Bordelais respirait encore l'odeur des maisons neuves puis tout cela vieillirait et peut-être qu'un jour, comme Decazes, il serait fait duc. Car il voyait loin et très au-delà du destin de monsieur de Polignac dont il pensait raisonnablement et sans esprit de chimère pouvoir un jour occuper le fauteuil. Les temps changeaient, la monarchie demeurerait toujours mais les grands seigneurs n'étaient plus de saison. Il fallait un sang nouveau et des esprits sérieux.

Monsieur de Lesquen, premier commis, le tira de ses rêveries. Une délégation du journal des *Débats* souhaitait à être reçue par le ministre. On les avait fait parler, ils ne demandaient que ça… Ces beaux esprits faisaient valoir que, contrairement à nombre de leurs confrères de la presse parisienne, leurs signatures ne se lisaient pas au bas de la proclamation du *National*. Ils étaient respectueux du droit, fidèles au souverain et proposaient spontanément leur soutien par la publication d'une contre-proclamation et de quelques articles de puissants juristes – il suffisait de leur en indiquer l'adresse –, démontrant la stricte légalité des ordonnances. Le ministre lui-même, dont ils connaissaient les talents d'écriture et la clarté d'expression, aurait pu, peut-être et sous un nom d'emprunt bien sûr, leur proposer un texte. Tout cela serait publié dans leurs colonnes dès le lendemain. Ces messieurs suggéraient même de faire imprimer le journal sans les autorisations désormais requises, de façon à donner à cette habile contre-offensive un aspect libre et spontané qui en imposerait aux détracteurs du régime et démontrerait qu'il existait des publicistes indépendants, capables de défendre le trône et la dynastie avec le cœur et de véritables arguments de droit.

Le ministre écoutait ces propositions avec délectation. Elles sonnaient à ses oreilles comme les psaumes du roi David. Il acquiesçait à tout et ordonnait déjà que l'un des secrétaires lui prépare une première version de cette réplique quand le premier commis ajouta que l'engagement de tant de jeunes talents nécessitait toutefois quelques contreparties. Parfaitement décentes et raisonnables bien sûr mais clairement exprimées. La lyre du roi David cassa aussitôt une corde. Le ministre d'un geste d'impatience somma à son collaborateur de poursuivre et prit place dans son fauteuil dont les bras figuraient des ailes de chimère. C'est en caressant doucement leurs ailes dorées que Fouché signait les listes de proscrits. Tous ces messieurs de la presse traversaient, mais il fallait y voir un hasard, des difficultés financières passagères. L'un comptait quelques menues dettes de jeu, l'autre devait plusieurs termes à son propriétaire pour avoir vu un peu grand lors de son installation à la Chaussée-d'Antin, un troisième mariait sa sœur qu'un père indigne laissait sans dot quand un autre, encore, payait une faible rente à des parents honnêtes mais autrefois ruinés par le blocus continental. Tous ces hommes de plume étaient d'ailleurs de bons garçons très attachés à l'esprit de famille car à ces petits secours, dont les fonds secrets du ministère viendraient facilement à bout, il faudrait penser à ajouter la croix de Saint-Louis pour un vieil oncle ou encore un bureau de tabac à Marseille pour soulager une mère infirme dont le revenu suffisait à peine à entretenir son fils, brillant sujet, à Paris. Le ministre, maintenant affaissé dans son fauteuil, écoutait la liste s'égrener en se passant un fin mouchoir de batiste sur le front. Il fit ouvrir la fenêtre, l'air était déjà brûlant. Un frère sorti du grand séminaire espérait une cure dont il ne manquerait plus que de hâter la désignation. L'évêque du diocèse de Grenoble n'était pas hostile mais les prétendants nombreux. Or, sans appui, il était devenu difficile, même pour un exemple de piété, d'obtenir une décision favorable. Le commis épargnait au ministre les détails de toutes ces situations particulières mais se promettait de les étudier dès qu'il en aurait reçu l'ordre. Enfin il fallait aborder un point un peu plus délicat. Cette fois, le roi David avait pris la fuite pour Jérusalem, laissant le ministre sans secours. Un de ces garçons, prenant le commis à part dans un coin de l'antichambre, s'était un peu confessé. Ce fils de famille paraissait très attaché à une jeune personne, avec laquelle il n'entretenait pas à l'évidence une amitié chaste et pure, qui se produisait au Théâtre-Français sans jamais obtenir de rôles à sa mesure alors même qu'elle était excellente comédienne et que *Les Débats* se faisaient d'ailleurs régulièrement l'écho de son talent. Peut-être qu'un mot du ministre à monsieur l'administrateur permettrait l'éclosion d'un véritable talent de tragédienne.

Cette fois c'en était trop ! Il n'allait pas en plus payer des filles avec l'argent du roi ! Monsieur de Peyronnet se leva d'un bond de son fauteuil. Il ne voulait plus entendre un seul mot de toutes ces insanités, et refusait de recevoir cette délégation d'impertinents. Puis, prenant sa pose favorite à la Chambre lorsqu'il s'agissait de répondre aux attaques des libéraux et pointant le doigt vers des interlocuteurs imaginaires, il s'exclama avec hauteur :

— Qu'ils ploient ! Je n'ai rien à leur dire. Le temps de la modération est passé, et toutes les mesures sont prises.

Le premier commis, heureux de son effet, esquissa un petit sourire mauvais avant de passer dans l'antichambre pour communiquer aux journalistes des *Débats* la réponse du ministre. Monsieur de Peyronnet, toujours debout et le doigt resté tendu dans une attitude faite à peindre, regarda son reflet dans l'immense trumeau de cheminée. Il était content de lui.

Au château de Saint-Cloud

La duchesse de Gontaut sortait d'une nuit affreuse car depuis la parution des ordonnances elle se tournait les sangs. La veille un échange très vif l'avait opposée au roi à ce sujet, et au petit matin elle se reprochait sa trop grande liberté. Aussi crut-elle qu'elle allait se faire laver la tête lorsqu'un huissier apparut pour lui dire que Sa Majesté réclamait sa présence. Si tôt dans la matinée, alors même que les grandes entrées n'étaient pas encore autorisées à saluer le roi, c'était la certitude d'un entretien particulier et donc d'une engueulée. Elle fut aussitôt introduite.

Le médecin du prince de Polignac, le docteur Bertin, venait de remettre une lettre au roi. Il ajustait ses lunettes pour la lire, ce qui faisait déjà diversion. La duchesse était un peu soulagée. Pourtant le contenu extravagant de ce courrier la laissa stupéfaite. Polignac commençait par expliquer qu'il utilisait son médecin personnel comme messager de peur que les courriers portant la livrée royale ne soient arrêtés sur la route de Paris mais il ajoutait aussitôt que son gouvernement tenait les choses bien en main, que Sa Majesté ne devait, en aucun cas, écouter les esprits alarmistes dont elle était entourée et qui cherchaient à l'intimider. Après avoir prononcé cette phrase à haute voix le roi regarda sa vieille amie par-dessus les verres de ses lunettes et lui fit les gros yeux comme pour bien signifier qu'elle appartenait à ces alarmistes contre lesquels son Premier ministre le mettait en garde, puis il reprit sa lecture. Polignac suppliait son maître de ne tenir aucun compte de ce qui pouvait lui être dit par les défaitistes et de ne s'en tenir pour prendre ses décisions qu'aux seuls rapports qu'il lui ferait parvenir d'heure en heure à Saint-Cloud. Les mouvements qui agitaient Paris étaient une simple émeute dont la troupe viendrait à bout avant la nuit. Le roi souriait d'aise mais, pour donner plus de poids encore à ce qu'il venait de dire et confondre les pessimistes de tout acabit, il lut d'un ton de triomphe la fin de la lettre qui se terminait par ces mots : « Sire, si je me trompe dans mes prévisions, j'offre en holocauste ma tête à Votre Majesté... »

À peine le roi avait-il terminé cette belle tirade que la duchesse de Gontaut, affolée par la confiance du monarque et exaspérée par la fatuité folle de Polignac, ne put réprimer :

— Eh bien, en voilà, un piètre cadeau !

Charles X tenant ses lunettes d'une main et la lettre de son ministre de l'autre resta un moment sans voix devant l'impertinence de la gouvernante de ses petits-enfants. Il gardait la bouche ouverte comme si le poids de sa lippe, lointain héritage des Habsbourg, l'empêchait de la refermer tout à fait. On voyait sa langue passer entre ses grandes dents. Puis se ressaisissant et tout en donnant sur le parquet un petit coup bref avec le talon, ce qui était chez lui le signe de la plus grande impatience, il répliqua :

— Marguerite, je vous aime beaucoup, mais vous êtes véritablement insupportable. Taisez-vous donc !

À *Paris, rue Neuve-Saint-Marc*

Cette fois ce n'était pas Rémusat mais bien la police, et elle redoublait de coups contre la porte de la rue Neuve-Saint-Marc, au point que le concierge, ne sachant quel parti prendre, accourait en tremblant auprès de Thiers pour lui demander ses ordres. La plus grande partie des signataires de la proclamation se trouvaient réunis autour de lui depuis le petit matin, et les visages affichaient désormais une réelle gravité. On ne riait plus mais on ne savait pas pour autant que faire. Thiers, sanglé dans une redingote de gros drap bleu trop ajustée pour son embonpoint, faisait craquer ses petites bottines de chevreau verni en se hissant sur la pointe des pieds afin de se donner une contenance. Le ton des policiers devenait comminatoire, et ils menaçaient de tout enfoncer. Le concierge, craignant pour le bien de son propriétaire, sortit son trousseau de clefs et commençait à se diriger vers l'entrée, lorsque Thiers l'en empêcha. Se souvenant de son droit, il était allé dans son bureau se munir d'un énorme code puis, à travers la porte, il s'adressa au commissaire de police. Les ordonnances, bien que publiées dans *Le Moniteur* de la veille, ne l'avaient pas encore été dans le *Bulletin des lois,* or cette publication paraissait nécessaire pour les rendre juridiquement applicables. Dans ces conditions, la jurisprudence était claire, les ordonnances devaient être considérées comme encore non advenues et donc non applicables, la publication du journal restait parfaitement légale et, de ce fait, la visite domiciliaire de la police ne l'était pas. La serrure vola en éclats et Thiers dut faire un écart violent pour ne pas être heurté de plein fouet par le vantail défoncé. Le commissaire, coiffé d'un très haut chapeau en forme de tuyau de poêle, lut les ordres du préfet de police et, pendant que ses agents se disposaient devant chaque issue, des hommes de l'art réquisitionnés à cette fin mettaient aussitôt les machines hors d'état de fonctionner sous le regard furieux des ouvriers qui se voyaient condamnés au chômage technique. Eux, contrairement à ces messieurs de la rédaction, n'avaient pas de rentes ni d'amis généreux, et chaque jour chômé était un jour sans salaire. Au prix du pain et des loyers, ils ne pourraient pas tenir une semaine sans être obligés d'aller déposer leur montre et leur matelas au mont-de-piété. Thiers s'aperçut que l'un d'eux s'emparait d'un massicot. Il se précipita vers lui pour empêcher un malheur. Si le premier sang coulait au *National,* ils finiraient tous à Vincennes, et la propagande royale aurait tôt fait de les grimer en massacreurs de septembre pour effrayer le public. En un tourne-main, les presses furent donc mises hors d'usage. Le commissaire qui n'avait pas reçu l'ordre d'arrêter tous ces hirsutes aux mains blanches salua la compagnie et se retira avec ses hommes.

Une atmosphère de désolation régnait dans la salle de rédaction et gagnait maintenant l'ensemble de l'imprimerie située à l'étage inférieur. Les ouvriers ne savaient pas trop si leur colère devait se tourner vers ces bourgeois fantasques qui avaient irrité le pouvoir avec leurs déclamations ou contre le préfet dont les ordres les privaient de pain. C'est à ce moment-là que l'un des serruriers qui avaient procédé à l'immobilisation des machines fit son apparition à travers l'encadrement de la porte restée béante. Les hommes déjà se levaient pour lui faire cette fois un mauvais sort lorsque le jeune apprenti sortit d'un gros havresac qu'il portait à l'épaule le balancier et le régulateur des deux imprimeries. Il replaça les deux pièces, ajouta quelques gouttes d'huile, essuya le surplus de graisse à l'aide d'un chiffon, et les machines furent de nouveau mises en service. La tournée fut générale, et les petits commis aidés du concierge échappé de la cave où il s'était caché multiplièrent les allées et venues entre l'atelier et le marchand de vin en portant des litrons et des pintes. Pendant ce temps, Thiers et son état-major rédigeaient de violentes attaques contre le coup d'État qui seraient placardées et distribuées dans les rues le soir même. La Charte, rien que la Charte, toute la Charte. Thiers ne déviait pas de sa ligne. Le roi et le gouvernement étaient sortis de la légalité, ils seraient bientôt contraints d'y rentrer, ou alors... Le directeur du *National*, les deux poings sur les hanches en signe de détermination, se refusait d'en dire davantage. Il agitait son petit toupet de cheveux comme un cabri prêt à affronter le danger.

Déjà un jeune homme aux traits tirés et au regard noir que Thiers ne connaissait pas s'était remis à la composition et rangeait avec une vitesse surprenante les petits caractères de plomb dans la casse. Le rédacteur en chef demanda à Rémusat qui pouvait bien être ce garçon auquel une barbe taillée en pointe donnait un faux air de grand d'Espagne. Il n'eut pas le temps d'entendre la réponse car l'escalier était de nouveau le lieu d'une activité alarmante. Le jeune Blanqui, sténographe à la Chambre, continua donc sa besogne sans être inquiété par personne alors même qu'il n'appartenait pas à la rédaction du *National* ni même à l'atelier de l'imprimeur, mais il savait travailler.

Armand Carrel, très essoufflé, arrivait des bureaux du journal *Le Temps*, dans le haut de la rue Richelieu, où il avait vu François Arago parlementer pour sauver, lui aussi, ses presses et le travail de ses imprimeurs. Derrière Carrel, Thiers reconnut immédiatement la tignasse impressionnante d'Alexandre Dumas vêtu d'un extravagant costume de chasse, les pieds chaussés de guêtres, portant une grande cartouchière en bandoulière sur un gilet de peau joliment brodé de scènes cynégétiques et orné de boutons d'ivoire d'une taille surprenante. Chacun représentait une hure de sanglier sculptée dans la corne et devait bien valoir dix francs pièce. Son valet le suivait portant une gibecière remplie de cartouches.

Le fils du célèbre général Dumas parcourait Paris en tous sens depuis la veille à la recherche de l'émeute et d'images à griffonner dans ses carnets. Visiblement, il s'amusait beaucoup. Aussitôt il proposa d'un ton de mélodrame d'assurer la défense de la liberté de la presse en se postant à la porte du *National*. Thiers, trop occupé pour rire, le toisa de haut en bas en pensant que le succès de sa dernière pièce, outre qu'elle lui ouvrait la porte des meilleurs tailleurs, avait un peu tourné la tête de cet aimable mulâtre.

Derrière eux, alertés par tout ce raffut et par les nouvelles portées de bouche en bouche, des voisins, des abonnés, des commerçants restés à Paris malgré les fortes chaleurs commençaient à arriver par petits groupes au siège du journal, hésitaient un moment sur le seuil regardant de droite et de gauche comme des conspirateurs puis entraient sans même se donner la peine de frapper à une porte forcée et restée grande ouverte. Ils observaient d'abord timidement puis se proposaient pour faire quelques rangements, ramasser les feuilles éparpillées, ranger les documents perquisitionnés, aider comme ils pourraient. Instantanément les conversations s'engageaient, les esprits s'échauffaient, on parlait plus haut que de raison, contre le gouvernement, contre la police et même contre le roi... La suppression de la garde nationale, dont ils étaient tous membres, avait déjà gravement porté atteinte à leur dignité. La dynastie se méfiait d'eux alors même qu'ils soutenaient, par leur travail et leurs rentes, tout l'édifice social. Eux, contrairement à tous ces nobles engraissés par le milliard des émigrés, n'étaient pas des oisifs cousus d'or mais d'honnêtes gens qui travaillaient pour pouvoir marier leurs filles et se retirer avec quelques rentes au soir de la vie. En sortant la patente et la contribution des portes et fenêtres de la base de calcul du cens électoral, la monarchie venait de les exclure du droit électoral, car la plupart n'avaient pour toute fortune que leur fabrique, leur boutique, leur étude ou leur maison. Ils ne pouvaient pas admettre de se voir ainsi ravalés au rang de citoyens passifs comme de simples ouvriers ou de vulgaires journaliers. Comment rester un patron digne et respecté aux yeux de ses employés sans ce droit de vote qui leur permettait de consentir l'impôt et de participer à la vie de la nation ? C'était une honte, un défi au bon sens, un retour à l'Ancien Régime et à la société d'ordres. Le ton montait, et ces braves bourgeois montraient maintenant les dents, demandaient des conseils, des directives ou des explications. Tous n'étaient pas de savants juristes ni de grands esprits, ils en convenaient, mais ils avaient compris à la lecture du *Globe*, du *Constitutionnel* ou bien sûr du *National* qu'ils disposaient de droits sacrés et surtout qu'ils formaient, à eux seuls, une formidable puissance politique. Thiers se voyait cette fois entouré d'une armée de chaînes de montre, de boutiquiers, de marchands prospères et de bonnetiers respectés de leurs pratiques, prêts à en découdre et auxquels il manquait un chef. Ils étaient tout simplement en train de lui demander d'être celui-là. Le directeur du *National* ne manquait pas d'ambition, mais jusque-là il se contentait de saper les bases du régime avec sa plume et son imprimerie, il n'était pas élu, pas même électeur au regard de son peu de fortune. Il ne disposait point d'appuis, de relais, n'était pas à Paris depuis dix ans, et il avait pris assez de risques comme cela en deux jours, alors il bottait en touche, expliquait à ceux qui étaient prêts à le mettre à leur tête qu'il devait rester en retrait, que le temps n'était pas venu, que le pouvoir appartenait aux seuls électeurs qui détenaient entre leurs mains l'avenir du ministère Polignac. Tous voulaient bien entendre ses raisons, cependant personne ne souhaitait partir. Il fallait agir car, se disperser, c'était se soumettre, le régime postait peut-être même déjà ses régiments autour de la capitale pour écraser leur indignation, et demain il serait trop tard.

Ne sachant comment se débarrasser de ces émeutiers en redingotes et cravates nouées, Adolphe Thiers proposa alors de les accompagner chez ceux qui pouvaient tout dès lors qu'ils étaient les élus de la nation. Il venait en effet d'apprendre par un billet reçu de Rémusat que les quelques rares députés encore présents à Paris étaient en train de se réunir autour du grand Casimir Perier, illustration du parti libéral à la Chambre, pour tenter de trouver une parade juridique aux ordonnances.

Thiers insista auprès de ses admirateurs sur le caractère régulier de la riposte qui devait être envisagée, car se mettre dans l'illégalité reviendrait à tendre au pouvoir des verges pour se faire battre. Là, dans le cas où l'on voudrait faire appel à ses modestes talents, il les mettrait fort volontiers à la disposition des représentants du pays légal. Comme il ne pouvait pas être question d'encombrer l'antichambre de monsieur le régent de la Banque de France avec une délégation trop nombreuse, quatre protestataires, tous revêtus du droit de vote, furent désignés pour suivre Thiers qui, soulagé de pouvoir occuper son monde, prit aussitôt sa canne et son chapeau. Charles de Rémusat, venu à leur rencontre, vint grossir la petite troupe. On se décida à héler un fiacre qui s'arrêta, tout heureux d'avoir six bons bourgeois à promener du boulevard des Italiens à la Madeleine pour les déposer rue Neuve-du-Luxembourg devant une porte de taille à recevoir des fourgons militaires. Le concierge se montrait méfiant car il venait déjà d'éconduire une équipée d'étudiants débraillés demandant un meneur. Aussi, il les fit attendre pendant qu'un maître d'hôtel portait la carte de Thiers à son maître. Enfin, le nom du directeur du *National* fut jugé un passeport suffisant pour que quatre inconnus soient admis dans les salons du premier étage. Tout, dans cet hôtel particulier, respirait l'élégance et la distinction de l'argent vieilli, car les folies architecturales des agioteurs du temps de la Régence paraissaient à ces rentiers intimidés le gage de la plus haute probité. C'est à la file indienne qu'ils furent introduits dans le cabinet de travail du maître de maison où régnait une impression d'austérité opulente. Le sombre mobilier d'acajou et le bestiaire de bronze doré auquel la maison était restée fidèle rompaient volontairement avec les essences claires chères à la petite duchesse de Berry et jugées bien trop frivoles par ces manieurs d'argent. D'habitude, l'épaisseur des tapis cloutés par Chenevard sur la totalité des parquets donnait aux mots qui se chuchotaient ici une retombée de draperie antique, mais les conjurés venaient de prendre congé après avoir bu leur moka dans des tasses de Sèvres, sans avoir décidé de rien. Le salon était vide et les députés partis. Casimir Perier salua très aimablement Thiers et Rémusat qu'il connaissait un peu et fut avec les quatre électeurs d'une amabilité d'homme d'affaires ; il dissimula avec talent le déplaisir qu'il avait à recevoir chez lui des fauteurs de troubles et leur parla comme un livre d'escompte. Ses manières de patricien, le luxe assourdi dont il s'entourait, la coupe parfaite de son habit, l'éclat d'une chemise qui n'avait pu être blanchie qu'à Londres, des souliers glacés au champagne, tout cela émerveillait Thiers et ses amis. Il en fut autrement lorsque le régent de la Banque de France les informa qu'aucun député de la Chambre ne prendrait le risque de se mettre hors la loi. Tout au plus envisageait-on de refuser la levée de l'impôt. Monsieur Guizot avait néanmoins reçu de ses collègues la mission de rédiger une protestation de la représentation nationale mais, pour cela, il demandait du temps. Les avocats Dupin et Odilon Barrot seraient chargés de la relire pour en vérifier la légalité des termes. C'était là tout ce que l'on pouvait faire, et c'était déjà beaucoup. Des protestations fusèrent, une discussion s'entama. Un certain Bonnelier, le plus échauffé de la petite bande, roulait maintenant des yeux et agitait les bras comme si l'on s'était trouvé au théâtre des Variétés. Il fallait protester, crier au crime d'État, enfin prendre les armes. C'était le gouvernement qui avait choisi de se mettre hors la loi, Polignac qui violait la Charte et, dans ces circonstances, la résistance devenait un devoir. La Charte... Casimir Perier, désignant du regard le numéro du *National* déposé sur le plateau de marbre de la cheminée, fit comprendre qu'il avait lu la protestation parue le matin même, que tout autre développement n'était pas nécessaire, et ne laissa pas l'orateur achever son propos :

— Allons, point de paroles inutiles, nous ferons ce qui sera possible, mais que la population de Paris soit bien avertie. Dites – je suis renseigné, je sais ce que je dis – que le pouvoir réunit en ce moment même des forces, qu'il souhaite la collision et qu'il est décidé à frapper un grand coup.

Thiers tenta d'objecter, de conserver une contenance, mais il avait trop d'admiration et de respect à l'égard de cette puissance qui se tenait devant lui pour répliquer quoi que ce soit.

Casimir Perier conclut ses propos sur ce ton de confidence impérieux et naturel à ceux qui ordonnent aux capitaux comme les dieux d'autrefois commandaient à la foudre :

— Nous ferons par la loi, par la résistance morale, tout ce qui peut se faire.

Puis il lança avec des accents de père de famille soucieux de protéger ses enfants :

— Avec ce que je sais, je ne me pardonnerais pas de pousser quiconque à tenter davantage.

L'audience prenait fin, on entendit le bruit grêle d'une sonnerie lointaine dont aucun de ceux qui assistaient à l'entretien ne pouvait se douter qu'elle venait d'être déclenchée par l'orateur lui-même grâce à un mécanisme ingénieux placé sous l'épaisseur du tapis. Le maître d'hôtel se présenta pour reconduire ces messieurs jusqu'à la rue, le maître des lieux se contenterait, pour sa part, de les saluer dans son antichambre. Rien ne leur fut proposé pour les désaltérer, et en quelques instants, ils étaient dehors.

En regardant le petit groupe quitter son hôtel, Casimir Perier pensa qu'il faudrait un jour à la France des hommes supérieurs pour lui éviter les bévues de ces petits-bourgeois à prétentions et à idées fausses mais, pour l'heure, ses préoccupations étaient ailleurs. La rente dévissait encore ; si le calme ne revenait pas très vite, le crédit public serait attaqué de toute part et les maisons de banque se retrouveraient toutes emportées dans une effroyable tourmente. Polignac avait-il seulement pensé aux conséquences de ses ordonnances sur la Bourse ? Évidemment non, ces gens-là raisonnaient comme des chevaliers partant pour la croisade, or l'on était au XIXᵉ siècle, il y avait des intérêts énormes en jeu, et Charles X n'était pas Saint Louis ! Il décida de prendre au plus vite l'attache de Laffitte et des frères Rothschild, on ne pouvait tout de même pas laisser le parti des prêtres ruiner la place de Paris !

Avec sa petite escorte libérale, Thiers regagnait le siège du journal, mais à pied cette fois, car les fiacres ne circulaient plus. L'expédition à travers la rive droite n'avait servi à rien, et les bonnes paroles de Casimir Perier ne suffisaient pas à calmer les esprits. Certes, aucun d'eux ne disposait d'une fortune à devenir régent de la Banque de France, pour autant ils ne méritaient pas d'avoir été éconduits comme ils l'avaient été. C'était à l'aide de leur épargne que tous ces banquiers construisaient des fortunes et grâce à leur vote qu'ils parvenaient à se faire élire députés. Ces messieurs de la haute banque et de la Bourse feraient mieux, à l'avenir, de ne pas l'oublier. Le ton montait sur le trottoir, Thiers opinait du chef mais pour une fois ne parlait pas. Contrairement à son habitude, il écoutait. Il regardait aussi autour de lui car, pendant que ces compagnons de fortune s'indisposaient de l'accueil reçu chez Casimir Perier, Thiers voyait Paris changer de physionomie. La chaleur devenue accablante poussait les Parisiens à descendre de leurs étages pour venir chercher le frais sous les rares ombrages d'une ville où l'on étouffait dans un labyrinthe gothique. Les grilles du jardin des Tuileries étaient fermées alors que celles du Palais-Royal restaient ouvertes sur les ordres du duc d'Orléans. Près de l'Hôtel de Ville, des galopins sautaient nus dans la Seine, il y avait là des fils de bateliers et des étudiants de l'École des beaux-arts qui, en cette fin de mois, avaient mangé toute leur maigre pension et auxquels il ne restait plus un liard pour se rendre aux bains publics. Ceux-là étaient facilement reconnaissables à leurs barbes de rapin et à la blancheur de leur peau qui contrastait avec les visages tannés et les avant-bras brûlés par le soleil des enfants de marinier. Il fallait être pauvre, fou ou artiste pour exposer ainsi sa nudité sur les berges du fleuve, pensa Thiers.

Les rues désertes le matin charriaient maintenant une foule désœuvrée et maussade. Beaucoup d'ouvriers des imprimeries et des journaux livrés à eux-mêmes par les ordonnances, des commis de boutiques dont les propriétaires jugeaient tout à coup plus prudent de baisser le rideau, de simples badauds venus aux nouvelles, des femmes d'atelier que la chaleur et la transpiration rendaient impudiques, tout un monde ne sachant pas vraiment où aller mais inquiet et rendu nerveux par une chaleur trop forte piétinait les pavés. De petits crieurs, faute de pouvoir vendre les journaux du jour, distribuaient quelques feuilles clandestines condamnant les ordonnances et, lorsqu'ils n'avaient rien à proposer, criaient gratuitement les nouvelles glanées dans les rédactions où, quelques jours plus tôt, ils servaient encore de mouches à la police. Soudain un nom lâché par l'un de ces gamins de Paris siffla avec la violence d'une balle de plomb, percuta cette opinion hésitante qui vacilla sous le coup avant de se cabrer comme sous l'effet du fouet, puis le nom fut porté de bouche en bouche de la même façon qu'un cadavre honni l'aurait été de main en main. Thiers et ses amis tendirent l'oreille mais le murmure, trop lointain, resta longtemps indéchiffrable, il ressemblait à une mélopée un peu triste, quand le doute ne fut plus permis. C'était bien le nom de Marmont que la masse vagabonde déchirait à présent de ses cris d'insulte. «Marmont! Marmont!» Le traître de 1814, le maréchal de la capitulation, le faux frère de Napoléon, le valet des Bourbons, ce nom-là était en train de donner une âme à cette masse inerte. Marmont venait d'être nommé par le roi commandant militaire de la place de Paris. Marmont avait reçu l'ordre de faire donner la troupe et de tirer le canon contre le peuple. Marmont se préparait une nouvelle fois à égorger la France pour la livrer toute pantelante aux émigrés. De vieux grognards rescapés de la Bérézina dont les silhouettes faméliques donnaient depuis quinze ans un peu de caractère aux grands boulevards les parcouraient désormais en héros, applaudis par ceux-là mêmes qui trois jours plus tôt leur refusaient la chopine. Ils allaient revêtus de la capote réglementaire tombant en lambeaux, le sabre à la main et la croix d'honneur épinglée sur le cœur, hurlant des imprécations de casernement contre « Raguse ». Joignant le geste à la parole, ils brisaient les lanternes faute de pouvoir y pendre le maréchal en personne. À leur suite, des femmes énervées et des enfants sales prenaient pour cibles les devantures élégantes auxquelles pendait la plaque des fournisseurs de la Cour ou de la duchesse de Berry. Tout ce qui portait les trois fleurs de lys se retrouvait en un instant maculé de fumier ou démonté en un tournemain. Parfois le commerçant lui-même poussé par sa femme effrayée à l'idée du pillage prêtait son concours et son échelle à cette vaste entreprise de déboulonnage, arrachant de ses propres mains une protection royale ou princière qui avait pourtant demandé des trésors d'obséquiosité et des cadeaux fabuleux aux valets intérieurs des Tuileries pour être obtenue. Aussi, chaque fois que l'une de ces enseignes couronnées tombait à terre dans de grands hourras, il n'était pas rare de voir un parfumeur, un bonnetier ou un plumassier porté en triomphe pour avoir lui-même foulé au pied son auguste clientèle.

Il faisait très chaud en cette fin d'après-midi, et la nuit promettait d'être plus brûlante encore que le jour. Thiers comprit que l'on aurait bien du mal à faire remonter dans ses garnis tout ce peuple qui venait d'en descendre. Il n'avait pas connu la journée du 10 août 1792, lorsque les Parisiens s'étaient emparés des Tuileries pour en chasser le roi et la monarchie avec lui, mais il s'était penché sur de si nombreux témoignages au moment d'écrire son *Histoire de la Révolution française* qu'il lui semblait l'avoir vécue, et ce qu'il voyait maintenant ressemblait presque à un souvenir. Avant de se séparer, il fut convenu de se retrouver le soir même dans une maison amie pour faire un état de la situation. Chacun étant chargé d'aller aux nouvelles et de rallier le plus d'électeurs possible pour tenter d'adopter une position commune.

Au château des Tuileries

Quelques heures après son départ de Saint-Cloud, la garde rendait les honneurs à la voiture du maréchal, duc de Raguse, dans la cour du château des Tuileries. Il retourna son salut à l'officier puis se dirigea vers la salle du Conseil où les ministres siégeaient en permanence. Il exigea de parler en tête à tête avec Polignac dont la bonne humeur et l'optimisme affecté lui furent insupportables, mais il n'en laissa rien paraître. Ce curé en civil continuait, pour l'heure, à présider le Conseil du roi. L'échange fut d'une brièveté qui frisa l'inconvenance. Le Premier ministre tendit au général l'ordonnance par laquelle Sa Majesté lui donnait autorité sur les troupes casernées dans Paris, chercha à faire quelques phrases solennelles mais Marmont, après lui avoir pris brutalement le document, le parcourut attentivement pour en vérifier les termes, le replia, le glissa dans la poche de son uniforme, salua et sortit sans même y avoir été invité. Il estimait ne plus avoir de temps à perdre avec ce bouffeur d'hosties aux mains de femme.

L'immense plan géométral de la ville de Paris récemment dressé par Xavier Girard occupait un pan entier de la galerie neuve* du palais des Tuileries où siégeait traditionnellement l'état-major de la garde royale. Marmont venait même d'épingler dans l'un des angles de cette ville de papier l'ordonnance qui lui donnait le commandement général de la 1re division militaire. Il était donc le maître de la ville, et son regard suivait les rues, les boulevards, les églises et les monuments soigneusement représentés comme si ces lignes, ces traits et ces hachures d'arpenteur pouvaient lui révéler les intentions d'un peuple en colère. Ses officiers d'ordonnance déposaient sur son bureau les rapports et les dépêches qui affluaient. Chaque fois que l'une d'elles signalait en quelque lieu un rassemblement, une échauffourée ou le moindre trouble à l'ordre public, Marmont le marquait d'une épingle à tête rouge sur le plan. Les troupes étaient, pour leur part, épinglées de bleu au fur et à mesure qu'elles se postaient dans la capitale selon ses instructions. Il disposait de peu de monde et le savait, dix mille hommes tout au plus,

---

* Cette « aile neuve » dite aussi « galerie du Trésor », car elle abritait l'intendance du Trésor de la liste civile, avait été construite sous l'Empire pour fermer la cour des Tuileries depuis le pavillon de Marsan jusqu'au pavillon de la bibliothèque du Louvre. Elle existe toujours et abrite aujourd'hui le musée des Arts décoratifs.

alors que le camp de Lunéville regorgeait de régiments sûrs et dévoués au roi qui ne demandaient qu'à faire mouvement vers Paris si seulement leurs officiers en recevaient l'ordre. Mais, pour cela, encore eût-il fallu que le gouvernement, prévoyant les conséquences de ses actes et de la signature des ordonnances, les eût évaluées. Or non, ces jolis ministres en habit cousu d'or et bas de soie pensaient certainement que l'on se prépare à un coup d'État comme pour aller danser le quadrille. Marmont prenait conscience de l'étendue de la faute politique en parcourant celle de la capitale. Il y avait peut-être là un million d'hommes et de femmes fricassés par le soleil de juillet, rendus irritables par l'augmentation continue du prix du pain comme des loyers, inquiète du lendemain, et il avait fallu que, par-dessus le marché, le préfet de police, soumis comme un caniche à cet imbécile de Peyronnet, ferme les imprimeries et les ateliers pour jeter leurs ouvriers sur le pavé. Ceux-là étaient pourtant les plus dangereux, sachant lire et écrire, ils prétendaient penser et avoir un avis sur la politique du roi et de ses ministres. Il n'existait rien de pire pour la tranquillité de l'État que des pauvres à demi savants. Il eût préféré, pour sa part, les voir continuer à imprimer des niaiseries libérales plutôt que de les savoir errer sur les boulevards à enrôler derrière leurs harangues de bastringue la lie des garnis et des soupentes. Le chômage n'était jamais de bon conseil pour la populace.

La garde étant – et de loin – la partie la plus saine des hommes placés sous son commandement, il la disposait donc aux endroits les plus stratégiques. Le premier régiment, un corps d'élite au sein de cette troupe d'élite, venait de prendre position sur le boulevard des Capucines car ce serait de là, à n'en pas douter, que viendrait le premier grabuge. Le troisième régiment de la garde épaulé par cent cinquante lanciers et quatre canons s'alignant à l'instant même sous ses yeux autour du Carrousel. La manœuvre parfaite, la musculature maîtrisée des meilleurs chevaux, le tressage impeccable des crinières, le miroitement des casques, les cuirasses toutes luisantes encore de la graisse des casernes, tout offrait à l'œil du général le spectacle des splendeurs militaires et le rassurait. D'une fidélité au roi à toute épreuve, ces soldats choyés par le régime et dont les officiers appartenaient à la fine fleur de la noblesse française défendraient le château des Tuileries contre l'émeute si elle venait à se montrer trop effrontée. Un régiment de Suisses stationné sur la place Louis-XV* protégeait le château des émeutiers dans le cas où, débordant le régiment déjà posté sur les boulevards, ils tenteraient une percée du côté de l'église de la Madeleine dont le chantier offrait malheureusement un véritable camp retranché dans le plus pur style athénien. Sur les six canons dont disposait le régiment, deux furent donc pointés sur le péristyle de l'édifice, prêts à lui faire subir le sort du Parthénon. Ensuite le maréchal, vidant à moitié sa petite boîte d'épingles, dispersa les troupes de ligne, jugées moins sûres, aux quatre coins de Paris, le 15e régiment de ligne verrouillait le Pont-Neuf, le 5e quadrillait la place Vendôme quand le 50e et le 53e recevaient la Bastille et le boulevard de la Pépinière comme destination avec ordre de

---

* Actuelle place de la Concorde. Elle portait officiellement à l'époque le nom de place Louis-XVI mais personne ne la désignait sous ce nom.

contenir les faubourgs d'où pouvait jaillir à tout moment le pire du peuple parisien. Marmont n'aimait pas ces manœuvres de rue, et tirer sur la canaille, comme en Espagne, n'ajoutait jamais rien à la gloire d'un soldat, mais il n'était pas possible de laisser une foule furieuse offenser le château des Tuileries comme en 1792 ; cela, le roi ne le lui pardonnerait pas. À cet instant, un officier d'ordonnance annonça le maréchal Victor, duc de Bellune, major général de la garde royale par quartier. Le héros de la Bérézina venait se mettre spontanément sous l'autorité de Marmont avec lequel il partageait le commandement de la garde par alternance.

Marmont n'avait jamais éprouvé beaucoup de sympathie pour Bellune – cet ancien tambour devenu maréchal d'Empire ressemblait à un fort des Halles empaqueté de velours et de soie. Outre que Bellune était devenu maréchal deux ans avant lui, les blessures reçues lors de la bataille de Craonne en 1814 l'avaient sauvé des choix terribles auxquels Marmont, lui, se trouva confronté quelques mois plus tard lorsqu'il fallut bien abandonner l'Empereur à son entêtement. Certes, Bellune était resté, comme lui, fidèle aux Bourbons pendant les Cent-Jours, et ils avaient traîné ensemble leurs bottes fatiguées sur le pavé de Gand en attendant la victoire sur la France des armées qu'ils avaient pourtant combattues et battues sur tous les champs de bataille d'Europe, mais de là à recevoir la grand-croix de Saint-Louis et la cravate du Saint-Esprit, c'était bien cher payé pour un dévouement qui ne lui avait pas coûté, comme à lui, le mépris de l'armée et la haine de la France. Enfin, il était là, et lui au moins savait tenir un sabre, contrairement à tous ces rats musqués courant sur les parquets de Saint-Cloud et des Tuileries. Sans en attendre l'invitation, Bellune attirait un fauteuil à lui car le souvenir de ses vieilles blessures ne lui permettait pas de demeurer trop longtemps debout. Il regardait la carte déployée, piquée par endroits de ces petites épingles dont Marmont tenait encore à la main la boîte de fer-blanc. Il garda le silence jusqu'à ce que l'autre l'interroge enfin du regard. Après une longue et pénible inspiration qui, chez lui, indiquait tout à la fois la réflexion et le doute, le duc de Bellune s'inquiéta de la dispersion des troupes, trop peu nombreuses à ses yeux pour tenir la ville. Chaque régiment courait le risque non seulement de se trouver débordé, mais encerclé puis coupé du commandement général et du reste de l'armée. Marmont mécontent balaya l'objection d'un revers de main qui vida la moitié de sa boîte d'épingles sur le tapis. Au pire les soldats recevraient des pots de chambre sur la tête, mais en aucun cas, ils n'auraient à reculer devant des ouvriers avinés et des saute-ruisseau portant des fusils plus hauts qu'eux. Bellune fit la moue, ils avaient vu l'un et l'autre en Espagne ce que la guerre des villes pouvait donner et comment la troupe harcelée par un ennemi insaisissable, canardée depuis chaque fenêtre, bombardée de tuiles ou de pierres et accablée de chaleur finissait par perdre pied puis par reculer. Paris n'était pas Salamanque ou Madrid, rétorqua Marmont, et il ajouta d'un petit ton agacé que ses soldats n'étaient pas des envahisseurs dans leur propre pays mais les soldats du roi. Le maréchal Victor conservait pourtant la même moue dubitative, ce qui avait le don de pousser à l'incandescence l'exaspération de son vieux frère d'armes qui, à bout d'arguments, finit par demander à son visiteur ce qu'il préconisait face à un tel foutoir. L'ancien tambour-major, sorti du rang et plus décoré à soixante ans passés qu'une châsse de procession, déroula alors un plan dont l'exécution renvoyait dans leur boîte de fer-blanc toutes les petites épingles à tête bleue laborieusement disposées par Marmont sur l'immense plan de Paris depuis le matin. L'armée devait quitter Paris, où chaque rue, chaque place, chaque immeuble, chaque grenier se refermerait bientôt sur elle comme autant de souricières. Une fois hors de portée, les régiments royaux boucleraient toutes les voies d'accès de la capitale afin d'en empêcher le ravitaillement. Personne n'entrerait, personne ne sortirait. Les Parisiens se plaignaient de la faim ? Eh bien, il suffisait de les affamer davantage pour les amener à résipiscence. Les bourgeois effrayés suivraient l'armée dans sa retraite, fermant derrière eux maisons, boutiques et ateliers, condamnant ainsi employés, artisans et ouvriers à un chômage implacable. Au bout d'une à deux semaines de ce carême, les chiens se boufferaient entre eux, et la troupe renforcée par les régiments de l'Est n'aurait plus qu'à se présenter, le train chargé de ravitaillement, pour être accueillie sous les vivats et les bénédictions. Il serait temps, alors, de pendre un émeutier à chaque lanterne depuis la rue Saint-Honoré jusqu'au faubourg Saint-Antoine de façon à marquer un peu les esprits. Ensuite, il s'agirait de nourrir en priorité ceux qui seraient en mesure de présenter un billet de confession et crieraient « Vive le roi ! » avec le plus de sincérité. Charles X pourrait alors entrer dans Paris en libérateur et pardonner à tous ceux qui n'auraient pas été pendus. On chanterait un *Te Deum* à Notre-Dame, et tout rentrerait dans l'ordre.

Marmont eut la patience d'écouter ces élucubrations jusqu'à leur terme mais il en avait des démangeaisons de langue. Quitter Paris ? Abandonner la capitale du royaume dont il avait la responsabilité à des bandes d'étudiants qui n'avaient pas de poil au menton ni de ficelle à leur pantalon ? Fuir devant un troupeau de femmes échevelées et de blouses crasseuses ? Lui ? La garde ? L'armée du roi ? Il voyait parfaitement clair dans le jeu de ce salaud de Bellune. Le ridiculiser devant la Cour, le perdre définitivement aux yeux de tous et empocher le prochain portefeuille de la Guerre si jamais Bourmont se faisait descendre en Algérie. Depuis 1814, on l'accusait d'avoir évacué Paris pour livrer la capitale aux armées ennemies et, quinze ans plus tard, il l'évacuerait, effrayé par les rugissements de trois chats de gouttière ? Tout en ramassant soigneusement les épingles tombées à terre pour se donner une contenance, le maréchal remercia froidement son camarade d'Empire et s'adressant à ses bottes plus qu'à lui, l'assura qu'une fois son service terminé, soit dans un mois très exactement, il remettrait entre ses mains les troupes, la capitale et les ordres du roi, mais que, d'ici là, le seul commandant de la 1re division militaire c'était lui, Raguse, et, se relevant péniblement car ses rhumatismes, malgré la sécheresse de l'air, ne le laissaient pas en repos, il désigna du menton l'ordonnance signée de la main du roi et pendue, elle aussi, à une tête d'épingle.

Un hôtel garni, rue de Richelieu*

À la première détonation, il sursauta, et la tasse de café que sa logeuse lui apportait toujours à la même heure trembla dans sa soucoupe, fit danser dangereusement le breuvage brûlant dont quelques gouttes finirent renversées sur les feuilles d'épreuves. Il jura, essaya de limiter les dégâts en tamponnant délicatement le papier navré avec son foulard de col. Le remède fut pire que le mal, l'encre d'imprimerie n'était pas encore tout à fait sèche, et les mots se brouillèrent sous ses yeux comme si l'ivresse ou une immense fatigue s'emparait soudain de lui. Il ne jurait plus mais des larmes de rage lui montèrent aux yeux et, cette fois, il ne voyait vraiment plus clair. Jamais il n'aurait dû s'engager à rendre son manuscrit en avril, et jamais il n'aurait dû accepter que ce diable d'éditeur lance le tirage avant de lui avoir remis son roman achevé, mais il était trop tard, et maintenant l'imprimeur le harcelait jusque chez lui pour venir quémander jour après jour de nouvelles feuilles. C'était à devenir fou. Il en était réduit à devoir écrire la fin de son roman au petit matin et à en corriger les épreuves la nuit pour le lendemain. Ses idées se brouillaient, il perdait le fil de son intrigue, de très belles pages dictées en songe lui échappaient au réveil à la seule vue des liasses imprimées déposées un peu partout dans sa chambre. Il ne savait même plus comment madame de Rênal était vêtue lorsque Julien l'apercevait de dos à la messe, au point d'être contraint d'aller fouiller dans son manuscrit pour retrouver ces simples détails. Une deuxième détonation

---

* À l'emplacement de l'actuel 69, rue de Richelieu.

suivie d'un long cri de victoire lui vrilla de nouveau la cervelle. C'en était trop, et il lui paraissait qu'une conjuration universelle se liguait contre lui. Furieux, il ouvrit sa fenêtre pour protester et se pencha au-dessus du petit garde-corps gracile. Il vit l'émeute répandue sur toute la longueur de la rue de Richelieu avec au loin un tumulte autour de la boutique de l'armurier Le Page qui semblait prise d'assaut. Intérieurement, il ricanait. Si tous ces pauvres gens croyaient renverser un trône avec des fusils de chasse à deux coups et des escopettes antiques vendues à prix d'or par cette maison connue de tous les amateurs de vieilleries, ils se trompaient bougrement. La bêtise du peuple le désespérait. Ce n'était pas demain la veille que l'on verrait la république régner. Stendhal referma sa fenêtre violemment, alluma une chandelle, attendit impatiemment que la cire chauffe, en recueillit quelques gouttes, se brûla les doigts puis les malaxa un long moment pour en faire des boulettes qu'il se glissa ensuite dans les oreilles. Un grand silence s'installa aussitôt. Sa tête se calmait. Il fit une grimace dans le miroir, tira la langue, se trouva bien laid et prit le parti d'en rire. Si les Parisiens étaient assez fous pour jouer au 14 Juillet avec quinze jours de retard, lui n'avait pas de temps à perdre avec des songes creux, il s'assit à sa table, termina d'annoter fiévreusement les marges de son dernier chapitre et n'entendit plus rien de la fusillade. Dehors, les Parisiens déchaussaient les pavés de la rue.

Rue Saint-Honoré

Sur le parvis de Saint-Roch, à quelques pas de là, gisait un homme ensanglanté. Il était mort, un embarras de rue se fit pour ramasser son cadavre que la foule disputait à la troupe. L'homme, très jeune, maintenant à demi nu, porté par les uns, tiré par les autres, s'agitait de tous ses membres inertes, dans une danse macabre bien involontaire.

Charles de Rémusat pressa le pas, se faufila entre les soldats de la garde sans qu'aucun d'eux se permette d'interrompre la marche d'un monsieur si bien mis dont chaque breloque pendue à la chaîne de montre pouvait suffire à leur payer la solde. Après avoir longé la cour de l'horloge du Palais-Royal, dont pas une vitre n'avait été brisée, il continua sa marche pour rejoindre Thiers et leurs amis chez Cadet de Gassicourt, le pharmacien de la rue Saint-Honoré, rendez-vous convenu après leur entretien avec Casimir Perier. Une cinquantaine de personnes se serraient déjà dans le salon du premier étage où régnait une chaleur à crever. Thiers et Armand Carrel, rencognés dans l'embrasure d'une des trois hautes fenêtres de cette maison construite sous le règne du Bien-Aimé, lui firent de grands signes. Il eut peine à se frayer un chemin jusqu'à eux tant les mains se précipitaient vers la sienne pour saluer la célèbre signature du *Globe*. Madame Cadet de Gassicourt, la femme du pharmacien, déjà aux cent coups, ne s'aperçut même pas de cette nouvelle intrusion dans sa maison. Son mari enragé de politique et d'idées libérales prenait un risque insensé à réunir chez lui tous les électeurs de l'arrondissement pour constituer des comités de résistance et appeler à la mobilisation de la garde nationale malgré sa suppression. Eux qui avaient la pratique des Tuileries et du Palais-Royal, de quoi diable se mêlaient-ils ?

Faisait-on la révolution quand on payait patente, que l'on avait des rentes et les princes comme clientèle ? Entre deux réflexions, cette femme respectable donnait pourtant des ordres. Les deux petites bonnes ne suffisant pas au service, elle avait fait fermer la boutique et réquisitionné la demoiselle de magasin et les deux préparateurs de la pharmacie pour servir de valets de pied comme lorsqu'elle recevait à dîner les membres de l'Institut auquel son mari, un grand savant, aurait mieux fait de préparer sa candidature plutôt que de poursuivre des chimères qui finiraient par le conduire au fort de La Rochelle. Et dire que le jour de son mariage une vieille parente lui avait chuchoté à l'oreille que son beau-père était né des amours de Louis XV ! C'était bien la peine d'avoir le roi comme oncle de la main gauche si c'était pour lui coller un fusil dans les reins ! Son mari, adossé au manteau de la cheminée et incapable de faire un pas tant il y avait de monde chez lui, exigeait en faisant de grands gestes qu'elle descende à la cave tirer du vin et du meilleur, celui contenu dans le petit tonneau de Bourgogne, mais elle faisait comme si elle ne comprenait pas, gardait la main sur le trousseau de clefs noué à son joli tablier de calicot, ne servait que de l'orgeat à l'eau, du coco bien frais et des citrons pressés. Au moins, tous ces fous garderaient les idées claires.

Thiers prit alors la parole. Elle n'aimait pas ce petit bonhomme à lunettes et houppette de cheveux noirs qui se haussait sans cesse du col et se croyait partout à la Chambre des députés. Ça n'avait pas dix mille francs devant soi et ça prétendait parler au nom de la France, et avec un accent de Marseille ridicule, pardessus le marché ! Tous ces journalistes étaient des gens infréquentables, nés de familles équivoques, célibataires pour la plupart et menant des vies de bâton de chaise, mais son mari en était entiché et lui cassait la tête à force de lui faire la lecture de leurs articles. Toute une fumée de mots à vous donner des vomissements. Les pauvres avaient l'âme aussi sale que leurs pieds, et leur accorder le droit de vote ne changerait rien à l'affaire. Telle était sa façon de penser, et tous ces bavards à deux sous la ligne ne l'en feraient pas démordre.

Le maître de maison obtint facilement le silence pour que Thiers rende compte de la visite faite à Casimir Perier. Son récit circonstancié fut reçu par des murmures de réprobation. Rester dans la stricte légalité, autrement dit ne rien faire, c'était abandonner le peuple à lui-même, la foule à ses plus bas instincts et la capitale au pillage. Au mot de pillage, madame Cadet de Gassicourt crut se trouver mal pour de bon. Elle voyait sa devanture éventrée à coups de hache, ses fragiles pots de faïence dont certains dataient du dernier siècle brisés par des mains aveugles, des blessés portés sur ses fauteuils aux tapisseries précieuses, son linge de maison, ses services de table damassés déchirés pour faire de la charpie, des lambeaux de chair sur ses tapis et du sang sur ses rideaux, sa fille de cuisine violentée, les tonneaux de sa cave forcés et toute une foule de sans-culottes s'abreuvant à même la brèche ouverte. Ses palpitations la reprenaient, la tête lui tournait. Il fallait fermer la maison et partir à la campagne tant que l'on passait encore la barrière. Sans prêter la moindre attention au regard terrassé de cette pauvre femme au bord de la convulsion, les hommes parlaient, tranchaient, décidaient. Un comité d'électeurs opposé aux ordonnances verrait le jour dans chaque arrondissement de la ville, et les officiers de la garde nationale veilleraient à parcourir les rues en uniforme de façon à offrir un repère à la foule et des chefs à l'émeute. Thiers offrait à son auditoire un mot d'ordre qui lui convenait parfaitement, rester dans la légalité mais ne jamais cesser d'accompagner le mouvement, et conclut en ajoutant :

— Nous ne devons pousser personne, mais si quelques braves gens font autrement que nous, ne les désavouons pas et, s'ils succombent, préparons leur vengeance.

Il n'était pas question de mourir fusillé ou pendu mais, si l'on tirait sur le pauvre peuple, il serait toujours temps de le soutenir par de belles déclarations soucieuses du droit des gens et respectueuses des lois universelles. On se congratula, on se félicita, on vida les derniers verres puis l'on s'embrassa dans des effusions antiques avant de se quitter. Madame Cadet de Gassicourt jeta un coup d'œil navré à ses parquets rayés par trop de chaussures ferrées, chassa les verres abandonnés sur le marbre de ses consoles et fit aussitôt fermer les volets intérieurs de son salon. Tout devait faire croire à une maison vide.

Thiers prit la décision de ne pas coucher chez lui cette nuit-là, de peur d'être arrêté. Il préférait veiller au *National*, une plume à la main, pour parer à toute éventualité, et l'ami Carrel fit de même.

Au château de Saint-Cloud

Le jeu du roi avait été installé dans le salon de famille au centre des grands appartements. Les officiers de la Cour venaient d'être appelés par le premier gentilhomme de service après qu'il eut dressé au roi la liste des personnes venues faire leur cour à Saint-Cloud et dont il souhaitait s'entourer ce soir-là.

Sa Majesté commençait sa partie de whist avec le duc de Duras, le marquis de Vérac et la duchesse de Berry en quatrième. La princesse était habillée d'une robe de gros de Tours d'un bleu Nattier choisi pour dialoguer avec ses yeux et sur laquelle une main d'artiste avait, au fond d'un atelier de la rue Saint-Honoré, parsemé de petits bouquets de fleurs peintes au naturel autour desquels voletaient des papillons multicolores. De larges manches ballon découpées sans pitié, ainsi que la ceinture, dans une merveilleuse pièce de dentelle de Bayeux offerte par cette ville à l'occasion de la naissance miraculeuse du duc de Bordeaux, terminaient un costume auquel seule une traîne de trois pieds permettait de donner la qualité de robe de cour. Si la duchesse d'Angoulême n'était pas partie à Vichy pour y prendre les eaux, elle n'aurait pas manqué de faire remarquer à son infortunée belle-sœur l'incongruité d'une simple robe des champs un soir de grands appartements, fût-ce dans la simplicité de Saint-Cloud.

Aux tables voisines on trouvait le duc de Polignac, frère du ministre, le duc de Luxembourg ou encore le marquis de Corbon jouant à l'écarté. Quelques rares courtisans qui jouissaient d'un appartement au château et pouvaient y dormir passaient d'une table à l'autre pour commenter le jeu, applaudir aux levées du roi et parier sur les atouts de la princesse. La majestueuse pendule posée sur la cheminée dans sa boîte en marqueterie de Boulle sonnait les heures dans un silence que seules les annonces du roi venaient troubler. Un amour de bronze doré y narguait le Temps, vieux philosophe barbu couché sur son lit d'ébène et assez mal en point.

De la Seine montait enfin un peu de fraîcheur dont chacun, après cette journée accablante de chaleur et d'ennui, voulait profiter en s'approchant des fenêtres qui, avec la permission du roi, restèrent ouvertes. De temps à autre, un souffle d'air caressait les épaules nues des femmes et donnait des tremblements aux chandelles des grands lustres, ce qui obligeait le duc de Duras à cligner des yeux pour voir ses cartes, car il n'attardait plus, depuis bien longtemps, son regard sur les grands décolletés.

Le pas d'un cheval arrivant dans la cour n'échappa à personne, mais aucun visage, malgré l'anxiété générale, ne trahit la curiosité ou l'intérêt pour cette visite tardive. Le roi n'avait pas levé le nez de son jeu car, à peu près aussi sourd qu'il était myope, il n'entendait rien à plus de deux mètres. Tous ne regardaient que les cartes qu'ils avaient en main. Seule la duchesse de Berry marqua un peu de fébrilité en fouillant avec plus de désordre qu'à l'habitude dans sa bourse de jeu pour en sortir un joli jeton de nacre gravé aux armes accolées de France et des Deux-Siciles qu'elle misa sur le tapis vert d'un petit air de défi souverain.

On entendit une voix forte derrière la porte et des supplications de laquais, le premier gentilhomme de service l'entrouvrit, la referma puis vint se placer lentement derrière le fauteuil de Sa Majesté, lui dit quelques mots à l'oreille que le roi écouta tout en continuant à regarder fixement son jeu avant de hocher très légèrement la tête. Le premier gentilhomme repartit alors du même pas de cérémonie jusqu'à la porte donnant sur le salon de Vénus, héla l'huissier d'antichambre, attendit quelques instants et conduisit jusqu'au roi un officier de la garde. Le martèlement des parquets précieux par ces éperons de cavalier investit à lui seul le silence du salon. L'officier claqua des talons dès qu'il fut à portée du roi puis s'inclina devant la princesse. La duchesse de Berry avait la vue trop basse pour bien distinguer les traits de ce soldat de vingt-cinq ans, mais elle connaissait assez les hommes pour apprécier la tournure d'un athlète sous l'uniforme et la puissance d'un jarret parfaitement pris dans des bottes si fines qu'elles semblaient avoir été cousues à même la peau. Elle n'osa pas ajuster son face à main d'or guilloché pour terminer son examen et maudissait sa mauvaise vue. Comble d'infortune, un petit courant d'air vint souffler plusieurs bougies et des valets armés de longs boutefeux se précipitèrent pour les rallumer.

Le roi invita l'aide de camp de Marmont à faire son rapport. Il fut bref. Le maréchal, duc de Raguse, informait Sa Majesté que la troupe tirait maintenant sur la foule et que le sang avait coulé à Saint-Roch, rue de Richelieu et aux abords du Palais-Royal. Charles X fit une moue dont il était bien difficile de savoir si elle exprimait la surprise, la contrariété ou la satisfaction, mais la duchesse de Berry, sans attendre que son auguste beau-père ne donne, en commentant la situation, une quelconque indication de son humeur, s'adressa directement au bel officier pour lui demander si les soldats avaient tiré de bon cœur. L'officier pivota vers la princesse, puis fit une enjambée en sa direction, pour mieux lui répondre que les soldats de Sa Majesté tiraient sur la canaille sans le moindre état d'âme. À cette distance, le visage du jeune homme devenait visible, de longs cils noirs lui dessinaient un air doux, presque féminin, mais une ombre de moustache artistiquement entretenue, une bouche suffisamment épaisse pour donner des espérances et l'ossature ferme de ses mâchoires apportaient à l'ensemble une force prometteuse. La duchesse se leva d'un bond sans que le valet de pied qui se tenait à distance derrière son fauteuil ait eu le temps de le tirer pour permettre le dégagement de sa traîne, et elle se jeta au cou de l'aide de camp en disant :

— Venez ! Il faut que je vous embrasse !

L'officier resta interdit et ne bougea pas davantage que l'Hercule Farnèse mais, le soir, il jura à ses camarades que la petite duchesse s'était serrée si fort contre lui en l'embrassant qu'il avait craint un instant que ses pantalons collants ne trahissent une belle émotion de soldat.

Chacun dans le salon applaudissait en silence à l'enthousiasme de cette jeune veuve dont le courage rappelait les grandes heures de la Fronde, et le roi, bien qu'amusé par ce geste déplacé, adressa à sa bru un reproche souriant :

— Allons, allons, asseyez-vous, pas d'enfantillages…

Il pardonnait tout à la veuve de son fils bien-aimé, comme son aïeul le roi Louis XIV pardonnait le moindre de ses écarts à la petite duchesse de Bourgogne. Elle était le divertissement de sa vieillesse et elle avait porté dans ses flancs l'avenir de sa race.

L'officier prit congé, et le roi lui donna sa tabatière pour le remercier de son récit.

Le duc de Duras, dont c'était le tour au jeu mais que les nouvelles de la capitale n'enchantaient pas autant que la petite princesse, se racla un peu la gorge, ce qui dans l'intimité du souverain revenait à réclamer la parole. Le roi, en riant, demanda à son vieil ami si un chat se logeait au fond de son gosier. Le duc, loin de saisir la balle de l'esprit au bond, osa s'inquiéter à haute voix de ces troubles alors que le gros de l'armée occupait Alger et que les soldats casernés sur les frontières de l'Est ne s'étaient pas encore mis en route pour Paris. Il s'interrogeait : Sa Majesté ne devrait-elle pas prendre de nouvelles mesures en ordonnant aux troupes de presser le pas ?

La réponse fusa d'un ton faussement importuné que Charles X aimait, parfois, à utiliser avec ses plus anciens serviteurs :

— Vous êtes fou, mon cher duc, je vous répète pour la centième fois qu'il n'y a rien à craindre ni à faire ; tout cela n'est que feu de paille et ne laissera que sa fumée !

Puis, reprenant ses cartes, le roi engagea son partenaire à faire ses annonces car dix heures sonnaient à la pendule et qu'il se faisait tard.

À *Paris, rue d'Anjou*

La comtesse de Boigne qui, dans la vie, ne craignait rien sinon l'ennui, s'était refusée à quitter sa maison dont les plâtres séchaient à peine. Ses conversations avec les ouvriers la rassuraient, leurs raisonnements politiques, leurs propos très mesurés, tout comme leur politesse à son endroit – elle n'était qu'une femme seule –, lui paraissaient une garantie suffisante de leur parfait état d'esprit. Elle marqua néanmoins un peu de surprise lorsque, rentrant d'une visite à Neuilly où les Orléans passaient une partie de l'été avant de rejoindre leur château d'Eu, elle ne trouva plus personne sur ses échafaudages. Il en était de même pour le carrossier et le serrurier qui logeaient en face de chez elle. Tous les ouvriers s'étaient volatilisés dans l'après-midi. Fort heureusement, ses gens, eux, ne désertaient pas, et elle pouvait donc garder la porte de son salon ouverte toute la soirée pour permettre aux nouvelles de la ville de venir jusqu'à sa confortable bergère. Elle avait quitté sa tenue de visite pour une robe de taffetas caméléon agrémentée d'une modestie de tulle noire brodée au point d'esprit chargée de rappeler opportunément à ses hôtes que la maîtresse de maison portait le deuil d'un mari dont elle était séparée de corps depuis des lustres mais qui, plus généreux mort que vivant, lui laissait une pension viagère à adoucir les plus tristes veuvages. Dès l'après-dîner, le maître d'hôtel annonçait son vieil et tendre ami, le conseiller Pasquier auquel le roi Louis XVIII, non sans bon sens, avait confié autrefois le ministère des Affaires étrangères avant de l'élever à la pairie. L'homme avait été un si piètre préfet de police sous l'Empire que de tels états de service méritaient, à eux seuls, la confiance des Bourbons qui la plaçaient toujours mal. Depuis la mort du feu roi et le règne de son successeur, cet homme d'État se tenait à une distance respectueuse des affaires comme des ultras mais demeurait une sorte d'oracle. Il arrivait, tout essoufflé, de chez les Girardin, ulcérés par les débordements de cette populace à laquelle il manquait de ne pas avoir assez reçu de coups de sabre. Le vieux ménage lui avait confirmé la charge des gendarmes sur la foule après que le tilbury du maréchal Marmont eut essuyé insultes et jets de pierre. On parlait d'une barricade rue de l'Échelle et de quelques morts sous les fenêtres du Palais-Royal mais, fort heureusement, la troupe se déployait partout, et plusieurs canons, mèches allumées, se trouvaient déjà sur la place Louis-XV prêts à hacher menu tous ces mécontents. Monsieur de Girardin plaçait les plus grands espoirs dans ce déploiement d'artillerie tout en maudissant la faiblesse d'un ministère incapable de conduire un coup d'État sans les précautions d'usage. Bonaparte était un insupportable parvenu, mais au moins il savait disposer ses canons dans l'axe des rues lorsque l'autorité de l'État se voyait contestée.

À peine l'ancien ministre, qui ne quittait jamais son grand cordon de la Légion d'honneur, même dans les tendres instants, terminait-il ce compte rendu que l'ambassadeur de Russie, un habitué de la maison et toujours fêté, se présentait. Il confirma brièvement toutes ces informations mais n'eut pas de mots assez durs contre un roi qui se parjurait, des ministres qui menaçaient la tranquillité des gens et un maréchal de France qui, loin de protéger les Parisiens placés sous son autorité, s'apprêtait à leur donner la canonnade. Les habitués de la maison, ainsi que la comtesse de Boigne, restèrent sans voix d'entendre cette harangue libérale dans la bouche de l'ambassadeur du tsar Nicolas Ier qui, cinq ans plus tôt, étranglait l'insurrection décabriste d'une main de fer. Ils en comprirent les raisons lorsque le comte Pozzo di Borgo laissa éclater sa colère de n'avoir été consulté sur rien et laissé dans une ignorance totale des projets du roi et de Polignac. Affront suprême, Sa Majesté Charles X refusait maintenant de recevoir le corps diplomatique à Saint-Cloud pour lui apporter quelques éclairages sur une politique dont les conséquences n'étaient pas sans risques aux yeux des puissances européennes. Afin de détourner l'ambassadeur de sa philippique, la comtesse de Boigne reprit adroitement les dés de la conversation pour les jeter sur la route de Neuilly dont elle revenait avec l'assurance, confia-t-elle sur un ton de sincérité larmoyante, que jamais le duc d'Orléans, bien que très inquiet des ordonnances, ne manquerait à sa fidélité au roi et à la branche aînée. Il n'était pas un membre de cette noble famille qui ne regrettait de se trouver contraint, par les cérémonies de la messe du Saint-Esprit et de l'ouverture de la Chambre, de rester à Paris au cœur de l'été. Tous regrettaient amèrement de n'être pas déjà confortablement installés au château d'Eu en Normandie où il eût été bien difficile de les compromettre aux yeux du roi dans quelque affaire que ce fût.

Le conseiller Pasquier ne manqua pas de noter que cette crainte d'une éventuelle compromission révélait, à elle seule, bien des rêves secrets, mais n'en dit rien.

Il se faisait tard, les agents de l'ambassadeur envoyés aux quatre coins de la capitale pour aller aux nouvelles et renseigner l'état des rues firent un rapport rassurant. La troupe venait de regagner ses casernes sur ordre de l'état-major, la ville montrait désormais un grand calme. Le peuple dormait, seuls quelques charrettes renversées et des amas de pavés ici ou là trahissaient les événements de la journée. On décida de se quitter et de partir ensemble pour plus de sûreté. Le comte Pozzo di Borgo révéla que ses domestiques étaient bien armés. Monsieur Pasquier proposa de rester auprès de la comtesse de Boigne, veuve accablée, tremblante de se trouver seule dans une maison couverte d'échafaudages et prête à toutes les escalades. Chacun approuva ce geste de gentilhomme.

Chez le comte Réal

Lorsque cette grosse figure rougeaude festonnée d'un collier de barbe noire peu fournie et mal plantée vint se caler dans son champ de vision, la baronne Lacuée ne put réprimer un petit mouvement de surprise qui l'obligea à interrompre puis à reprendre le vieil air de Cimarosa que son père aimait accompagner lui-même au pianoforte. Elle se reprocha aussitôt une attitude désobligeante car elle aimait bien, au fond, ce vieil ami de la famille un peu fantasque assurément mais qui parlait de la musique, de l'Italie et de l'amour comme personne. L'écrivain lui avait été présenté vingt ans plus tôt à l'époque où il promenait partout dans Paris, surtout au théâtre, ce qui faisait rire, son bel habit de velours noir au col et aux manches brodés d'argent de jeune auditeur au Conseil d'État dont son père, le comte Réal, était alors un des aigles de section. Jeune homme, Stendhal ajoutait une fatuité insupportable à une laideur anormale, mais elle n'avait que vingt ans et ils aimaient tous les deux Mozart de façon déraisonnable. Une tendre amitié était née que ni les éloignements ni les épreuves n'étaient jamais venus obscurcir. Aussi, dès le retour de Stendhal à Paris, elle lui avait fait porter un billet d'invitation permanent pour ses soirées musicales. Le succès d'estime de quelques-uns de ses livres apportait à son salon, jugé horriblement libéral par le noble faubourg, une touche de bel esprit.

Le comte Réal, auquel la gêne de sa fille n'échappait pas, se précipita à la rencontre de son ancien collègue, le tutoyant comme c'était l'usage alors que lui-même avait été chassé du Conseil par la Restauration qui se méfiait, à juste raison, de son passé de jacobin et ne lui pardonnait pas d'avoir soutenu Bonaparte pendant les Cent-Jours.

À première vue, l'invité qu'une énorme cravate blanche ne suffisait pas à doter d'un cou digne de ce nom ne s'était rendu compte de rien, il rosissait simplement de troubler par son arrivée tardive l'interprétation donnée par son amie du *Mariage secret* et, pour s'assurer un maintien certain, reprit là où sa vieille amie s'était arrêtée en entonnant dans un italien parfait et d'une voix de mauvais ténor la fin du grand air de Caroline. Emporté par l'intrépidité des timides, il ajouta le jeu à la musique et interpréta le rôle comme un acteur de l'Opéra-Comique. La compagnie, peu nombreuse en ces derniers jours de juillet, applaudit, et cet accueil suffit à Stendhal pour tenter de nouvelles pirouettes et faire rire tout le monde à ses dépens. Le concert achevé, on demanda, en effet, au retardataire des nouvelles de la rive droite et des rues qu'il venait de traverser pour atteindre celle de l'Université. Il se fit d'abord pardonner son retard, en expliquant longuement les tracasseries de son éditeur et la difficulté d'écrire par une chaleur pareille, surtout avec des Parisiens décidés à faire un chahut de tous les diables. À ce mot, le comte Réal fronça les sourcils ; malgré son exil aux Amériques, cet ancien jacobin devenu directeur de la police sous l'Empire connaissait trop bien les accès de fièvre de la capitale pour ne pas voir dans l'émotion populaire qui s'emparait de Paris davantage qu'un chahut. Aussi répliqua-t-il un peu vivement en évoquant ses souvenirs de 89 et de 93, rappelant que le Palais-Royal où les premiers affrontements avaient eu lieu était le berceau de la Révolution et que rien, pas même un régiment de Suisses, ne pourrait empêcher la prise des Tuileries si l'émeute venait à en battre les murailles.

Devenu euphorique car des dames l'entouraient, Stendhal plaisanta de plus belle en décrivant la foule d'ouvriers et de boutiquiers qui, sous ses fenêtres, s'amusait à tirer sur les lanternes avec de vieilles pétoires et à marcher sans savoir où elle allait ni même ce qu'elle voulait. Rien de révolutionnaire dans tout cela mais un charivari incommode et burlesque dont il ne sortirait que deux ou trois malheureux pendus. Stendhal poursuivait sa péroraison sans percevoir la gêne, pour ne pas dire le mépris, de ses hôtes. À son avis, il n'existait aucune comparaison possible entre les héros du 14 Juillet et ces ouvriers au chômage juste capables de briser des vitres mais qu'un coup de canon suffirait à faire décamper jusqu'à Montmartre. Il continua ainsi toute la soirée, au point que le comte Réal, resté républicain au fond de son cœur malgré son titre et le service de l'Empereur, se montra glacial lorsqu'il le raccompagna jusqu'à sa porte.

Dehors, seuls les rayons de lune éclairaient désormais l'obscurité des rues privées de la lueur des lanternes par l'émeute. Étonné par la froideur de son hôte qui contrastait avec la chaleur de la nuit, Henri pensa que la rupture avec son vieux complice pourrait bien être consommée lorsque celui-ci découvrirait dans quelques mois qu'il avait donné son nom, en y ajoutant simplement une lettre, à un mari cocu ! Cela le fit rire, car c'était après tout la condition des gens de lettres que d'emprunter des traits ou des ridicules à leurs amis et de se fâcher ensuite avec eux. C'est ainsi que l'écrivain se payait de toute la gloire posthume que sa plume distribuait généreusement autour de lui. L'idée d'aller rue d'Anjou pour y baiser sa maîtresse lui vint avec la caresse de cette nuit moite. La petite Giulia Rinieri qui s'était jetée à son cou quelques mois plus tôt n'avait pas froid aux yeux et, par une soirée pareille qui lui rappelait les douceurs de Milan, il ne risquait pas le fiasco. Il y parvint un peu avant minuit et fut très surpris de voir plusieurs voitures aux portières armoriées, conduites par des cochers en livrée stationnant le long d'une rue qu'il espérait déserte. Par petits groupes, les amis de la comtesse de Boigne, voisine de la jolie Giulia, quittaient son hôtel. Le vieil amoureux se cacha dans l'ombre d'une porte cochère et n'osa pas aller plus loin car son désir, comme il arrivait trop souvent, était lui aussi monté en voiture pour prendre la fuite.

Sur le boulevard de Bonne-Nouvelle

À la même heure, un autre poète qui ne trouvait pas le sommeil arpentait les boulevards à la recherche d'un peu de fraîcheur, croisant parfois des groupes d'ouvriers silencieux et peu nombreux. Ancien officier de la garde, Alfred de Vigny s'approchait d'un bataillon qui n'avait pas encore regagné sa caserne pour se faire connaître. Un vieux capitaine tenant une canne de jonc dont la pomme était singulièrement sculptée vint à sa rencontre et le reconnut. Ils avaient autrefois servi ensemble. On voyait quelques flammes s'élever du côté de la porte Saint-Denis. Le capitaine Renaud, car il portait ce nom, s'inquiétait de ce départ de feu mais Vigny l'interrompit. C'étaient simplement de vieux ormes que l'on brûlait. Rasséréné, l'officier s'assit sur un des bancs de pierre du boulevard, invita le poète à en faire autant et, dessinant de grands traits sur le sol poudreux du bout de sa canne, commentait la manœuvre des Suisses qui le matin même avaient exécuté à la perfection le «*feu de chaussée en avançant*». C'était là un vrai mouvement de parade, mais quel serait son effet dans les rues de la capitale si les combats reprenaient demain ? Sans laisser son interlocuteur lui répondre, le capitaine Renaud se leva, lui prit le bras pour faire quelques pas et discuter en marchant. Il fut bien sûr question des ordonnances, de l'honneur qu'il y avait à se battre pour les faire respecter, quand bien même on ne les avait pas lues et que l'on venait de quitter le service après une vie entièrement consacrée au métier des armes. Le vieux soldat n'avoua alors qu'un seul regret, il avait fait son paquet trop vite pour courir à la caserne et son hausse-col était resté chez lui. Il ne pouvait tout de même pas affronter le feu sans son hausse-col ! Lui, capitaine de la garde. Vigny allait lui proposer le sien lorsque le sous-lieutenant de la compagnie vint leur demander un cigare. Le capitaine s'exécuta puis fit équitablement la même offre à chaque sous-officier avant d'entraîner son nouvel ami à l'écart pour lui proposer de l'aider à trouver le sommeil en lui racontant ses aventures[*].

---

[*] Elles fourniront à Alfred de Vigny la matière pour le troisième livre de ses *Servitude et Grandeur militaires* sous le titre de *La Vie et la Mort du capitaine Renaud ou la Canne de jonc.*

Sur les barricades
Mercredi 28 juillet 1830

Dans la voiture qui le ramenait de Dieppe, Chateaubriand attendait que le jour se lève pour parvenir à lire les ordonnances et, rêvant à madame Récamier, récitait intérieurement les vers fameux de Racine, « *Que le jour recommence et que le jour finisse / Sans jamais que Titus puisse voir Bérénice* », tant ils lui paraissaient d'un parfait à-propos même si, à la vérité, rien n'indiquait que la reine de Palestine ait, comme la duchesse de Berry, goûté aux joies des bains de mer. Lorsque l'aube le permit enfin, il s'abîma les yeux sur les petits caractères du *Moniteur* à déchiffrer l'arrêt de mort que la monarchie venait de signer elle-même. Il s'emportait contre un gouvernement stupide et pleurait sur le sort d'une famille ingrate mais légitime à laquelle il avait juré une fidélité de gentilhomme. Si au moins on lui avait confié le ministère, rêvait-il tout haut, jamais le roi n'aurait engagé le char de l'État dans cette ornière qui allait bientôt le faire verser. Une forte secousse due à un cahot de la route et aux mauvaises suspensions de sa berline de louage vint là encore confirmer les intuitions du poète et la haute idée qu'il avait de lui-même. À défaut de parvenir à les sauver d'eux-mêmes, il saurait trouver les accents justes pour chanter la chute des

Bourbons. Du revers de sa manche, il essuya le carreau sale de sa voiture, et la route, bien que mauvaise, lui parut belle.

Au château de Saint-Cloud

Le roi n'était pas encore levé mais le duc de Duras, lui, venait d'être réveillé en sursaut par le bruit du canon que les vents d'est portaient jusqu'au château. N'y tenant plus, il était tombé de son lit et, usant des privilèges de sa charge, avait obtenu du premier valet de chambre d'avancer d'une heure le lever de Sa Majesté. Ouvrant lui-même d'impatience les immenses volets intérieurs pendant que les valets tiraient les rideaux du lit, il prit Charles X au débotté :

— Le roi a-t-il entendu le canon ?

Le monarque, à peine réveillé, le bonnet de nuit sur la tête, cherchait du bout de ses orteils ses vieilles pantoufles qu'un valet l'aida aussitôt à enfiler en se jetant à ses pieds. Il dormait profondément lorsque l'irruption de son premier gentilhomme dans sa chambre l'avait arraché à son sommeil. Il ne comprenait pas les raisons de cet affolement et ne se souvenait pas d'avoir donné des ordres la veille pour partir à la chasse. Le duc répéta sa question, ce qui donna au roi de l'humeur :

— Oui, j'ai entendu, mais j'ai su depuis que ce n'était rien. Tenez-vous donc tranquille, à la fin !

Duras n'insista plus et partit se tenir dans l'anti-chambre pour veiller aux entrées, mais il ne voyait pas bien comment le roi avait pu recevoir dans son sommeil des assurances sur la situation de Paris.

À Paris

Au point du jour, Paris retrouvait sa colère abandonnée la veille sur les boulevards. Par petits groupes,
les émeutiers armés de pelles et de pioches s'attachaient
à desceller méticuleusement les pavés. Ensuite une file
se formait, à laquelle de simples badauds prêtaient leur
aide après avoir enlevé puis plié leur redingote avant
de la confier à des voisins, et l'on se passait les pierres
de main en main pour constituer de petites pyramides.
Très vite, la rue ressemblait au lit de sable et de galets
d'une rivière asséchée sur laquelle des enfants réveillés
par les coups de masse couraient pieds nus avant d'être
rattrapés par des femmes venues apporter l'eau et le vin
aux artisans de la révolte.

Aidés par les boutiquiers lassés de subir la portée
de leurs ombres sur des entresols humides, de jeunes
charpentiers finissaient d'abattre les ormes centenaires
plantés sous Louis XIV et qui faisaient jusque-là l'agrément des promenades. Les arbres tombaient les uns après
les autres en travers de la chaussée dans de grands frois-
sements de branches et de frondaisons dont l'épaisseur
amortissait la chute de ces vieilles sentinelles feuillues.
À terre, l'élagage ne prenait qu'un instant puis les troncs
assemblés, traînés jusqu'au croisement le plus proche,
aidaient à encadrer et à soutenir les piles de pavés, les
tonneaux emplis de terre, les vieux matelas jetés des
fenêtres, les fiacres renversés, les bancs de cabaret,
les sacs de jute gorgés de sable avec lesquels on élevait
la barricade. Des réverbères, des grilles prises à des
jardins ou des barrières de communion empruntées aux
églises, les plaques d'égouts et de cheminées servaient de

première ligne de défense chargée d'entraver la marche des lanciers dont les galopins embusqués viendraient couper les sangles ou les jarrets.

Aux étages, des vigies coiffées de mauvais bonnets de dentelle parcheminée par l'âge et la crasse surveillaient le coin de la rue, prêtes à jeter des cris d'alarme à la vue du premier uniforme. Sur les rebords des fenêtres, les pots de chambre pleins de la nuit mais revêtus de leur couvercle pour empêcher que leur contenu ne chauffe trop incommodément au soleil attendaient d'être utiles.

Dans la profondeur de logements sombres, des mains de vieux fabriquaient des cartouches avec du carton et des pièces d'un sou. La poudre sortait des terrines cachetées où elle dormait dans l'attente de la chasse dans les garennes de Pontoise ou de Créteil. Une petite troupe bien armée mais aimable frappait à chaque porte pour demander très obligeamment des armes à ceux qui leur ouvraient, et les propriétaires de ces hautes maisons parisiennes les leur confiaient avec obligeance. Leurs noms étaient alors laborieusement notés sur de gros carnets d'ouvrier pour le jour où cet arsenal leur serait légalement restitué. Chaque garde national avait conservé non seulement son uniforme mais aussi un équipement payé sur ses deniers, et il en était de même de tous les anciens conscrits, des demi-soldes et des vétérans des armées de l'Empire, de tous ceux, enfin, qui, démobilisés en 1814 puis en 1815, étaient rentrés chez eux, défaits, humiliés, mais solidement armés. On prenait de vieilles escabelles pour aller chercher à tâtons derrière les corniches droites des armoires de mariage ou au-dessus du ciel de lit moutonné de poussière des fusils parfaitement huilés et emmaillotés dans leur linge comme des nouveau-nés. En cherchant bien, on trouvait aussi une hampe de bois autour de laquelle s'enroulait un grand drapeau ficelé dans sa housse jaunie par des cordelettes de chanvre qui cassaient lorsque l'on cherchait à les défaire. Alors chacun comprenait, et un silence presque religieux se faisait dans la pièce. Ceux qui étaient restés couverts au moment d'entrer dans la maison se mettaient tête nue comme à la messe. Une femme appelée à la rescousse s'occupait de déshabiller complètement ce vestige de gloire, puis on allait à la fenêtre pour le dérouler entièrement, et les trois couleurs, portant parfois en lettres d'or le nom d'un régiment dissous, claquaient au vent comme un premier coup de feu. Dans la rue, tout le monde s'arrêtait dans l'instant, et c'étaient des battements de mains, de grands hurlements de joie puis des cris de colère. Fusaient immédiatement les cris de « Vive la Charte ! », « Vive la liberté ! », « Mort aux Bourbons », puis tout à coup « Vive l'Empereur ! » ou, plus mystérieux et presque maléfique, « Vive le prince noir ! ». On voulait aller chercher Napoléon II à Vienne pour le couronner à Notre-Dame comme son père. En un instant, les couleurs nationales apparaissaient aux fenêtres et, fiché comme un défi au sommet de la barricade, le drapeau français trouvait sa place entre un vieux rouet et un bidet mal étamé. Tout ce qui portait encore les trois fleurs de lys, jusqu'aux plaques des diligences et aux sacoches de facteur de la poste, se voyait impitoyablement arraché et martelé. La rue parisienne se réveillait dépavée et en révolution. Des vieillards traînant une chaise s'asseyaient près de la barricade pour encourager ses défenseurs en leur racontant Valmy et Austerlitz ou, à voix plus basse mais avec des lueurs d'incendie dans les yeux, le pillage des Tuileries et les journées de prairial.

Si les armes manquaient, on pillait les armuriers. Si la soif tenaillait les gosiers, on fracturait les caves des maisons restées vides. Quand tout à coup un silence inquiet tombait sur la rue transformée en redoute. Un pas lointain et cadencé au son du tambour, d'abord imperceptible puis rapproché, se faisait entendre. Une lucarne criait : «La troupe! La troupe!» Et c'était le branle-bas de combat. Les mères talochaient les enfants et rudoyaient les pères trop bavards. Les hommes en bras de chemise et sans bas dans leurs gros souliers prenaient position sur le haut de la barricade, et des fusils pointaient leur museau d'acier à chaque balcon. Dans des paniers d'osier, sous des torchons de toile, les cartouches restaient à portée de main. Commençait alors un long face-à-face entre Français. Au début, il restait pacifique et l'on s'observait pendant que le bataillon prenait position à distance en alignant ses pantalons garance comme sur un fil à linge. Souvent il ne se passait rien, et il pouvait arriver que le va-et-vient des passants reprenne prudemment, il suffisait de parlementer d'abord avec les officiers puis avec les insurgés à l'entrée des chicanes. Des mains propres et du linge soigné offraient des passeports suffisants pour continuer à vaquer à ses propres affaires. Soudain un coup de pétoire partait sans crier gare et jetait brusquement la guerre à la rue. Les officiers, tirant leur sabre, donnaient l'ordre du feu. Sur les barricades les corps tombaient, plus lourds encore que les sacs de sable sur lesquels ils reposaient maintenant pour l'éternité et qui se tachaient de sang. Des éclairs et des nuages de fumée montaient des fenêtres et des toits où le moindre châssis parisien ouvrait une bouche à feu. Les hommes de troupe tombaient à leur tour, mais leurs hauts shakos à visière, les lourds paquetages et l'uniforme bleu et rouge donnaient à ces chutes mortelles des airs de mime sanglant. Au sommet de la barricade, les tirs, un moment interrompus, reprenaient par-dessus les cadavres et, du haut des maisons, une pluie infecte et aveuglante s'abattait sur les soldats pour les empêcher de recharger leurs armes. La veille, un Anglais excentrique venu à Paris boire ses terres et chasser le gibier à poils et à plumes s'était mis en tête de participer à la fête, et, pendant que deux domestiques en habit noir rechargeaient ses magnifiques fusils de chez Wallis et Hull, il tirait gaillardement sur les soldats du roi qui défilaient rue des Pyramides. Il avait été abattu, ainsi que ses deux serviteurs, mais dans Paris, où l'on soutenait que ce tir étranger avait donné le signal des combats, le renfort inattendu de l'ennemi anglais donnait du cœur à tous les bons chasseurs qui, dissimulés derrière leurs volets et leurs persiennes, visaient juste et trouaient d'une seule décharge les casques rutilants de la gendarmerie royale à l'intérieur desquels les crânes explosaient d'un bruit sourd comme des melons trop mûrs. Partout désormais les anciens membres de la garde nationale rejoignaient leurs mairies d'arrondissement pour y prendre les ordres de chefs improvisés, veiller à la bonne tenue des barricades et dissuader à coups de crosse les tentatives de pillage. Dans leur joli petit uniforme, les élèves de l'École polytechnique se faisaient sergents instructeurs du peuple révolté. De part et d'autre, on amoncelait les blessés sur les charrettes des corroyeurs transformées en ambulances militaires.

Il était près de dix heures, et Paris se soulevait sous un ciel d'été.

Très tôt le matin, après une mauvaise nuit passée sur un simple lit de sangles, Thiers s'était fait une raison politique. L'émeute avait besoin d'un chef, sans quoi elle tournerait à la révolution, et la révolution à l'anarchie sanglante. La bourgeoisie prendrait peur et se jetterait dans les bras de la répression, d'où qu'elle vienne. Il voyait la France vaciller entre deux gouffres. Une victoire de la troupe livrerait Paris et le pays tout entier à une nouvelle terreur blanche, le roi prisonnier des Jésuites et des ultras deviendrait un instrument aveugle entre les mains de la Congrégation. La France, comme l'Espagne du roi Ferdinand, se couvrirait autant de gibets que de croix de mission, et les ultras triomphants convertiraient les masses à coups de crucifix aux accents des *Te Deum*. À l'inverse, les débordements d'une révolution sans tête plongeraient inévitablement le pays dans le chaos, ouvrant de nouveau la route à un général ambitieux entouré d'aventuriers ou, ce qui serait encore pire, à une intervention étrangère. La république dont son ami Carrel rêvait tout éveillé n'était qu'une chimère inaccessible à un peuple enfantin livré à ses plaisirs, à ses peurs et à ses émotions. Dans ces conditions il ne pouvait y avoir de place, à ce moment de l'histoire de France, que pour une révolution à l'anglaise. Une révolution qui chassait un roi prisonnier d'un passé révolu pour en couronner un autre plus conforme aux aspirations de la nation. Depuis le renvoi du ministère Martignac, il en était convaincu, le duc d'Orléans, fils de régicide, compagnon d'armes de Dumouriez, prince libéral et populaire, offrait un compromis possible pour une France éprise de liberté mais fatiguée des convulsions historiques. Il était l'heure pour le fils de Philippe

Égalité d'entrer en scène, mais encore fallait-il pouvoir lui parler et l'en convaincre, et le temps pressait car, lorsque l'Histoire chausse ses bottes de sept lieues, il n'est pas d'autre choix que de courir à son rythme, au risque de se retrouver distancé à jamais et massacré par l'arrière-garde des temps nouveaux. C'était là une véritable difficulté. Thiers ne connaissait pas le prince, il voyait toute sa force politique, au point d'en avoir depuis des mois conçu un plan grandiose, mais il n'avait jamais été admis dans son cabinet. Personne ne savait où joindre le duc d'Orléans. Laffitte qui avait les clefs d'or du Palais-Royal restait invisible, et pourtant il fallait faire vite car Paris prenait feu. Thiers pensa aller trouver le général Sébastiani afin de demander à ce grand soldat des guerres de l'Empire, converti au libéralisme politique et ami de Louis-Philippe, de l'introduire auprès de celui-ci pour le convaincre de sa destinée.

Le général était chez lui lorsqu'il vit débouler dans son salon le directeur du *National* accompagné de Carrel et de l'ami Mignet mais, dès que Thiers lui eut exposé son plan politique, il poussa les hauts cris, se retrancha derrière ses serments militaires, refusa de compromettre son ami Louis-Philippe. Alors Thiers haussa le ton, toutes ces afféteries politiques chauffaient à blanc son sang de Méridional. Il savait qu'une révolution était en marche, que la branche aînée était condamnée. Il venait offrir la couronne de France au duc d'Orléans avant qu'elle ne tombe dans le ruisseau mais, si le prince n'en voulait pas, on se passerait du prince, et la révolution se ferait sans lui au profit du premier Bonaparte venu, du marquis de La Fayette ou de la république à laquelle on finirait bien par mettre un harnais pour la conduire où l'on voulait. Sébastiani, épouvanté par ce qu'il venait d'entendre dans la bouche de ce journaliste aux accents de convulsionnaire et ne sachant que faire avec des fous de cette espèce au milieu de sa maison, leur proposa de les conduire tous les deux chez François Guizot, rentré de Nîmes le matin même.

Depuis les élections de 1827 et les tentatives d'intimidation dont les candidats libéraux avaient fait l'objet, Guizot présidait la société secrète « Aide-toi, le Ciel t'aidera » qui organisait la résistance légale et électorale aux ultras et à leur politique. Lui seul pouvait coordonner une opposition aux ordonnances. C'était donc à lui qu'il convenait de s'adresser, et à personne d'autre. Carrel et Rémusat étant eux-mêmes membres de cette société qui donnait des migraines à monsieur de Peyronnet et à ses préfets, il fut convenu d'aller consulter l'oracle. Ce protestant austère dont les origines languedociennes avaient été plongées par sa mère dans les eaux glacées d'une éducation genevoise était insupportable au bouillant Marseillais, de dix ans son cadet, mais il lui reconnaissait des qualités de plume et saluait l'érudition de son travail historique. À la vérité, Thiers l'enviait un peu car les cours en Sorbonne de Guizot attiraient désormais une foule élégante, gantée et chapeautée, très éloignée du public hâve et mal peigné du Quartier latin. Par ailleurs, c'était à la lecture de son *Histoire de la révolution d'Angleterre* que l'idée d'une substitution des dynasties avait germé dans l'esprit de Thiers et de ses amis, mais aussi de Victor Hugo qui venait d'en tirer son *Cromwell*, pièce injouable, démesurée et pour tout dire parfaitement ridicule dont on récitait des passages entiers dans les salons libéraux non pas pour la beauté de ses vers désarticulés mais avec de véritables arrière-pensées politiques.

L'église de la Madeleine et le faubourg Saint-Honoré étant encore à peu près calmes grâce à la présence de nombreux gardes nationaux accourus pour défendre la liberté et le droit sacré de la propriété, le général Sébastiani, devant lesquels les uniformes se mettaient au garde-à-vous, suivi de Thiers et de Carrel, parvint donc sans encombre à la rue de la Ville-l'Évêque où Guizot s'était installé après la mort de sa femme, un vieux bas-bleu sans fortune dont ce pisse-froid était resté amoureux toute sa vie comme un berger de pastorale.

Là, ils trouvèrent rassemblés autour de leur oracle les principaux membres de la petite secte des doctrinaires dont l'élévation d'esprit se prêtait à toutes les combinaisons de gouvernement. Thiers les admirait, car c'était à leur intelligence politique et à leur habileté que la France devait d'avoir pu se doter, au lendemain de Waterloo, d'institutions à l'anglaise par lesquelles la monarchie restaurée garantissait à ses sujets le respect des libertés publiques, mais dès qu'il fut introduit dans ce salon sans luxe il sentit se poser sur lui, petit bâtard provençal, le regard méprisant de ces grands bourgeois monarchistes, imbus de leur génie et certains de leur supériorité intellectuelle. Il n'aima pas cette gifle morale. C'est à peine si l'on félicita Thiers pour la protestation publiée la veille dans les colonnes du *National*, encore trop audacieuse aux yeux de ces messieurs.

Les mêmes discussions reprirent donc inlassablement. Il s'agissait encore de réfléchir à la forme qu'il convenait de donner à une opposition légale et respectable. Guizot, tout juste chargé par ses collègues de la Chambre des députés de rédiger en leur nom une proclamation parlementaire, tenait son texte en main mais se gardait bien d'en faire une lecture publique. Il estimait le nombre de députés présents dans son appartement encore trop faible pour permettre une discussion sérieuse de sa proposition, et il se refusait à la soumettre à l'approbation de petits journalistes aussi ambitieux qu'imprudents.

Devait-on aller plus loin ? Les députés pouvaient-ils rejoindre l'insurrection sans y perdre immédiatement leur crédibilité aux yeux du roi, bien évidemment, mais aussi de leurs électeurs qui ne les avaient pas désignés pour se révolter contre l'autorité mais pour les représenter ? Ne fallait-il pas attendre, au contraire, les nouvelles élections qui, comme les précédentes et malgré les restrictions imposées par les ordonnances au corps électoral, renverraient, à n'en pas douter, une majorité libérale à la Chambre, réduisant ainsi à néant le coup de force de Polignac ? Tout cela fut dit sur le ton le plus docte, le plus mesuré et le plus réfléchi, alors que l'on entendait au loin l'écho de la fusillade.

Devant ces atermoiements, les mêmes que ceux qu'il avait endurés chez Casimir Perier, Thiers bouillait intérieurement et s'emporta. Il arrivait à l'instant des boulevards et il avait dû traverser une bonne partie de la rive droite pour les rejoindre. Carrel en était témoin, la physionomie de la ville n'était déjà plus la même et changeait d'heure en heure pour prendre le visage de la Fronde avant peut-être de retrouver celui, hideux et barbouillé de sang, des journées de septembre. Partout l'on montait des barricades, partout le peuple, partout les trois couleurs aux fenêtres, partout la haine des Bourbons. Paris était déjà entré en révolution et, si l'on n'y prenait garde, cette crue aussi soudaine que violente emporterait tout, le roi et ses ministres bien sûr, mais l'État et la paix civile ensuite. Un matin, ils se réveilleraient, mais il serait trop tard, et alors il leur faudrait subir le sort des Girondins et s'offrir en holocauste au rasoir national.

On l'écoutait, accoudé aux bras d'acajou de fauteuils modernes ou adossé aux immenses bibliothèques vitrées qui faisaient le principal ornement de ce salon tristement fréquentable, mais aucune de ces redingotes attentives ne semblait vraiment l'entendre. Le général Sébastiani qui, autrefois, aurait donné dix fois sa vie pour empêcher que les trois couleurs ne tombent aux mains de l'ennemi, allait jusqu'à déclarer à haute et intelligible voix que, à ses yeux, le seul drapeau légal restait le drapeau blanc aux fleurs de lys. Thiers était consterné. Guizot conservait le silence de ces grands esprits soucieux de ne pas se compromettre tout en paraissant pénétrés par la gravité d'une situation et absorbés par la puissance de leur propre réflexion. Le duc de Broglie, n'étant venu qu'en passant, ne cherchait qu'à repartir. Charles de Rémusat soutenait son ami Thiers mais uniquement du regard, car le général La Fayette, dont il était le petit-fils par alliance, venait d'arriver à Paris et, sous aucun prétexte, il ne voulait donner le sentiment de parler au nom du grand homme. C'est le général Sébastiani qui rompit le silence en essayant d'envisager les choses, non pas sous l'angle politique auquel il prétendait ne rien entendre, mais du seul point de vue militaire et, se tournant vers Armand Carrel dont il savait l'ancienne expérience des émeutes, notamment en Espagne, lui demanda ce qu'il fallait penser de cette résistance armée du peuple de Paris et de l'issue de ces combats de rue dont les détonations faisaient de temps à autre trembler les vitres. Jusque-là, le lion républicain à la crinière noire, dont le regard ténébreux affolait les petites grisettes sans qu'elles pussent en tirer un seul sourire, n'avait rien dit, il se contentait de toiser une assistance qu'il dominait de toute sa taille. Carrel, heureux d'être enfin pris à témoin et flatté de se voir préféré à Thiers, refusa toutefois de donner son avis de jeune stratège sur des forces populaires auxquelles il ne prêtait en réalité qu'une médiocre valeur militaire mais, ayant pris la parole, il la conserva pour se lancer dans une longue réflexion sur la responsabilité morale des hommes d'esprit et des hommes d'État dans des circonstances aussi graves pour le peuple français. Très vite plus personne ne l'écoutait, et on s'agaçait même de cette pose dans laquelle entrait une admiration inavouée pour Chateaubriand dont il affectait par ailleurs de mépriser le style. Des discussions particulières reprenaient à voix basse dont il ne sortait rien sinon des chuchotements de prudence et de circonspection quand tout à coup la porte du salon s'ouvrit pour laisser entrer Casimir Perier, qui parut tout aussi étonné de trouver là une assistance nombreuse que cette même assistance le fut de le voir apparaître comme un spectre de mélodrame. Il y eut un moment de gêne aggravé par le mutisme et la lenteur affectée du nouveau venu, auquel Guizot offrit bien évidemment de s'asseoir, ce qu'il fit, tout en restant parfaitement silencieux. Il était temps pourtant de forger des résolutions. Bientôt midi sonnerait à la Madeleine sans qu'aucune décision soit prise. Thiers fulminait en s'épongeant le front avec un grossier mouchoir à carreaux rouges dont il essuyait ensuite d'un geste machinal les verres de ses petites lunettes cerclées de fer que toute cette sueur imbibée opacifiait davantage. Il maugréait puis, pour se donner une contenance et échapper au brouillard dans lequel il était plongé, replaçait ses lunettes sur le haut de son front. Carrel, vexé de n'être plus écouté, regardait par la fenêtre, dédaignant ces bourgeois monarchiens dont la révolution, encore une fois, ne ferait bientôt qu'une bouchée. Rémusat ne savait trop ce qu'il convenait de faire tout en se disant que l'Histoire frappait à la porte de leur vie et qu'ils hésitaient bêtement à lui ouvrir. Ce qui l'étonnait un peu dans tout cela, c'était que ces journées paraissaient bien longues et beaucoup moins enthousiasmantes que ce que l'on était en droit d'attendre de journées historiques. Il faisait très chaud, on parlait pour ne rien dire, et le peuple ne sentait pas bien bon. Le duc de Broglie, lui, ne savait comment prendre congé sans passer pour un fuyard. Enfin, Guizot se décida à consulter clairement la petite assemblée sur le parti à adopter. Une majorité sensible se dégageait en faveur d'un attentisme prudent quand vint le tour de Casimir Perier. Le patricien, resté silencieux jusque-là, se leva comme à la Chambre et surprit son monde en affirmant :

— Messieurs, je ne sais pas ce qu'il adviendra de tout ceci. Mais ce que je sais, c'est que, après ce qu'a fait la population de Paris depuis deux jours, dussions-nous y jouer notre tête, nous serions déshonorés si nous ne nous mettions avec elle...

Thiers n'en croyait pas ses oreilles, et Rémusat restait immobile d'émotion. Ce n'était pas là le même homme qui, la veille encore, les éconduisait avec dédain, refusant toute action contraire à la légalité. Certes, lui-même surpris par ce qu'il venait de déclarer ajouta à mi-voix que ce qu'il fallait à la France, c'était les Bourbons sans les ultras, mais personne ne prit garde à ce vœu pieux. Les Bourbons allaient être balayés avec les ultras. Le temps n'était plus aux subtilités politiques. Il fut aussitôt décidé que les députés, et eux seuls, se réuniraient, avant la fin du jour, chez Audry de Puyraveau, député de la Charente-Inférieure et opposant farouche à la dynastie, pour adopter enfin une position commune.

L'orateur s'était-il entretenu avec Laffitte ou même avec les frères Rothschild ? Personne n'osa la question mais, si la haute banque jetait ses millions du côté des insurgés, les Bourbons étaient perdus. Tout étourdi de sa propre audace, Casimir Perier, qui espérait depuis plus d'un an succéder à Polignac pour permettre au roi de régner sans gouverner, crut pouvoir jouer sur les deux tableaux. À peine était-il de retour chez lui qu'il adressait un courrier au comte de Girardin dans lequel il suppliait le grand veneur d'utiliser les privilèges de sa charge pour s'entretenir avec le roi, le convaincre de retirer les ordonnances, de renvoyer Polignac et d'appeler au ministère un homme capable de réconcilier Paris et la dynastie. Le chef de ce nouveau gouvernement n'avait évidemment pas encore de nom, mais le banquier faisait don de sa personne à la France.

Enfermé chez lui, le comte de Vigny tentait de rassurer sa mère et sa femme que le bruit des combats de rue terrorisait. Il avait quitté le service du roi, trois ans plus tôt, avec le simple grade de capitaine, acquis à l'ancienneté. Ses livres déplaisaient à la Cour, où l'on n'avait pas aimé la façon dont Louis XIII était dépeint dans *Cinq-Mars*, car il y avait là comme un crime de lèse-majesté historique. Les rois ne pouvaient pas être des sujets de roman. On le lui avait fait comprendre. Il était parti, mais ce matin-là, après une nuit passée à écouter le capitaine Renaud, assis sur le parapet du boulevard de Bonne-Nouvelle, il connaissait son devoir. La grande armoire de sa chambre était ouverte, il en avait sorti son uniforme de garde du corps avant de le brosser et de le disposer avec soin sur un fauteuil. Ensuite il était allé graisser son sabre. Il revêtirait l'un et accrocherait l'autre à sa ceinture sans la moindre hésitation si le roi rappelait tous les officiers pour défendre la Couronne. En le voyant se préparer, sa femme qui ne parlait jamais gémissait et sa mère pleurait en silence, mais il n'oubliait pas qu'enfant, alors que l'Empereur subjuguait l'Europe, son père exigeait de lui, tous les soirs, qu'il embrasse la croix de Saint-Louis. La mort dans l'âme, il sacrifierait sa famille à la fidélité séculaire et même superstitieuse qui l'attachait, lui et toute sa race, au roi et à la France. Demain matin, au premier roulement de tambour, il partirait mourir pour une mauvaise cause. Celle d'un roi retombé en enfance, incapable de comprendre son temps et qui ne saurait jamais sa mort, son sacrifice, pas même son nom. Tout cela était parfaitement stupide mais il le fallait. Il le devait à ses ancêtres, à son nom et à l'honneur. Il y avait là une simple évidence.

Aux Tuileries, Marmont affrontait deux sièges à la fois. D'un côté, il lui était demandé de repousser une insurrection qui gagnait maintenant la ville à la vitesse d'un incendie et, de l'autre, de subir les tracasseries de Polignac venu s'installer près de lui pour mieux surveiller son action et profiter, avec le reste de son gouvernement, de la protection des régiments de la garde car le prince n'avait pas aimé, la veille, le ricochet des pierres sur les laques brillantes de sa voiture. Le maréchal excédé ne pouvait plus signer un ordre, recevoir un courrier ou un visiteur sans être immédiatement espionné et sommé de venir faire son rapport au gouvernement. Chaque fois qu'il se présentait devant les ministres, monsieur de Chantelauze lui servait une dissertation de juriste expliquant le partage des pouvoirs entre l'armée et le gouvernement dans le cadre de l'état de siège dont l'ordonnance signée par le roi venait de lui être remise accompagnée de son mode d'emploi rédigé, à sa demande, par les quelques membres du Conseil d'État qui n'étaient pas partis en villégiature. Le maréchal ne pouvait plus supporter cette bande de pékins qui lui donnaient l'ordre de faire mitrailler la foule tout en ayant oublié de pourvoir la troupe en munitions. Ces gens dissertaient à l'infini des différentes interprétations de l'article 14 de la Charte, mais ils semblaient découvrir que des soldats pouvaient avoir soif et que des chevaux ne se nourrissaient pas de papier timbré. Depuis la veille, Marmont constatait en effet une pénurie effroyable. Rien n'ayant été prévu, l'approvisionnement manquait partout, et la troupe criait déjà famine. La veille, les soldats s'étaient battus toute la journée sans boire ni manger. Polignac, convaincu qu'un seul coup de canon suffirait à disperser une foule de va-nu-pieds, avait cru un moment que Marmont cherchait à alarmer le roi en lui peignant une situation dramatique pour tirer le meilleur profit d'une victoire facile, mais il commençait à penser que le maréchal, connu pour ses sympathies libérales, était en réalité animé d'un véritable dessein politique et qu'il entretenait volontairement le désordre, pour préparer le terrain à un changement de ministère. Aussi, chaque fois que Marmont venait se plaindre que tout manquait auprès des ministres réunis en Conseil permanent, Polignac lui répondait que Dieu pourvoirait à tout comme il avait pourvu aux noces de Cana. Il accompagnait alors sa réponse d'un petit sourire entendu, destiné à rassurer les ministres et à faire enrager le maréchal.

Pourtant, Marmont ne mentait pas, la poudre, les balles, jusqu'aux pains de munition, tout faisait défaut. Il fallait courir au plus pressé et vider les magasins de vivres avant que l'émeute ne s'en charge. Plus inquiétant encore, on rapportait à l'état-major que des désertions commençaient à clairsemer les rangs de la ligne et que certains soldats, préférant boire avec le peuple que mourir de soif sous un soleil de plomb, fraternisaient avec la foule pendant que les officiers regardaient ailleurs. Le maréchal, duc de Raguse, savait que l'armée était depuis longtemps travaillée par les loges, et ces premières brèches dans la fidélité du soldat l'inquiétaient bien davantage que les mauvais tireurs perchés sur des tonneaux et des omnibus renversés. Il s'en ouvrit à Polignac qui lui fit pour seule réponse :

— Eh bien, si la troupe fraternise avec les émeutiers, il faut faire tirer sur la troupe !

Le vieux soldat préféra se retirer plutôt que de gifler le président du Conseil devant les autres ministres.

Dès l'aube, pourtant, le duc de Raguse, prenant la mesure de la situation, avait envoyé en secret un mot de sa main au roi dans lequel il lui décrivait la situation en soldat et non plus en courtisan, le conjurant de revoir sa position ou à tout le moins de faire quelques ouvertures pour que tout s'apaise. Il était déjà plus de midi, et la réponse du roi se faisait toujours attendre. Polignac qui, pour sa part, se méfiait d'un maréchal de France dont les états de service commençaient sous la Révolution et se laissait gagner par le défaitisme et la sensiblerie, informé par ses espions de l'envoi de ce courrier ou en soupçonnant l'existence, écrivit, lui aussi, une lettre au roi, dans laquelle il conjurait Sa Majesté de n'avoir confiance qu'en lui seul et de ne pas ouvrir d'autres courriers que les siens. Pour plus de sûreté, il venait même de dépêcher monsieur de Peyronnet à Saint-Cloud, de façon à clouer le bec à tous les oiseaux de mauvais augure prêts à chanter l'air de la calomnie au lever du roi.

Au quartier général où tout manquait, à commencer par les officiers et les intendants militaires partis à la campagne ou n'ayant tout simplement pas reçu de consigne, Marmont dictait des ordres qui n'arriveraient jamais à destination et épinglait soigneusement les avancées de l'émeute sur le plan de la capitale quand, sur le coup de deux heures après midi, un aide de camp vint l'informer qu'une étonnante délégation demandait audience. C'était la deuxième en moins d'une heure, car déjà François Arago, savant respecté et professeur à l'École polytechnique pour lequel il éprouvait à titre personnel une grande estime, était arrivé jusqu'à lui pour tenter de trouver les voies d'un apaisement. Le scientifique ne représentant que lui-même, il l'avait aimablement éconduit avec des papiers pour lui permettre de passer les postes de garde. Le maréchal lisant la carte griffonnée à la hâte qui venait de lui être tendue découvrit la délégation et eut un mouvement de recul. Jacques Laffitte et Casimir Perier, les deux piliers de la Bourse de Paris accompagnés des députés libéraux les plus enragés comme François Mauguin ou encore du général Gérard, demandaient à être reçus. Il ne manquait plus que les frères Rothschild pour tenir un conseil de la Banque de France. Depuis le matin, une liste des arrestations prioritaires auxquelles le maréchal avait ordre de procéder et signée de Polignac dormait dans un tiroir de son bureau. Elle contenait le nom de chacun de ceux qui souhaitaient le voir. Il les fit entrer, les salua avec beaucoup de courtoisie en les invitant à s'asseoir, ce qu'ils firent comme dans un salon. Pendant que Casimir Perier, convaincu de se jeter dans la gueule du loup, regardait avec une certaine inquiétude les manœuvres de la garde sur la place du Carrousel à travers les immenses baies de la galerie, Laffitte prit la parole. Il était rentré à Paris dès la publication des ordonnances pour se concerter avec les députés encore présents dans la capitale, et c'était en leur nom et avec leur accord qu'il avait voulu s'entretenir avec celui qui commandait la région militaire de Paris. Les ordonnances étaient contraires à la Charte, le peuple partout se soulevait, et personne parmi les honnêtes gens ne pouvait lui en faire le reproche, aussi venaient-ils pour tenter de trouver une médiation, convaincre le roi de mettre un terme au désordre et empêcher que l'émeute ne tourne en révolution. Marmont convenait que la situation n'avait déjà plus rien de commun avec une simple émotion populaire, il l'avait écrit, en ces termes, le matin au roi, ce qu'il garda pour lui, mais son honneur de soldat se refusait à baisser la garde devant des révoltés qui menaient contre lui une guerre de pots de chambre. L'armée accomplissait son devoir, les sujets de Sa Majesté devaient donc en faire autant et commencer par déposer les armes avant toute négociation. C'était à cette seule condition qu'il consentirait un cessez-le-feu et irait en personne à Saint-Cloud plaider la mansuétude auprès du roi. La consternation s'abattit sur la petite délégation, car chacun savait que le retrait des ordonnances était le préalable sans lequel les armes ne se tairaient pas. Marmont habillait, en réalité, de son honneur de soldat l'impuissance politique à laquelle le réduisait la présence de Polignac et des ministres qui siégeaient en permanence à portée de voix. Il eut alors l'idée de mettre les uns en présence des autres. La proposition fut acceptée avec enthousiasme par Laffitte et ses compagnons. Marmont prit alors congé et disparut pendant quelques très longues minutes. On entendit des éclats de voix sans en rien distinguer, et aucun n'eut la mauvaise éducation de poser son oreille contre la porte, mais l'inquiétude de Casimir Perier n'en fut pas apaisée pour autant. Un mauvais pressentiment ne le quittait pas depuis qu'ils avaient pris cette décision folle de venir parlementer au beau milieu du quartier général des troupes royales. Alors que Paris se révoltait, eux étaient bel et bien dans la nasse, et les gouttes de transpiration aigre qui coulaient en ce moment même le long de ses aisselles ne devaient rien à une chaleur devenue accablante. Aussi se décida-t-il à prendre Laffitte à l'écart pour envisager avec lui les moyens d'échapper au piège dans lequel ils s'étaient mis tous seuls. Les affaires de Marmont étaient particulièrement dérangées, son château vendu, ses revenus du duché de Raguse sous séquestre, peut-être qu'un prêt habilement consenti ou mieux encore le rachat de ses créances par des mains amies et délicates auraient dans les heures à venir l'effet d'un fabuleux sésame... Lui-même avait financé certains des projets hasardeux de ce maréchal de France qui se croyait un capitaine d'industrie. Dans ces circonstances, une remise, ou à tout le moins un effort consenti sur les intérêts...

Laffitte écoutait gravement, mais le retour de Marmont ne lui laissa pas le loisir de donner son avis. Le maréchal arborait une mine lasse. Polignac venait de lui faire une réponse, qu'il qualifia lui-même de fort polie, mais refusait obstinément de recevoir des députés que l'ordonnance de dissolution renvoyait à la vie civile et qui ne représentaient donc personne d'autre qu'eux-mêmes. Dans ces conditions, il ne restait plus à ces derniers qu'à se retirer. Le maréchal, après les avoir munis d'un laissez-passer, les raccompagna très obligeamment jusqu'à la porte qui débouchait sous le passage du Carrousel et leur proposa même une escorte qui fut aussitôt refusée. Casimir Perier et ses acolytes préféraient rentrer chez eux entourés par la foule qu'encadrés par les gendarmes. En parfait gentilhomme, Marmont ne voulut pas leur révéler que, au cours de son face-à-face dans le cabinet du prince de Polignac, il avait reçu l'ordre de procéder immédiatement à leur arrestation et de les retenir comme otages. Ordre auquel il s'était refusé d'obtempérer en proposant au prince de procéder lui-même à ces arrestations. L'échange en était resté là.

Avant même que les députés aient quitté le palais des Tuileries par les guichets neufs, un postillon des écuries royales simplement vêtu d'une redingote bleue partait du Carrousel, à brides abattues, pour aller porter au roi une lettre par laquelle Polignac rendait compte de leur démarche, preuve, selon lui, que les insurgés, acculés par la troupe, se voyaient réduits à la négociation. Il suffisait d'attendre quelques heures pour que tout ce joli monde, après avoir cherché à parlementer, implore la clémence de Charles X.

Au château de Neuilly

Les jeunes princes plongeaient les uns après les autres depuis les bords de la Seine et nageaient sous la surveillance d'un ancien officier de marine qui ne savait pas nager lui-même mais connaissait très bien la mer.

Depuis la plus haute terrasse du château, la voix aiguë d'une femme inquiète criait :

— Joinville ! Nemours ! Aumale ! Sortez, vous allez finir par prendre froid !

Alors les princes poussaient des cris encore plus stridents en s'éclaboussant pour couvrir cet appel de façon à expliquer tout à l'heure qu'ils n'avaient pas entendu les supplications de leur tante. Le vieil officier, qui craignait les colères de Mademoiselle plus encore que l'orage, se décida à user de son sifflet pour rappeler ses élèves à l'ordre, mais aussitôt les princes plongèrent la tête dans le fleuve pour ne rien entendre. Seul Aumale, le plus jeune, peu sûr encore de ses forces, tentait de regagner la rive, mais ses frères aînés, soucieux de pouvoir présenter un front uni à leur tante Adélaïde, le rattrapaient par les pieds et lui faisaient boire la tasse en le traitant de lâche. Les cris redoublaient, et le vieil officier sifflait à s'en faire éclater les joues qu'il avait déjà passablement fragilisées par la couperose.

148

Le duc d'Orléans, alerté par les cris de sa sœur, vint la rejoindre sur les terrasses, la pria de laisser ses fils nager, car il craignait que l'occasion ne s'en présente pas de sitôt. Les nouvelles de Paris l'accablaient. Il avait découvert les ordonnances en lisant *Le Moniteur* comme tout le monde. En dépit des propos que le roi lui avait toujours tenus, il choisissait le coup de force et mettait la révolution en marche. Contrairement à Charles X et à Polignac, lui n'avait pas quitté la France au lendemain du 14 juillet 1789, et il se souvenait du terrible engrenage. Pour l'heure, il n'avait reçu aucune nouvelle des cousins de Saint-Cloud – c'est ainsi qu'entre eux ils parlaient de la famille royale –, mais il lui serait impossible de faire autrement que d'aller les retrouver pour se mettre sous leurs ordres et, là, il serait autant leur prisonnier que leur invité. Madame Taillepied de Bondy, montée dans une voiture dont on avait pris soin de gratter les armoiries, était arrivée de nuit pour prévenir la duchesse d'Orléans qu'un détachement de la garde se dirigeait vers Neuilly sous prétexte de surveiller le château. C'était une façon délicate de les assigner à résidence. Depuis trois jours, le prince voyait s'ouvrir un gouffre dans lequel le roi Charles allait tous les entraîner. Ils avaient connu, lui et sa sœur, les dangers de la Révolution, les errances de l'exil, le mépris des émigrés et les humiliations de l'infortune. En moins de quinze ans, il avait rendu à leur maison son rang, son éclat et sa fortune. Il n'était pas prêt à sacrifier tout cela sur l'autel de vieilleries politiques auxquelles plus personne ne croyait en France, sinon justement le roi, la dauphine et quelques fous. Après tout, ils n'étaient pour rien dans ces désordres, et sa décision était prise, ils n'émigreraient pas.

La princesse Adélaïde, tout en regardant ses neveux racés comme des chevaux et beaux comme des pages s'ébrouer sur les bords de Seine, réfléchit un long moment. Parfois le vent apportait jusqu'à eux des bruits de guerre, puis, sans perdre les jeunes princes des yeux, elle dit très calmement à son frère qu'il lui serait évidemment impossible de se dérober à une invitation du roi à venir le rejoindre à Saint-Cloud. Or rien ne l'obligeait à attendre les bras croisés, car cette invitation, dès lors qu'elle serait ouverte, prendrait toute la force d'une ancienne lettre de cachet. Son frère devait quitter Neuilly sur-le-champ et n'être nulle part tant que la situation ne se serait pas éclaircie.

Au château de Saint-Cloud

Il était près de onze heures dans la matinée lorsque monsieur de Peyronnet se présenta aux grilles du château. Il portait le grand habit de cour des ministres appelés au Conseil du roi, véritable armure de broderie d'or cousue à même le plastron d'un frac de velours bleu, portée sur les culottes à la française avec bas de soie et boucles de diamant, l'épée au côté, le grand bicorne à plume blanche calé sous le bras, et ce fut dans ce magnifique appareil d'un parvenu que l'on arrache à son obscurité naturelle qu'il emprunta un escalier d'honneur déserté pour parvenir aux petits appartements et se faire annoncer. La plupart des courtisans encore présents se tenaient soit aux fenêtres, soit sur la terrasse où ils cherchaient à interpréter les colonnes de fumée que l'on voyait monter au-dessus de Paris. Certains, munis de lunettes télescopiques prévues pour l'éducation et l'amusement des enfants royaux ou de simples lunettes de théâtre, tentaient de décrire aux autres ce qu'ils voyaient ou croyaient voir. Le vent, bien placé ce jour-là, portait parfois l'écho de la fusillade et du canon. Les dames voulaient se persuader que l'émeute venait d'être balayée par la mitraille, mais les hommes, alertés par la multitude des foyers d'incendie ou de combats, se montraient plus pessimistes. On discutait gravement de l'équilibre des forces, de la précision des tirs de canon, du courage de la garde, de la fidélité de la troupe de ligne, des capacités militaires du maréchal Marmont, mais l'on se préoccupait aussi à voix plus basse de l'état de sa propre maison, de ses biens et de sa famille laissés à Paris. Lorsque l'on s'aperçut, enfin, qu'un ministre en grande tenue faisait antichambre, quelques-uns de ces courtisans quittèrent les balcons pour venir à sa rencontre. Un vieil aristocrate, ancien officier de l'armée des princes, compagnon du roi à chaque station du long chemin de l'émigration, arriva au-devant de Peyronnet et, braquant son face-à-main sur sa personne toute resplendissante de broderies, lui demanda de ce ton grasseyant propre à l'ancienne cour, où le ministre, vu la médiocrité de sa naissance, n'aurait jamais pu poser le pied, comment il pouvait se trouver à Saint-Cloud dans cet accoutrement alors que l'on disait la capitale toute hérissée de barricades ?

Le ministre se rengorgeant dans son col semé de fleurs de lys d'or fit la moue et, cherchant à répondre aux inquiétudes de ceux qui, de plus en plus nombreux, le pressaient littéralement de leurs questions, s'en dégagea en criant presque :

— Eh, mon Dieu, ce sera fini ce soir !

Puis il fut heureusement temps pour lui de suivre le premier huissier du cabinet chargé de l'introduire auprès du premier gentilhomme en service avant d'être annoncé au roi. Le duc de Duras profitant de ce bref tête-à-tête avec le ministre revint sur ses craintes et ses appréhensions. Il avait entendu le canon toute la matinée et savait par ses informateurs combien les combats de la veille avaient été rudes.

Peyronnet balaya de nouveau ces craintes d'un revers de main :

— Ce n'est rien. *Le Constitutionnel* et *Les Débats* ont fait leur soumission.

Puis il répéta :

— Nous serons les maîtres ce soir.

À peine le ministre eut-il disparu dans le cabinet du roi que la disposition de nouveaux détachements de la garde dans la cour du château, loin de rassurer les habitants du palais, augmenta leurs alarmes. Si les troupes du général de Mortemart venaient en renfort, c'était que l'on craignait désormais un coup de main sur Saint-Cloud. Les plus âgés se souvenaient des journées d'octobre et de la foule débraillée et sanguinaire qui avait fait irruption à Versailles, massacrant les Suisses et les gardes-françaises pour s'emparer de la famille royale. Leurs récits encore rougeoyants des flambeaux portés par les poissardes et du sang des martyrs creusaient des sillons d'angoisse sur les beaux fronts coiffés de jolis turbans de soie noués à la turque. Les dames d'honneur se saisissaient déjà de leur chapelet aux grains d'ivoire et de lapis pour implorer la protection divine. Beaucoup d'entre elles avaient vu leurs parents partir pour l'échafaud et ne devaient la vie qu'à leur jeunesse, à la fuite ou à des marchandages qu'elles préféraient taire. Alors, elles regardaient Paris se prélassant sous leurs yeux dans une lumière tremblante de chaleur comme une grosse bête repue et, entre les paroles du *Salve Regina*, elles continuaient à écouter le récit terrifiant des journées d'octobre, de septembre ou du 10 août dont les horreurs vécues avaient bercé leur enfance d'un long cauchemar.

À la suite de monsieur de Peyronnet, l'arrivée du général du Coëtlosquet, du marquis de Vitrolles ou encore de Weyler de Navas, tous porteurs des nouvelles les plus préoccupantes, acheva de propager le désarroi dans les grands appartements du château. Chacun voulait parler au roi pour l'informer du drame qui se jouait à Paris, de la résistance opiniâtre du peuple, de la faiblesse héroïque des troupes, et l'inviter à traiter avec les députés pour éviter que l'émeute ne se transforme en une nouvelle révolution dont plus personne ne parviendrait à arrêter la mécanique infernale.

Navas parvint enfin au cabinet du roi d'où Peyronnet, toujours aussi rayonnant d'or et de confiance, venait de sortir. Aussitôt que le roi l'invita à prendre la parole, le malheureux peignit avec ce souci du détail propre aux officiers et sous les plus sombres couleurs l'état d'insurrection dans lequel se trouvait la capitale.

Le roi, convaincu qu'il n'était, lui-même, qu'un instrument dans les mains de la Divine Providence et rassuré par le rapport que Peyronnet venait de lui faire à l'instant tout comme par les lettres de Polignac qui démentaient formellement les alarmes contenues dans le courrier de Marmont reçu le matin même, écouta ce nouveau récit avec sa bonhomie habituelle et reprocha gentiment à son interlocuteur de se monter la tête et d'exagérer le mal.

Navas, certain que ses yeux ne l'avaient pas trompé et que Charles X était tenu dans l'ignorance par ses ministres, osa ce qu'en d'autres temps il n'eût jamais osé et répondit avec la brutalité d'un revers au jeu de paume :

— J'exagère si peu, Sire, que, si dans trois heures Votre Majesté n'a pas traité, la couronne qu'elle porte ne sera plus sur sa tête…

Le roi, surpris par la brutalité d'une réponse qui aurait pu paraître de l'irrespect s'il n'avait depuis long-temps éprouvé l'immense fidélité de son vieux serviteur, garda le silence quelques instants avant de le congédier en ajoutant :

— Il ne me convient pas de traiter avec des sujets révoltés. Qu'ils mettent bas les armes, et ils éprouveront les effets de ma bonté.

Il n'était plus permis d'insister, aussi le général salua-t-il en s'inclinant très bas et par trois fois devant le roi de France, recula et quitta son cabinet.

Quelques heures plus tard, le comte de Broglie qui ne partageait pas les sentiments politiques de son cousin le duc et commandait l'école militaire de Saint-Cyr était accouru pour proposer son épée et obtenir aussi audience. Il en sortit au bout de quelques instants si perturbé qu'il ne put s'empêcher de partager son trouble avec le premier visage rencontré dans les salons du château. Le roi, cherchant à le rassurer sur la réalité de la situation, lui avait lu le contenu de la lettre du prince de Polignac dans laquelle le ministre confiait avoir eu de nouvelles apparitions dans la nuit. La Sainte Vierge recommandait la persévérance et promettait la pleine victoire… Il ne restait donc plus qu'à attendre et à prier les légions célestes. Le comte, tout étourdi, errait depuis sur la terrasse de Saint-Cloud en prononçant des propos incompréhensibles et répétant à intervalle régulier : «Tout est perdu, il n'y a plus de ressources», avant de poursuivre un peu plus loin son obscur monologue.

De l'autre côté du château, dans les jardins du Trocadéro, le baron de Damas, gouverneur du duc de Bordeaux, et sa femme cherchaient à faire oublier au jeune prince que les événements des derniers jours le privaient de sa promenade quotidienne dans les environs du château – on poussait parfois jusqu'à Versailles –, qui faisait pour les enfants royaux le principal attrait des longs étés passés à Saint-Cloud. Le matin, le duc de Bordeaux avait donc dû se contenter d'un petit tour au pavillon de Bagatelle, accompagné de sa mère suivie d'un brillant équipage, mais, leur absence se prolongeant, le roi avait eu si peur qu'un détachement de lanciers était parti à leur rencontre pour les reconduire au château sous bonne escorte. On avait alors rameuté les rares enfants dont la présence était autorisée à la Cour pour essayer d'égayer un petit de dix ans, dérangé dans ses habitudes et que la partie de colin-maillard lancée par la baronne de Damas ennuyait beaucoup. Un groupe soucieux se formait à l'écart de ces jeux autour du gouverneur de l'enfant. Le baron, tout en suivant les allées soigneusement sablées de ce morceau de jardin à l'anglaise découpé dans le parc de Le Nôtre, discutait gravement avec des officiers accourus eux aussi à Saint-Cloud, pour défendre le roi. Ils venaient à peine d'être rejoints par Alexandre Mazas, le secrétaire particulier du jeune prince qui leur racontait son incroyable périple depuis Paris, quand tout à coup, venant du fond du jardin, un cri suivi de l'appel aux armes se fit entendre. En un clin d'œil, le baron de Damas s'emparait de l'héritier des rois de France qui, pensant à un nouveau jeu bien plus drôle que le précédent, commença de battre des mains avant de se cramponner au cou de son gouverneur comme Ivanhoé à celui de son destrier. Commença alors une course éperdue à travers les massifs, les bosquets et les fleurs ; le petit prince ballotté comme un sac de linge sale ne riait plus mais s'interdisait de pleurer pendant que le jeune secrétaire couvrait la retraite de la baronne de Damas et de ses enfants, veillant à ce qu'ils puissent atteindre le pont de fer qui permettait à la famille royale de passer des jardins du Trocadéro jusqu'à ses appartements de l'étage. La garde à pied alertée par les cris et le bruit d'une course inhabituelle sur la passerelle accourait. Une fois les fuyards réfugiés à l'intérieur, les cris d'alarme relayés de poste en poste, les portes furent fermées et les grands volets rabattus les uns après les autres pour ne laisser qu'une fente prête à servir de meurtrière. Le baron de Damas, après avoir précautionneusement déposé le prince à terre, l'entraîna, l'épée au poing, dans les profondeurs du palais, les gardes du corps présents dans les appartements progressant avec lui pour faire rempart de leurs cuirasses luisantes comme des lames de sabre. Très vite pourtant le calme revint, la peur était née d'une fausse alerte due à la grande nervosité des corps de garde prompts à débusquer des émeutiers dans l'ombre épaisse des grands arbres. Il fut décidé de ne pas informer le roi de cet incident, et l'on respira mieux jusqu'à ce que le drapeau tricolore apparaisse flottant sur les tours de Notre-Dame dans l'œil d'un télescope.

Sur la route de Paris

La santé du duc de Mortemart, très délabrée par deux hivers passés à Saint-Pétersbourg, exigeait qu'il prenne les eaux. Il avait quitté, tôt dans la matinée, son beau château de Meillant à Neauphle-le-Vieux quand sa voiture fut rattrapée par le capitaine Peney, trésorier de sa compagnie des gardes à pied ordinaires du corps du roi, qui l'informa que ses hommes étaient appelés à Saint-Cloud pour protéger la famille royale et qu'il se devait de les rejoindre.

On abandonna les premiers chevaux déjà fatigués d'un long trajet au profit de ceux de la malle-poste réquisitionnée par ordre du roi mais, à Versailles, où la population s'agitait déjà, la voiture du duc fut reconnue et violemment prise à partie, grêlée de pierres dont plusieurs atteignirent les passagers qui ne durent leur salut qu'à un détachement de la garde nationale à peine reconstituée. Le duc de Mortemart, qui avait accompagné les princes jusqu'à Béthune en 1815 et rejoint le roi Louis XVIII à Gand, n'avait pas tardé à comprendre vers quels abîmes le roi se précipitait et la monarchie avec lui. Jouissant des premières entrées du cabinet et porteur d'un nom auquel s'attachaient plusieurs siècles de gloire, il pouvait pénétrer dans les intérieurs du monarque, demander à lui parler dans l'instant pour tenter de le sauver de lui-même et de ses ministres. Malgré la fatigue, la fièvre et les émotions de la journée, il reprit donc sa marche vers Saint-Cloud.

À *Paris, près de la place Louis-XV*

Le tocsin sonnait à toutes volées, porté depuis le clocher de Saint-Germain-l'Auxerrois jusqu'aux tours de Notre-Dame, son appel assourdissant couvrant le bruit des combats. Le prince de Talleyrand, qui travaillait depuis le matin à dicter ses mémoires à l'entresol de son hôtel de la rue Saint-Florentin et se divertissait du mouvement des troupes sur la place Louis-XV, laissa échapper une pointe d'agacement lorsque les cloches de la Madeleine finirent par se joindre à ce martèlement d'angoisse. Il s'interrompit et, se tournant vers son secrétaire, lui demanda si l'on savait ce que ce vacarme pouvait bien signifier. Monsieur Colmache qui, depuis la veille, faisait porter régulièrement du vin, de la part du prince, aux soldats stationnés sous leurs fenêtres, venait d'apprendre que les émeutiers occupaient l'Hôtel de Ville.

Le visage de Talleyrand ne marqua aucune émotion, ce fut à peine si le trait souligné de rouge qui, chez lui, faisait office de lèvres, dessina le soupçon d'un rictus. Il tira lentement sur la riche châtelaine fixée à la boutonnière de son gilet à laquelle pendait une montre de grand prix, regarda fixement les aiguilles ouvragées qui trottaient sur le cadran d'émail et laissa tomber, au moment de la replacer dans son gousset :

— Quelques minutes encore, et Charles X ne sera plus roi de France.

Puis il reprit la dictée de ses souvenirs là où il venait de les abandonner.

Au château des Tuileries

Marmont, lui, n'eut pas à s'interroger longtemps sur les raisons qui faisaient sonner toutes les cloches de Paris, la dépêche ouverte sur son bureau lui annonçait la prise simultanée de l'Hôtel de Ville et de Notre-Dame dont les clochers arboraient désormais les trois couleurs. Quelques instants plus tôt, Polignac, toujours aussi cérémonieux, l'informait que Sa Majesté venait de proclamer l'état de siège et lui demandait de tenir ferme. La lettre dans laquelle le maréchal suppliait le roi, quelques heures plus tôt, de profiter des ouvertures qui lui étaient faites par un certain nombre de députés n'avait donc servi à rien. Il enrageait, dicta un autre courrier à Charles X qu'il fit porter à Saint-Cloud par l'un de ses aides de camp avec l'autorisation de dresser au roi un état véridique de la situation militaire.

Après avoir fiché deux épingles à tête rouge sur l'Hôtel de Ville et Notre-Dame, Marmont réunit en conseil de guerre les quelques officiers sur lesquels il pouvait encore compter et donna ses ordres. L'armée devait reprendre coûte que coûte le cœur de Paris. Deux colonnes respectivement commandées par les généraux Talon et Quinsonnas convergeraient vers l'Hôtel de Ville pour empêcher qu'une commune insurrectionnelle ne s'y établisse. Elles avaient eu pour ordre de renverser les unes après les autres toutes les barricades qui s'élèveraient sur leur passage. Le général de Saint-Chamans, ancien aide de camp du maréchal Soult, obtint, pour sa part, le commandement du régiment stationné à la Madeleine avec pour mission de reprendre les boulevards aux émeutiers, mais il n'arriva jamais à destination. D'autres furent plus heureux et parvinrent à reprendre l'Hôtel de Ville avant de recevoir aussitôt l'ordre de se replier sur les Tuileries d'où ils étaient partis quelques heures plus tôt. Tout au long de la journée, la progression des troupes dans les rues de Paris donna lieu aux mêmes combats. Chaque fois que l'armée était en vue, les insurgés restés en embuscade sur les barricades tiraient. Les soldats répliquaient, mais le canon manœuvrait avec difficulté dans les rues sinueuses de la ville dont le tracé demeurait inchangé depuis les temps de la Ligue ou de la Fronde. Parfois un boulet venait s'enfoncer dans des murs de plâtre séculaires sans autre dégât qu'un bruit sourd et un immense nuage de poussière dont les insurgés ressortaient blanchis de chaux, fantômes armés et bien vivants. Alors, les Parisiens révoltés se dispersaient et trouvaient refuge à l'intérieur des maisons dont les portes s'ouvraient devant eux comme par magie, ils montaient aux étages d'où ils tiraient de nouveau sur les soldats de la colonne. Les magnifiques cuirasses argentées de la garde où jouait le soleil de juillet offraient des cibles de choix et finissaient percées de balles comme de vulgaires écumoires de cuisine. Le sang des hommes ruisselait alors sur la robe des chevaux avant qu'ils ne s'effondrent. Aveuglés par leur visière, les yeux trempés de sueur, les fusiliers à pied mettaient en joue des ennemis invisibles et gaspillaient leurs munitions en criblant le ciel de balles inutiles.

Une fois la colonne passée, les insurgés reprenaient immédiatement possession de la rue et relevaient la barricade avec le renfort des habitants puis, courant vers les rues latérales, partaient se perdre dans le lacis vernaculaire des ruelles parallèles pour resurgir devant la troupe quelques toises plus loin, mettre en joue, faire feu encore et recommencer le même manège. La colonne ne pouvait plus, dès lors, ni avancer ni reculer. Les dragons mouraient de soif, les soldats de la ligne désertaient, et des hommes, autrefois blessés à Eylau, à Wagram ou à la Moskowa, tombaient sans gloire, tués d'un coup de vieux fusil de chasse pour un roi qu'ils n'aimaient pas.

Rue d'Anjou

Fallait-il partir ou rester? Depuis le retour de sa visite aux frères Mallet, les banquiers de la Chaussée-d'Antin, pour y signer des lettres de change payables sur les places de Londres et de Genève, la comtesse de Boigne ne savait que décider et donnait à ses gens des ordres contradictoires. Elle avait vu la peur sur le visage de ses hommes d'affaires et la haine dans le regard des femmes du peuple. Elle n'oubliait pas les privations de l'émigration où, jeune fille pauvre, elle avait été obligée de se vendre à un mari très riche, sorti de nulle part et deux fois plus âgé qu'elle. Dans la cour de son hôtel, le cocher attelait puis dételait au rythme des hésitations de sa maîtresse et menaçait maintenant de tout planter là pour s'en retourner chez lui à Choisy. La pauvre femme arpentait son appartement en révolution jonché de malles ouvertes et de pots de peinture fermés, allait à la fenêtre où elle voyait la barricade s'élever pour verrouiller l'accès à la rue du Faubourg-Saint-Honoré, descendait l'immense escalier de sa maison chaussée de simples mules et couverte d'une robe de chambre taillée dans un magnifique cachemire des Indes offert à son défunt mari par la Bégum de Sardhana. Une fois dans la cour et sans se risquer à affronter la rue, elle empruntait la petite porte qui ouvrait sur l'hôtel voisin où vivaient non seulement le cher conseiller Pasquier mais aussi le duc de Rauzan, et surtout monsieur de La Fayette. Alors commençaient d'interminables conciliabules avec les voisins et leurs domestiques, chacun mettant ses propres informations au pot commun. Des rumeurs affreuses montaient de la rue, toutes appareillées de vraisemblance pour se mêler au vrai. Paris brûlait depuis la Bastille jusqu'au Gros-Caillou, les meilleures maisons du faubourg Saint-Germain étaient livrées au pillage, le maréchal Marmont mortellement blessé gisait quelque part aux Tuileries abandonné de ses soldats, le général Talon venait de trouver une mort affreuse à la tête de ses hommes, les lanciers de la garde surpris par la populace dans une terrible embuscade, désarçonnés, désarmés, avaient été soigneusement égorgés par les furies de la Halle, la Seine prenait d'heure en heure la couleur de leur sang, Notre-Dame subissait des outrages sacrilèges, monseigneur de Quélen traîné par ses vêtements sacerdotaux aurait même été précipité depuis les hauteurs des clochers. Une terrible Saint-Barthélemy des nobles et des riches commençait, toutes les dames ayant les mains trop blanches seraient arrêtées et finiraient comme l'infortunée princesse de Lamballe dans la cour de la prison de La Force lors des massacres de septembre, nue et atrocement souillée.

Ces récits épicés par les mots des domestiques épouvantaient la comtesse qui donnait de nouveau l'ordre d'atteler et remontait dans ses appartements pour se préparer. Elle était aimée des gens du quartier pour le bien fait aux pauvres, ils la laisseraient passer, quitte à ce qu'elle distribue pour cela les louis comme des dragées le jour de la fête des rosières ; une fois franchi le faubourg Saint-Honoré, elle courrait se mettre sous la protection de la duchesse d'Orléans à Neuilly. Le duc était un homme trop habile pour laisser tout ce désordre prospérer. Les glapissements du tocsin rythmés par le son du canon la rendaient folle. Ses tempes la tourmentaient, la fièvre s'emparait d'elle, les idées s'entrechoquaient, son esprit toujours si clairvoyant, si limpide, s'embrumait. Pour la première fois depuis un mois, la mort de son mari lui était une peine dont elle ne se consolait pas. Pourquoi n'était-il pas à ses côtés pour la protéger et la défendre, lui qui avait autrefois chevauché des éléphants, combattu des tigres à mains nues et chassé les Tamouls au milieu de la jungle ? À moins qu'elle ne rejoigne l'hôtel de Pozzo di Borgo pour lui demander l'asile ? Les révolutionnaires n'oseraient pas profaner l'ambassade du tsar de peur de l'invasion. Parlant toute seule à haute voix, elle réunissait ses papiers de banque et nouait dans un mouchoir ses bijoux d'été. Les grandes parures d'émeraudes et de diamants ainsi que le fabuleux talisman du Grand Moghol* étaient déjà, grâce à Dieu, en lieu sûr. En vérité, elle perdait la tête. Elle alla à sa toilette et, versant un peu d'eau dans la cuvette de porcelaine de Sèvres aux couleurs pâles, mouilla son fichu de nuit pour s'en tamponner le front, les joues et la gorge, qu'elle avait encore belle à près de cinquante ans, puis, ouvrant la petite boîte de laque du Japon où elle rangeait ses parfums, elle prit le flacon de sels, le porta

---

* Ce talisman ayant appartenu à Aurangzeb faisait partie du trésor rapporté d'Inde par le général de Boigne.

à ses narines et respira violemment. L'odeur forte de saumure l'étourdit un instant, mais très vite elle eut le sentiment de retrouver ses esprits.

Partir, c'était quitter la partie, se couper des événements, renoncer à jouer un rôle alors que depuis trois jours son salon ne désemplissait pas. N'était-elle pas parvenue le matin même à convaincre François Arago d'entamer des pourparlers secrets avec Marmont ? Le conseiller Pasquier n'avait-il pas cherché à utiliser l'influence qui était la sienne auprès du maréchal pour le presser à négocier pendant qu'il en était encore temps ? Plusieurs ambassadeurs envoyaient régulièrement des émissaires chez elle depuis l'avant-veille, à l'affût des nouvelles, et les aides de camp de Marmont allaient et venaient dans ses escaliers comme ils l'auraient fait aux Tuileries. Le sort de la Couronne, de la France et de ses princes, se jouait peut-être dans son antichambre, et elle aurait fermé sa porte, poussée par la peur irraisonnée d'une faiblesse de femme ? La Fayette dormait sur le palier d'en face. Le peuple de Paris se permettrait-il de venir faire la révolution sous les fenêtres du héros des deux mondes ? Certes non, et ce voisinage la protégeait tout aussi bien qu'un régiment de la gendarmerie d'élite. La comtesse fit dételer, au grand soulagement de son cocher qui ne voulait pas voir ses chevaux abîmés par le peuple, et monta dans les étages pour essayer d'apercevoir un peu des toits de Paris. C'est alors qu'elle vit un immense drapeau noir flotter sur le fronton de l'église de la Madeleine et des lueurs rouges danser au-dessus de l'océan d'ardoises. L'idée de prier ne lui vint pas un seul instant.

Au château de Saint-Cloud

L'heure du dîner approchait. Les quelques courtisans autorisés à se présenter au couvert du roi attendaient son passage dans l'antichambre du régulateur dont l'exiguïté reflétée à l'infini par de hautes portes de glaces laissait à penser qu'une foule nombreuse se pressait encore au château. Un huissier en habit rouge brodé, le chapeau à plume noire sous le bras, ne tarda pas à entrer dans la pièce et à demander au brigadier de service :

— Trois de ces messieurs, s'il vous plaît !

Le brigadier désigna du regard les soldats qui allaient suivre l'huissier jusqu'aux cuisines où les attendait le couvert du roi. Un quart d'heure plus tard, l'huissier réapparut suivi d'un premier garde du corps, d'une douzaine de valets de pied en procession portant chacun un plat recouvert d'une cloche d'argent. Les deux autres gardes du corps, fusil à l'épaule, fermaient la marche. Les soldats restés en faction dans le salon se levèrent immédiatement à l'approche de l'huissier, les soldats présentèrent les armes, et les courtisans, ôtant leurs chapeaux, s'inclinèrent profondément devant les plats qui passaient. Parvenu à la porte de la salle à manger, l'huissier cria :

— Le service du roi, messieurs !

Le Suisse d'appartement qui n'attendait que ce signal ouvrit alors la porte à deux battants puis, avant de pénétrer dans la salle à manger, l'huissier se retourna vers les gardes pour les saluer profondément. Le roi n'allait pas tarder.

Sa Majesté parut à l'heure précise, accompagnée de monseigneur le dauphin. Le roi et son fils soutenaient une conversation que de simples particuliers auraient pu qualifier d'animée, mais au lieu d'avancer vers la porte ouvrant sur le palier qui offrait à la salle à manger son seul accès public, ils se dirigèrent droit au régulateur de parquet posé à l'autre bout de la pièce. Les courtisans restèrent un moment interdits, tant les habitudes des princes forment à elles seules une seconde étiquette. Les deux hommes observaient maintenant attentivement le cadran qui grâce à un mécanisme savant indiquait les différentes phases de la Lune en même temps que les températures. Oubliant qu'il ne se trouvait plus dans l'intimité de ses petits appartements, le roi alla jusqu'à demander à une dame d'atours de la duchesse de Berry présente dans la pièce de lui prêter son face-à-main pour suivre avec plus de sûreté les oscillations de l'ingénieux balancier. Le duc d'Angoulême prétendait depuis près d'une heure que les températures anormalement chaudes indiquées par le baromètre de sa chambre ne pouvaient être mises au compte des seules oscillations de la Lune et qu'elles étaient certainement causées par un dérèglement de cet appareil. Le roi, qui avait énormément souffert de la chaleur tout au long de la journée au point de se faire frotter par ses valets avant le dîner et de changer plusieurs fois de linge depuis le déjeuner, soutenait, à l'inverse, que ces températures, bien qu'exceptionnelles, n'avaient rien d'aberrant. Il se souvenait parfaitement, par ailleurs, de la terrible canicule de l'été 1779 qui avait tué bien du monde dans le royaume mais produit un excellent vin et donné des moissons superbes. Le duc d'Angoulême ne voulait rien entendre et sortait de la poche de son habit un minuscule carnet dans lequel il notait scrupuleusement les températures depuis leur retour en France en 1814 afin de démontrer à son père la pertinence de ses propres observations. À bout de patience, le roi exigea que l'on dépêche sur-le-champ un jeune page à l'Observatoire de Paris avec ordre d'en revenir au plus vite avec le relevé officiel des températures, de façon à finir cette querelle d'Allemand que lui faisait Angoulême. Les courtisans s'étaient approchés, les plus âgés confirmaient la canicule car c'était l'année où l'amiral d'Estaing avait pris Grenade, les plus jeunes, soucieux, pour leur part, de ne pas indisposer l'héritier de la Couronne ajoutaient aussitôt qu'il n'avait pas fait anormalement chaud. Une détonation lointaine fit trembler les vitres de l'antichambre, mais personne n'y prêta attention, car la belle pendule de Lepaute venait de sonner l'heure du grand couvert. Il était dix-huit heures.

Le dîner fut particulièrement silencieux et les cliquetis délicats du service régulièrement rythmés par le bruit lointain de la fusillade sans que les visages du roi et du dauphin marquent la moindre émotion. Seules les épaules largement décolletées de la duchesse de Berry frémissaient à l'écho des détonations. Au moment du deuxième service, un huissier vint murmurer à l'oreille du roi qui, chose extraordinaire, se leva et passa par les arrières pour rejoindre ses appartements depuis le salon des Vernet. Au moment où son père allait quitter la table, le duc d'Angoulême demanda à pouvoir le suivre, ce à quoi il fut invité ainsi que la duchesse de Berry. Dès que la famille royale eut quitté la pièce, les courtisans se ruèrent dans l'antichambre du régulateur pour apercevoir un piquet de grenadiers à cheval de la garde dont les hauts bonnets à plumet blanc projetaient leur ombre gigantesque sur les pavés de la cour d'honneur. Ils escortaient nécessairement un émissaire des Tuileries. Très vite, l'un des huissiers de la chambre interrompit les supputations en prévenant que Sa Majesté et Leurs Altesses Royales n'allaient pas tarder à reprendre leur place à table. À son retour, le roi affichait un visage apaisé. Il venait de recevoir une nouvelle lettre de Polignac qui l'assurait maîtriser parfaitement la situation. Les assiettes de Sèvres passèrent de nouveau entre des mains gantées de blanc.

Le dîner finissait lorsque le premier gentilhomme de la chambre, cette fois, vint chuchoter à l'oreille du roi qui marqua un peu d'agacement. Le lieutenant-colonel Komierowski, aide de camp du maréchal Marmont, demandait à être reçu, il le fut mais de mauvaise grâce, le roi se contenta simplement de prendre la lettre dont il était porteur mais sans se donner la peine de la lire puis retourna à son dîner. L'aide de camp épuisé faisait antichambre, entouré de quelques domestiques venus timidement prendre auprès de lui des nouvelles de Paris, lorsque madame de Cossé le prit en pitié et lui proposa de monter à ses appartements pour se rafraîchir et recouvrer quelques forces. Le récit qu'il fit en dînant des événements de la journée épouvanta les courtisans venus prendre des nouvelles jusqu'à cet appartement de l'attique. Puis, après que le premier gentilhomme de la chambre eut annoncé au roi que l'heure du jeu approchait et que sa partie était arrangée dans les grands appartements, chacun reprit son service auprès du monarque. Le temps s'écoulait, et personne ne s'inquiétait plus de l'émissaire du maréchal qui, ne voulant pas abuser de l'hospitalité de sa bienfaitrice, était retourné attendre dans le salon des grands officiers. Là il eut le temps de voir passer et repasser les domestiques en livrée et les courtisans dans l'uniforme de leur charge puis, le jour tombant, il assista au ballet des garçons de la chambre accourus pour disposer les bougies de cire blanche sur les candélabres et les bras de lumière placés de part et d'autre de la cheminée où, en cette saison et par cette chaleur, aucun feu ne brûlait, mais comme la nuit n'était pas encore entièrement noire, personne, conformément au règlement de la maison du roi, n'allumait les mèches, et la pénombre devenait sa seule compagnie. L'officier avait posé son bonnet en poils d'ours sur l'une des banquettes en tapisserie de Beauvais tout en faisant les cent pas pour se donner une contenance. Il attendait que l'on vienne le chercher alors qu'à Paris ses hommes se faisaient tuer pour la famille qui jouait tranquillement au whist dans le salon d'à côté, et personne ne lui prêtait plus la moindre attention. Lorsque le duc de Duras traversa la pièce vide afin de rejoindre le salon des jeux, le jeune aide de camp insista pour savoir si Sa Majesté avait pris connaissance de la lettre du maréchal Marmont et si une réponse lui serait donnée pour lui permettre de retourner à Paris où l'on se battait encore mais où l'on attendait des ordres. Le premier gentilhomme s'offusqua qu'un simple officier de la garde et qui n'avait, à ce titre, aucun droit aux entrées du cabinet de Sa Majesté, puisse se permettre de la solliciter, passa son chemin et refusa d'en entendre davantage.

Dans le salon des jeux, le duc de Luxembourg remplaçait le marquis de Vérac à la table de Sa Majesté, la duchesse de Berry, qui avait gardé la chambre jusqu'au dîner, était assise en quatrième face au roi. À la table d'échecs, le duc d'Angoulême plaisantait le général de Bordesoulle, son gentilhomme d'honneur tout brillant de décorations qui menaçait sa reine en le traitant de sans-culotte d'échiquier. Cette saillie princière fit rire la marquise de Vérac, qui avait peu d'esprit, mais pas le général, grand mangeur de biens nationaux et dont à la Cour on connaissait les sympathies libérales. Il détestait Polignac, fustigeait les ordonnances en privé et prenait depuis leur signature un air renfrogné en public. Sans risquer un mot mais avec un large sourire, il mangea la reine du dauphin et fit échec au roi.

Comme la veille, les fenêtres des hautes croisées restaient grandes ouvertes sur la cour d'honneur et laissaient entrer dans les appartements un peu de l'air humide et frais qui montait enfin du fleuve, donnant aux lourds brocarts des rideaux une vivacité inhabituelle. Les flammes des lustres vacillaient aussi sous le souffle de la nuit qui se faufilait ainsi jusque dans les salons, donnant aux croix de diamants épinglées aux poitrines des hommes le scintillement ambigu des parures de femmes. Le fracas des combats pénétrait de temps à autre dans le château avec la violence d'une émeute sans que personne s'en émeuve. Pourtant, chaque fois que le bruit du canon se faisait plus distinct, Sa Majesté donnait une petite chiquenaude sur le tapis vert de la table comme pour en disperser un grain de poussière qui la gênait. Le roi, d'ordinaire si attentif aux cartes, n'était pas à son jeu, et il finit même par se lever plusieurs fois pour aller au balcon interroger l'obscurité. C'est alors que le duc de Duras, surmontant les appréhensions du parfait homme de cour, profita de ces quelques pas et des privilèges de sa charge pour rejoindre son maître et lui rappeler, dans une inclination de tête profondément respectueuse, que la lettre du maréchal Marmont attendait peut-être de recevoir une réponse.

Quelques longues minutes plus tard, un huissier vint prévenir le lieutenant-colonel Komierowski que Sa Majesté le recevrait enfin, non pas dans le salon des jeux, mais dans son cabinet. Il fallut donc de nouveau entamer la longue traversée des grands appartements maintenant éclairés *a giorno* pour une cour fantôme.

En présence du roi, l'officier de la garde prit soin de répondre avec franchise aux questions qui lui étaient faites sur la situation militaire de la capitale, ce qui déplut souverainement. Charles X donna alors ses ordres de vive voix. Il fallait regrouper les troupes entre le Louvre et la place Louis-XV, tenir bon et agir « par masse ». Le roi répéta ces mots deux fois avec beaucoup de fermeté avant de retourner à sa partie de whist. Le lieutenant-colonel demeura figé dans son salut militaire et son désappointement jusqu'à ce que le roi eut quitté le cabinet.

La voiture de monsieur de Mortemart pénétra dans la cour de Saint-Cloud au moment où le colonel Komierowski en sortait. Il était environ dix heures du soir. La nuit gagnait, et les chandelles des grands appartements s'éteignaient les unes après les autres, signe que la partie de jeu était terminée. Le roi avait chuchoté le mot de passe pour la nuit au capitaine des gardes et il s'était couché. Chacun se préparait donc à passer la nuit, les gardes en faction ouvraient les banquettes, tiraient les matelas de derrière les portières en tapisserie et les paravents. Étendus par terre, les hommes se roulaient déjà dans leur manteau pour essayer de trouver le sommeil. L'arrivée d'un officier général jeta un grand trouble parmi la brigade qui, une fois le mot de passe transmis par leur supérieur, n'avait plus à rendre les honneurs à personne, mais le capitaine-colonel de la compagnie des gardes à pied ordinaires n'était pas personne. Le factionnaire donna donc, malgré l'heure et les consignes, les trois coups de talon qui annonçaient l'entrée d'un illustre personnage. En un clin d'œil, tout le monde fut debout, cherchant à reboutonner les uniformes. Le duc de Mortemart, embarrassé de ces égards, exigea que chacun se recouche puis, se dirigeant droit vers le duc de Duras qui montait à ses appartements, demanda à être annoncé au roi pour l'instruire de la situation dont il avait été le témoin à Versailles. Le premier gentilhomme de la chambre ne pouvait pas refuser de faire cette tentative à un pair de France qui jouissait des privilèges héréditaires de sa maison et de sa charge, alors il s'exécuta de mauvaise grâce et alla parler au roi.

Charles X, dont les courtines avaient été déjà tirées par le premier valet de chambre après que l'aumônier de quartier eut dit les prières, fit répondre qu'il n'était plus en état d'accorder une audience mais qu'il recevrait Mortemart le lendemain à la première heure du jour. Il ne restait plus au duc qu'à trouver un abri au château où, n'étant pas de service, il ne disposait pas d'un appartement. Ensuite il envoya son domestique chez lui, rue de Grenelle, pour y prendre ses uniformes et ses décorations, de façon à pouvoir se présenter correctement au petit lever de Sa Majesté. La fièvre l'avait repris, et elle ne le quitterait plus. Il grelotta toute la nuit dans la fournaise d'un lit d'apparat abandonné par son occupant légitime.

À Paris

Peu après que onze heures du soir eurent sonné, les coups de feu qui faiblissaient depuis peu cessèrent tout à fait et, une demi-heure plus tard, le tocsin finit, lui aussi, par se taire. Le calme et le silence succédèrent au bruit et à la fureur sous un heureux clair de lune. Toutes les lanternes de la ville avaient été brisées, mais l'on circulait dans les rues comme en plein jour tant le ciel était limpide et l'astre plein comme un verre de lampe. Les murs et les toits de la ville offraient au regard une sorte de décor éclairé par cette lumière sourde que l'on ne voit qu'aux scènes des théâtres. Les flaques de sang passaient pour de l'eau noire, et les barricades prenaient l'allure de reposoirs pour la Fête-Dieu. Les émeutiers étaient remontés jusqu'à leurs garnis et les troupes rentrées dans leurs casernes. De temps à autre, sur le seuil d'une porte, un concierge reconnaissable à sa calotte de feutre auquel pendait un gland de tricot tentait de balayer les désordres de la révolution.

Sans qu'un rendez-vous ait été formellement décidé, plusieurs des conjurés du matin se retrouvèrent chez Guizot, où l'esprit de révolte tombait très bas. Le calme de la nuit, l'avancée opiniâtre des troupes royales à travers Paris, la reprise de l'Hôtel de Ville, la fatigue de la journée ne laissaient que peu d'espoir. Rémusat, qui avait couru en tous sens à la recherche de La Fayette et de Guizot, tous introuvables pendant les dernières heures, écoutait attentivement Carrel expliquer de nouveau doctement, fort de son expérience des insurrections, que la résistance populaire ne viendrait jamais à bout d'une armée qu'il avait vue à l'œuvre en Espagne et que, si les soldats n'étaient par royalistes de cœur, leurs officiers avaient fait les guerres de l'Empire. Il ajoutait, en imitant les poses de Chateaubriand qu'il détestait autant qu'il enviait son talent, que des hommes capables d'avoir bousculé l'Europe quinze ans plus tôt extermineraient bientôt une horde d'ouvriers courant les rues nu-pieds et dépoitraillés. Guizot, adossé au manteau de sa cheminée, écoutait les bras croisés, une main soutenant le menton qu'il avait pointu. Parfois le doctrinaire soupirait mais ne disait rien, car ne rien dire était chez lui la dernière expression d'une pensée politique que chacun croyait supérieure. Le duc de Broglie soufflait bruyamment. Tout le monde attendait Thiers, or il n'arrivait pas, et l'on apprit qu'il avait quitté le siège du *National* quelques heures plus tôt pour trouver refuge chez une amie près de Pontoise tant que l'armée n'avait pas encore bouclé la ville.

C'est à cet instant que survint le député Royer-Collard, et il apportait de mauvaises nouvelles. L'homme avait partagé trop de secrets avec les Bourbons et Talleyrand aux heures troubles du Directoire pour ne pas être encore dans la confidence des cabinets. Il les révéla à la petite assemblée regroupée autour d'une seule lampe posée sur le stupide guéridon d'acajou. Le roi avait décidé que tous les régiments casernés autour de Paris devaient venir se mettre sous l'autorité de Marmont et que, dès le lendemain, des troupes fraîches viendraient suppléer les fatigues et les pertes infligées par l'émeute, mais le plus grave n'était pas là. Le procureur du roi avait lancé autant de mandats d'arrêt qu'il y avait de noms au bas de la proclamation contre les ordonnances. Jusque-là, ces instructions étaient restées lettre morte à cause des événements et des sympathies de certains fonctionnaires de la préfecture pour les idées libérales, mais la déclaration de siège et la violence des combats les rendraient doublement exécutoires dès le lendemain. Il fallait faire comme Thiers, quitter Paris pour se mettre au plus vite à l'abri. Le duc de Broglie dont le visage paraissait violemment altéré par des révélations qui confirmaient ses craintes ne cessait de répéter en hochant la tête :

— Vous ne les connaissez pas. Ils seront cruels. Très cruels.

Tirant Rémusat par la manche, il confirma d'un ton lugubre au malheureux journaliste qu'il ne pouvait pas demeurer plus longtemps dans la capitale car il incarnait l'esprit de sédition et serait l'un des premiers arrêtés, peut-être même risquait-il d'être fusillé comme otage.

La figure de Rémusat s'allongeait. Le matin il rêvait déjà du Conseil d'État ou à tout le moins d'une préfecture, et ce soir il se voyait condamné, exécuté et jeté dans un fossé du château de Vincennes. Broglie le pressait de partir et l'invita à le suivre. Ils montèrent aussitôt en voiture pour gagner l'hôtel du duc, rue de l'Université. Là, un domestique reçut l'ordre de guider le fugitif dans les soupentes pendant que son maître, qui ne descendait pas de voiture, courait chez Talleyrand où il était attendu pour un dîner intime. En passant sous la porte cochère de la rue Saint-Florentin, le duc remarqua que le panneau de marbre portant la mention « Hôtel de Talleyrand » qui trônait jusque-là entre les deux colonnes ioniques du porche monumental avait été fraîchement descellé. Le propriétaire des lieux connaissait suffisamment les révolutions pour savoir qu'elles n'aiment ni les hôtels princiers ni les princes qui les occupent et que rien ne l'obligeait d'indiquer à la foule le chemin du pillage.

Broglie pensa que cette précaution ne serait pas inutile à prendre, dès son retour rue de l'Université, pour protéger sa propre maison. Le dîner fut servi sur une table somptueusement dressée car les concessions de monsieur de Talleyrand aux désordres de l'émeute s'arrêtaient au bas de son escalier. Chez lui, tout restait princier, et le maître d'hôtel portant la grande livrée aux couleurs de la maison de Talleyrand-Périgord annonça très cérémonieusement l'arrivée de monsieur le duc de Broglie avant de refermer la porte derrière lui dans un grand fracas d'étiquette. Le prince joua longtemps au chat et à la souris avec son hôte, s'interdisant la moindre allusion à une révolution qui faisait pourtant trembler les vitres de sa propre salle à manger, mais la canaille ne lui avait jamais coupé l'appétit, et les plats se succédaient dans les règles du grand service à la française, fixé sous le règne de Louis XV. À chaque nouveau plat, Talleyrand invitait cérémonieusement le duc de Broglie à se servir le premier. Au dessert, le maître d'hôtel annonça la visite de l'ambassadeur de Sa Majesté le roi d'Angleterre. Son Excellence lord Stuart de Rothesay salua Broglie avec beaucoup d'amabilité puis, sans s'embarrasser de sa présence et comme reprenant une conversation privée interrompue quelques instants plus tôt, s'indigna des risques que les sottises politiques du roi Charles X et de son entourage faisaient courir à l'ordre social et à la quiétude de l'Europe, car les révolutions dérangeaient toujours l'architecture savante patiemment dessinée par les diplomates. Talleyrand, qui considérait la carte de l'Europe et ses équilibres subtils comme une sorte d'œuvre personnelle, opinait d'un air grave quand, sortant enfin de son silence, il assura à ses invités qu'il venait d'écrire au duc d'Orléans pour l'inviter à ne pas entrer dans Paris où il régnait encore une chaleur accablante, mais tout en lui conseillant de ne pas s'approcher non plus de Saint-Cloud où l'air n'était plus très sain depuis quelques jours. Chacun comprit, personne n'objecta et tout le monde s'en alla. La couronne de France venait de se jouer sur l'échiquier de l'Europe entre la poire et le fromage.

Hôtel de Broglie, rue de l'Université

Après un retour interminable en raison des détours invraisemblables que sa voiture dut faire, Broglie rejoignait Rémusat qui l'attendait sous les combles surchauffés de la rue de l'Université. Son arrivée sema l'émoi parmi ses domestiques, il fallait en effet que la révolution fût bien avancée pour que monsieur le duc, bien que grand libéral, montât ainsi ses degrés jusqu'à l'étage des valets. Essoufflé par cette ascension ancillaire, Broglie s'empara d'une simple chaise de paille sur laquelle il s'assit à califourchon puis il détailla le plan qui devait sauver son ami tout en l'obligeant à plonger au milieu d'une vie pleine d'inconnu. Le grand seigneur commença par poser sur la table de toilette une forte somme en pièces d'or serrées dans un sac de cuir, puis il ajouta que son hôte pouvait passer la nuit dans cette chambre de service mais que, dès le petit matin, il devrait quitter la ville et prendre la route de la Suisse. Pour cela, il lui remettrait son propre passeport, lui-même avait suffisamment de parents et d'amis à la Cour pour en obtenir un autre. Dès la pointe du jour, sa calèche serait attelée, et alors il faudrait vraiment partir. Tout allait bientôt finir, Marmont avait déjà repris l'Hôtel de Ville, les députés seraient dispersés et l'absolutisme rétabli plus fort qu'au lendemain de la Fronde. Le duc ne cessait de répéter qu'il connaissait les Bourbons et qu'ils seraient très cruels, d'une cruauté orientale, à la hauteur de la peur qui devait leur tenailler les entrailles depuis deux jours.

À *Courbevoie*

Le postillon de la diligence avait mis pied à terre, donné la bride des chevaux aux garçons d'écurie accourus aussitôt, puis il s'était approché de la voiture en tenant humblement son chapeau à la main ; il faisait des signes. Monsieur de Chateaubriand passa la tête à la portière. Paris n'était plus qu'à quelques lieues, pourquoi s'arrêter ? Il devait être chez lui avant le soir. Sa femme, les Bourbons et la France, elle surtout, l'attendaient pour que l'Histoire s'écrive enfin dans le meilleur français, le sien ! Le postillon voulut bien entendre toutes ces raisons de la part du grand homme, mais il demanda simplement le temps de changer de veste car les boutons dorés de fleurs de lys n'étaient plus de saison. La veille, la voiture aux armes de France qu'il conduisait sur les Champs-Élysées avait reçu du plomb, et lui aussi aurait aimé pouvoir rentrer chez lui sans l'aide d'une civière. Certes, il était, pour sa part, seulement attendu par sa femme, mais c'était déjà quelque chose. Le père d'*Atala* comprit mais demanda que l'on se presse, fit quelques pas pour se dégourdir les jambes prises dans de belles bottes à revers anglais et secoua sa crinière élégamment poudrée de la poussière des chemins. Du relais de poste, il embrassa Paris d'un seul regard. Le drapeau tricolore flottait sur

Notre-Dame. Les malheureux gisants de Saint-Denis doivent en grimacer de honte et de douleur, pensa-t-il avant de remonter en voiture.

Sur une route quelque part entre Neuilly et Courbevoie

Depuis plusieurs heures, un homme tenant la bride d'un cheval fourbu d'une main et appuyé sur un grand bâton noueux de l'autre, vêtu comme un maître de métier, marchait le long des routes, bavardait des événements avec les colporteurs et les commis qui faisaient un bout de chemin avec lui, saluait les petites-bourgeoises montées sur des chars à bancs et mêmes les vieilles paysannes rentrant du marché. Quand il entendait crier «Mort au roi!», il répondait prudemment «Vive la Charte!». Parfois il s'arrêtait à une auberge pour se reposer et se désaltérer car cette chaleur africaine l'accablait. Personne ne reconnut ce voyageur aimable bien qu'un peu distant. C'était pourtant le prince Louis-Philippe, duc d'Orléans, fuyant son château, de crainte d'y recevoir une invitation de son cousin le roi de France.

Le peuple roi

Jeudi 29 juillet 1830

À Paris, rue Jean-Goujon

Le médecin finissait de se laver les mains dans une bassine émaillée dont l'eau rougissait davantage chaque fois qu'il les frottait l'une contre l'autre. À travers la cloison trop mince, les vagissements de l'enfant couvraient le son lointain de la fusillade recommencée. Il se sécha jusqu'aux avant-bras avec une serviette immaculée. Heureusement pour lui, une chemise propre l'attendait dans sa mallette à soufflet. Ce fut une bénédiction dont il remercia mentalement sa jeune épouse. D'habitude, il mettait un point d'honneur à délivrer les femmes sans jamais ôter sa redingote ni retrousser les manches de sa chemise, mais là le travail avait été pénible et la chaleur intenable. Son linge était à tordre. Pendant qu'il se frottait le torse avant de se changer, il encouragea le père, que cette naissance paraissait accabler, à déménager au plus vite. Ces maisons neuves et mal bâties de la rue Jean-Goujon, outre qu'elles étaient rendues malsaines par l'excès de plâtre, n'étaient pas dignes d'un ménage comme il faut. On ne voisinait pas dignement avec les maraîchers et les voitures de roulage. Le poète, la tête pleine des hurlements de sa femme, des cris de l'enfant, une petite fille qui paraissait viable et que l'on prénommerait donc Adèle comme sa mère, ne voulait penser qu'au livre qu'il était en train d'écrire et n'écoutait plus, n'entendait rien. Pas même les grondements de la révolution qui se rapprochaient. Le médecin insista, prodigua des conseils d'hygiène, assura qu'il reviendrait malgré le risque qu'il y avait à courir Paris quand l'émeute vagabondait. Sa femme, toujours inquiète, avait même voulu le retenir cette nuit lorsqu'il avait été appelé, en vain, car il professait une telle admiration pour le mari de sa patiente, ses vers, son théâtre que…

Hugo, fatigué par la nuit, fit taire le médecin en glissant dans sa main deux places de théâtre avec le prix de ses honoraires puis, l'aidant à enfiler sa veste, prit à son tour une canne et son chapeau pour sortir et le raccompagner jusque sur un trottoir à peine dessiné. Il abandonnait la maison à ses femmes et à leur émotion bruyante. Tout ce linge sanguinolent, ces abats humains et les épanchements visqueux entrevus par-dessus les épaules des servantes affairées le dégoûtaient. Il voulait respirer, s'échapper, faire taire ses soupçons. Au bout de la rue inachevée dont le tracé se perdait entre les cultures et les baraquements, le jeune père vit tout à coup couler la Seine. Elle l'attira comme une de ces filles dont il avait toujours été friand et dont il aimait étreindre les corps de soie au milieu de salons équivoques, quand ce n'était pas dans le ventre d'un théâtre entre deux toiles peintes pour un décor de comédie. Il tourna rue Bayard pour l'atteindre plus vite, traversa le cours la Reine, s'approcha au plus près du parapet de pierre taillée. Là, il put enfin profiter tout à son aise des caresses humides et fraîches des courants d'air charriés par le fleuve. Il devait être six ou sept heures du matin. Le jour s'était levé depuis trois heures au moins, mais le ciel restait laiteux et le soleil brouillé. Une fois qu'il eut repris ses esprits, le promeneur ne revint pas sur ses pas, décidé à longer la Seine pour rêver en plein jour et réparer cette nuit sans sommeil. Certes, l'on se battait encore dans Paris, mais il pourrait toujours changer de rive si une barricade ou un piquet de garde s'interposait entre sa rêverie et lui. Il devait renouer, coûte que coûte, avec l'inspiration car, en cinq jours, il n'était parvenu à noircir que trois pages de ce roman à la mode de Walter Scott promis à Gosselin son éditeur. Les Parisiens finiraient bien par faire taire leur charivari pour le laisser écrire. Il y avait tout de même quatre mille francs à la clef. Une somme qui lui permettrait de déménager et d'habiter un meilleur quartier.

Sur l'île de la Cité

Le palais de l'archevêque était vide. Monseigneur de Quélen profitait, pour quelques heures encore, des délices de sa maison de Conflans. Les chanoines marmonnaient l'office, emmitouflés dans la fraîcheur des siècles, et n'entendaient pas la rumeur montant depuis le pont au Double. Une bande d'émeutiers en guenilles exigeait l'ouverture des grilles. Ils s'étaient déjà présentés la veille mais, convaincus par le portier qu'ils ne trouveraient pas d'armes à l'intérieur de la maison de Dieu, ils n'avaient pas insisté et s'étaient contentés d'applaudir à l'apparition des trois couleurs au sommet des tours de Notre-Dame. Ce matin, pourtant, ils revenaient, bien décidés cette fois à se faire ouvrir les portes. Ils étaient une centaine, peut-être un peu moins, et appelaient le concierge en hurlant des menaces. Plusieurs coups de feu partirent, brisant des vitres. Le malheureux s'approcha muni de son imposant trousseau de clefs et tenta de parlementer une nouvelle fois pour écarter le danger de sa loge. Aussitôt mis en joue, il cessa de palabrer et ajusta une clef énorme dans une serrure ouvragée comme une patène puis mania plusieurs loquets aux dimensions cyclopéennes dont les cris de la petite foule couvraient le grincement. Il n'eut pas à faire balancier de son corps pour ouvrir le premier battant car, sous la poussée de l'émeute, celui-ci pivota sur ses gonds pour venir heurter violemment le mur. Le peuple voulait de la poudre et des fusils. Il descendit alors à la cave chercher du vin avant d'en remonter, titubant, pour exiger de l'argent. Le malheureux concierge dont les mains tremblaient n'eut pas longtemps à chercher les bonnes clefs car les portes éclataient sous les coups de hache avant même qu'il ne se soit de nouveau saisi de son trousseau. Devenu inutile, abandonné à son sort, il partit chercher refuge à l'Hôtel-Dieu tout proche dans l'espoir que les incurables le protégeraient d'une mort certaine.

La cavalcade commençait. Dans les caisses du secrétariat on trouva de l'or, des rouleaux de louis bien rangés au fond de tiroirs qui sentaient l'encens et l'encaustique. Ce fut comme une deuxième ivresse, les hommes pris de furie arrachaient les boiseries à l'aide de pinces-monseigneur dont le nom les faisait rire pour découvrir les trésors cachés de l'église restaurée. Les femmes, vêtues de surplis et de précieuses chapes par-dessus leurs chemises ouvertes sur des seins nus, dansaient comme au cabaret. La rumeur de l'or se répandit à travers le quartier sordide qui depuis des siècles battait de ses taudis les murs de la cathédrale. La foule toute chargée de misérables, de larrons ou d'écoliers grossissait, enflait et se répandait à flot continu dans le palais des archevêques, ses cours et ses jardins dont le silence religieux était brisé avec autant de rage que les vitres des bibliothèques auxquelles on arrachait les vieux registres pour nourrir le feu de joie allumé au beau milieu de la première cour. Les reliures de cuir fauve protégées par des fermoirs solides résistaient aux flammes, dégageant seulement une épaisse fumée noire, alors on ouvrait les cartons d'archives pour en jeter le contenu par les fenêtres et alimenter plus gaiement la fournaise. Les parchemins anciens se tordaient lentement sous la flamme en dégageant une odeur âcre de cochon grillé. Un ouvrier, que la danse des femmes excitait, força les innombrables chasubliers dont le mécanisme ingénieux permettait d'ouvrir d'immenses tiroirs en forme d'éventail. Sur chacun d'eux reposait toute une dalmatique, brodée de fils de soie d'or et d'argent offrant au regard les reflets inconnus de brocarts si précieux que les cérémoniaires ne les dépliaient jamais sans avoir les mains gantées de blanc avant de les présenter, agenouillés, à monseigneur l'archevêque. L'homme, s'étant mis torse nu, enfila à son tour les ornements sacerdotaux, singea le saint sacrifice, accomplit quelques gestes grossiers sous les rires gras puis, ouvrant les fenêtres, pourtant déjà déshabillées de leur vitrage, tira des coups de fusil vers le ciel en criant que les Jésuites et les chanoines voulaient tous les tuer. D'autres l'imitèrent et, sur la rive opposée du fleuve, la révolte amoncelée sur les quais, obstruant les ponts, voyait des prêtres en armes et même un abbé mitré faire feu dans sa direction. Sa rage redoublait et, à l'intérieur du palais, la fureur atteignait son paroxysme. Les appartements de l'archevêque crochetés puis envahis se retrouvèrent livrés au pillage et à la dévastation. Tout fut brisé, les miroirs, les pendules, les portes des secrétaires aux marqueteries élégantes, les commodes ventrues marquées de la croix sur chacun de leur tiroir. Tout ce luxe de sacristie dans lequel vivait un aristocrate en surplis fut réduit en lambeaux. Le linge fin qui garnissait son lit, les matelas et les édredons de plumes, tout finit joyeusement lacéré.

Les envahisseurs s'acharnèrent particulièrement sur les crucifix et les images pieuses. Un hurlement de joie dont le retentissement dévala l'escalier du palais jusqu'aux jardins salua la découverte d'un portefeuille aux armes archiépiscopales de monseigneur de Quélen, qui ne contenait pas moins de trois cent mille francs en billets de banque. Jamais quête n'avait été aussi miraculeuse. Alors un combat s'engagea. On s'arrachait les billets qu'un polytechnicien boutonné jusqu'au col et tout gavé de fouriérisme s'acharnait à vouloir partager selon les préceptes de cette pensée sociale à moitié hallucinée. Quelques bons coups de croix de procession suffirent à faire taire cet enragé qui croyait aux bienfaits d'une société égalitaire. Il lâcha prise avant d'être secouru par des femmes dont le métier était de soulager à bas prix les étudiants de la Sorbonne toute proche mais qui, une fois les poches intérieures de leurs jupons pleines de pièces d'or, retrouvaient un peu de religion. Il perdit ce jour-là sa virginité et sa foi dans l'innocence du peuple. Aussi conserva-t-il, pour son usage personnel, les billets de banque glissés dans son gilet qu'il destinait à la société philanthropique dont il avait usé des nuits entières à tracer la règle et les statuts pour canaliser les passions humaines vers le travail rédempteur. Cette petite fortune lui assura cinq semaines d'un amour passionné de la part d'une femme qui, en échange de sa bienfaisance, lui enseigna les funestes secrets.

Dans la sacristie de la cathédrale qui communiquait avec le palais de l'archevêque, un jeune homme, répondant au prénom de Louis-Bénigne, tremblait pour le trésor de sa cathédrale. Alerté par les tirs, les cris et les coups de masse, il venait de se tapir dans l'escalier en colimaçon pris dans la muraille et utilisé depuis des siècles par les officiants pour accéder plus facilement à la sacristie depuis la salle capitulaire. Vêtu comme un simple garçon commis, il était passé tout à fait inaperçu, mais il réprima un haut-le-cœur devant le spectacle d'un groupe d'une vingtaine d'hommes acharnés à briser un bel ostensoir de vermeil pour s'en partager les morceaux. Il se signa avant de refermer doucement la porte dissimulée dans les stalles de la salle capitulaire, descendit en courant le vieil escalier qui avait abrité la fuite de plus d'un évêque, courut aux armoires de fer dans lesquelles on resserrait les reliques les plus sacrées, crut pleurer de soulagement lorsqu'il découvrit que le précieux reliquaire de la Sainte Couronne d'épines avait été mis à l'abri, puis il s'empara de tous les objets dont les chanoines lui avaient toujours enseigné la grande valeur, notamment les reliques de la Passion, s'aida d'un grand devant d'autel de lin brodé pour en faire un sac qu'il noua sur ses épaules et gagna la cathédrale. Ensuite il entreprit de barricader la lourde porte qui séparait l'archevêché de l'église métropolitaine avec une énorme barre de fer qu'il eut bien de la peine à manier tout seul, appela à l'aide en vain, avant de fuir vers la crypte sous le miroitement séculaire des vitraux colorés de cobalt et de manganèse, traînant derrière lui des trésors d'art sacré dans un bruit infernal de casseroles que l'on mène chez l'étameur.

À l'intérieur de l'évêché, le pillage continuait, la sacristie fut atteinte, des vases cassés dont l'un, de pur cristal, contenait le cœur d'un enfant royal, mais personne n'accorda la moindre attention à cet organe calcifié qui tomba sur le sol poisseux des saintes huiles renversées par des mains avides et impies. Un miracle peut-être eût pu le faire battre de nouveau si l'enfant auquel le cœur appartenait n'avait été déjà copieusement battu de son vivant au Temple. Les femmes accoutrées après avoir déchiré les ornements directement utilisables coupaient soigneusement les franges et les galons d'or ou d'argent des chasubles les plus coûteuses. Les hommes, pour leur part, se chargeaient de détruire et d'émietter tous les instruments du culte qui ne pouvaient pas être emportés dans un sac, comme les croix couvertes de vieux émaux au dessein grossier, et l'on jeta par la fenêtre la lourde Vierge d'argent offerte par le roi, faute de pouvoir la voler. Il fallut aussi s'y reprendre à plusieurs fois pour briser la crosse archiépiscopale sur les dalles de pierre. Les centaines de pierres précieuses dont elle était ornée, desserties sous les coups, roulaient aux quatre coins de la pièce, poursuivies par des enfants qui n'avaient jamais joué à un jeu de billes aussi rares. Un homme d'un âge avancé mais auquel le pillage rappelait des souvenirs plus anciens s'appuyait fièrement sur la canne en ivoire offerte par le pape Paul V au cardinal de Gondi et dont il ferait désormais son bâton de vieillesse. Des grands portraits royaux il ne restait que les cadres désarticulés dont les riches dorures laissaient maintenant voir le blanc des stucs et le chêne sculpté mis à vif par la violence des coups de serpe.

La porte dérobée de la sacristie ne le resta pas long-temps et laissa bientôt passer le flot des assaillants qui cherchaient désormais à s'emparer de la cathédrale et des richesses supposées dont le pillage de l'archevêché n'avait donné qu'un avant-goût. Les coups de boutoir donnés à la porte résonnaient dans le silence sépulcral des ogives gothiques avec la violence sacrilège du bélier d'airain des légions de Titus cherchant à éventrer le temple de Salomon. Terrorisés, les vieux chanoines s'étaient enfuis en avalant de travers leurs oraisons, et seul Louis-Bénigne restait là pour protéger la cathé-drale de la fureur des pillards. Quand la barre de fer qui retenait la porte céda enfin dans un hurlement de joie, le jeune homme se retrouva seul face aux éclaireurs de l'émeute. Impressionnés par l'immensité, l'obscurité et le silence, ces derniers s'arrêtèrent puis, regardant vers le chœur où ils espéraient un amoncellement de vases sacrés et de vaisselle d'or, marquèrent un moment de déception devant l'autel entièrement déshabillé. Leurs yeux s'habituant peu à peu à la pénombre, ils avisèrent enfin les statues des rois Louis XIII et Louis XIV qui se trouvaient de part et d'autre de la sainte table et offraient la couronne de France à la Sainte Vierge. Ces Bourbons-là, bien que morts, enterrés, déterrés et profanés depuis des lustres, ne valaient pas mieux que ceux qui, depuis Saint-Cloud, ordonnaient de tirer sur le pauvre peuple. Il convenait donc de marteler leurs visages de marbre pour en effacer à jamais les sourires de mépris affichés depuis trop de siècles par cette race de sangsues. Aussi les émeutiers exigèrent-ils du jeune homme qu'il leur ouvre les portes latérales du chœur dont les puissantes grilles de fer forgé protégeaient encore le génie de Coustou et de Coysevox de la fureur des hommes. Le sacristain, non sans présence d'esprit, leur assura que les sculptures ayant été taillées dans les marbres les plus durs, il leur faudrait des heures pour obtenir à la pointe de leurs petits marteaux la moindre grimace de ces vieilles perruques. Temps précieux que d'autres ne manqueraient pas de mettre à profit pour vider le vestiaire tout proche des riches habits d'office qu'il contenait et dont il était tout prêt à leur indiquer l'accès. Les émeutiers écoutèrent sagement son conseil et partirent, non sans le remercier, vers les vestiaires, heureux de pouvoir bientôt s'habiller comme des princes. Malheureusement, l'histoire ancienne aurait dû apprendre à Louis-Bénigne qu'à une première invasion barbare en succédait toujours une nouvelle, et la chose se vérifia lorsque la sacristie cracha une deuxième bande d'émeutiers sur le pavé usé de la cathédrale. Ceux-là, sans s'embarrasser de la présence du jeune sacristain, utilisèrent aussitôt les bancs et les chaises de la nef pour construire un échafaudage qui leur permette d'escalader la grille du chœur. Rien, ni les supplications, ni les tentations, ni même les menaces ne parvenaient à les détourner dans leur volonté de profaner le maître-autel et de détruire les effigies royales quand une détonation terrible dont l'écho roula sous les voûtes immenses figea les profanateurs dans leur dernier assaut. Quelques instants plus tard, les vitraux de l'abside volaient en éclats comme criblés de balles. Tous crurent à la contre-offensive des troupes royales et prirent aussitôt la fuite, abandonnant sur le sol leurs armes et quelques mauvaises chaussures prises à des soldats blessés ou déserteurs. Pourtant, à cette heure de la journée, les troupes de Marmont harcelées sur la rive droite eussent été bien en peine de rétablir le culte dans la cathédrale, et les vaillants gardes nationaux regroupés autour de la place Maubert, bien qu'alertés des dangers courus par Notre-Dame-de-Paris, n'étaient pas encore en vue.

C'était le basculement d'immenses tables de marbre depuis la hauteur de l'archevêché et l'éclatement de la pierre sur les pavés de la cour qui avaient provoqué ce bruit sourd et les éclats venus briser les vitraux comme autant de coups de feu. Le pillage des appartements de l'évêque sauvait, à l'instant même, le vœu de Louis XIII.

Il s'ensuivit un mouvement de foule, les assaillants se croyant à leur tour assaillis quittaient la cathédrale, refluaient vers le fleuve, déclenchant une véritable réaction en chaîne à l'intérieur de l'édifice. Dans les étages, la volonté de se défendre d'une agression imaginaire transformait la folie destructrice en une rage désespérée. Tout ce qui pouvait être jeté depuis les fenêtres le fut, et les immenses baies gothiques crachèrent à jet continu meubles, livres, ornements, statues, tabernacles, coffres, matelas, portes, cadres, vitrines, morceaux de boiserie et même pierres arrachées aux murs qui venaient s'écraser sur le sol ou ricocher jusqu'à la rivière dans laquelle ils tombaient au milieu des cris, des rires et des éclaboussures. Ainsi voyait-on surnager des vieux évan-géliaires dont les miniatures séculaires se dissolvaient doucement, leurs couleurs précieuses abandonnant l'or des auréoles et des couronnes pour une vie aquatique. Partout flottaient des tables et des chaises, des crucifix de tous bois et de toutes tailles, des milliers d'images pieuses, des reliques enchâssées dans des paperolles et des coussins de velours grenat que des mains d'enfants accrochés à des barques tentaient de repêcher pour les offrir à leur mère ou les revendre aux crocheteurs. Des chasubles précieuses gonflées par les clapots de la Seine ouvraient leurs corolles de broderies chatoyantes comme autant de nénuphars liturgiques ondulant à la surface d'un fleuve sacré. La Seine dans laquelle Saint Louis voyait un nouveau Jourdain ressemblait ce matin-là au fleuve Indus.

Les pensées du jeune père le conduisaient toujours vers les tours immenses et médiévales de l'œuvre qu'il concevait en rêve. Plusieurs fois son chemin avait été détourné, il était alors passé d'une rive à l'autre, le ciel blafard d'une matinée trop chaude laissait place depuis peu à un ciel azuréen et un soleil de feu. Souvent il s'épongeait le front en prenant garde de suivre le fleuve dont les effluves lui offraient leur fraîcheur. Place Louis-XV, il avait assisté au réveil maussade de la troupe dont la nuit n'était pas parvenue à rétablir les forces. Les hommes rechignaient à boutonner leurs vestes de gros drap sur des chemises restées sales des combats de la veille. La soif continuait à les tenailler, et les petits marchands de citronnade et de coco dont ils sifflaient les réserves en rêvant de boissons plus fortes augmentaient leurs prix d'heure en heure pour faire payer les soldats du vieux roi. Les cantinières se faisaient rares et ne toléraient aucune privauté. On attendait les princes et ils ne venaient pas. Les officiers se contentaient pour leur part d'attendre des ordres que ne venaient pas davantage.

Dès qu'il aperçut le dôme des Tuileries, Hugo jugea plus prudent de rester sur la rive gauche et de longer les berges. Il suivit donc le quai d'Orsay, puis celui des Grands-Augustins et, chaque fois qu'il venait à croiser une patrouille ou une bande d'émeutiers, il prenait la première rue qui se présentait sur sa droite. Aux soldats son allure de grand bourgeois en imposait. Aux autres il criait « Ami » en levant le bras. Une fois à couvert, longeant les ruelles bordées de maisons ventripotentes et de jardins secrets, il laissait sa rêverie vagabonder de nouveau, s'amusant à invoquer le passé, alors que depuis trois jours le présent jouait à l'Histoire. Il régnait dans ces quartiers de la rive gauche un charme provincial qu'aucune révolution ne paraissait avoir le pouvoir de rompre. Les petites bonnes trottaient, heureuses de faire danser le panier de leur maîtresse. Le poète jugeait aussitôt en amateur de la finesse d'un mollet, de la docilité d'une cambrure ou du creux d'une nuque et ne connaissait rien de plus facile à labourer que le ventre blanc de ces soubrettes bien incapables de se refuser à un homme cravaté. Pas plus, d'ailleurs, qu'Adèle, sa femme, ne savait dire non à son ami Sainte-Beuve. Cette vérité le rendait fou et, pour calmer sa douleur, il reprenait inlassablement sa route vers Notre-Dame. Après le quai Saint-Michel, il comprit que quelque chose se passait. La rivière se chargeait de débris étranges, une foule vociférant occupait le Petit-Pont et submergeait les quais les bras chargés de velours et de paquets, mais les hauts murs de l'Hôtel-Dieu, dont les bâtiments lépreux enjambaient la Seine comme un pont, l'empêchaient de voir et de comprendre ce qui se trouvait du côté de Notre-Dame. Après un long détour à travers le quartier Saint-Séverin, il entrait dans le Paris médiéval qu'il aimait, traversa la rue Saint-Jacques avant de longer la rue Galande, pour déboucher par la rue des Rats sur les berges de la Seine qui à cet endroit précis de la ville se présentaient encore, n'étant pas pavées, sous la forme d'une plage de vase comme au temps de sainte Geneviève. La cathédrale acculée à la rivière et flanquée du vieil archevêché décoré de ses échauguettes lui apparut comme une sainte aux outrages. Des hommes sur les tours, des femmes dépoitraillées aux fenêtres et en bas, massée sur le pont, une colonne de misère montant à l'assaut de l'ancienne cité épiscopale que plus rien ne protégeait. C'est à ce moment-là que la chute des marbres provoqua une explosion digne d'un champ de bataille. Une immense clameur s'éleva de la foule. Réveillée en sursaut de son rêve de pillage, elle crut voir les lanciers de la garde bondir à travers les larges ogives aux vitraux brisés, alors elle recula abandonnant toutes sortes de choses et même des cadavres de femmes étouffées et de petits enfants écrasés par l'affolement des galoches. L'émeute refluait, l'archevêché dévasté était abandonné, la cathédrale sauvée des flammes et du blasphème.

Victor Hugo regardait, fixait les gueules béantes, les grimaces édentées et les trognes écarlates de tout un peuple auquel s'était joint le petit monde de la truande. Tout ça suait, puait et criait magnifiquement. Il contemplait ce spectacle incroyable et grandiose d'une cathédrale assiégée par la misère et le vice. Il fut bousculé puis insulté par une femme qui portait sur le dos toute une quincaillerie d'autel et se persuadait que le poète en voulait à son trésor. Alors il prit peur et quitta les berges. Sa femme et sa fille l'attendaient à l'autre bout de la ville. Il ne serait pas chez lui avant plusieurs heures, mais ce qu'il venait de voir ne manquait pas d'effroi ni de beauté[*].

Au château des Tuileries

Le jour ne s'était pas encore levé mais, à la vérité, il aurait été d'un maigre secours dans les caves du château des Tuileries. Quelques hommes portant des lanternes éclairaient les pas précipités du baron de La Bouillerie suivi de monsieur de Laporte, contrôleur des diamants de la Couronne tenant une lourde liasse de papier timbré. Derrière eux, deux domestiques portaient de grands paniers d'osier rapportés des cuisines. À leur vue, les gardes en faction se mirent aussitôt au garde-à-vous. Une fois dans la chambre forte, il fallut ouvrir les grandes armoires de fer. Sur les étagères, des écrins de toutes dimensions et de toutes formes se trouvaient rangés par taille. Lorsque Alphonse de La Bouillerie ouvrit celui qui contenait la couronne du sacre, le feu des diamants, malgré la pauvreté de la lumière, miroita sur toutes les parois de cette pièce basse. Un grand silence se fit, chacun s'inclina avec respect, et l'intendant du Trésor

---

[*] Pour le lecteur de 1831, il ne faisait évidemment aucun doute que l'assaut des gueux décrit par Victor Hugo dans *Notre-Dame de Paris* renvoyait au pillage de l'archevêché et de la cathédrale pendant les journées de juillet 1830.

déposa l'objet avec précaution dans le premier panier. Le rituel se reproduisait pour le grand diadème d'émeraude de la duchesse d'Angoulême ainsi que la parure de rubis remontés pour elle sur ordre de Louis XVIII par le célèbre Menière, avec ses deux bracelets, collier, pendants d'oreilles, ceinture, peigne et un autre diadème, puis vint le tour des autres parures royales et impériales, du rubis d'Anne de Bretagne taillé en forme de dragon et qui ornait autrefois le fabuleux insigne de la Toison d'or du roi Louis XV, les croix du Saint-Esprit, de Saint-Louis, de Saint-Michel portés par le roi, le dauphin et les princes dans les grandes cérémonies. Chaque fois, les bijoux, sortis de leur écrin, étaient noués dans un mouchoir ou une serviette de table puis déposés dans les paniers, et monsieur de Laporte mettait une croix en face de leur descriptif dans le grand inventaire dressé en 1822. Quand vint le tour des principaux diamants de la Couronne qui n'étaient pas sertis en permanence, La Bouillerie n'eut pas le cœur de les sortir de leurs petits écrins pour les jeter dans le panier. Aussi, après avoir fait vérifier leur présence par l'intendant, il les plaça dans une sacoche de cuir empruntée à un artilleur et qu'il porterait, lui-même, en bandoulière. Enfin quand toutes les étagères eurent été visitées, on referma les portes à clef et, les bras chargés de paniers recouverts de torchons à carreaux, la petite troupe remonta dans la galerie neuve. La lumière du jour permit de signer le procès-verbal et, au moment de traverser la place du Carrousel, les soldats de la garde que l'on réveillait en passant pestèrent à l'idée que l'on servait un copieux déjeuner aux ministres réfugiés dans l'aile neuve quand eux-mêmes n'avaient rien dans le ventre depuis bientôt deux jours. Aucun d'eux ne pouvait imaginer que l'on transportait sous leurs yeux, comme on l'aurait fait de jambons, le trésor des rois de France.

Rue d'Anjou

La comtesse de Boigne sortait d'une mauvaise nuit. Les premiers coups de feu de la matinée l'avaient tirée d'un sommeil agité et bien trop tardif. Ses palefreniers disparaissaient les uns après les autres pour gagner les barricades, et les récits de son vieux serviteur parti dès l'aube pour aller aux nouvelles ne la rassuraient pas. Le calme tombé la veille avec le jour ne trompait plus personne. La ville restait aux mains des insurgés. Marmont, fortifié derrière les murs du Louvre et des Tuileries, attendait désormais les renforts des camps de Saint-Omer et de Lunéville. C'était la révolte qui toisait maintenant les forces de l'ordre. Dans quelques heures, un affrontement terrible s'engagerait, l'émeute basculait en révolution, et la révolution tournerait au carnage. Cette fois, il fallait partir, et le plus loin possible. Le château de Neuilly n'était plus assez sûr, on disait même les Orléans arrêtés par ordre du roi. Le mieux était de s'éloigner davantage et d'aller chercher refuge auprès de sa famille, chez son frère au château de Pontchartrain. De là, si la fureur populaire renouvelait les massacres de septembre, il serait toujours temps de gagner Le Havre puis l'Angleterre. La comtesse glissa aussitôt les lettres de change établies la veille dans un élégant portefeuille de maroquin citron dont les petits fers se trouvaient assortis aux filets d'amarante du joli meuble de sa chambre à coucher. Le bruit d'une voiture roulant sur les pavés de la cour de l'hôtel la tira de ses réflexions. Elle se précipita à la fenêtre et reconnut au premier coup d'œil l'élégant cabriolet de la duchesse de Rauzan partie quelques heures plus tôt. La pauvre femme était dans les transes : sa voiture arrêtée de tous côtés par les barricades élevées dans la nuit et par les postes de gardes devenus particulièrement soupçonneux, elle renonçait à quitter Paris et rebroussait chemin. On ne passait plus, la ville se refermait sur elles comme un piège. Leur maison devenait une souricière. La comtesse se décida à faire porter un message à son vieil ami le maréchal Marmont pour obtenir un laissez-passer signé de sa main, seul sésame capable d'adoucir les cerbères de la garde. Les Champs-Élysées restaient aux mains de la troupe, et ils n'étaient qu'à quelques pas. Elle franchirait tous les obstacles car elle était encore sûre de ses gens qu'elle payait bien et qui lui seraient fidèles. La réponse des Tuileries lui parvint en moins d'une heure, le maréchal, soucieux de la sécurité de son amie, avait remis à son domestique le précieux passeport mais il avait ajouté, certainement pour la rassurer, qu'il ne fallait pas s'alarmer, que quitter Paris était une précaution inutile car les troubles n'allaient pas tarder à se calmer et que, dès le soir, il viendrait lui rendre visite pour s'amuser avec elle de toutes ces aventures.

Le conseiller Pasquier pensait la même chose, mais la comtesse, elle, n'était pas d'humeur optimiste et donnait déjà ses ordres quand un nouveau bruit l'alarma. Il devait être huit heures du matin. Une barricade s'élevait au bout de la rue d'Anjou pour en interdire l'accès depuis la rue du Faubourg-Saint-Honoré quand une autre coupait déjà le passage à la hauteur de la rue de

Surène. Un domestique vint la prévenir qu'au même moment les arbres de l'allée de Marigny tombaient sous la cognée, fermant définitivement l'accès aux Champs-Élysées. Il ne fallait plus penser à fuir, et le laissez-passer du maréchal lui devenait à peu près aussi utile que des rames sur une diligence. Des cris retentirent dans l'escalier. La duchesse de Rauzan se trouvait prise d'une crise nerveuse. Avant de lui descendre son flacon de sels indiens, la comtesse glissa le portefeuille, gros de ses titres de rente, derrière une plaque de cheminée que les ouvriers avaient eu le bon goût de desceller pour blanchir le foyer. Elle repoussa la lourde plaque marquée d'armes inconnues, replaça les pattes de fer forgé dans leurs orifices et fut très satisfaite de son ingéniosité.

Au château des Tuileries

Aux Tuileries, à l'heure où monsieur de de La Bouillerie chargeait les paniers contenant les diamants de la Couronne dans un fourgon militaire, les ministres – eux – tenaient Conseil. Le prince de Polignac affichait depuis l'aube une placidité séraphique, écrivait au roi et opposait à toutes les questions un sourire muet, le comte de Montbel combattait ce flegme par des réflexions de bon sens que personne n'écoutait et qui lui attiraient les sarcasmes de Peyronnet, confiant dans l'héroïsme de la garde. Chantelauze, depuis le canapé où il s'était assis dans l'espoir de s'y enfoncer, assistait, incrédule, à ces échanges. Quant à monsieur de Guernon-Ranville, il faisait de l'esprit sans obtenir le moindre écho de ses collègues qui n'avaient pas la tête à la blague. Le baron d'Haussez, lui, restait d'avis d'abandonner la capitale au pillage et au désordre par une retraite en bon ordre. C'était le seul moyen de permettre au roi, accompagné de sa maison militaire et du corps diplomatique, de se replier au sud de la Loire comme l'avait fait le futur Charles VII en son temps et, là, tout en prenant appui sur la Vendée royaliste et fidèle, d'attendre le retour du corps expéditionnaire algérien. Ensuite il suffirait d'affamer la capitale par un siège en règle et l'on fusillerait ceux qui ne seraient pas morts de faim.

Aussitôt, le duc de Raguse qui assistait à ces conciliabules s'indigna. Jamais il n'abandonnerait les palais du roi à la populace. Toutes ses épingles bleues étaient maintenant concentrées dans l'espèce de quadrilatère inachevé que formaient le Louvre et sa grande galerie avec le château des Tuileries. Si les épingles rouges lui manquaient pour marquer les points de révolte dans Paris, il était bien décidé à tenir sa position coûte que coûte jusqu'à l'arrivée des renforts, et sa seule préoccupation militaire était de maintenir, pour l'heure, le contact avec Saint-Cloud par un couloir militaire. Ce fut le moment choisi par monsieur de Glandevès, gouverneur du château des Tuileries, pour demander à être introduit auprès du Conseil afin de se plaindre des dégâts que le régiment de cavalerie cantonné dans les jardins faisait aux allées fraîchement sablées et aux belles plates-bandes dont la vocation n'était pas de nourrir les chevaux de fleurs sucrées. Le maréchal, qui avait pourtant de l'estime pour le gouverneur, ancien maréchal de camp et cordon rouge major des gardes du corps, se demanda si la gravité des événements ou les ardeurs du soleil ne lui avaient pas un peu dérangé l'esprit. Il répondit néanmoins fort poliment que les chevaux du roi se trouvaient très bien dans les jardins du roi et que les fleurs, à condition de ne pas en abuser, faisaient un excellent fourrage. Des balles tirées depuis une maison de la rue Saint-Nicaise où des insurgés étaient parvenus à prendre position brisèrent les vitres de la salle du Conseil en même temps que cette conversation horticole. Le gouvernement dans son entier passa instantanément sous la table, à la grande joie du maréchal qui n'avait pas, pourtant, l'esprit à rire, car il recevait des dépêches de plus en plus alarmantes. Depuis six heures du matin, les Invalides et l'École militaire étaient aux mains de l'insurrection, menaçant ainsi directement les arrières de la garde royale et les communications avec Saint-Cloud. Non seulement les pillards saccageaient l'archevêché – on ne savait pas ce qu'il était advenu de l'archevêque –, mais plusieurs colonnes d'émeutiers montaient à l'assaut du Louvre depuis la rive gauche. Il fallait espérer que les deux bataillons de Suisses chargés de le défendre tiendraient jusqu'au soir. L'optimisme de l'aube cédait la place à une forte inquiétude. Était-elle en partie feinte ? Marmont, qui pensait encore la veille au soir pouvoir tenir quatre jours, priait désormais pour que l'émeute lui laisse passer une dernière nuit aux Tuileries.

À l'exposé de la situation, les visages des ministres, planqués sous la grande table du Conseil, déjà passablement défaits, s'allongèrent. Le Louvre et quelques valets en uniforme d'apparat paraissaient un rempart bien mince contre une révolution. Heureux de voir la peur du lynchage lui offrir l'occasion de se débarrasser de ces morpions en bas de soie, Marmont proposa alors d'assurer leur repli vers Saint-Cloud sous l'escorte d'un régiment de dragons qu'il avait pris soin de placer en réserve place Louis-XV. Polignac, qui n'était pas toujours aussi bête qu'il aimait à le laisser croire, flaira le piège, car quitter les Tuileries revenait à donner les pleins pouvoirs au duc de Raguse qui se précipiterait pour pactiser avec les libéraux dès qu'il aurait le dos tourné. Par ailleurs, partir pour Saint-Cloud le mettrait dans la situation bien inconfortable d'avoir à annoncer au roi Charles X la perte de sa capitale, l'échec de leur coup de force et la faillite de sa politique. C'était beaucoup pour un Premier ministre. Il refusa, au grand dam de ses confrères, et Marmont regagna son état-major.

Il était neuf heures du matin, et le thermomètre marquait déjà vingt-cinq degrés quand un aide de camp du maréchal annonça qu'une délégation de la Chambre des pairs demandait à être reçue en audience. Elle était cette fois conduite par le marquis de Sémonville, son grand référendaire, et à ce titre le représentant officiel de cette assemblée auprès de Sa Majesté. Le « vieux chat », comme Talleyrand aimait à le surnommer, était accompagné du comte d'Argout lui-même, toujours précédé de son immense nez. C'était le baron de Glandevès qui les avait conduits jusqu'à l'état-major par les souterrains du palais. Sémonville, après avoir sauté enfant sur les genoux de la Pompadour puis servi avec un même zèle et une égale fidélité tous les régimes, se présentait à l'audience en redingote de cour, culotte à la française, chaussures à boucles d'argent et perruque poudrée à frimas dont aucune révolution n'était jamais parvenue à détacher la moindre mèche folle, et ce périple à travers les souterrains avait seulement laissé quelques fils de toiles d'araignées sur le beau taffetas de son habit. Comme toujours, cet éternel rescapé hésitait entre deux maîtres, jouait plusieurs parties dont il truquait par avance les dessous de cartes pour être certain de n'en perdre aucune à défaut d'en gagner une.

Plus exaspéré encore par ce début de révolution qu'effrayé par les suites qu'elle pouvait prendre, le grand référendaire ne s'embarrassa pas de précautions oratoires dès qu'il fut mis en présence du maréchal :

— Où sont les ministres ?

— Dans le cabinet.

— Et que font-ils ?

— Ils délibèrent...

— Sur quoi ?

— Sur la perte de la France... répondit Marmont avec aigreur.

— Veulent-ils la consommer ?

Et, sans laisser à son interlocuteur le temps de répliquer, Sémonville se mit aussitôt à hurler qu'il voulait voir Polignac dans l'instant.

Marmont se méfiait instinctivement de cet homme qui avait prêté à peu près autant de serments que Talleyrand et dont la mention dans le fameux *Dictionnaire des girouettes* tenait en plusieurs pages, mais il fut agréablement surpris par sa détermination. Aussi les introduisit-il sans attendre dans le cabinet où les ministres continuaient à tenir Conseil, faute d'avoir la moindre prise sur les événements. Dès que les deux hommes, toujours suivis de Glandevès, furent en présence de Polignac, le vieux chat sortit ses griffes pour en labourer le visage du ministre, que la violence de l'attaque laissa sans réponse. Le survivant de la Révolution ne pardonnait pas au favori d'avoir pris le risque d'en déclencher une autre et de menacer ainsi follement la tranquillité de la France et celle de ses biens, car non seulement il avait su sauver sa tête de l'échafaud, mais il avait profité de ses quarante dernières années pour accumuler une immense fortune. Agiotant sur les assignats, entassant les biens nationaux, jouant à la baisse quand les nigauds achetaient à la hausse, constituant enfin sa pelote avec les lambeaux de l'Empire, Sémonville était riche, fabuleusement riche, et entendait bien le rester. Certain de la chute imminente de celui auquel il s'adressait, Sémonville se lâcha, et ce fut un torrent d'amertume et d'invectives. Il fallait retirer les ordonnances sur-le-champ et changer de ministère si l'on ne voulait pas voir le trône de France suivre le chemin du trône épiscopal de monseigneur de Quélen qui flottait, en cet instant, à la surface de la Seine. Polignac répondit fermement qu'il n'avait pas ce pouvoir, salua et sortit avec les ministres qui l'avaient accompagné et sur lesquels cette scène particulièrement violente venait de faire l'effet d'un baquet d'eau glacée. Pour que le grand référendaire puisse se permettre d'évoquer leur renvoi devant eux, c'est qu'ils étaient déjà perdus. Ils ne croyaient pas si bien dire. À peine avaient-ils passé le pas de la porte que le marquis de Sémonville se jeta sur le duc de Raguse pour exiger de lui, avec la haine de celui qui a toujours gagné sur le tapis vert de la politique et qui risque cette fois de tout perdre, l'arrestation immédiate des ministres. Le baron de Glandevès alla même jusqu'à proposer son épée. Il était temps de mettre tous ces fous hors d'état de nuire. Marmont hésitait, mais l'honneur lui interdisait d'arrêter des hommes dont il devait assurer la protection. Il n'avait pas pris le risque, la veille, de laisser repartir libre la délégation de Casimir Perier pour mettre aujourd'hui les ministres du roi aux arrêts. Sémonville insistait alors que Peyronnet, venu chercher Marmont pour l'informer que le prince de Polignac avait tout juste reçu l'ordre de rejoindre Saint-Cloud, s'étonnait qu'il fût encore présent et lui demandait de quitter les Tuileries. À peine le ministre de l'Intérieur eut-il quitté la pièce que Marmont rédigea une lettre secrète à l'adresse du roi le suppliant une dernière fois de retirer les ordonnances et la confia au marquis de Sémonville avec un laissez-passer. La réussite de cette dernière manœuvre exigeait que la délégation de la Chambre des pairs parvienne à Saint-Cloud avant les ministres. Une course-poursuite s'engagea. Avec la complicité de Glandevès, le grand référendaire et son acolyte montèrent dans la voiture préparée pour Polignac. Le portefeuille en maroquin rouge du Premier ministre l'attendait même déjà sur la banquette avant. En l'apercevant, Sémonville s'en empara, le jeta par la fenêtre et demanda au cocher de fouetter les chevaux jusqu'au sang jusqu'à Saint-Cloud.

Polignac, voyant sa voiture lui échapper, refusa de monter dans la berline de cour que le gouverneur des Tuileries lui proposa en remplacement. Trop dorée, trop armoriée, trop voyante, trop lourde, elle ferait une magnifique cible roulante pour les émeutiers. Glandevès le savait, et c'était bien la raison pour laquelle il avait fait sortir des écuries ce char de cérémonie dans lequel il aurait bien vu brûler tout le gouvernement. Alors les ministres devenus méfiants cherchèrent eux-mêmes des voitures bourgeoises, un tilbury ou même de simples fiacres, n'importe quelle patache aurait fait l'affaire pourvu qu'elle arrivât à bon port. Pendant ce temps, Sémonville était déjà parvenu à la barrière des Champs-Élysées.

Au carrefour de la Croix de Berny

L'énorme fourgon à bagages attendait aux barrières de pouvoir passer l'octroi. Les valets secouaient la poussière de leurs habits et remettaient un peu d'ordre dans leur livrée, de façon à se présenter dans une tenue acceptable aux Tuileries. Par malheur, le cocher, autant pour passer le temps que pour éviter les réflexions désagréables du vicomte de Bongars, l'écuyer de Sa Majesté chargé des attelages du Carrousel, avait quitté l'abri de la capucine, pris appui sur la petite roue avant, sauté à terre et s'employait à essuyer respectueusement les portes, grises d'un trop long voyage. Très vite, l'or de la couronne royale timbrant les armes de France se mit à briller. Attiré par cette apparition, un groupe de curieux se forma. Le cocher et les valets, dans l'ignorance totale des événements, faisaient les importants, plastronnaient, clamaient haut et fort leur appartenance à la maison de madame la dauphine dont c'était là le premier fourgon des bagages, celui de sa garde-robe. Madame rentrait de Vichy où elle était allée prendre les eaux, et une partie de ses effets la précédait. Loin des questions respectueuses et des regards envieux auxquels ils étaient habitués, les domestiques de la duchesse d'Angoulême ne récoltèrent qu'un silence pesant et des regards mauvais. Des hommes des faubourgs vêtus à la diable et armés de fusils se présentèrent. Ils étaient les nouveaux gardiens des octrois et prirent aussitôt possession du fourgon,

205

propriété du peuple. Le cocher tenta bien de protester, mais le ton n'admettait pas de réplique. Chacun pouvait garder ses affaires personnelles, cependant il fallait déguerpir. Les valets ne se le firent pas dire deux fois, et le cocher remontant sur son siège récupéra, lui aussi, son petit bagage. Lorsqu'ils comprirent que les Tuileries étaient en état de siège et Paris soulevé, ils se félicitèrent de s'en tirer à si bon compte et suivirent à pied la route de Saint-Cloud pour aller se mettre sous la protection de leurs maîtres. À peine avaient-ils tourné les talons que la petite foule se rua sur le fourgon, fit sauter le verrou des portières arrière et se saisit des caisses et des malles énormes qu'il contenait. Tombées à terre, ouvertes et vite déballées. Un homme en frac élimé, un simple mouchoir de coton sale en guise de cravate, juché sur l'impériale, s'improvisa alors commissaire-priseur et commença à vendre à la criée pour des prix de kermesse le linge de la princesse. Ce fut d'abord une débauche de dentelle, de chemises brodées, de caleçons fendus dont l'exhibition déclenchait les rires, de jupons, de camisoles, de jarretières, de corsets, de châles et de fichus, puis vint le tour des robes, des caracos, de mantelets et des jupes avant que l'on ouvre enfin les boîtes à chapeau. La foule découvrait avec ravissement les capelines de paille d'Italie, les capotes pour la promenade, les coiffes de crêpe bouillonné, les toques à la polonaise, les casquettes de castor, les cornettes ou encore les turbans de soie, et enfin les bonnets de nuit tuyautés, dont le moindre ruban valait à lui seul plus d'une journée de travail. Enfin, lorsque des boîtes les plus hautes sortirent les casques de velours à panaches et à plumes dont les gravures des almanachs affublaient toujours la pauvre dauphine, on décida d'offrir le plus beau spécimen à la femme de l'aubergiste qui, ainsi coiffée à la royale, offrit sa tournée à tous les danseurs de ce grand bal paré improvisé par la révolution sur la route de Paris. Le commissaire-priseur descendu de l'impériale saluait bien bas la patronne en lui donnant de l'« Altesse » et en lui tapant sur les fesses. Il faisait chaud, on riait, on buvait et l'on chantait du Béranger à tue-tête. Bientôt un plaisant, fin soûl, décida d'accrocher aux arbres du chemin tout ce qui dans cet attirail de femme n'avait pas trouvé preneur. Il manqua de se fiche par terre, mais aidé par les autres, il entreprit de décorer les arbres du bord de route comme autant de reposoirs pour une procession de la vieille déesse Raison. Le vent léger de cette matinée de juillet fit bientôt danser au bout de hautes branches la lingerie intime et maintenant froissée d'une fille de roi.

Au château de Saint-Cloud

Dès l'aube, le duc de Mortemart, vêtu de son uniforme de capitaine-colonel de la compagnie des gardes à pied, avec la veste bleue doublée d'écarlate, couverte de brandebourgs dorés et larges épaulettes sur le pantalon de basin blanc, le crachoir de la Légion d'honneur au côté, accompagné des croix du Saint-Esprit et de Saint-Louis, obtint de voir le roi qui s'était levé bien plus tôt qu'à son habitude. Il fit aussitôt à son maître un compte rendu fidèle de l'état d'extrême agitation dans lequel il avait trouvé Versailles à son retour de Neauphle et des informations alarmantes arrivées de Paris. Situation qui nécessitait, selon lui, de nouvelles mesures propres à calmer les esprits plutôt qu'à les échauffer davantage.

Charles X, tranquillisé par une nouvelle lettre de Polignac dont il terminait à peine la lecture et dans laquelle le ministre lui faisait part du calme de la nuit et de ses espérances de voir bientôt l'émeute cesser par manque de poudre, sourit à son interlocuteur. D'un geste paternel qui lui était familier, il alla jusqu'à caresser la main qu'il venait de saisir et répondit :

— Vous êtes un honnête et loyal serviteur, je sais vous apprécier à ce que vous valez, mais vous êtes encore jeune, né dans la Révolution, vous voyez les choses d'après les nouvelles idées, et le moindre bruit vous étonne ; pour ma part, je n'ai point oublié comment les événements se sont passés il y a quarante ans...

Le roi, sans lâcher la main de Mortemart, cherchait une phrase qui puisse le rassurer et le convaincre tout en mettant un terme à l'entretien. Ne trouvant rien de nouveau à dire, il répéta la formule dont il avait fait plusieurs fois usage avec ses ministres et qu'il aimait entre toutes car il n'en concevait pas de plus parlante :

— Je ne veux pas monter en charrette comme mon frère, je ne reculerai pas d'un pied. Je préfère encore monter à cheval...

Alors Mortemart, feignant de ne pas comprendre que cette sentence mettait un terme à la discussion, osa reprendre la parole après le roi :

— Je crois, Sire, que le moment n'est pas éloigné où vous serez obligé d'y monter.

Le roi, un peu surpris par cette audace mais qui ne montrait jamais d'agacement, sauf à la chasse lorsque les chiens baguenaudaient, se contenta d'ajouter d'un petit air entendu et par deux fois un « nous verrons bien ». Mortemart n'eut alors plus d'autre choix que de quitter la pièce à reculons et de rester au château pour y défendre en personne, et les armes à la main, un roi qui se perdait lui-même. Une rumeur répandue à travers les couloirs voyait déjà l'émeute monter à l'assaut des grilles de Saint-Cloud, et l'on disait que des hommes en armes se dirigeaient du côté de la porte Jaune. Mortemart pensa que cette année les journées d'octobre allaient se jouer en juillet mais, après tout, il n'était pas de mauvaise saison pour mourir loyalement.

Réveillé une heure plus tard par son gouverneur, monsieur de Damas, le jeune duc de Bordeaux faisait sa prière, confiant à Dieu la gloire de son grand-père, la couronne de ses ancêtres, le royaume de France, l'âme de son père et la journée de sa jolie maman. Il s'inquiétait de savoir si aujourd'hui encore la promenade serait écourtée ou si l'on pourrait la remplacer, comme la veille, par une nouvelle attaque du château. Sa course sur le dos de monsieur de Damas à travers les jardins du Trocadéro jusqu'à ses appartements l'avait enchanté. À cet effet, il demanda à revêtir son joli petit uniforme d'officier de la garde, mais la réponse distraite de son premier précepteur ne lui convint pas. Il fut même un peu rudoyé, à sa grande surprise, par le chevalier de Lavillatte, son premier valet de chambre, qui ne cessait de jeter des regards furtifs par la fenêtre. Quant à Colas et Rémy, ses valets de chambre ordinaires, ils ne s'étaient pas présentés à son lever et ne montraient aucune précipitation à paraître. Décidément, rien ne se passait normalement pendant ce séjour à Saint-Cloud, et il était temps de partir voir la mer à Dieppe où les gens étaient tous si gentils.

Dans la cour du château, l'arrivée d'un fourgon militaire étroitement escorté par un détachement de lanciers aux uniformes magnifiquement galonnés d'argent suscita la curiosité des valets d'écurie et des quelques courtisans déjà levés pour profiter de la fraîcheur du parc après une nuit passée sous les combles dans une chaleur accablante. La Bouillerie, père et fils, accompagnés de Laporte en descendirent, ils apportaient au roi sa couronne. D'autres n'avaient pas eu la même présence d'esprit, car il n'était pas venu à l'idée du ministre des Finances de faire suivre à sa caisse le même chemin que les diamants des rois de France. Des millions en pièces d'or dormaient donc toujours tranquillement dans les caves du château des Tuileries. Si les pierres précieuses ne risquaient pas de manquer, l'argent, lui, allait se faire rare.

Après le fourgon arriva un simple cavalier qui n'était autre que le baron d'Haussez parti à cheval des Tuileries, puis vint le tour d'un convoi de voitures hétéroclites, lui aussi escorté par un peloton de lanciers qui fit halte devant le perron central. Il y avait là un simple coupé de ville, un mauvais fiacre et un élégant tilbury. Les ministres en descendirent les uns après les autres. Vêtus en bourgeois, ils étaient pâles et défaits comme des hommes qui n'ont pas dormi et n'en ont pas l'habitude. Certains jetaient même derrière eux des regards effarés, vérifiant que le diable coiffé d'un bonnet rouge n'était pas lancé à leurs trousses. Il y avait loin de ces petits personnages apeurés et mal rasés à la parade des puissants ministres dans la galerie de Diane le jour de la signature des ordonnances.

Le roi n'allait pas tarder à entendre la messe, il fallait donc faire vite si l'on souhaitait lui parler. Les ministres gravissaient lentement le perron lorsque la duchesse de Berry, alertée elle aussi par tout ce remue-ménage matinal, penchée sur le rebord de la fenêtre de ses appartements, fit un geste amical et gracieux en direction du prince de Polignac, auquel cette apparition princière rendit le sourire.

Sémonville, lui, attendait le prince sur le perron depuis près d'une demi-heure pour le seul plaisir de lui cracher sa haine au visage et, sans la présence de la jeune princesse à la fenêtre, il lui aurait volontiers brisé sa canne sur le dos.

L'échange entre les deux hommes fut terrible. Sémonville prévint qu'il venait de demander à voir le roi auquel il était en mesure de faire des ouvertures pour ramener le calme. Polignac, livide et toujours imperturbable, passa son chemin, mais monsieur de Peyronnet qui avait perdu de sa superbe depuis les événements du matin s'attarda quelques instants auprès du grand référendaire en le suppliant « d'aller vite » et de les sauver tous. Le marquis de Sémonville ne daigna pas répondre à un ministre qui le congédiait quelques heures plus tôt ; aussi se précipita-t-il chez le duc de Luxembourg pour y attendre d'être reçu et répandre dans Saint-Cloud les rumeurs les plus alarmantes. Pendant ce temps, le défilé des voitures ne cessa pas. Le baron de Vitrolles, ancien ministre d'État, descendit de calèche. Il était lui aussi porteur d'une proposition d'accommodement de la part d'un émissaire mystérieux qui cachait en réalité Casimir Perier et les principales figures du parti libéral. Comme toujours, la haute banque jouait double jeu. D'une main elle flattait le peuple, de l'autre elle tentait de remettre le pouvoir en selle. Tout le monde cherchait à trouver une issue et à échapper à la potence dans le cas où l'armée reprendrait Paris. Vitrolles monta donc chez le duc de Duras afin d'en obtenir, lui aussi, la possibilité de parler au roi, mais le duc était fatigué de toutes ces demandes d'audiences. Le roi recevait déjà, alors même que les chantres de la chapelle n'attendaient plus que sa présence pour entonner l'introït. Pour le reste, il suffisait de s'adresser à l'huissier du cabinet qui transmettrait la demande selon les règles. Paris avait beau être en révolution, l'étiquette ne l'était pas encore, et manquer aux usages, c'était déjà abdiquer devant la populace.

Le château offrait pourtant un visage inhabituel. Si les domestiques continuaient à bien graisser les savants rouages de la grande horlogerie de cour, ils étaient de jour en jour moins nombreux et moins empressés. Les gardes montraient des signes de nervosité, et les quelques rares courtisans qui n'avaient pas quitté Saint-Cloud la veille ou le matin même trimbalaient leur inquiétude titrée d'un salon l'autre.

Le roi qui tenait maintenant un Conseil précipité fut bien surpris lorsque le prince de Polignac brossa un tableau de la situation parisienne très éloigné de l'esprit des lettres qu'il lui adressait depuis deux jours. Marmont lui-même assurait dans son courrier ne pas être en mesure de tenir le château des Tuileries très longtemps et recommandait de trouver des accommodements. C'était là le mot que tout le monde avait à la bouche.

Le duc de Luxembourg, le seul qui pouvait se permettre d'entrer ainsi dans le cabinet en plein Conseil, informa Sa Majesté que le grand référendaire, arrivé de Paris, tenait à lui parler de toute urgence. Polignac ne s'y opposa pas et se dirigea au contraire vers la porte du cabinet pour introduire lui-même le marquis de Sémonville. L'embrasure servit alors de théâtre à un échange particulièrement vif dont les éclats parvinrent jusqu'à l'intérieur du cabinet. Aux yeux du Premier ministre, le grand référendaire incarnait vingt ans de compromission avec tous les régimes vomis par la Révolution, autant dire l'incarnation politique du diable en personne. Lorsqu'il aperçut le marquis en grand uniforme de cour alors que lui-même se présentait en bourgeois défraîchi, il eut un haut-le-cœur et ne put s'empêcher de lui souffler au visage :

— Vous savez, monsieur, quel devoir vous croyez remplir en venant ici dans les circonstances présentes. Vous m'accusez, vous demandez ma tête. Peu m'importe, j'ai dit au roi que vous étiez là, c'est à vous de parler maintenant.

L'autre ne répondit à cet aparté que par un vulgaire haussement d'épaules mais parla très clair. Sa Majesté devait retirer les ordonnances, rétablir les libertés publiques et appeler un nouveau ministère plus conforme aux volontés de la nation. Un ministère dirigé par le duc de Mortemart et dans lequel entreraient le général Gérard et monsieur Casimir Perier trouverait le soutien des pairs et des députés encore présents à Paris. À l'évocation de ces deux noms, le visage de Charles X se ferma. Il refusa de céder, assurant qu'il préférait encore aller scier du bois au fond de la forêt que de régner sur la France à la façon du roi d'Angleterre, éternel prisonnier de son Parlement. À quoi il ne craignit pas d'ajouter que l'Hôtel de Ville avait été repris par l'armée, que l'émeute défaite refluait en désordre jusqu'à Vincennes et qu'enfin La Fayette, Odilon

Barrot et Casimir Perier, tous fauteurs de troubles, étaient désormais aux arrêts militaires. Le grand référendaire, effaré par cette folle assurance, tenta alors de dessiller le roi en lui peignant avec des mots crus le cœur de Paris aux mains des insurgés, les gardes royaux tombant les uns après les autres sous des coups de feu partis du haut des toits, une émeute triomphante, le Louvre assiégé, Marmont acculé, la monarchie dans les plus grands périls.

Charles X continuait pourtant à opposer une résistance farouche. Tout cela était faux et il le savait, mais Sémonville ne lâchait rien et continuait à dépeindre la situation avec de tels accents de vérité que le roi finit par s'emporter :

— Eh bien, dans toutes ces suppositions, que voulez à la fin ? Le retrait des ordonnances ?

— Oui, Sire !

— Jamais !...

Puis le roi, se tournant vers Polignac et les ministres, ajouta en les désignant d'un geste auguste et théâtral :

— Le renvoi de mes ministres ?

Sémonville, que plus aucune considération d'étiquette ni même de bienséance n'arrêtait, loin de se démonter, prit le roi au mot :

— Oui, Sire, et s'il n'eût tenu qu'à moi, je serais seul ici avec Marmont, qui les eût mis aux arrêts dans son cabinet pour sauver Votre Majesté et son trône.

Charles X crut qu'il avait mal compris. Une légère surdité lui jouait parfois des tours, surtout lorsqu'il était dans une pièce pleine de monde.

— Monsieur... pensez-vous à ce que vous dites ?

Sémonville, qui se savait maintenant perdu aux yeux de son maître, tenta le tout pour le tout et, se jetant à ses pieds, il se saisit de sa main pour implorer :

— Oui, Sire, j'y pense ; et je dois être à vos genoux pour vous dire le reste.

La scène devenait inconvenante, et le roi, toujours si gentilhomme, qui ne détestait rien de moins que les effusions, ne savait plus comment faire pour finir celle-ci. Suffoqué, il ordonna :

— Que faites-vous ? Relevez-vous. Retirez-vous !

— Non, Sire… à deux genoux pour oser vous parler ainsi… Ne me prenez pas pour un factieux, et entendez-moi. Demain, si vous hésitez, si les ordonnances ne sont pas rapportées, demain à midi, il n'y aura plus en France ni roi, ni dauphin, ni duc de Bordeaux ! Faites-moi fusiller dans votre cour pour vous avoir tenu ce langage, ce sera le dernier acte de votre autorité.

Le roi, abasourdi et incrédule, recula alors d'un pas dans son cabinet, au risque de perdre l'équilibre, tout en cherchant à garder une contenance aux yeux des spectateurs médusés. Il retrouva l'esprit de sa jeunesse, pensa se sortir de cette scène ridicule par une pirouette d'esprit et laissa échapper dans un sourire qui se voulait plein de finesse :

— Vous me laisserez bien jusqu'à une heure ?

— Non, Sire, vous n'avez même pas jusqu'à midi et demi, c'est horrible mais c'est vrai ! répondit l'autre qui n'entendait plus la moindre plaisanterie et voyait l'entêtement de ce vieux mirliflore couronné menacer sa vie, son confort et ses millions.

— Retirez-vous ! hurla alors le roi qui, jamais de sa vie, n'avait élevé la voix.

Le sang lui battait maintenant les tempes, et la vue de ce fou agenouillé lui devenait insupportable.

Il régnait désormais dans le cabinet un silence de crypte. Personne jamais n'avait osé parler à Sa Majesté avec cette dureté. Sémonville ne pouvait pas aller plus loin sans transformer son insolence en rébellion. Il le savait. Polignac hésita à faire appeler les gardes avant de n'en rien faire, trop heureux d'assister au naufrage de celui qui, quelques instants plus tôt, demandait ouvertement sa tête, il regardait le ciel à travers les grands carreaux des fenêtres et remerciait Dieu de confondre ainsi cet odieux philistin. Le coup était bien tenté, cependant il était perdu. Le marquis de Sémonville n'avait plus qu'à se retirer piteusement et à retourner à Paris pour attendre d'y être arrêté, mais c'était mal connaître cet arlequin de tous les hémicycles qu'aucune comédie ne rebutait. Il s'était relevé et s'accrochait maintenant à la poignée de porte, de crainte d'être emporté par les huissiers. Le grand référendaire ne suppliait plus, il implorait, et comme au vaudeville pleurait bruyamment en évoquant, dernière ruse en réserve dans son sac à malice, le sort de l'infortunée dauphine. Le roi piqué au vif se retourna en répondant que la dauphine ne risquait rien car sa conscience était si pure qu'elle pouvait, à tout moment, se présenter devant Dieu. Sémonville décocha alors sa dernière flèche, il ne craignait pour l'auguste princesse ni l'enfermement, ni même la mort mais, pire encore, le sort des filles de Priam ! Le viol ! Le mot fut lancé avec une telle force qu'il vint percuter le roi comme une balle de plomb.

À l'évocation de l'orpheline du Temple et de ses tourments, les respirations s'arrêtèrent, et ce fut le souffle froid d'un couperet que chacun sentit glisser sur sa nuque. Personne ne savait en réalité où se trouvait la malheureuse fille du roi Louis XVI et de la reine Marie-Antoinette. Le fourgon de ses bagages avait été retrouvé éventré et forcé aux portes de la capitale alors que ses domestiques assuraient l'avoir vue quitter Vichy en même temps qu'eux, et depuis le duc d'Angoulême, son mari, restait absolument sans nouvelle. Pouvait-on laisser la dauphine, la femme de l'héritier du trône, la fille du roi et de la reine martyrs, courir les routes en pleine révolution, exposée aux violences et aux injures d'une population qui grondait de colère? Le regard du roi, ému et véritablement décontenancé, se troubla, il recula encore d'un pas. Il allait parler, mais un étranglement de voix – peut-être un sanglot? – l'en empêcha.

Sémonville triomphait intérieurement, il avait été bien près de tout perdre mais il était certain, cette fois, d'avoir encore sauvé sa vie, ses titres, ses ordres et ses terres. Charles X marchait à grandes enjambées dans son cabinet, l'air égaré. Ses propos étaient flous, il connaissait désormais les attentes des pairs du royaume mais il ne prendrait un parti qu'en Conseil des ministres et donc après la messe, car il était déjà onze heures, et Dieu ne pouvait attendre plus longtemps. Il allait réfléchir à tout cela, passa sans dire un seul mot devant Sémonville toujours attaché à sa poignée de porte comme Ulysse à son mât et quitta la pièce d'un pas mal assuré. Alors qu'il entamait la lente traversée de la galerie de Diane, quelques vieux serviteurs et une poignée de courtisans crièrent: « Vive le roi! » Ces acclamations ne trouvèrent aucun écho sous les voûtes peintes de déesses mythologiques.

À l'ombre de ses appartements dont les fenêtres étaient grandes ouvertes sur le parc pour donner un peu de fraîcheur, la duchesse de Berry se torturait d'inquiétude. Non pas que cette révolution lui fît peur. Elle avait connu, à maintes reprises dans sa jeunesse, les coups de sang du peuple de Naples venu régulièrement assiéger le palais de son père. Elle avait même traversé des tempêtes lors de la fuite vers la Sicile, mais cela se terminait toujours par quelques pendus, une messe en l'honneur de saint Janvier, protecteur de la cité et de grandes fêtes. Il en serait de même avec ces Français qui, comme les Italiens, n'aimaient rien tant que le théâtre et les feux d'artifice. Son inquiétude n'avait rien de politique. Ses femmes étaient allées questionner les lanciers arrivés à l'instant de Paris et elles remontaient l'escalier toutes chargées de prédictions sinistres. Le Louvre assiégé ne tiendrait pas longtemps sans renforts et, le Louvre pris, les grilles des Tuileries plieraient devant la foule des insurgés comme les blés sous la faux.

La princesse, que cette image troublait, cherchait tant bien que mal à se rassurer. Marmont était un grand soldat, un homme d'honneur, il n'allait pas abandonner à des gens sans foi ni loi le palais des rois de France, et puis la brave garde royale s'était toujours montrée vaillante, elle ne manquait ni de fougue ni de courage, cependant les récits maintes fois entendus de l'invasion du château de Versailles et des Tuileries lui revenaient, malgré elle, en mémoire. L'impensable pouvait toujours arriver. Alors elle voyait son appartement élégant, sa belle chambre surtout, envahie, pillée, saccagée. Tous ses jolis souvenirs éparpillés, jetés par les fenêtres ou vendus à l'encan. Certes ce n'étaient là que biens de ce monde et, grâce pouvait en être rendue à Dieu, elle avait auprès d'elle son trésor le plus précieux en la personne de ses enfants. À leur évocation, la princesse se signait en baisant avec ferveur la médaille miraculeuse qu'elle avait autour du cou. Pour autant, il existait parmi ses souvenirs de ces petites choses intimes dont la publicité pouvait porter atteinte à son honneur et aux intérêts de son fils. Sa charmante travailleuse en loupe d'orme recelait dans son tiroir secret une certaine correspondance, dont le contenu, si jamais il venait à être révélé, lui donnerait bien du tourment. Sa chair était faible, hélas, et les assauts quotidiens et répétés de son mari pendant les quatre ans de leur vie conjugale avaient allumé en elle un feu de matrice qu'il lui avait été bien difficile d'éteindre après la mort de Charles-Ferdinand dont la vigueur, elle ne manquait jamais de se la rappeler avec émotion et reconnaissance, s'était toujours montrée inépuisable. En cela les deux frères, Angoulême et Berry, paraissaient bien dissemblables.

Longtemps les images horribles de l'assassinat de son époux, la tristesse de son veuvage, la prière et ses oreillers lui avaient permis d'étouffer ses désirs de femme, mais un jour elle avait trébuché. En tombant, elle s'était mise à écrire, on lui avait alors répondu des lettres enflammées et même un peu salées dont elle ne s'était pas offusquée comme elle aurait peut-être dû l'être. En effet, son mari, qui n'était pas si mauvais garçon, aimait à jouer les soudards et ne dédaignait pas, lui non plus, pimenter leurs nuits en lui susurrant à l'oreille des jurons empruntés aux salles de garde. La gaillardise de ses souvenirs l'avait alors emportée sur la plus élémentaire prudence mais, après tout, elle était une princesse de sang royal, et les pudibonderies étaient bonnes pour les gens du commun. Son confesseur savait tout, et cela suffisait à la tranquillité de sa conscience.

Il fallait donc récupérer coûte que coûte cette correspondance avant qu'elle ne tombe, avec les Tuileries, aux mains des émeutiers. Une idée vint à l'esprit de la duchesse qui la fit sourire et lui donna un peu d'espoir. Elle tira le cordon et cita un nom précis. Quelques minutes plus tard, un bel uniforme de lieutenant de la garde quittait ses appartements avant de monter à cheval et de galoper vers la capitale.

À *Paris, au château des Tuileries*

Enfin il était le maître incontesté de la galerie neuve au palais des Tuileries. Le départ des ministres pour Saint-Cloud se révélait un véritable soulagement car Marmont ne pouvait plus supporter cette nuée de mouches du coche aux habits brodés qui l'épiaient sans cesse, exigeaient des comptes à toute heure du jour, discutaient chacune de ses décisions, lui infligeaient des dissertations juridiques et se saisissaient du moindre prétexte pour ne jamais le laisser en repos. Dès leur départ, il avait donc proposé aux Parisiens une suspension des hostilités et fait placarder sa déclaration sur les murs de Paris encore sous son contrôle. À l'heure où il profitait de cette sérénité retrouvée, les choses paraissaient se calmer. On tirait moins du côté du Louvre où les conservateurs faisaient la leçon aux gardes Suisses pour les encourager à épargner les œuvres d'art. Le maréchal avait enfin pu changer de chemise, et un bel uniforme neuf l'attendait sur le lit de campagne déplié dans les salles de l'état-major. Ce n'était pas du luxe, car celui qu'il portait la veille encore était couvert de poussière. La laine même du tissage le plus fin se transforme en une serpillière lorsque l'homme sue sang et eau. Or il régnait sur Paris une chaleur espagnole qui réveillait chez Marmont de mauvais souvenirs. La vieille blessure gagnée à la bataille de Salamanque le faisait de nouveau souffrir, et il n'aimait pas ça. Au fond, peut-être, que cette vieille baderne de Bellune n'avait pas tort et qu'il fallait évacuer Paris pour affamer les Parisiens et les laisser s'entretuer. Marmont hésitait à ordonner l'évacuation militaire pour permettre à la garde de se replier sur les hauteurs de Saint-Cloud, mais comment expliquer au roi, une fois là-bas, qu'il n'était plus le maître dans son propre palais ? Même Charles IX en pleine Saint-Barthélemy avait tenu le Louvre et tiré les hugue-nots depuis son balcon comme des grives. Le maréchal avait une faim de loup. Il n'avait rien mangé depuis la veille, et on ne trouvait plus personne dans les cuisines. Heureusement, monsieur de Glandevès, resté homme de bien malgré le grand massacre de ses plates-bandes, l'invita à venir partager un en-cas dans ses propres appar-tements. Là il pourrait enfin souffler un peu.

Le redoublement des coups de feu et l'arrivée d'un aide de camp interrompirent le déjeuner. Place Vendôme, le 5e léger venait de fraterniser avec la foule. Rue de la Paix, le général Wall avait ordonné de tirer pour empêcher l'émeute de s'approcher des Tuileries, mais les crosses étaient tombées à terre. La ligne n'obéissait plus. Il fallait immédiatement redescendre à l'état-major. Glandevès qui pleurait pour ses plates-bandes dévastées par la cavalerie craignait maintenant pour les carreaux des fenêtres. Qu'allait dire le roi à son retour si les Tuileries étaient devenues le palais des courants d'air ? La chemise de Marmont était de nouveau trempée, la descente de l'escalier au pas de charge et la traversée du Carrousel à grandes enjambées venaient de ruiner sa toilette. Parvenu au rez-de-chaussée de l'aile neuve, il raccrocha son sabre à sa ceinture et s'approcha du plan qui résumait la ville depuis trois jours en se passant un mouchoir dans le cou. Cette chaleur était à crever. Il fallait à tout prix éviter que la contagion ne gagne, car si le 15e et le 50e de ligne chargés de protéger les Tuileries fraternisaient à leur tour, c'était tout le dispositif de défense du quadrilatère royal qui tombait. Les troupes suspectes ne devaient pas rester plus longtemps au contact du peuple de Paris. Marmont signa l'ordre de leur repli vers les Champs-Élysées où la troupe serait plus facilement reprise en main sous le regard béant des canons de la garde qu'il suffirait de faire pivoter pour obtenir le rétablissement de la discipline. Face aux Parisiens et à tous les beaux parleurs improvisés, le maréchal décida d'aligner les bataillons de gardes Suisses demeurés jusque-là en réserve dans la cour du Carrousel. La plupart d'entre eux ne parlaient pas français et, depuis bientôt cinq siècles, ces soldats étaient d'une fidélité aveugle aux rois qui les payaient. Or, Marmont ayant doublé leur solde en accord avec le gouvernement, leur loyauté restait inébranlable. Il donna aussitôt les ordres.

Peut-être eût-il été prudent, par ailleurs, de rédiger l'ordre en allemand ou en italien des Grisons, car le comte de Salis, qui commandait au 7e régiment de la garde, entièrement composée de Suisses, transmit la consigne, non pas au bataillon frais placé en réserve et auquel, dans l'esprit du maréchal, il était destiné mais aux hommes qui avaient déjà pris position au pied de la colonnade du Louvre pour protéger la cour Carrée. Leur départ précipité laissa le Louvre sans défense le temps que le bataillon de réserve prenne, à son tour, position.

Le lieutenant-colonel de Maillardoz, d'un esprit plus éclairé que le comte de Salis, vit immédiatement le danger de cette manœuvre trop lente et partit à la recherche de Marmont pour l'en prévenir et tenter d'obtenir un contrordre, mais ce dernier venait de quitter l'état-major car la fusillade redoublait maintenant près de la rue de Rivoli. Le maréchal se précipitait rue de Rohan où une foule narguait une batterie de canons pourtant chargés de mitraille jusqu'à la gueule. C'est là que Maillardoz finit par le retrouver. Un artilleur de la garde, mèche allumée à la main, attendait l'ordre du carnage. En face de lui, des femmes en cheveux et en chemise accompagnées d'enfants. Marmont, épouvanté, ne comprit rien à ce que Maillardoz était en train de lui raconter, il n'avait jamais donné l'ordre d'évacuer le Louvre mais il demanderait des explications plus tard car, pour l'heure, il lui fallait éviter le pire et ordonner que l'on cesse immédiatement le feu. Les artilleurs s'exécutèrent en s'éloignant de leurs pièces.

Au Louvre, le départ des Suisses fit l'effet d'un appel d'air sur un feu qui couve. Les émeutiers qui assiégeaient le château des rois de France depuis le matin lancèrent l'assaut et s'en emparèrent sans coup férir faute de défenseur. Il avait suffi à un ouvrier de tirer une seule fois en direction du corps de garde pour que les grilles du Louvre donnant sur Saint-Germain-l'Auxerrois s'ouvrent comme par enchantement. Le vieux palais des rois était à merci. Un gamin grimpé sur les façades parvint à planter le drapeau tricolore sur le toit du musée avant même qu'il ne soit envahi. Pour la relève qui pénétrait à peine dans la cour Carrée et s'apprêtait à prendre position à l'intérieur du palais, la surprise fut totale, et des coups de feu tirés depuis les fenêtres du musée par les émeutiers suffirent à faire tourner la surprise des Suisses en panique. Ils avaient été trahis et ils étaient maintenant pris au piège d'une population parisienne qui allait les massacrer sans pitié, comme elle l'avait fait de leurs compatriotes morts en protégeant la famille royale le 10 août 1792. Certains tentèrent de riposter, mais les tirs redoublèrent. Le roi et sa famille prenant tranquillement le frais à Saint-Cloud, il n'y avait personne à défendre. Il ne restait plus qu'à sauver sa peau. Les soldats abandonnèrent leurs paquetages et lâchèrent leurs fusils pour courir éperdus vers les Tuileries en espérant y trouver refuge à l'abri des batteries de canons. Très vite ce fut la déban-dade générale, et la peur se communiqua en quelques minutes à tout le bataillon qui faisait mouvement. Ce ne fut pas un régiment qui déboucha sur le Carrousel mais un torrent de fuyards, criant leur trouille dans un patois invraisemblable et abandonnant derrière eux sur le pavé des siècles des uniformes rouges de honte.

Alerté par les cris et les détonations, Marmont tourna aussitôt la bride pour repasser les guichets et retourner à l'état-major. Ce qu'il vit alors n'avait pas de sens. Un sauve-qui-peut général était en train de transformer la cour des Tuileries en un champ de bataille. Les Suisses couraient en tous sens pour essayer de trouver un passage à travers les grilles qui protégeaient le château en suppliant les soldats de la garde de leur ouvrir. Les officiers tentaient de ramener le calme, mais ils ne recevaient que des insultes de la part de leurs hommes poursuivis par les fantômes des sans-culottes du 10 août.

Marmont suffoquait de rage autant que de désespoir, il fit tourner son cheval sur lui-même, lança des ordres qui s'envolèrent. Donna des coups de plat de sabre, cria, supplia, invectiva, hurla des bordées d'injures, promit les pires châtiments, de ceux qui ne se pratiquent que dans les bordels, balança des coups de botte dans la gueule des hommes qui osaient rétorquer. Sa vieille blessure lui faisait un mal de chien, le soleil était plus fou encore qu'à Salamanque et, dans son esprit, les uniformes rouges des Suisses du 7e régiment de la garde finissaient par se confondre avec ceux des soldats du duc de Wellington. La défaite était là, devant lui, et elle le narguait. Alors il chargea, seul, ou presque, contre ses propres soldats qui, affolés, vinrent s'écraser les uns contre les autres sur les grilles de l'arc de triomphe du Carrousel sur lequel la déroute éleva en quelques minutes une barricade de cadavres étouffés et de blessés.

Un terrible hurlement de joie fit tressaillir le maréchal. Il se retourna et vit les émeutiers qui traversaient la cour du Louvre précédés d'un porte-drapeau agitant les trois couleurs se précipiter vers lui. Les premiers d'entre eux l'avaient reconnu au plumet noir de son chapeau et criaient « Tuez-le ! Tuez-le ! », « C'est le traître Raguse ! ». Marmont n'eut que le temps de faire enjamber les cadavres à sa monture dont le poil fumait d'angoisse pour passer les portes et les faire refermer derrière lui, mais déjà les Tuileries, attaquées à leur tour depuis l'aile du bord de l'eau, n'étaient plus un rempart contre la révolution. Le château restait sans défense car la garde était emportée par la vague d'effroi qui gagnait les troupes royales. Les lanciers, les gendarmes, les cent-suisses, les gardes à pied, les gardes du corps, uniformes, grades mêlés et confondus, s'égaillaient dans les jardins des Tuileries transformés en immense jeu de quilles : beaucoup tombaient et restaient allongés, assommés par la chaleur, et certains ne se relèveraient que pour se rendre.

À la hauteur du pavillon de l'Horloge, le duc de Raguse contemplant son armée en démence comprit que les Tuileries dont il avait fait un camp retranché étaient définitivement perdues. Il ne lui restait plus qu'à suivre les fuyards pour tenter de donner des airs de retraite à leur déroute en s'attelant à regrouper les déserteurs. Pour cela, il n'hésita pas à les menacer de ses pistolets d'arçon, puis, avec quelques officiers encore sur leur cheval, rassembla le reste de ces soldats perdus comme un troupeau humain et débraillé. Honteux, les hommes tentaient de remettre un peu d'ordre à leur tenue, mais ils étaient épuisés. À la hauteur d'un bosquet, les cavaliers décorés et galonnés de l'état-major ou de ce qu'il en restait rencontrèrent une pièce d'artillerie qui empruntait sagement le chemin de la défaite. Marmont mit un pied à terre et exigea que le canon soit remis en batterie et dirigé vers le pavillon de l'Horloge. Il donna aussitôt l'ordre de tirer. Le coup partit, et le boulet vint briser net l'une des petites colonnes qui rythmaient la façade de Philibert Delorme. Comme en réponse à ce baroud d'honneur, un immense drapeau tricolore se mit à claquer au sommet du dôme qui coiffait le pavillon.

Pendant que les trompettes de la garde sonnaient la retraite, le château se trouva entièrement submergé par les émeutiers. Ceux qui s'étaient répandus dans le Louvre, une fois la galerie des tableaux parcourue, firent éclater les portes du grand vestibule situé au premier étage du pavillon de Flore, et leur galop martelait les parquets de la galerie de Diane. Au rez-de-chaussée, l'autre partie des assaillants pénétrait dans le vestibule avant de grimper le grand escalier d'honneur, poussant une armée de domestiques terrifiés et sommés d'ouvrir tous les appartements. Les envahisseurs reculèrent pourtant d'un pas devant la majesté du salon des Maréchaux dont la hauteur vertigineuse cloua le peuple au sol, puis, très vite, ils s'enhardirent. Un émeutier reconnaissant le portrait en pied du duc de Raguse improvisa un peloton d'exécution, ordonna la mise en joue et tira. Le maréchal, dont le cheval galopait encore dans les jardins des Tuileries à la recherche de son armée, venait d'être fusillé en effigie, les balles criblant les boiseries et les cadres dorés. Satisfaite de cette exécution sommaire, la foule, toujours guidée par les laquais portant la livrée du roi, continua à avancer et traversait ébahie le salon des grands officiers. Les femmes palpaient les rideaux de damas, soupesaient les passementeries de fils d'or, s'extasiaient devant les immenses vases de Sèvres comme elles n'imaginaient pas qu'il puisse en exister de semblables, enfin elles se déchaussèrent pour le seul plaisir de marcher pieds nus sur les épais tapis de la Savonnerie.

De temps à autre, un grand bruit de vaisselle cassée annonçait qu'un buste du roi venait d'être jeté par terre. Alors on entendit des grands cris de joie sauvage suivis de longs « Mort aux Bourbons ! ». La procession se poursuivait et, si dehors quelques détonations se faisaient encore entendre, il régnait à l'intérieur du palais une ambiance de foire. On parlait haut, les hommes s'apostrophaient. Dans la salle des Maréchaux, une fois le portrait de Marmont entièrement réduit en lambeaux, un groupe s'était formé pour commenter la taille prodigieuse des cariatides et surtout la forme de leurs mamelles imposantes dont le drapé de stuc ne laissait rien ignorer. On se faisait la courte échelle pour essayer de les palper, mais elles étaient placées trop haut. Alors on riait à s'en taper sur le ventre.

Arrivés dans le salon de la Paix, dernière antichambre avant la salle du trône, dans laquelle, en temps normal, ne pouvaient pénétrer que les députés, les évêques, les membres du Conseil d'État et de la Cour des comptes, la foule resta un long moment interdite devant la statue de la Paix par Chaudet, femme grandeur nature toute vêtue d'argent et couronnée d'or. Un homme que cette fortune avait rendu fou leva une masse qu'il portait sur l'épaule depuis le début des combats pour briser ce trésor et en permettre le partage. Un bourgeois en uniforme de la garde nationale l'en empêcha, il était interdit de porter la main sur les biens de la nation. Lui et ses hommes avaient ordre de fusiller sur-le-champ les voleurs et les pillards. Un murmure de déception parcourut l'assemblée, mais il ne vint l'idée à personne de demander de quelle autorité légitime émanait un tel ordre. On continua la visite. Les portes de la salle du trône furent ouvertes à leur tour, et là ce fut un éblouissement. Les murs couverts d'une soie cramoisie entièrement brochée et brodée d'or étincelaient de tous leurs feux, au point que certains clignaient des yeux, tout aveuglés qu'ils étaient par l'éclat de la monarchie. Même les jours de la grande messe pour la fête des Rameaux, l'archevêque de Paris n'apparaissait pas aussi cousu de pourpre et d'or. Peut-être bien que le vieux roi qui tombait en dévotion autant qu'il tombait en enfance avait-il fini par se prendre pour le pape en personne ?

Les révolutionnaires, transformés en badauds, restaient bouche bée devant le trône posé sur une haute estrade à laquelle conduisaient plusieurs marches, coiffée du dais royal tout sculpté et doré de fleurs de lys, de boucliers, de trophées d'armes. Des enfants s'amusaient devant les quatre candélabres en forme de palmier portés par des chimères et demandaient si c'était là un cadeau du dey d'Alger au vieux roi. Certains s'aventuraient à franchir le balustre qui séparait la pièce en deux pour monter les marches de l'estrade et à tourner autour du trône avant de s'asseoir dessus sous les applaudissements de l'émeute. La joie tournait au délire, chacun voulait être roi et monter sur le trône pour y faire des singeries et des grossièretés. Les vieux serviteurs, complices forcés de ces crimes de lèse-majesté absurdes et répétés, fermaient les yeux ou regardaient ailleurs dans l'espoir qu'une force militaire quelconque vienne bientôt rétablir l'ordre immuable des choses. La foule désormais compacte, un semblant de file s'orga-nisait de façon à permettre à chacun de jouer au peuple souverain lorsqu'un silence troublant gagna les salons du palais. On ne l'entendit pas tout de suite, mais très vite il devint assourdissant. Un jeune homme, à demi nu, reconnaissable à son pantalon d'uniforme de l'École polytechnique, les bras ballants et la nuque brisée, était porté en procession à travers les grands appartements par quatre forts des Halles. Toute la journée, il avait donné des instructions, dirigé les insurgés, guidé leurs tirs, mais il s'était effondré aux portes des Tuileries, la poitrine trouée d'une balle Suisse avant le dernier assaut. La révolution s'écarta sur son passage. Ceux qui en portaient encore une malgré la chaleur enle-vèrent leur casquette, d'autres esquissèrent un timide signe de croix, des mères qui ne connaissaient pas ce garçon pleuraient comme si l'on descendait leur fils au tombeau. Le convoi funèbre s'approcha de la salle du trône, et chacun comprit. L'ouvrier matelassier qui était alors en train de juger en connaisseur le moelleux du fauteuil royal se leva d'un bond pour laisser la place au jeune mort que l'on tenta de faire tenir tant bien que mal sur le trône de France.

Alexandre Dumas, qui était rentré chez lui pour se changer et assouvir un besoin naturel, avait raté l'assaut du château, mais il se vengea de n'avoir jamais été invité aux Tuileries malgré ses succès, en suivant, lui aussi, la visite. Il assista donc silencieux à ce triste sacre. On le reconnut. Ravi, il plastronna, se promena, quitta la salle du trône pour aller jeter un coup d'œil aux petits appartements. Dans la chambre du roi, il remarqua autour du lit d'apparat un attroupement d'hommes dont les rires étouffés et les visages tumescents ne lui disaient rien de bon. Un jeune garçon-boucher reconnaissable au tablier qu'il n'avait pas eu le temps d'enlever depuis le matin où il équarrissait faisait le guet, en prenant soin d'éloigner les femmes et les filles. Au milieu de la couche royale, une fille trempée de sueur, les joues rouges et le regard ivre se trouvait à demi allongée, le torse calé par des oreillers de plumes aux taies brodées de couronnes fermées. Ses jupes étaient relevées jusqu'au nombril. Elle avait les pieds sales, la toison abondante et lustrée, riait nerveusement face à l'athlète des faubourgs qu'elle avait choisi et qui reluquait d'un œil incendié l'origine du monde. Bientôt il fut sur elle, et les hommes se serrèrent davantage autour d'eux. Son souffle se précipita, il ahana un instant, puis, prenant appui sur ses avant-bras, se remit vigoureusement à la besogne. Maintenant, les yeux de la fille révulsés regardaient fixement le plafond qui veillait autrefois sur le sommeil de Louis XIV.

À défaut de violer les princesses, un fils du peuple baisait, au même endroit, la liberté retrouvée. Alexandre préféra ne pas attendre la fin de ces ébats politiques et quitta les lieux avant que la garde nationale alertée par des prudes ne vienne mettre un terme au scandale. Il préféra gagner le cabinet de travail où Napoléon redessinait la carte de l'Europe et rêva, en poète français, à l'étrange destinée des empires et des couronnes. Un peu plus loin, il volerait, pour se dédommager, une édition de *Christine* artistiquement reliée dans du maroquin vert aux armes de la duchesse de Berry. L'auteur reprenait ses droits sur la monarchie.

Au beau milieu de la place du Carrousel, un homme en grand habit de pair de France venait d'assister médusé et incrédule à la fuite de Marmont puis à l'invasion du palais. Il avait appelé à l'aide, hurlé au maréchal de l'attendre, de ne pas l'abandonner, en vain, le vieux soldat, emporté par la déroute, ne l'avait même pas entendu, et le pauvre baron de Glandevès s'étranglait d'indignation, quand des coups de feu tirés en sa direction l'obligèrent à prendre un parti. Alors le gouverneur du château des Tuileries se mit à courir, il courut de façon éperdue, de toutes ses jambes, sautant les obstacles avec une agilité de jeune daim, esquivant les balles qui sifflaient à ses oreilles pour gagner le petit escalier de l'état-major dans l'espoir d'atteindre les caves. Là, il tomba nez à nez avec le valet de chambre de son amie, la comtesse de Boigne, désespérant de rencontrer le maréchal pour prendre de ses nouvelles et lui remettre une lettre. Peut-être le trouverait-il se promenant dans les jardins cherchant son armée mais, pour l'heure, il était préférable de ne pas s'éterniser au château car tout était perdu et la foule partout. Le serviteur remercia cérémonieusement le pair de France qui lui rendit son salut et lui demanda de rendre le sien à sa maîtresse avant de s'emparer d'une lanterne et de plonger dans le souterrain qui permettait de déboucher directement sous le pavillon de Flore. Personne ne connaissait mieux que lui l'ancien palais de Catherine de Médicis, il prenait donc trois siècles d'avance sur les pillards. Empruntant des escaliers secrets et des corridors déserts, il parvint enfin à ses appartements. À sa porte, il reconnut son cuisinier qui, loin de fuir ou de se mêler à la populace des faubourgs pour profiter du droit d'aubaine, montait la garde dans un étrange accoutrement. L'homme avait quitté sa livrée pour se déchausser, il était en chemise, un fusil en bandoulière. Depuis l'invasion du palais, il repoussait toutes les curiosités en affirmant d'un ton martial aux crocheteurs à la recherche d'une belle occasion :

— J'ai ma consigne, on ne passe pas.

Voyant arriver son maître, il lui ouvrit immédiatement la porte avant de se remettre aussitôt en faction. Le baron put alors se changer, enlever sa perruque, quitter son uniforme chamarré pour le nouveau costume de cour qui se portait aux Tuileries, une chemise, un mauvais pantalon de toile et des pieds nus dans des chaussures de bourgeois. Il emporta son argent, ses papiers, et cacha sa croix de Saint-Louis, qu'il refusait de quitter, sous un mouchoir de cou. C'est dans cet accoutrement que, escorté par deux fourriers du palais déguisés en émeutiers, il traversa les grands appartements du château dévasté, salué par la foule qui crut voir en lui un représentant du gouvernement provisoire. Au moment de quitter la salle des Maréchaux pour rejoindre l'autre aile, il ne put s'empêcher de serrer les dents en découvrant des coquins affalés sur les grands pliants d'apparat, là où hier il aurait fait immédiatement lever un officier qui se serait autorisé, l'espace d'un instant, à s'y reposer. Qu'allait-il bien pouvoir dire au roi et à madame la dauphine? Il ne survivrait pas à une telle honte. C'était tout simplement 1792 qui recommençait. Peut-être seraient-ils tous guillotinés. Son cœur d'ultra se serra à cette seule pensée et, pour la première fois, il remercia Dieu de ne lui avoir jamais donné d'enfants pour prolonger un nom vieux de huit siècles et qui n'avait plus rien à faire dans une France où les gueux s'enroulaient dans des rideaux de soie et pissaient de joie au pied des torchères.

En voyant le drapeau tricolore flotter sur le dôme du pavillon de l'Horloge, le jeune officier comprit qu'il arrivait trop tard. Les Tuileries étaient tombées aux mains de l'insurrection, et sa mission risquait de tourner court, mais il ne se désespéra pas pour autant. Il descendit de son cheval, place Louis-XV, confia sa monture à un sous-lieutenant qu'il connaissait bien et qui se repliait lui aussi, quitta son uniforme et décida de faire le reste du chemin à pied en longeant la rue de Rivoli comme un simple pékin qui vient bayer aux corneilles. Pour avoir été souvent de garde aux Tuileries, il en connaissait tous les détours et notamment ceux qui permettaient d'atteindre discrètement les appartements de la duchesse de Berry au pavillon de Marsan, mais aujourd'hui il fallait trouver un autre costume. Rue du Mont-Thabor, il entra chez un marchand de vin et de charbon où il avait ses habitudes, expliqua qu'il fuyait le palais, maudit les Bourbons à haute voix pour gagner la sympathie du patron et obtint en échange de quelques louis une chemise et un sac de charbonnier capables de masquer sa désertion. Un morceau de charbon suffit à lui noircir les mains et le visage. Ainsi grimé et gueulant «Vive la Charte!», «Mort aux Bourbons!» chaque fois qu'il croisait un groupe en armes, il parvint au rez-de-chaussée du pavillon de Marsan et, à sa grande surprise, il vit que des mains sensibles ou particulièrement prévoyantes avaient cloué une pancarte portant l'inscription «Respect à la duchesse de Berry» sur la porte de ses appartements. Il entra discrètement et fut surpris de retrouver un univers familier resté intact. Une fois la porte de la première antichambre fermée, le charbonnier laissa le grand salon sur sa droite et reconnut le passage d'alcôve qui donnait directement accès à la chambre de la duchesse. Il fut saisi par la douceur et le calme presque champêtre qui régnait dans la pièce. Les jolies bordures en satin blanc broché à décor de roses et de lilas encadrant des grands panneaux de satin, une profusion de vases de Sèvres et de jardinières précieuses dont les fleurs, changées le matin même, laissaient à penser que les jardins des Tuileries n'étaient que le prolongement naturel de la chambre. Tout était clair, délicat, fragile et parfumé. D'un simple regard, le visiteur reconnut la table à ouvrage en loupe d'orme, placée dans l'angle de la pièce en face de l'une des deux méridiennes adossées de chaque côté de la cheminée de pierre blanche. C'est là que la princesse se tenait le plus souvent assise en train de broder à la lumière de l'immense travée garnie, elle aussi, de satin blanc. Suivant des instructions à la lettre, l'officier s'approcha de la travailleuse dont il ouvrit le couvercle orné d'un miroir, puis, soulevant le casier à fils de soie qu'il déposa soigneusement sur la méridienne, il fit glisser délicatement le bout de sa main à l'intérieur de cette cavité secrète, dont le bois était au toucher d'une infinie douceur, jusqu'à ce qu'il sente enfin jouer sous ses doigts un bouton caché. Le mécanisme opéra immédiatement, une planchette sursauta, libérant un ressort qui ouvrit un tiroir jusqu'alors invisible. Les lettres étaient là, prisonnières d'un coffret d'acajou blond à peine plus grand qu'une boîte à jetons. Une fois l'honneur de la princesse bien à l'abri dans sa besace, le jeune homme prit soin de remettre tout en ordre, de replacer le compartiment à bobines et de fermer la travailleuse à clef. Il lança un dernier regard à ce petit sanctuaire de quiétude et quitta la pièce. Sans encombre, il atteignit la cour du Carrousel où quatre hommes habillés des robes de cour et des chapeaux à plume de la duchesse d'Angoulême dansaient un quadrille assez farce au son du fifre et du violon. En passant à côté d'eux et malgré l'aversion que cette canaille levant la cuisse lui inspirait, l'officier de la garde esquissa un pas de danse sous les applaudissements d'un public armé et passa tranquillement son chemin. Il hésita un moment à reprendre par la rue de Rivoli mais il craignit les contrôles, alors, sans précipiter son pas de flâneur, il se dirigea vers la galerie du bord de l'eau comme un homme qui aimerait profiter de cette belle journée pour aller voir des tableaux. L'idée était mauvaise, car à l'approche des grilles du Carrousel, la fouille devenait générale. Les gardes nationaux et les soldats de la ligne passés à la révolte arrêtaient tous les pillards. Sans se décontenancer, l'officier s'approcha, plaisanta avec la méfiance des gardes mais, au moment d'ouvrir son sac, décocha un ramponneau magistral à la sentinelle qui cracha quelques dents avant de pouvoir appeler à l'aide. Une course commença, folle, éperdue, mais personne, dans la foule, n'arrêta cet ouvrier poursuivi par la ligne. Après tout, les soldats n'avaient qu'à courir aussi vite que lui. La poitrine en feu, les yeux aveuglés par la sueur, les jarrets durcis comme de la pierre, le fuyard atteignit enfin les guichets du Louvre ouvrant sur le pont Royal, bouscula un factionnaire en chemise, manqua de tomber, reprit son équilibre, mais le soldat édenté n'était plus maintenant qu'à une enjambée. Enfin il arriva sur les quais, cependant il comprit qu'il n'atteindrait pas le pont, derrière lui les bruits de bottes et les cris se rapprochaient, alors il se précipita sur le parapet, s'empara du coffret et le lança dans la Seine lestée des lourds secrets de la princesse. Un coup de crosse dans les reins l'allongea par terre.

Rue Saint-Florentin

Aucune révolution n'était jamais venue troubler le lever du prince de Talleyrand dont le cérémonial débutait toujours à onze heures. Il y avait certes un peu moins de monde que d'habitude ce jour-là mais, à l'heure précise, on entendit la même planche de parquet craquer sous le pied bot du prince au moment où il passait de sa chambre à son grand cabinet de toilette. En réalité un vaste salon de l'entresol que son infirmité l'obligeait à habiter. Sa taille d'athlète devenue masse avec l'âge s'intaillait dans l'encadrement de la porte.

D'un geste calculé, il salua chacun selon son rang puis il avança, il se dandina, il se traîna, mais avec majesté, jusqu'à la chaise à dossier bas placée devant la cheminée de marbre surmontée d'un trumeau de glace qui ferait office de miroir de toilette. Un immense valet, portant livrée, perruque poudrée, queue-de-rat, culotte à la française et bas de soie noire, lui avançait pieusement ce siège étrange conçu pour l'exercice. C'était l'homme qui, d'un mot ou d'un simple regard, allait ordonner cette cérémonie publique. Deux autres valets usant de mille précautions commencèrent par ôter les carcans de cuir et de métal qu'on nommait dans cette maison chaussures, puis ils roulèrent les nombreuses paires de bas et déroulèrent les bandes de flanelle chargées de donner forme humaine aux mollets de leur maître. Apparurent enfin deux longs pieds très blancs dont la forme bizarre aurait prêté à rire si ce n'avait été les siens. Ils furent aussitôt plongés dans des seaux remplis d'eau de Barèges rapportée à grands frais des Pyrénées et frottés avec la plus grande douceur.

Pendant ce temps, les perruquiers portant le tablier long et l'habit gris propre à leur état s'attaquaient à sa coiffure. Il leur fallut d'abord défaire les turbans savamment noués qui protégeaient le génie de cet homme pendant son sommeil. C'était tout un échafaudage de béguins, de rubans et de serre-tête dont la confection ingénieuse ne laissait pas d'impressionner ceux qui assistaient à la cérémonie pour la première fois. Une fois la tête entièrement libérée de ses linges, le grand valet s'approcha d'un pas cérémonieux car il était le seul domestique de la chambre autorisé à donner le premier coup de brosse à des cheveux blancs et fins que le prince conservait en abondance malgré son âge et dont il tirait la plus grande fierté. Une fois cette longue chevelure tombante remise en ordre et sommairement peignée, les perruquiers s'en emparèrent pour la lisser, la pommader et la couvrir d'un nuage de poudre dont Talleyrand se protégea aussitôt en posant sur son visage un deuxième masque de carton bouilli aux yeux vitrés qu'il tenait d'une main par un manche d'ivoire pendant que, de l'autre, il portait précautionneusement à sa bouche une tasse de verveine. À cet instant, le valet presque aussi brillamment vêtu que son maître lui présenta une bassine d'argent dans laquelle il se débarbouilla et se lava les mains. Les soins apportés à sa chevelure et à son visage terminés, il put aspirer par le nez deux grands verres d'eau tiède et soufrée qu'il recracha ensuite comme il le put dans d'étranges bruits de gorge et de longs sifflements de narine.

Alors le prince se leva, ses valets le débarrassèrent de sa chemise qui laissa apparaître une seconde peau composée de toute une lingerie de dessous dont l'épaisseur ne connaissait aucune variation malgré les saisons. On lui passa de nouveau ses bas, puis la culotte, une chemise propre qu'il laissa étrangement flotter au-dessus du pont de sa culotte, d'innombrables cravates de gaze et de mousseline jusqu'à interdire absolument à son cou toute espèce de mobilité quand, enfin, il boutonna seul, mais très haut, un gilet de soie et une veste à basques très amples comme seul en portait encore le duc de Richelieu au début du règne de Louis XVI. Le premier valet de chambre présenta alors au prince son chapeau afin qu'il puisse le porter quelques instants à l'intérieur de façon à déranger le beau travail des perruquiers, ce qui acheva de mettre un dernier trait d'élégance aristocratique à son portrait. Il était du dernier vulgaire, en effet, de se présenter, à ville comme à la Cour, avec une perruque trop apprêtée comme le faisait autrefois Robespierre, toujours vêtu avec l'apprêt d'un avocat de province.

Dehors, le tocsin s'était remis à sonner à la volée et l'on entendait les échos d'une forte fusillade sans que, dans le miroir, les traits de Talleyrand expriment la moindre émotion. Il remercia les quelques obligés venus lui faire leur cour malgré le désordre des rues et des circonstances puis prit congé avant de se diriger en serpentant jusqu'à son cabinet où monsieur Thiers l'attendait.

Paris n'avait jamais compris l'intérêt, pour ne pas dire l'affection, que le prince de Talleyrand, qui savait manier le mépris comme un fouet et l'esprit comme une cravache, témoignait à ce Provençal sans naissance et qui, selon certains, sentait encore l'huile d'olive, mais, c'était un fait, le journaliste pouvait se présenter à toute heure du jour et de la nuit chez le grand chambellan de la Cour, il était aussitôt reçu en ami. Talleyrand admirait chez ce petit homme toujours tendu vers un objectif la fulgurance de l'intelligence et le courage de la pensée. Deux choses à peu près introuvables à Paris.

L'entretien fut de courte durée. Thiers avait quitté sa cachette de Pontoise, il n'avait pas voulu rester trop éloigné du théâtre des opérations. Ce qu'il avait vu en arrivant ne pouvait que le conforter dans le plan qu'il imaginait de longue date. Les Bourbons avaient sauté d'eux-mêmes par la fenêtre de leur palais, ils s'étaient cassé le cou qu'il n'était donc plus nécessaire de leur couper, la république était une folie dont personne ne voulait, le duc de Reichstadt une chimère aux yeux bleus et à la toux persistante, la substitution des dynasties la seule solution raisonnable pour réconcilier la France et la monarchie. Les Anglais avaient tracé le chemin un siècle avant la Révolution française. Beaucoup de temps aurait été gagné et de vies épargnées si l'on avait suivi cet exemple dès 1789. Quarante ans plus tard, il ne pouvait plus être question d'hésiter. Le duc d'Orléans devait monter sur le trône de gré ou de force pour tourner définitivement la page de l'Ancien Régime.

Talleyrand écoutait. Il savait tout cela. La veille, il avait vu lord Stuart de Rothesay, l'ambassadeur du roi d'Angleterre qui vivait à deux pas de là, et tâté discrètement le pouls de Pozzo di Borgo, le représentant du tsar. Il se pouvait en effet que l'heure de la branche cadette soit sur le point de sonner. Voilà plus d'un siècle que les Orléans lorgnaient la place. Pour l'instant, Thiers devait aller au plus vite chez Laffitte où tout se préparait sans que jamais rien se décide. Talleyrand ne pouvait pas s'y rendre en personne car il devait un peu d'argent au banquier, et il était parfaitement inconvenant de se faire annoncer chez un créancier qui n'était pas de votre monde avec l'air de venir payer sa dette par sa seule présence. Il fallait se presser. Tous ces doctrinaires seraient bien capables de proposer la lieutenance du royaume à cette vieille poupée de La Fayette avant la nuit. Autant faire monter la reine des bohémiens sur le trône de France ! Le prince mit une voiture et un laissez-passer à la disposition de Thiers – il en possédait un portefeuille rempli de toutes sortes de signatures – pour lui permettre d'arriver sans encombre. En même temps qu'il donnait ses instructions, le diable boiteux écrivait une lettre pleine de respect et de politique à Louis-Philippe dont lui seul savait où il se trouvait. Thiers n'ajouta rien d'autre qu'un sourire de triomphe et s'exécuta. Si le coup qu'ils préparaient à demi-mot réussissait, demain il serait ambassadeur ou député, en attendant mieux encore.

Épuisé d'avoir été tant poudré, le prince de Talleyrand ne prit pas la peine de raccompagner son hôte et s'avança en dandinant sur ses pieds de palmipède vers le salon d'angle où il avait pris l'habitude de dicter ses mémoires. Il s'assit à son bureau. Demanda au secrétaire d'entrouvrir les volets intérieurs pour garder un œil sur la place Louis-XV où les troupes royales stationnaient, quand soudain il entendit des cris et vit, sortant des jardins en courant en tous sens, des gardes Suisses désarmés et les bras levés vers le ciel. Il se retourna lentement car ce mouvement exigeait chez lui de faire pivoter son corps tout entier et découvrit le dôme du pavillon de l'Horloge orné du drapeau de la Révolution et de l'Empire comme en 1815.

Puis il observa la superbe pendule au triomphe d'Apollon posée sur la cheminée qui venait de sonner les douze coups et dit à son secrétaire, dont la plume était restée suspendue :

— Mettez en note que, le 29 juillet 1830, à midi cinq minutes, la branche aînée des Bourbons a cessé de régner sur la France.

Hôtel Laffitte, rue d'Artois*

Lorsque Thiers arriva rue d'Artois, tout ce que Paris comptait d'ambition, de prudence et de libéralisme s'était déjà donné rendez-vous chez le banquier Laffitte, dont le somptueux hôtel particulier meublé avec le parfait mauvais goût de cet ancien fournisseur faisait tout à la fois office de parlement, d'état-major de la garde nationale et de ministère des Finances. Le banquier, blessé à la jambe, à moins que ce ne fût un accès de goutte déguisé en certificat de civisme, trônait au milieu de sa bibliothèque, calé dans un fauteuil au confort anglais, mollet entouré de mille bandelettes posé sur un tabouret. Il recevait les hommages comme un monarque, dictait des ordres pour ses maisons de commerce et accueillait les nouveaux venus qui, depuis que la prise des Tuileries et la fuite de Marmont étaient connues, accouraient en nombre. La quasi-totalité des députés présents à Paris, ceux qui la veille encore tergiversaient chez Guizot ou Casimir Perier étaient présents. Ils discutaient, s'échauffaient, élaboraient toutes sortes de combinaisons politiques mais ne décidaient toujours de rien. Arrivèrent alors les officiers du 53e de ligne dont les soldats avaient fraternisé avec la foule le matin même. Ils proposaient de mettre leurs armes au service du gouvernement provisoire, mais Laffitte ne voulait ni de leurs serments ni de leurs armes, et encore moins de la présidence d'un gouvernement qui pourrait tout aussi bien le conduire à l'exil ou à l'échafaud, et, plus grave encore, à la ruine. Que

---

* Actuellement à l'emplacement du n° 27 de la rue Laffitte.

ces vaillants officiers gardent leurs armes et leurs serments, mais qu'ils promettent simplement de ne jamais les retourner contre le peuple. Pour l'heure, ils étaient simplement les bienvenus, et une armée de valets galonnés d'argent allait leur proposer des rafraîchissements.

Les discussions reprirent: que fallait-il décider sans pour autant sortir de la légalité? Si le départ de Marmont des Tuileries était une divine surprise, ce qui se tramait au même moment à l'Hôtel de Ville ne laissait pas d'inquiéter ces hommes d'ordre et de droit. Un ramassis de républicains échappés de l'émeute et quelques officiers bonapartistes adeptes du coup de force étaient sur le point de proclamer, là-bas, une sorte de gouvernement insurrectionnel. Un général Dubourg, inconnu de toutes les listes militaires, avait même fait hisser le drapeau noir sur le plus haut clocheton des toits de l'Hôtel de Ville. On se moquait de lui en racontant que son brillant uniforme sortait des réserves de l'Opéra-Comique mais on se méfiait aussi de cet homme, qui venait de gagner plus de galons en un jour d'émeute que les maréchaux d'Empire en une campagne de Bonaparte, car il pouvait devenir généralissime avant la nuit et se réveiller dans la peau d'un dictateur populaire le lendemain matin.

Les discussions en étaient là quand une fusillade éclata à quelques pas de l'hôtel. La panique fut immédiate. Marmont était de retour, les troupes royales attaquaient par les faubourgs, la retraite des Tuileries n'était qu'une feinte et la maison du banquier Laffitte serait investie d'un instant à l'autre si elle n'était pas déjà la cible de toutes les batteries de l'artillerie royale. Broglie, qui les connaissait bien, l'avait dit: ces gens-là seraient d'une férocité de tigre. Alors ce fut le sauve-qui-peut général, les députés se bousculaient, les officiers s'éclipsaient, les opportunistes sautaient par les fenêtres, les doctrinaires tentaient leur chance du côté des jardins, les laquais déposaient délicatement leurs grands plateaux d'argent sur les consoles trop récemment dorées avant d'aller chercher refuge aux cuisines, prêts à faire main basse sur les réserves. Madame Laffitte, que l'on fêtait en presque reine quelques instants auparavant, se trouva mal et s'effondra sur un tapis qui avait coûté, au bas mot, mille écus. Son neveu lui porta courageusement secours, elle était le seul objet de toutes ses espérances. Laffitte, cloué sur son fauteuil, mit la main au portefeuille qu'il avait pris soin de glisser entre l'assise et l'accoudoir, car il avait toujours là trois cent mille francs en billets de banque. Cette petite fortune pourrait se révéler utile en cas de négociation avec des soldats animés de mauvaises intentions. En attendant, pour garder un peu de dignité à cette scène pitoyable, il criait que la séance était levée, mais personne n'avait attendu sa permission pour détaler. La porte de la bibliothèque s'ouvrit avec fracas, madame Laffitte cette fois expirait, son mari additionnait à toute allure le contenu de son coffre à celui du portefeuille et, en excellent calculateur, se dit que la somme pourrait quand même leur sauver la vie à tous. Tout au moins à sa famille. Pour les autres... Il faudrait bien quelques fusillés, si l'on souhaitait gagner le pardon du roi... Quand soudain le marquis de La Fayette fit son entrée. Oui, le «héros des Deux Mondes» en personne. Le souvenir incarné de 1789. L'homme de la fête de la Fédération était là devant eux en grand uniforme de la garde nationale accompagné de ses gendres, de ses petits-fils et de toute une foule. C'était pour fêter son arrivée rue d'Artois que les lignards tiraient en l'air. Rien de plus, rien de grave. Le soulagement donna à la joie un goût de triomphe. On se congratula, on se félicita, on s'embrassa, on s'excusa de ne pas avoir été là pour l'accueillir en plus grand nombre, mais par ces chaleurs, la fraîcheur du jardin était le seul refuge…

La Fayette reçut tous ces hommages avec le calme et la simplicité d'un empereur de théâtre. Il se cambra car, à bientôt soixante-treize ans, la nature lui avait conservé cette taille de jeune homme grâce à laquelle il avait cru un jour pouvoir éblouir la reine Marie-Antoinette. Il venait une nouvelle fois au-devant de la France pour répondre à cette impérieuse nécessité de servir la liberté. Ce fut une explosion, un délire, on pleura, on applaudit, on s'embrassa de nouveau, et le général serra autour de lui toutes les mains qui se présentaient. Comme en 1789, il venait demander solennellement aux représentants de la nation le commandement de la garde nationale pour protéger les droits et faire respecter la loi. Il fut immédiatement investi par acclamation et, quarante ans plus tard, tout recommença. Le vieillard crut avoir porté ses lèvres à la fontaine de Jouvence lorsque, d'une seule et même voix Guizot, Laffitte, le général Sébastiani et Casimir Perier le conjurèrent de rejoindre sans tarder l'Hôtel de Ville pour en déloger les agitateurs qui venaient d'y proclamer une sorte de commune et rétablir la légalité par le prestige de sa seule présence. Portant sa main sur le cœur, le vieux Cincinnatus prononça alors un serment que personne ne lui demandait. Une commission municipale composée de cinq députés fut aussitôt désignée pour l'accompagner, c'était elle et non lui qui exercerait la réalité du nouveau pouvoir. Il convenait en effet d'épargner au héros de la liberté les fatigues harassantes du gouvernement.

Une marche triomphale et bouffonne commença à travers la capitale soulevée. La Fayette ovationné caracolait comme en 1790, saluait à grands coups de chapeau, embrassait les nourrissons sans oublier d'effleurer de ses lèvres les bras nus et potelés des jeunes mères qui les lui présentaient. Il avait de nouveau trente ans.

Rue de Miromesnil

Toute la matinée, Alfred de Vigny attendit l'ordre de rappel, le billet ou le roulement de tambour qui donnerait le signe du rassemblement avant le dernier assaut, mais il n'était pas arrivé. Pas plus que le roi ou le dauphin. Les princes étaient restés à Saint-Cloud où il faisait plus frais, et ils avaient abandonné leur trône aux Tuileries.

Alors le poète ouvrit les pages de son journal et, d'une plume amère, il nota : « Ils ne viennent pas à Paris, on meurt pour eux. Race de Stuarts ! Oh, je garde ma famille. » À peine avait-il posé sa plume que plusieurs balles brisèrent ses vitres. Ce serait là tout le danger affronté au cours de la journée pour le service du roi.

Au château de Saint-Cloud

Le roi, après avoir beaucoup prié et demandé au Ciel de l'éclairer dans tout ce brouillard qui l'environnait, était retourné dans ses appartements intérieurs où il tenait de nouveau Conseil. Les ministres ne disaient mot. Polignac, figé derrière son éternel sourire, attendait que son sort se décide, égrenant discrètement le chapelet qu'il tenait à la main. Sa Majesté prit la parole pour rompre cette glace et, répétant mot pour mot tout ce qui lui avait été dit depuis le matin par ceux qui avaient pris le risque de la vérité devant lui, brossa à voix lente un portrait sombre de la situation. Tous écoutaient tristement, sauf monseigneur le dauphin qui s'agitait sur son fauteuil, faisait des mouvements brusques, émettait de petits grognements auxquels chacun prenait soin de ne prêter aucune attention, mais le roi, lui, ne pouvant faire de même, se décidait, la mort dans l'âme, à donner la parole à son fils. Le dauphin, dont les traits furent aussitôt déformés par les tics, sursauta à cette seule invitation. Ses épaulettes d'or chaloupaient de part et d'autre de sa longue figure légèrement prognathe, le bon regard clair qui, en Espagne, le faisait aimer de ses soldats s'obscurcit, sa langue déforma ses joues d'un côté puis de l'autre, il tourna la tête de gauche et de droite, déglutissant avec peine. Il était certain de vouloir dire quelque chose mais il n'était pas sûr d'avoir la force de le dire en présence de son père. Le roi que cette maladresse irritait renouvela son invitation d'un ton de commandement. Alors le prince parla, pire, il s'emporta. La situation n'était pas telle que des pleutres, plus attachés à leur fortune qu'à leur honneur, l'avaient décrite. La garde était fidèle, l'armée solide, les Parisiens prisonniers de factieux. Il ne fallait rien céder, rien tolérer, rien discuter. Il fallait, au contraire, charger sabre au clair toute cette bande de jacobins et de sans-culottes.

Le roi avait écouté. Il regarda son fils de façon à le calmer et lui dit:

— Mon fils, vous n'entendez rien à la politique. Contentez-vous d'être le plus grand capitaine de notre siècle.

Les épaules du dauphin cessèrent alors leur curieux manège, et le regard bleu du prince retrouva sa limpidité de verre. Il se tut.

À la suite de quoi Sa Majesté se tourna vers ses ministres pour leur proposer la parole. Le baron d'Haussez la prit. Il ne partageait pas tout à fait l'avis du prince. Il fallait entamer les négociations. Non pas pour obtempérer, bien sûr, ni pour reconnaître l'espèce de gouvernement qui faisait des ouvertures mais dans le but de gagner du temps. Le temps nécessaire à la Cour pour franchir la Loire ou aller se mettre sous la protection de l'armée.

À cette idée, les épaulettes du duc d'Angoulême reprirent leur roulis. Le prince, sans demander à son père l'autorisation de parler, explosa et, sans laisser au ministre le temps d'achever son propos, il déclama:

— Monsieur d'Haussez, je n'aime pas ces mesures timides. Le meilleur parti, le plus digne à mes yeux, est de se faire tuer.

La consternation fut totale. Aucun de ceux qui étaient présents, Sa Majesté la première, ne pensait un seul instant à se faire tuer. Certes la situation était moins aisée que prévu, mais rien n'était désespéré. Chacun s'inquiéta d'une initiative princière qui viendrait tout aggraver. Il faut dire que, quelques heures plus tôt, le dauphin, parti s'assurer de la mise en défense du château de Saint-Cloud, avait poussé jusqu'au pont de

Sèvres où il était tombé nez à nez avec des émeutiers. Il avait donné ordre à la troupe de dégager le pont de toute cette piétaille, mais elle était restée immobile et, sans la présence d'esprit de ses officiers, le duc d'Angoulême aurait été prisonnier de la foule et de ses propres soldats. Il tenait, depuis, des propos sans suite ni raison, ce qui donnait quelques inquiétudes à sa famille, d'autant que personne ne savait où était la dauphine, l'unique personne au monde à pouvoir l'apaiser.

Le baron d'Haussez demanda de nouveau la parole. Elle lui fut accordée et, prenant bien garde de ne s'adresser qu'au seul dauphin, il rétorqua :

— Je doute que, dans l'état de découragement où est l'armée, Votre Altesse Royale trouve assez de monde disposé à la suivre pour exécuter son projet.

Puis, sans laisser au prince le temps de rassembler ses mots ni de les mettre dans un ordre à peu près cohérent pour donner naissance à quelque chose comme une phrase, le baron, regardant cette fois le roi tout en continuant à s'adresser à son fils, insinua du ton le plus respectueux :

— Monseigneur, je me crois en droit de me placer aux côtés de Votre Altesse Royale si elle prend le parti désespéré dont elle vient de parler, mais qu'adviendra-t-il alors du roi et du reste de la famille royale ?

Piqué au vif mais incapable de reprendre la parole, le duc d'Angoulême se leva pour quitter le Conseil, tandis que son père l'en empêchait d'un geste.

Au moment où Guernon-Ranville demandait à parler et commençait à le faire, on entendit gratter à la porte. L'huissier du cabinet annonçait l'entrée du général du Coëtlosquet, mais ce fut le spectre de la défaite qui apparut. La poussière et le sang rendaient l'uniforme du général méconnaissable, et lui-même se soutenait à peine, si bien qu'il devait prendre appui sur la bibliothèque. Il paraissait si mal en point que plusieurs ministres s'étaient aussitôt levés sans l'autorisation du roi pour le soutenir. En pressant le malheureux de questions, on comprit que le Louvre puis les Tuileries venaient de tomber aux mains des insurgés et que le maréchal Marmont tentait à grand-peine de rassembler les débris de la garde à la barrière de l'Étoile pour éviter que la déroute ne soit complète. L'étonnement le disputait à la consternation quand le roi, sans se départir de sa dignité, demanda au général si tout était perdu. La réponse fut très claire :

— Tout, non, Sire ; mais bien Paris...

Alors Charles X, s'adressant à son fils et à son Conseil, considéra qu'il était temps de prendre un parti. Le dauphin, la tête plongée dans ses mains, maugréait des phrases inaudibles, ce qui ne facilitait pas la tâche de son père. Aussi le roi, tout en manifestant à ses ministres son attachement et sa confiance, se résolut-il à appeler le duc de Mortemart au gouvernement pour tenter une conciliation. Mieux valait encore un grand seigneur libéral qu'un grand bourgeois complice de l'émeute. Au moins continuait-on à traiter avec des gens du monde.

À quelques pas de là, le duc de Mortemart, reçu très froidement par le roi le matin même et loin de se douter du destin ministériel qui l'attendait, marchait à travers le parc pour rejoindre sa compagnie des gardes qui en surveillait les portes. On annonçait un coup de main contre la famille royale et, faute d'aller prendre les eaux, il lui restait à mourir avec ses hommes, mais il n'était pas encore arrivé à son poste de commandement que plusieurs valets de pied, conduits par un maréchal des logis du palais, l'entouraient déjà de leurs livrées brillantes et lui intimaient l'ordre de rebrousser chemin. Sa Majesté l'attendait dans son cabinet, et Sa Majesté ne pouvait attendre. On pressa le pas.

Quelques minutes plus tard, le duc était mis en présence du roi qui, du ton le plus détaché, comme si l'on devait décider d'une nouvelle promotion dans l'ordre de Saint-Louis, reprit la conversation du matin :

— Vous aviez raison, monsieur le duc, la position est plus difficile que je ne le pensais ; on croit qu'un ministère dont vous seriez le chef pourrait tout arranger...

Mortemart pensa un instant que la fièvre le reprenait d'un accès soudain. La lumière du lieu l'éblouissait, l'étourdissement le gagnait, les fenêtres changeaient curieusement de place, le visage du roi grossissait démesurément et ses paroles revenaient à ses oreilles comme portées par un écho inhabituel dans une pièce lambrissée. Pourtant le roi répétait mot pour mot ce qu'il venait de lui dire. Il le nommait Premier ministre et le chargeait de constituer un gouvernement.

Le cœur du duc battait la chamade, mais il trouva la force et la présence d'esprit de répondre :

— Je ne me crois pas capable, Sire, de remplir vos vues ; aussi je prie Sa Majesté de choisir une autre personne.

Le roi qui, pour sa part, ne semblait pas prendre conscience que les murs et les meubles de son cabinet tournaient maintenant à toute vitesse autour d'eux et que le son de sa voix se déformait étrangement pour parvenir aux oreilles du duc comme à travers un cornet, insistait, répétant jusqu'à crier qu'il le faisait président du Conseil, ajoutant :

— Heureux qu'ils ne m'imposent que vous !

Cherchant d'instinct une échappatoire, comme la bête traquée, Mortemart reculait d'un pas quand le roi, d'autorité, avançait d'autant, acculant son nouveau Premier ministre dans l'embrasure d'une porte, le pressant d'accepter. Tant de résistance laissait le roi d'autant plus perplexe qu'il était, jusque-là, absolument convaincu de la participation directe de Mortemart au complot visant à lui forcer la main pour constituer un gouvernement libéral et d'en prendre la tête. Il pensait avoir affaire à un intrigant, il découvrait un sot.

Le nouveau ministre, plaçant ses mains derrière le dos, refusait obstinément de prendre le décret de nomination que Charles X tentait par tous les moyens de lui donner. À bout de patience et d'arguments, le monarque finit par glisser le document dans la ceinture d'officier général de Mortemart qui, comme si le papier prenait feu, l'en tira immédiatement pour le rendre à son maître.

Interloqué, le roi, se révolta :

— Vous refusez donc, monsieur, de sauver ma Couronne et la tête de mes ministres !

Après de tels mots, il fallut bien accepter. Mortemart s'inclina, prit congé, et le roi retourna dans la salle du Conseil.

La prise des Tuileries plongea d'abord Saint-Cloud dans la stupeur puis dans la plus profonde consternation. La duchesse de Gontaut, montée dans les étages, surveillait de sa lunette télescopique la route de Sèvres, craignant de voir bientôt arriver les poissardes de la Halle qui, le 5 octobre 1789, étaient venues chercher la famille royale à Versailles pour un voyage sans retour. Madame de Damas, effrayée pour ses enfants et pour elle-même, faisait hâter les préparatifs de départ. Les malles encombraient les couloirs des appartements attribués, et l'on rudoyait les valets pour qu'ils se pressent un peu. Un courrier partait à l'instant vers la Touraine afin que tout fût prêt pour l'accueillir avec sa famille, et elle s'apprêtait à faire de déchirants adieux à son mari pour lequel il était hors de question de quitter le duc de Bordeaux quand le cocher refusa catégoriquement d'atteler les chevaux et demanda son congé. Il partait pour Paris faire la révolution. La baronne poussa les hauts cris, promit un doublement des gages, en vain. On démonta les vaches de cuir qui encombraient déjà l'impériale de la voiture et l'on remonta les malles en pestant. Les femmes de chambre se gardèrent bien de les défaire. Plus personne ne pouvait quitter Saint-Cloud, et tout le monde maudissait ouvertement le prince de Polignac, les ministres et leurs satanées ordonnances qui allaient faire bien pire que de retarder la saison des bains de mer.

Le dauphin fut alors de nouveau envoyé en reconnaissance pour se rendre compte par lui-même de l'état général des troupes. Il ne tarda pas à retrouver l'avant-garde à la hauteur du petit village de Boulogne, avant de tomber sur Marmont en personne, auquel il annonça que le roi venait de lui confier, comme en Espagne, la direction des opérations et qu'il était venu jusqu'à lui pour le relever de son commandement. Marmont, déjà informé de cette décision par une lettre reçue alors qu'il s'apprêtait à organiser le blocus de la capitale avec les troupes rassemblées, ne répondit plus que par un salut militaire, de crainte d'en dire davantage à celui qu'il tenait pour un royal jean-foutre. La fatigue, chez les soldats, confinait désormais au désespoir, et c'était tout juste si les hommes prenaient la peine de présenter les honneurs à l'héritier du trône. Le général d'Hautpoul, exaspéré par une réflexion du dauphin faisant remarquer à un officier qu'il était bien mal colleté, se permit de lui dire qu'il était malheureux qu'il vienne si tard.

Blessé, le dauphin lui rétorqua alors :

— Cela m'est égal, j'ai obéi aux ordres du roi, avant de tourner casaque et de repartir vers le château.

En fin d'après-midi, un peu avant dix-huit heures, on vit arriver à Saint-Cloud la garde royale battue et résignée. Un régiment d'infanterie, très éprouvé par les combats de rue, ouvrait la marche, suivi de plusieurs détachements de cavalerie ; à leur suite venaient les grenadiers, quelques pelotons de lanciers, huit pièces d'artillerie et enfin la gendarmerie des chasses qui fermait noblement le cortège. Les voitures chargées de blessés, dont les appels et les gémissements étaient heureusement couverts par le pas des chevaux et le roulement des tambours, occupaient le centre de ce triste défilé. À la vue des grilles du château, les hommes exténués se redressaient sur leur monture dans un dernier effort pour ne pas se présenter courbés sous le regard du roi. Les beaux uniformes bleu et blanc, auréolés de sueur, maculés de sang, gris de poussière, défilaient alors tant bien que mal, mais les hommes ne prenaient même plus la peine de boutonner leurs vestes, et les casques retombaient sur les visages comme pour cacher la honte des vaincus. Le premier bataillon du régiment de la garde fit son entrée précédé de son colonel, monsieur de Perregaux, portant lui-même le drapeau du régiment pour le remettre entre les mains du roi. Les lanciers et les grenadiers mouraient littéralement de faim, car certains n'avaient pas vu une ration depuis l'avant-veille quand les gardes à pied cherchaient simplement une botte de foin pour s'y écrouler et dormir d'un sommeil de défaite.

Marmont, démis de son commandement au profit du dauphin, arriva à la suite de ses troupes puis monta chez le roi. Les derniers courtisans de Saint-Cloud s'écartèrent sur son passage pour éviter d'avoir à saluer un soldat dont la disgrâce était désormais certaine, mais le maréchal ne vit rien de tout cela et salua quand même, tant il était moralement et physiquement épuisé. Au roi, qui l'accueillait avec bonté et ne lui faisait aucun reproche, il raconta la panique incompréhensible qu'il avait vue de ses propres yeux s'emparer d'un bataillon de braves Suisses. Une panique folle, une panique qui avait tout emporté, et à chaque question du roi, le maréchal, les yeux hagards, n'avait pas d'autre réponse que celle-ci :

— Une panique ! Sire. Une panique ! Mais quelle panique !

Alors le roi s'inquiéta de la troupe, ou tout au moins de ce qu'il en restait, et Marmont, qui n'avait même pas eu le temps de toucher au déjeuner préparé pour lui aux Tuileries avant que tout ne foute le camp, se souvint qu'il avait faim et que ses hommes aussi. Le roi fit aussitôt appeler son chambellan de l'hôtel, le vicomte Hocquart qui, en l'absence du comte de Cossé-Brissac, premier maître de l'hôtel, avait l'honneur de prendre directement les ordres de Sa Majesté, pour lui demander, tout de go, de faire servir vingt mille rations de pain aux soldats de la garde exténués et affamés. Le chambellan, sanglé dans son habit d'été de soie amarante soutaché de canetilles, paillettes et paillons d'or, culotte de coutil immaculé et bas de soie, boucles de vermeil aux pieds, demanda très respectueusement à son maître de bien vouloir lui répéter les ordres qu'il craignait de ne pas avoir très bien compris. Avec cette affabilité dont il ne se déparait jamais, Charles X répéta doucement qu'il convenait de faire porter aux troupes rassemblées au château vingt mille rations pour les braves soldats de la garde. Le vicomte, interloqué par ce chiffre extravagant, ne put s'empêcher de s'écrier qu'il disposait, en tout et pour tout, de deux cents rations de pain et qu'elles étaient bien évidemment réservées pour le service de Sa Majesté, laquelle ne pouvait ignorer qu'elle donnait le soir même, comme tous les jeudis, une grande soirée d'appartement. Le roi, que rien n'ennuyait tant que les comptes d'intendance, ordonna néanmoins à son chambellan de faire ce qu'il pourrait et de ne pas descendre si bas dans les considérations lorsqu'il s'adressait à lui.

Le vicomte s'inclina pour réapparaître quelques minutes plus tard sur le perron du château escorté des maîtres de l'hôtel en service, eux-mêmes suivis de valets de pied portant d'immenses plateaux d'argent sur lesquels il avait fait disposer de grandes carafes d'orangeade, de limonade bien fraîche et d'orgeat à l'eau, accompagnées d'assiettes de présentation où l'on trouvait disposés des biscuits secs et le gâteau de Savoie préparé pour le goûter des enfants royaux. Les officiers furent alors invités à s'avancer et à se servir dans l'ordre de leur grade. Les soldats, pour leur part, feraient comme ils pourraient.

L'aide de camp du maréchal Marmont, le colonel Komierowski, qui avait mal au cul d'avoir chevauché une bonne partie de la nuit précédente pour transmettre les ordres du souverain et toute la journée sous un soleil de plomb pour contenir la débâcle, exaspéré par ces mœurs de cour dont il avait eu à essuyer les humiliations la veille alors que le roi faisait tranquillement sa partie de whist, laissa échapper son exaspération en hurlant à la face du chambellan que ses hommes ne rentraient pas d'un bal mais d'une bataille où ils avaient laissé nombre de leurs camarades à terre et qu'il exigeait pour eux le pain et le vin qui leur étaient refusés depuis trois jours.

C'est alors que le jeune duc de Bordeaux, auquel son gouverneur avait expliqué le petit drame qui se jouait dans la cour, apparut au bas de l'escalier de ses appartements portant lui-même les lourds plats de viande servis à sa table pour les offrir aux soldats de «Bon Papa». Ravi d'avoir pu ainsi échapper à la corvée de son dîner, le jeune prince détala aussitôt vers les jardins du Trocadéro où l'attendaient déjà sa sœur et les enfants Damas, trop heureux de n'être pas partis pour assister à ces événements étonnants. Très vite les choses s'organisèrent. On allait jouer à la révolution. Le duc de Bordeaux commanderait la garde royale, et Mademoiselle les insurgés parisiens. La princesse menant devant elle quelques galopins de Saint-Cloud ne tarda pas à acculer son frère et ses troupes dans un bosquet aux cris de «Vive la Charte!», avec de grands éclats de rire.

Le Conseil des ministres s'achevait enfin. Le roi avait pris des décisions fortes, le maréchal Marmont était relevé de son commandement au profit du dauphin, et le duc de Mortemart invité à constituer un nouveau gouvernement. La nomination de ce libéral bien né était de nature à satisfaire tous les partis et à ramener enfin le calme. Il était donc temps pour Sa Majesté d'aller remercier les troupes et de passer en revue les jeunes élèves de Saint-Cyr venus mettre leur épée à son service. Alors que les anciens ministres, ne sachant trop que faire d'eux-mêmes, prenaient congé, quelqu'un se rappela que la délégation des pairs n'avait pas été tenue informée des choix du roi et que Sémonville, Vitrolles et d'Argout attendaient toujours dans l'antichambre. On les avait simplement oubliés. Polignac désigné pour cette dernière corvée alla, lui-même, les informer du choix du souverain, mais les pairs insistèrent. Ils ne quitteraient pas Saint-Cloud sans avoir reçu leurs instructions de la bouche même de Sa Majesté. Ils furent donc invités à participer au Conseil. Les ministres étaient à bout de fatigue. Ce Conseil interminable ne finirait donc jamais, et chacun rêvait à sa maison de campagne.

Le roi, la main droite passée dans son habit, parlant gravement et lentement, confirma aux membres de la délégation des pairs toutes ses décisions et leur demanda maintenant de se hâter de regagner Paris pour y rétablir le calme, empêcher le sang de couler davantage et tâcher de conserver l'honneur et la dignité de la Couronne avant d'ajouter d'un vrai ton de grandeur :

— À cette condition je ne mets aucune borne aux sacrifices personnels qui pourraient m'être imposés...

Le vieux marquis de Sémonville, lui aussi fatigué par l'attente et écrasé par la chaleur autant que par son lourd manteau de cérémonie lesté de broderie, respirait avec peine et supplia que l'on mette au moins à leur disposition voiture, chevaux, escorte et laissez-passer, car il n'était plus en état d'avancer d'un pas et craignait, ainsi couvert de fleurs de lys des pieds jusqu'à la tête, de ne pas pouvoir franchir les barrières de Paris.

Le roi, agacé, confia la délégation à son grand veneur, monsieur de Girardin, qui connaissait très bien les routes et saurait les guider sans encombre, puis il mit un terme définitif à l'entretien en lançant à la cantonade :

— Au reste, messieurs, en cédant ainsi, peut-être à tort, à l'empire des circonstances, je dois vous dire qu'au fond de mon cœur je suis convaincu que, dans la voie où nous sommes entraînés, il n'y a rien à faire de bien pour l'avenir de la France et le salut de la monarchie...

Le duc de Polignac et monsieur de Peyronnet en avaient les larmes qui leur montaient aux yeux. Tout le monde s'inclina et se retira, laissant Sa Majesté se réconforter par la prière.

Il fallut attendre que monsieur de Genlis change d'habit pour un vêtement plus approprié à sa mission pour qu'enfin la délégation puisse prendre la route de Paris. Il descendit de ses appartements en compagnie de son neveu qui serait du voyage et d'un trompette de la garde dont la présence lui était apparue indispensable à la dignité du cortège. Le nouveau Premier ministre devait, selon toute raison, partir à Paris en leur compagnie, de façon qu'il se présente, en personne, devant la Chambre des pairs réunie au palais du Luxembourg, mais Sa Majesté refusait de faire préparer dans l'urgence les ordonnances désignant le général Gérard à la Guerre et Casimir Perier aux Finances. Le duc de

Mortemart était donc contraint d'attendre au château le bon vouloir du roi pour constituer officiellement le nouveau gouvernement.

À *Dijon*

Depuis la veille, la duchesse d'Angoulême, de retour de Vichy où elle prenait les eaux, était plongée dans les plus grandes alarmes. La veille au soir, le préfet de Lyon était accouru jusqu'à elle pour lui apprendre la publication des ordonnances et le début des troubles jusque dans sa propre ville. Le roi, son oncle et beau-père, ne l'avait tenue informée de rien, mais elle avait vu assez de choses dans son enfance pour savoir qu'une simple erreur pouvait précipiter le trône le plus puissant du monde au fond d'un précipice. Alors elle pria pour que des mesures politiques aussi radicales aient été accompagnées de toutes les précautions militaires, mais elle avait peur. Une peur incontrôlable qui lui tordait les entrailles au point de l'obliger à faire de nombreuses stations et que la récitation frénétique de son chapelet, cadeau personnel du pape, ne parvenait pas à dompter. Par bravade et pour ne pas inquiéter sa suite – la marquise de Sainte-Maure Montausier, sa *dame pour accompagner*, avait déjà peur du tonnerre, c'était peu dire d'une émeute –, elle avait décidé de ne rien changer à son programme, de ne brûler aucune étape de son voyage de retour et des innombrables arcs de triomphe, harangues, compliments, bouquets de fleurs et défilés de rosières qui devaient l'émailler.

Ce soir-là, elle venait d'entrer dans la loge d'honneur du grand théâtre de Dijon aux côtés du préfet de la

Côte-d'Or, le baron de Wismes, lequel avait tout tenté pour la dissuader d'assister à cette représentation. La salle neuve brillait de la lueur de milliers de chandelles blanches qui donnaient à l'ensemble une teinte mauve du plus bel effet, le public était nombreux, mais choisi. Pourtant le préfet scruta avec anxiété le parterre et surtout le poulailler. La duchesse d'Angoulême s'assit donc en toute confiance, sa carrure de grenadier tout emmaillotée de satin banc, dans le fauteuil qu'un valet lui tendait en tremblant, mais à peine fut-elle installée que tous les regards se braquèrent sur la loge et que les visages se murèrent dans un silence hostile.

Des cris ne tardèrent pas à fuser. Quelques jeunes gens à gilet voyant et cheveux longs, car même dans les meilleures provinces les mœurs mollissaient, osèrent lancer : « Vive la Charte ! » et « À bas les ministres ! ». Un frisson électrique parcourut l'assemblée pour finir de courir le long de l'échine du préfet. Un étourdi s'aventura même à ajouter : « À bas la reine ! » Le mot était grotesque et même déplacé, car la princesse ne régnait pas encore, pourtant c'était injurier, en plein théâtre, une vie de tragédie.

La dauphine, pourtant, ne plia pas sous le coup porté, ne marqua aucun trouble et tourna lentement son nez de famille suivi des deux yeux bleus et globuleux hérités de sa pauvre mère vers les fauteurs de troubles. Quelques petits crevés de province gavés de pains au lait et de la sottise des journaux ne l'impressionnaient pas. Elle avait dû affronter bien pire. En 1792 comme en 1814. Un coup de son immense éventail de plumes suffit cette fois à éloigner les spectres et à faire taire ces lionceaux de sous-préfecture. Le rideau se leva, et le premier acte se joua dans le calme jusqu'à ce que Lepeintre aîné, acteur des Variétés en tournée, campé sur ses deux jambes et aimant à ménager ses effets mélodramatiques, déclame d'un ton de tribun une réplique stupide à laquelle les circonstances donnaient un relief tout particulier :

— Ah, pour le coup, les voilà enfoncés !

Ce qui déclencha un tonnerre de rires et d'applaudissements.

Le baron de Wismes se pencha alors vers la dauphine et lui proposa de quitter la salle pour trouver refuge à l'hôtel de la préfecture protégé par un solide détachement de gendarmes. Un coup sec d'éventail lui fut une leçon de courage. Ce ne serait rien, il fallait toujours que les acteurs, non contents de mal jouer, se donnent le ridicule de penser. La dauphine refusa de quitter sa loge. La pièce était le meilleur divertissement de son voyage, mais au deuxième acte, alors que la chaleur devenait intolérable, la duchesse d'Angoulême agita son éventail de façon plus vive et accompagna le geste d'un léger mouvement de tête donnant le branle à l'aigrette de plumes blanches qui ornait sa coiffure.

Pour le public, tout ce blanc fut une provocation, et il hurla d'une seule voix :

— À bas les plumes ! À bas les plumes !

Le préfet et le maire de la ville, le marquis de Courtivron, lui aussi présent dans la loge d'honneur, durent intervenir pour rétablir le calme et réclamer le respect dû à leur auguste invitée. Ils ne récoltèrent que des rires. Maintenant il fallait partir. Rester était une folie. Le regard de la dauphine se troubla, les battements de son cœur s'accélérèrent, un froid terrible la saisit alors même qu'il faisait une touffeur à suffoquer. Elle était comme transportée dans la loge du greffier de l'Assemblée nationale dans la salle du Manège, le soir du 10 août, serrée contre sa mère alors qu'aux Tuileries on massacrait les derniers défenseurs de la famille royale et que les Jacobins vociféraient pour demander la destitution de son père. Il lui fallait fuir, quitter cette nouvelle prison. Elle se leva mais n'était plus qu'un ballot de coton entre les mains du préfet et de son premier écuyer, le marquis de Conflans, qui la portèrent, alors, plus qu'ils ne lui offraient le bras. D'un geste de sauvegarde, elle arracha de ses propres mains son aigrette en diamants surmontée des plumes blanches pour la tendre à la marquise de Sainte-Maure qui, plus morte que vive, ne savait quoi en faire.

Sur la place du théâtre, la voiture du préfet encadrée de plusieurs gendarmes à cheval avait été avancée, mais il fallut encore affronter les cris hostiles et les insultes d'une petite foule de gens de très mauvais aloi. En montant dans la voiture, la dauphine prononça des mots sans suite mais qui n'étaient pas sans écho :

— Ah, les malheureux... Les insensés... Ils ont tout perdu... Pas Varennes ! Pas Varennes !

À Paris, au château des Tuileries

Aux Tuileries, dans la salle du trône, la rigidité cadavérique donnait un peu de tenue au jeune mort assis depuis la matinée sur le trône de France, mais l'écoulement des humeurs fétides tachait désormais la soie précieuse des coussins. Le visage choisi pour incarner la souveraineté du peuple prenait peu à peu le teint cireux et bistré dont la mort maquille toujours ceux qu'elle emporte brutalement. Personne ne lui avait fermé les yeux, il gardait donc le regard ouvert et pouvait fixer sans ciller le défilé des hommages et des exclamations. Le jeune homme paraissait à tous presque vivant si ce n'était l'odeur insupportable et un bourdonnement de mouches noires et grasses qui lui faisait maintenant comme une couronne autour de la tête.

Sur la route de Saint-Cloud à Paris

Escortée par le comte de Girardin et son neveu, la voiture dans laquelle les membres de la délégation des pairs s'étaient installés comme ils l'avaient pu avançait avec une lenteur de cortège. À la barrière de l'Étoile, il fallut renvoyer à Saint-Cloud le trompette que l'uniforme de la garde désignait à la haine populaire. Puis, dans les premiers embarras de la capitale, les Girardin, oncle et neveu, qui caracolaient en avant-garde, avaient subitement disparu. Arrivée en vue des Tuileries, la voiture n'avançait plus qu'au pas. À chaque barricade, on dut s'arrêter, haranguer la foule, affronter son hostilité. Jamais le grand référendaire n'avait vu la misère d'aussi près, et elle lui parut bien effrayante. Toute une population d'ouvriers, de gagne-deniers, de crève-la-faim, de femmes dépoitraillées, d'enfants morveux, de vieillards édentés, toute une gueusaille l'entourait, l'apostrophait, l'agrippait, touchait son beau manteau de velours pourtant taché par la pommade de sa perruque qui n'avait pas résisté à la chaleur et perlait de sa queue-de-rat sur son col brodé. Alors le vieux chat s'improvisait tribun. Il ouvrait la portière, montait sur le marchepied et criait à chaque halte :

— Eh oui, mes amis, le ministère est foutu !

À quoi la foule répondait en vociférant «Vive la Charte! Vive La Fayette! À bas les Bourbons!» sans pour autant laisser la voiture aller plus avant. Vitrolles resta, pour sa part, prudemment enfoncé dans le fond de la caisse, de crainte d'être reconnu. Ancien ministre et favori du roi Charles X, il serait immédiatement lynché. Les chevaux venaient d'être dételés par la foule. Ils n'avanceraient plus, et le massacre paraissait désormais certain quand soudain Vitrolles sentit la voiture bouger, osciller puis se soulever, et maintenant elle tanguait comme une barque en pleine mer. Les passagers étaient brutalement projetés les uns contre les autres. Des émeutiers venaient de s'en emparer pour la porter et lui permettre ainsi de passer les barricades comme à saute-mouton. Sans la qualité des suspensions à l'anglaise les essieux se seraient effondrés sous le choc lorsque les Parisiens la redéposèrent par terre. Sémonville n'en pouvant plus et menacé du mal de mer proposa de continuer le chemin à pied. L'Hôtel de Ville n'était plus très loin, ils l'atteindraient bientôt, mais le peuple était si dense qu'ils n'avançaient pas, on les étreignait, on les pressait, on les secouait. L'un perdit son chapeau, l'autre sa perruque, Vitrolles son calme. Le cocher était parvenu à ouvrir un passage. Des gardes nationaux venus à leur rencontre criaient: «Laissez passer les pairs de France! Mais nom de Dieu, laissez passer les pairs!» On remonta péniblement en voiture.

Enfin la place de Grève puis l'Hôtel de Ville furent visibles, mais le baron de Vitrolles eut un mouvement de recul à la vue de l'immense drapeau tricolore qui flottait désormais sur l'édifice. Il refusa d'aller plus loin. Ils devaient faire demi-tour. Jamais le roi n'accepterait ce drapeau taché du sang de son frère. Pour lui, toute négociation s'arrêtait là. Faire demi-tour? Sémonville n'en avait cure, il voulait sauver ce qui pouvait l'être, à commencer par leur tête. Aussi continua-t-il à avancer à travers la populace avec la politesse d'un grand seigneur tombé au milieu de la cour des miracles et, se souvenant du vocabulaire de 1792, n'oublia pas de donner du «citoyen» à toux ceux auxquels il s'adressait fort obligeamment. Vitrolles n'en croyait pas ses oreilles et, en vieil émigré qu'il était, ne démordait pas de «Veuillez me pardonner, messieurs». Il était prêt à mourir, mais sans se salir la bouche avec de vilains mots. Le grand escalier de l'Hôtel de Ville était envahi de toute une foule bigarrée qui s'écartait devant eux de mauvaise grâce. Ils demandaient à voir les autorités... On les fit patienter. C'était ce qu'ils ne cessaient de faire depuis le matin, et ils n'en pouvaient plus d'attendre. Enfin la porte de ce qui était, la veille encore, le bureau du préfet de police – où était-il passé, celui-là? – s'ouvrit devant eux. Des visages connus, à défaut d'être appréciés, les accueillirent. Il allait être enfin possible de discuter.

Se tournant vers La Fayette, le vieux chat fit patte de velours, ronronna en s'inclinant très légèrement :

— Cher général, nous nous retrouvons donc ici, comme il y a quarante ans...

Le reste de son propos se perdit dans des chuchotements auxquels personne n'entendait ni ne comprenait rien, tant le grand référendaire se confondait en circonvolutions et précautions oratoires. Messieurs les commissaires s'insurgeaient. Il faisait chaud, de plus en plus chaud. Il était trop tard. Où étaient les assurances données par le roi? Les assurances? Sémonville ne comprenait pas. Sa présence ne présentait-elle pas

aux élus de la nation – le mot lui était revenu – une assurance suffisante ? C'était une offense. Vitrolles agacé
proposa de se livrer en otage. Le gouvernement provisoire – car on en était là – n'avait pas besoin d'otages.
Pourquoi entamer des négociations alors que Marmont
regroupait ses forces pour assiéger Paris ? Monsieur de
Schonen, qui représentait le nouveau gouvernement,
laissa éclater sa colère, le trône de Charles X s'était
écroulé dans le sang, il n'était plus temps de chercher
à le relever. C'était sur l'ordre du roi que depuis trois
jours l'armée tirait sur le peuple. Il ne pouvait y avoir
ni pardon ni négociation. Casimir Perier, resté silencieux, s'en mêla à son tour. Il était trop tard, c'était la
veille qu'il fallait accepter la main tendue aux Tuileries,
alors que tout était encore possible. Vitrolles perçut le
danger : si le banquier du libéralisme basculait du côté
des intransigeants, c'était la fin, alors il précisa aussitôt
que le nouveau ministère dirigé par le duc de Mortemart
devrait compter en son sein un ministre des Finances
dont les capacités et l'intégrité morale seraient unanime-
ment saluées. Casimir Perier comprit le message, il resta
sombre mais, au moins, il ne dit plus rien. Dehors, des
cris et des coups de feu saluaient l'annonce du retrait
des ordonnances. Une voix lança : « Vive not' bon roi
qui capitule ! » La partie n'était peut-être pas tout à fait
perdue, il ne fallait pas cesser de jouer, et pour cela il
convenait de parler et parler encore car tous ces gens se
soûlaient facilement de mots. Ce fut le moment choisi
par le comte de Girardin pour réapparaître. Il demandait
à être reçu et se disait porteur, lui aussi, d'un message
du roi ! De qui voulait-on se moquer ? Quelle était cette
intrigue ? Sémonville s'étranglait, Vitrolles fulminait.

Cette entrée de comédie pouvait tout compromettre. Les commissaires s'échauffèrent de nouveau. Pour qui les prenait-on ? Les représentants du roi avaient-ils des instructions dûment signées et contresignées ? Non ? Eh bien, qu'ils les montrent ! Les envoyés du roi expliquèrent qu'ils n'avaient pas ce pouvoir car il revenait au Premier ministre, et à lui seul, de les produire. Les nouvelles ordonnances étaient en sa possession. Il ne tarderait pas. Et qu'il se presse, car les commissaires, eux, ne l'attendraient pas longtemps et le peuple non plus... Les échanges tournaient à la confusion la plus noire lorsque monsieur de La Fayette, qui n'avait cessé d'entrer et de sortir, de recevoir des dépêches et de signer des ordres, de faire des apartés et de poser pour la postérité, demanda gravement la parole. Le silence se fit, car chacun voulait entendre l'oracle des temps héroïques où le peuple de Paris, déjà, prenait la Bastille.

— Est-on disposé à Saint-Cloud à accepter la cocarde tricolore ?

Vitrolles comprit que cette fois les jeux étaient faits. Pourquoi ne pas demander au roi et à la duchesse d'Angoulême de boire à la santé de la nation un bonnet phrygien sur la tête, pendant que l'on y était ? Ce n'était plus une émeute mais bien la Révolution qui revenait juchée sur les chars grotesques de la fête de la Fédération. Tout recommençait. Un cauchemar d'aristocrate.

Le vieux chat, pour la dernière fois, fit le dos rond :

— C'est une grande affaire...

La Fayette, qui se voyait enfin le destin d'un George Washington, lâcha alors avec dédain :

— Qu'on ne se donne pas ce chagrin, c'est inutile à présent.

Au faubourg Saint-Honoré, loin des embarras de la place de Grève, les attelages circulaient de nouveau. Le départ de Marmont et de ses troupes ramenait peu à peu le calme dans le Paris des élégances et chacun, à condition de patienter aux barricades, pouvait vaquer à ses occupations. La soirée était encore chaude mais belle, et la comtesse de Boigne se félicitait de n'avoir pas déserté Paris car son salon ne désemplissait plus. Le baron de Glandevès s'était fait annoncer pour lui raconter ses aventures homériques et sa fuite du palais sous le déguisement d'Ulysse. Il était lui-même tout surpris de pouvoir aller et venir à travers la ville comme si de rien n'était, alors que le matin même il essuyait des coups de feu. Elle venait aussi d'être rassurée sur le sort du maréchal Marmont dont la rumeur annonçait la mort au combat. Certes c'était là un soldat bien malheureux, mais au moins il était vivant. Le conseiller Pasquier vint à son tour. Il ne décolérait pas contre les Bourbons et ne cessait de répéter : « Ils sont partis ? Eh bien, qu'ils s'en aillent et ne reviennent plus », mais à la vue du baron de Glandevès et sur un regard de la maîtresse de maison, il adoucit son propos. Des nouvelles s'échangèrent. L'arrivée du comte Pozzo di Borgo, ambassadeur du tsar, était attendue d'un moment à l'autre. La comtesse passait de l'un à l'autre, racontait ce qu'elle avait vu, ce qu'elle savait, ou croyait savoir, et tout ce que ses domestiques lui rapportaient de leurs petites visites en ville. Elle se voyait récompensée de son courage, car il y avait bien du plaisir pour la femme de cinquante ans à jouer un rôle dans la mécanique des cabales et les ressorts secrets des affaires de l'État. Assis dans sa bergère attitrée, Pasquier se montrait rassurant ; Sémonville, Vitrolles et d'Argout, partis pour

Saint-Cloud, étaient parvenus à faire entendre raison à Charles X et à imposer Mortemart à la tête du ministère. Alors que chacun se félicitait de cette issue qui garantissait les intérêts respectifs et la paix publique, le baron de Glandevès se permit d'émettre quelques doutes sur la sincérité d'une telle décision politique. Personne mieux que lui ne connaissait la Cour, ses détours et ses intérieurs. Prenant un air navré, il prédit que, une fois la peur passée, le roi recracherait à la face des libéraux la potion amère que l'on venait de le forcer à avaler. On l'écoutait avec gravité, et Pasquier opinait du chef. Pour l'instant, ajoutait-il, Mortemart n'était pas encore paru, et, à l'Hôtel de Ville, les émissaires du roi s'étaient montrés bien en peine de produire la moindre ordonnance... Tout cela pouvait être une manœuvre habile de Saint-Cloud pour gagner du temps, laisser Marmont reprendre son souffle et attendre l'arrivée de troupes fraîches. À moins – Pasquier figea son expression en soufflant cette confidence – que le comte de Bourmont n'ait déjà été prévenu et qu'un débarquement des troupes d'Algérie ne se prépare. Dans ce cas, la guerre civile n'en serait qu'à ses débuts. Ce fut au tour du baron de Glandevès d'acquiescer gravement. Il avait dans l'intention d'aller à Saint-Cloud dès le lendemain pour rendre compte à Sa Majesté des conditions d'évacuation des Tuileries et il en apprendrait davantage là-bas mais, pour le moment, un laissez-passer lui était nécessaire. On écrivit immédiatement au marquis de Laborde qu'on venait de faire préfet de la Seine. Son courage sur les barricades où il s'était montré toujours suivi d'un valet portant, comme à la chasse, son fusil de rechange, avait fait forte impression. Malgré la révolution, on restait donc en pays de savoir, et l'on s'en félicitait. Si le drapeau blanc paraissait bien compromis, le drapeau noir, lui, s'éloignait. Une lettre apportée par un valet de pied voila d'un peu d'amertume le visage de la maîtresse de maison. L'ambassadeur de Russie, toujours souffrant, ne viendrait pas déposer aux pieds de sa chauffeuse ses hommages du soir. On se lamenta car le comte pouvait se révéler une source inépuisable de renseignements, et Pasquier, ancien ministre des Affaires étrangères, espérait sonder par là le corps diplomatique sur les intentions des grandes puissances. L'Europe ne laisserait pas la France s'enliser dans l'anarchie au risque de réveiller la guerre.

La pendule lyre marquait bientôt onze heures, et la compagnie se sépara après que le conseiller Pasquier eut reçu, avec le laissez-passer du baron de Glandevès, la confirmation que le duc de Mortemart n'était paru ni au palais du Luxembourg ni à l'Hôtel de Ville.

Cette disparition inquiéta. Pour tout dire elle paraissait même de très mauvais augure, car il était à craindre que ce soit le signe avant-coureur d'une attaque sur Paris. La confiance du roi rétablie par l'arrivée de troupes fraîches et fidèles, il retenait peut-être maintenant son éphémère Premier ministre à Saint-Cloud pour lancer une vaste contre-offensive. La comtesse en était d'autant plus assurée que le maréchal Marmont lui avait toujours affirmé qu'il n'existait pas de meilleur moment pour attaquer que l'aube. Elle en avait désormais la conviction, toute la journée n'avait été que ruse, et demain verrait la ville reconquise à la pointe des baïonnettes et au son du canon.

Restée seule, elle rassembla tous ses gens dans son salon déserté et leur recommanda de se tenir prêts à décamper à la première alerte puis veilla à l'extinction des feux. Elle-même n'eut pas besoin de faire appel à sa femme de chambre car elle se coucha tout habillée, son précieux portefeuille serré contre sa poitrine.

Au même instant, une petite ombre sortait de l'hôtel mitoyen. Stendhal avait eu toutes les peines du monde à quitter le lit de Giulia qui l'aimait comme une tigresse bien que, au moment d'expirer entre ses bras, elle lui jetât toujours à la figure qu'il était vieux et laid. Cette folle avait exigé le matin même qu'il brave l'émeute pour venir lui donner des preuves tangibles de son amour, sous peine de rompre et de faire le plus épouvantable scandale. Comment ne pas obéir à un tel commandement? D'abord, il avait attendu l'heure du rendez-vous avec impatience, puis l'éternelle crainte du fiasco s'était glissée entre son désir et son imagination. Chaque heure qui sonnait, le rapprochant du sacrifice, retentissait dans son diaphragme à lui donner une sorte de nausée. En montant l'escalier, les battements de cœur annonciateurs du plaisir se mêlaient aux palpitations d'angoisse. Ses jambes ne lui obéissaient plus, sans pouvoir mettre un pied devant l'autre, il s'arrêtait, cherchant appui à la rampe. Si le Suisse de la loge n'avait pas tiré une nouvelle fois le cordon derrière lui, peut-être même aurait-il pris ses jambes à son cou pour détaler. Seule la peur de croiser un importun lui avait permis d'atteindre le palier. Une porte entrebâillée l'attendait, il avait trouvé l'antichambre vide et obscure, suivi à tâtons un chemin qu'il connaissait bien jusqu'à la fente de lumière qui s'était ouverte lentement devant lui.

Maintenant qu'il marchait sous un croissant de lune aussi bien dessiné qu'à l'Opéra de Milan, Stendhal, heureux et libéré, respirait à pleins poumons. Certes, il n'avait pas manié, à proprement parler, le gourdin d'Hercule, mais, contrairement à ce pauvre Marmont, il n'avait pas eu, pour cette fois, à affronter la débandade. Il en dansait de joie et réveilla le factionnaire de la barricade qui grommela. Stendhal lui présenta galamment ses excuses.

Au château de Saint-Cloud

Pendant qu'à l'hôtel des gardes, dans les écuries et même sous les allées du parc, les soldats dormaient à poings fermés, les grands appartements du château éclairés *a giorno* accueillaient une soirée brillante. Chacun avait revêtu l'habit de sa charge et accomplissait à la lettre le service de Sa Majesté, le chambellan de l'hôtel veillait à la splendeur des tables secondé par les maîtres de l'hôtel en service, le premier gentilhomme de la chambre s'assurait que les officiers de la Couronne jouissant des grandes entrées fussent placés avant ceux des courtisans qui ne pouvaient prétendre qu'aux premières ou aux simples entrées du cabinet et dont la présence dans le salon où se dressait la table du roi, avant qu'il ne fût entré, eût été d'une parfaite inconvenance. Il suffisait d'un chuchotement à l'oreille d'un des huissiers pour que l'homme s'empresse de rappeler à chacun sa place, fût-elle inférieure à l'idée que le courtisan se faisait de sa situation dans la faveur du roi.

À ce titre, Sa Majesté s'était exprimée avec autant de bonté que de clarté. Les ministres, comme le maréchal Marmont, devaient être traités selon le rang qu'ils occupaient encore le matin même. Le placement à table ne devait pas tenir compte du désastre que les uns et les autres venaient de subir. Le prince de Polignac fit son entrée donnant le bras à sa jeune femme revêtue d'une robe sans ceinture pour lui marquer la taille car la malheureuse attendait un enfant, et son ventre démesurément gonflé répondait de façon un peu ridicule à d'énormes manches ballon à plis ronds. Chacun s'écarta, mais cette distance n'avait plus rien de déférent ni de respectueux. Personne n'adressait plus la parole au couple qui, pour se donner une contenance, se dirigea vers la table où ils devaient être installés, mais les valets de pied disposés derrière chaque invité, regardant obstinément ailleurs, ne faisaient pas le geste de leur avancer leur chaise. Polignac aida donc sa femme à s'asseoir avant de regagner sa propre place et, tout en souriant, attira lui-même son siège. À la fin du premier service, étonné de voir son verre vide, le prince fit mine, comme il était d'usage, d'y porter la main et de la retirer pour être aussitôt servi, mais rien ne se passa. Se lever pour aller se servir soi-même aurait été inconcevable. Il boirait dans son appartement et sourit à sa femme à laquelle un peu d'eau n'avait pas été refusée au regard de son état. Arriva le service des viandes, et les saucières furent présentées à tous les convives sauf à l'ancien Premier ministre du roi. Qu'à cela ne tienne, il n'accommoderait pas son rôti et puis voilà tout. À la guerre comme à la guerre mais, lorsqu'il leva les yeux sur son épouse, il remarqua qu'elle cherchait à cacher ses larmes dans l'immense serviette de linge damassé. Un royaume millénaire s'écroulait sur leur tête, et c'était à eux que les domestiques en faisaient le reproche.

Quant au nouveau Premier ministre, le duc de Mortemart, vêtu de son grand uniforme de cérémonie, il attendait. Il attendait que Sémonville et Vitrolles rentrent à Saint-Cloud pour rendre compte de leur ambassade auprès des révoltés. Il attendait que le roi le laisse partir à Paris pour y présenter le nouveau gouvernement et annoncer officiellement le retrait des ordonnances. Il ne savait plus très bien ce qu'il attendait au juste car, pour l'heure, Sa Majesté était à son jeu et ne tenait pas plus à en être distraite que la veille. Seule la duchesse de Berry présentait une mine soulagée, presque rieuse, au milieu de cette assemblée de spectres. Un officier de la garde au visage tuméfié était venu lui donner des assurances. Rien ne pouvait plus la compromettre.

On tira alors un coup de feu très proche. Mortemart se précipita au balcon. Si seulement le prochain coup pouvait le prendre directement pour cible et mettre fin à son attente…

Le roi, sans quitter les cartes des yeux, parla :

— On tire encore ?

— Non, Sire, c'est un fusil que l'on décharge.

— Allons, Duras, jouez donc. C'est à vous.

— Oui, Sire.

— Duras, vous n'êtes pas à votre jeu !

Mortemart revint au salon, jeta des regards désespérés aux grands décors du temps de Louis XIV qui les écrasaient tous et s'avança vers le duc d'Angoulême plongé dans l'étude de ses cartes de chasse. Il tenta d'attirer son attention mais rien n'y fit, le dauphin devait suivre une biche minuscule le long des courbes de niveau. Ou peut-être cherchait-il désespérément sa femme dont personne n'avait la moindre nouvelle.

Mortemart toussota. Le dauphin maugréa, il avait dû laisser échapper la biche. Il faudrait que Son Altesse Royale, qui commandait désormais la première division militaire, pensât à signer un sauf-conduit au nom du nouveau Premier ministre, car elle avait donné pour consigne d'interdire toute circulation entre Saint-Cloud et Paris, et cela pourrait l'empêcher...

Le dauphin hocha la tête. Il eut l'air surpris, presque égaré :

— Comment ? La consigne ? Oui, nous verrons, nous verrons...

— Il faudrait un ordre écrit...

— Oui, un ordre, c'est cela... Il faut un ordre.

Et l'échange en resta là.

Le roi avait fini sa partie, il se redressa en reprochant une dernière fois son inattention coupable au duc du Duras qui s'inclina. Mortemart se précipita à sa suite, quémanda l'autorisation de pouvoir enfin se rendre à Paris, mais l'heure du coucher de Sa Majesté sonnait déjà. Le premier valet de chambre précédait le roi, il n'était plus temps d'aborder les affaires de l'État.

La république ne passera pas
Vendredi 30 juillet 1830

Au château de Saint-Cloud

La fraîcheur du parc ne parvenait pas à rabattre la chaleur de la nuit. Sa Majesté rêvait mal. Un même cauchemar revenait toujours. Son frère l'appelait à son secours de l'autre côté de la rive, mais il lui était impossible de franchir la mer qui les séparait car, chaque fois qu'il cherchait à s'en approcher, elle se teintait de sang et il reculait aussitôt, de peur de gâter son bel habit de drap d'argent. Il s'en faisait toujours le reproche au réveil, mais son costume de cérémonie de l'ordre du Saint-Esprit paraissait dans son rêve une chose bien plus précieuse à sauvegarder que la vie de son pauvre frère. Tout cela n'avait bien sûr aucun sens et apportait la preuve que les rois, eux aussi, font des rêves idiots. Charles X, à moitié endormi, tira sur la petite cordelette de son cartel d'alcôve qui lui indiqua deux heures moins le quart. À ce tintement qui signalait que son maître s'était réveillé, le premier valet de chambre se leva et proposa au roi à travers les rideaux tirés un peu d'eau mêlée de fleur d'oranger, mais déjà Sa Majesté retrouvait le fil du sommeil et poursuivait des rêves moins bêtes. Le roi dormait donc à poings fermés lorsqu'une voiture éclairée par la lune se présenta à la grille d'honneur.

Vitrolles et d'Argout en descendirent. Ils étaient là pour ramener Mortemart à Paris et obtenir du roi le retrait des ordonnances pendant que Sémonville tentait de rameuter la chambre de Paris. Après avoir quitté l'Hôtel de Ville, où La Fayette régnait en pantomime, Vitrolles avait fait un passage rue d'Artois pour négocier directement le nouveau ministère avec Laffitte qui exerçait la réalité du pouvoir insurrectionnel, et ils étaient parvenus à un accord de puissance à puissance. La Chaussée-d'Antin ne voulait pas davantage de la république que le faubourg Saint-Germain. Un ministère d'ouverture où Casimir Perier défendrait les intérêts de l'un pendant que le duc de Mortemart donnerait des garanties à l'autre paraissait un compromis acceptable. Le roi allait certainement se considérer comme prisonnier des Chambres, mais il était vieux, avait un fils et même un petit-fils. Un jour ou l'autre, les Bourbons finiraient bien par s'adapter au siècle.

Le château était tout entier plongé dans le sommeil et l'obscurité. Il fallut même taper aux carreaux de la porte du grand vestibule pour que les huissiers endormis sur les canapés d'attente se décident à ouvrir et à allumer une lampe quinquet. Un officier de la garde en faction conduisit les visiteurs en silence à travers un dédale de couloirs, d'escaliers et de coursives chez monsieur de Cossé-Brissac, premier maître de l'hôtel de Sa Majesté, parti prendre les eaux et dont l'appartement de service venait d'être réquisitionné au profit du nouveau Premier ministre qui ne savait pas où dormir. Le malheureux s'était allongé tout habillé sur un divan. Signe d'une longue veillée, deux bougies finissaient de se consumer sur la cheminée. Depuis le départ de la délégation des pairs en fin de matinée, Mortemart démoralisé n'avait rien fait pour préparer sa prise de fonctions et il n'avait pas osé demander au roi les ordonnances nécessaires à la constitution de ce qui devait devenir son gouvernement. Lui aussi s'en remettait à la Providence, convaincu que jamais il ne reverrait Vitrolles et d'Argout à Saint-Cloud. Peut-être même étaient-ils déjà pendus ou fusillés. Leur apparition soudaine, comme dans un rêve éveillé, vint lui rappeler qu'il allait devoir endosser un rôle politique dont il ne voulait pour rien au monde et essayer de gouverner un pays sens dessus dessous. La fièvre le reprit aussitôt, mais les deux hommes ne lui laissèrent cependant pas le loisir de s'en préoccuper. La situation pouvait encore être sauvée à la condition que le roi signe de sa propre main le retrait des ordonnances du 25 juillet et surtout le rétablissement de la garde nationale sous le commandement du maréchal Maison. Vitrolles se montrait particulièrement fier d'avoir obtenu cette concession, car il savait que jamais Charles X n'aurait accepté de nommer La Fayette à ce poste comme son frère aîné avait été contraint de le faire au lendemain du 14 juillet 1789. Laffitte lui-même en était convenu. C'était beaucoup, mais ce n'était pas tout. À cela s'ajoutaient d'autres exigences, le roi devait nommer officiellement Casimir Perier au ministère des Finances, le général Gérard à la Guerre et appeler l'ouverture des Chambres. Il n'était pas encore question du retour des trois couleurs, ce détail pourrait bien venir plus tard.

Mortemart abasourdi convenait de tout cela mais tremblait à l'idée d'aller réveiller le roi en pleine nuit pour exiger de lui qu'il dessertisse sa couronne de ses propres mains. Un roi acculé à de telles conditions n'était plus qu'un roi de carnaval.

Deux tables à jeu dressées dans la salle à manger du premier maître de l'hôtel suffirent à établir une chancellerie, et les six nouvelles ordonnances furent rédigées fiévreusement sur le tapis vert des divertissements de cour éclairé par les premières lueurs de l'aube. La faim commença à tenailler la compagnie, alors on tira le cordon. Longtemps une cloche tinta dans le vide du château dormant, puis un valet de pied, dont un bas bâillait sur le mollet, se présenta pour prendre les ordres. Il disparut de longues minutes et revint une grosse miche de pain sous le bras et une bouteille de vin tiré du tonneau à la main. C'était tout ce qu'il avait trouvé aux cuisines, car les grands officiers de la Couronne s'étaient déjà partagé la desserte de la table du roi dont il ne restait rien. Le petit gouvernement de circonstance se régala de ce dîner d'ouvrier.

Une fois que les ordonnances furent visées, relues et vérifiées, il ne leur manquait plus qu'une signature royale. Mortemart, dont le nom et les armes n'avaient jamais été aussi parlants, prit la liasse des mains de Vitrolles comme si elle contenait son arrêt de mort et se rendit chez le roi avec la gaieté du condamné. La petite aiguille de la pendule n'avait pas trotté plus de dix minutes qu'il revint ressuscité et haletant. Le roi ne voulait parler d'affaires aussi sérieuses qu'en présence du baron de Vitrolles mais refusait catégoriquement de recevoir monsieur d'Argout qu'il tenait pour un adversaire de sa politique. Les deux hommes tentèrent de consoler leur compagnon d'infortune avant de se faire annoncer. Saint-Aubin, le premier valet de chambre à peine éveillé, leur ouvrit le battant de la porte auquel avaient droit les ministres d'État, et ils trouvèrent Charles X, assis dans son lit, bras croisés, le dos calé par des coussins de plumes et le bonnet de nuit sur la tête. Mortemart n'osait pas franchir la barrière de l'alcôve de peur d'offenser par un geste déplacé la majesté royale. Sur un signe du roi, ce fut Vitrolles qui approcha pour s'aventurer jusqu'au chevet, là où seuls les médecins, le confesseur et la famille royale pouvaient se permettre d'avancer. La voix et les yeux baissés par respect, il entreprenait de raconter ce qu'il avait vu à Paris au cours de la folle journée de la veille. Le roi, d'abord attentif, commençait à marquer des signes d'impatience, mais Vitrolles poursuivait, comme le médecin qui administre délicatement mais sans pitié la potion amère. Lorsqu'il fut question du rétablissement de la garde nationale, le roi perdant toute maîtrise de lui-même fit deux bonds dans son lit en tapant du plat des mains sur sa courtine de soie. Vitrolles, sans prêter attention à ces marques d'humeur, versait toujours le remède à longs traits, et le visage de Charles X s'empourprait jusqu'à l'apoplexie, mais comme l'ancien ministre gardait le regard baissé et que la chambre restait baignée d'obscurité, il lui était facile de conserver une cécité de diplomate. Tant qu'il ne voyait pas la colère du roi, elle n'existait pas.

Charles X, hors de lui et qui voulait mettre un terme à ce torrent d'outrages politiques, ne se contentait plus de faire mauvaise figure en donnant des mouvements d'humeur au pompon de son bonnet de nuit, il ponctuait maintenant l'exposé de son ancien ministre par un « Mais nous n'en sommes pas là ! », ou encore : « Là, c'est trop fort!», au point que Vitrolles, ne pouvant plus ignorer le mécontentement de son maître, franchit une nouvelle étape dans le courage politique. Il se redressa et, regardant le roi dans les yeux pour la première fois depuis le début de la conversation, lui tint à peu près ce langage:

— Je m'étonne, Sire, que Votre Majesté ne comprenne pas à quel point en sont arrivées les choses. Il ne s'agit pas de disputer de tel ou tel acte mais de faire reconnaître dans Paris l'autorité royale. Je dirais même plus, que le nom du roi soit reconnu à Paris, et nous en sommes loin!

Le roi le fixait de ses yeux de myope mais ne l'interrompit pas, et Vitrolles s'engouffra dans cette brèche de silence pour finir de clouter son propos en ajoutant:

— C'est au point que je considérerais comme un miracle que monsieur de Mortemart, ici présent, ministre de Votre Majesté, puisse d'ici à trois jours s'établir à Paris dans un ministère et y contresigner une ordonnance. Oui, Sire, cela tiendrait du miracle...

Mortemart avait sursauté à l'énoncé de son nom, mais il persistait à se tenir très respectueusement de l'autre côté de la barrière de bois doré, prêt à retourner auprès de ses hommes si, par bonheur, le roi décidait de nommer Vitrolles à sa place, car il était plein d'admiration pour cet homme qui parlait avec tant d'éloquence et caressait la garce politique bien mieux que lui.

Le roi conserva le silence quelques instants, joignant les mains, fermant les yeux, buvant le calice jusqu'à la lie, au point que même les immenses plumets ornant le baldaquin n'osaient ciller, puis il fit signe à Mortemart de quitter la pièce car il souhaitait s'entretenir en particulier avec le baron de Vitrolles. Le duc qui, l'espace d'un instant, se crut exaucé, ne se le fit pas répéter et alla s'affaler d'épuisement dans un des fauteuils de l'antichambre. Ses tremblements nerveux le reprenaient. La fièvre le tuerait avant que le peuple de Paris n'ait à le massacrer.

Mortemart parti, le roi ne quitta ni son lit, ni son bonnet de nuit, ni sa mauvaise humeur, et accabla d'aigreur le baron de Vitrolles auquel il reprochait de se faire le porte-parole des pires ennemis de la Couronne et de la dynastie. Il fallut donc tout recommencer et tout répéter avec une patience infinie comme on s'adresserait à un enfant têtu embourbé dans l'erreur, mais rien ne semblait capable de venir à bout de la résistance royale. Alors le vieux serviteur de la monarchie, l'homme du retour de 1814 et qui, la veille des Cent-Jours, avait tout tenté pour interrompre le vol de l'Aigle, l'orateur ultra de la Chambre introuvable, changea soudain de stratégie et proposa au roi de quitter Saint-Cloud avec le reste des troupes royales et de marcher sur l'ouest à longues journées pour y réveiller la chouannerie. Il faudrait se battre comme en 1793 et 1794, l'étendard frappé du Sacré-Cœur de Jésus contre le drapeau tricolore, bleus contre blancs, prêtres réfractaires contre curés jureurs, haie après haie, chemin creux après chemin creux, village après village, et ce jusqu'à la mer où ils devraient tous mourir, dos au rivage, pour protéger l'embarquement du jeune duc de Bordeaux et de sa mère. Rien n'arrêtait plus désormais Vitrolles dans son rêve épique au chevet du roi de France, sauf le roi lui-même qui n'aimait pas que l'on évoque devant lui des souvenirs plus honteux que douloureux à sa mémoire. La honte de Quiberon restait une tache écarlate sur la livrée du comte d'Artois. Sa Majesté, que l'idée de tout ce remue-ménage effrayait, objecta aussitôt l'extrême fatigue des troupes, le soulèvement de la ville de Chartres et même des habitants de Versailles contre sa propre autorité. Jamais ils ne parviendraient à Granville ni même à Angers, et il faudrait répandre des fleuves de sang avant même d'atteindre le bocage. Vitrolles insistait. Il fallait tenter le tout pour le tout, rallier les troupes fidèles, se battre pied à pied contre le spectre de la révolution.

Ces perspectives assombrissaient davantage l'humeur du roi qui, d'une voix moins forte et comme se parlant à lui-même, chuchota plus qu'il ne dit :

— Cela pourrait bien ressembler à la fuite de Charles Ier d'Angleterre devant l'armée du Parlement...

Il réfléchit, pria puis soupira et fit rappeler Mortemart, lui demanda les ordonnances, immobilisa à l'aide de sa mâchoire le pompon de son bonnet de nuit dans le creux de son cou et, se servant de ses genoux comme d'une écritoire, les signa les unes après les autres sans même prendre la peine de les relire.

Le jour finissait de poindre et les deux hommes sortaient à reculons de la chambre du roi quand ils se heurtèrent au prince de Polignac qui attendait le lever de Sa Majesté en grand uniforme de ministre, l'habit et la cape de soie bleue à la française brodée d'or sur toutes les coutures, col haut, ceinture de moire, culotte et bas blancs, le chapeau à grandes plumes à la main et l'épée à pommeau de vermeil au côté. Il était là, dressé devant eux, comme un portrait vivant et dérisoire. Vitrolles, agacé, ne put s'empêcher de lui demander ce qu'il faisait à cette heure et dans cet accoutrement.

Polignac, sans vraiment comprendre, lui répondit, comme tiré soudainement d'un rêve :

— Quel malheur que mon épée se soit brisée entre mes mains, j'établissais la Charte sur des bases indestructibles...

Vitrolles et Mortemart s'éloignèrent du Premier ministre déchu avec la même précaution que l'on met à s'éloigner d'un fou qui soliloque.

À Dijon

La dauphine n'avait pas fermé l'œil de la nuit, elle avait tourné dans son esprit les quelques informations dont elle disposait. Une idée l'obsédait. Qu'adviendrait-il si jamais la troupe se retournait contre le roi ? Il était quatre heures du matin, aidée par sa première femme de chambre, elle était déjà prête à quitter la ville, au grand soulagement du préfet très inquiet à l'idée qu'un attroupement ne se forme à l'aube.

La berline attendait dans la cour majestueuse digne d'un hôtel du faubourg Saint-Germain, le préfet raccompagna la duchesse d'Angoulême jusqu'au marchepied. Un détachement de la gendarmerie à cheval était déjà en selle, dont le capitaine venait à la portière lui présenter ses hommages respectueux. Le convoi avait été confié à un maître de poste, homme sûr et pensant bien qui arborait à la boutonnière un flot de rubans blancs pour faire honneur à son auguste passagère. Malgré la précipitation de ce départ, la délicatesse de cette attention n'échappa pas à la princesse, mais elle n'en montra rien, simplement un peu d'apaisement sur un visage plus fermé encore qu'à l'ordinaire.

Les portes s'ouvrirent lentement en tournant sur leurs gonds parfaitement graissés, mais elles laissèrent aussitôt apparaître une petite foule hostile que les gendarmes à pied eurent du mal à contenir. Les ordres fusèrent, les postillons sautèrent sur les chevaux, ils avaient tous un poignard glissé dans leurs énormes bottes, le maître de poste fit tourner son fouet, le capitaine de gendarmerie vint se placer à la portière de la dauphine, le convoi s'ébranla dans le fracas d'un premier trot sur les pavés qui couvrit les cris et les insultes.

Très vite, la foule massée sur la place disparut dans un nuage de poussière. La grand-route de Paris n'était qu'à quelques pas, et bientôt les coteaux et le sage alignement des vignes vinrent rythmer le lent balancement de la berline. La têtc de la duchesse dodelina puis s'affaissa sur un des côtés du siège. Elle dormait enfin.

À Paris

Thiers ne décolérait pas. La nuit, il avait travaillé dans le plus grand secret à une proclamation qui fermait la porte à toutes négociations avec la cour de Saint-Cloud et appelait solennellement le duc d'Orléans à assumer les responsabilités que lui donnaient à la fois sa naissance, son histoire personnelle et sa popularité. Pendant des heures il avait écrit, raturé, déclamé son texte devant Mignet et Carrel, ses deux éternels complices. Tous les trois avaient longuement hésité, car les intentions de Louis-Philippe n'étaient pas connues : depuis le début de la semaine, personne ne savait où se trouvait le prince. Pourtant, avec l'accord de Laffitte, ils s'étaient décidés à provoquer une nouvelle fois le destin et à bousculer l'Histoire comme on bouscule une fille de ferme. L'insurrection avait chassé Charles X sans espoir de retour, la haute banque et le corps diplomatique ne voulaient pas entendre parler d'une république, tout le monde réclamait la liberté, mais personne ne charchait l'aventure, et seul le duc d'Orléans pouvait réconcilier tout le monde.

Toute la nuit, les presses du *National* tournèrent à plein régime, et Thiers triturait le premier exemplaire de cette nouvelle proclamation que des centaines de gamins placardaient déjà aux quatre coins de la ville. Il était même capable de la réciter de mémoire sans la moindre hésitation, tant chaque mot avait été choisi, réfléchi et soupesé. C'était un chef-d'œuvre de politique et de manipulation de l'Histoire au service du duc d'Orléans et de ses futurs serviteurs :

> *Charles X ne peut plus rentrer à Paris ; il a fait couler le sang du peuple.*
>
> *La république nous exposerait à d'affreuses divisions ; elle nous brouillerait avec l'Europe.*
>
> *Le duc d'Orléans est un prince dévoué à la cause de la révolution. Le duc d'Orléans ne s'est jamais battu contre nous. Le duc d'Orléans était à Jemappes. Le duc d'Orléans a porté au feu les couleurs tricolores. Le duc d'Orléans peut seul les porter encore ; nous n'en voulons point d'autres.*
>
> *Le duc d'Orléans ne se prononce pas ; il attend notre vœu. Proclamons ce vœu, et il acceptera la Charte comme nous l'avons entendue et voulue.*
>
> *C'est du peuple français que le duc d'Orléans tiendra sa couronne.*

Or cette dernière phrase résonnait en ce moment dans le crâne de Thiers comme le bourdon de Notre-Dame, et il avait envie de hurler à la face du monde que, si demain Louis-Philippe acceptait la couronne du peuple français, c'était lui, Adolphe Thiers, et pas l'archevêque de Reims, qui la lui aurait posée sur la tête. Lui qui l'aurait fait roi. Lui qui avait donné le signal de cette révolution quand tout le monde plaidait pour l'obéissance à Charles X et la soumission aux ordonnances. Lui et lui seul. Mais c'était à un autre, au préfet Édouard de Rigny, maître de requêtes au Conseil d'État et neveu du baron Louis, plusieurs fois ministre, que Laffitte, lassé d'attendre l'arrivée du duc de Mortemart, venait finalement de confier les négociations directes avec le duc d'Orléans. Cet émissaire bien né et bien marié était même déjà parti pour le château de Neuilly où l'on pensait encore pouvoir trouver le prince. Alors, Thiers, agitant sous le nez de Laffitte la déclaration qu'il tenait à la main depuis qu'elle était sortie des presses, l'encre grasse lui tachant encore les doigts, hurla à la trahison, menaça, tempêta, trépigna et obtint, de guerre lasse, un sauf-conduit pour se rendre, lui aussi, à Neuilly. Laffitte prit peur. Peur de ce petit homme et de cette puissance redoutable dont il jouait comme d'un orgue de Barbarie, la presse ! Aussi le vieux banquier griffonna les mots « Je prie monsieur le duc d'Orléans d'écouter en toute confiance le porteur de ce billet » au dos d'une de ces lettres de change en blanc dont il avait toujours auprès de lui un plein portefeuille et la tendit au journaliste survolté. Le général Pajol, le dernier hussard de l'Empereur, nommé quelques heures plus tôt par Laffitte lui-même commandant en chef de l'insurrection, signa aussitôt les passeports militaires.

Comme Thiers ne connaissait absolument personne dans l'entourage du duc d'Orléans où il ne pouvait être reçu sans recommandation, il se fit accompagner de son ami le peintre Ary Scheffer, professeur de dessin de la princesse Marie d'Orléans, mais ils devaient faire vite ; or il était devenu presque impossible de circuler dans Paris en voiture à cause des barricades élevées partout. Par souci de leur sûreté, un officier de la garde nationale les accompagnerait. Le peintre et l'officier possédaient chacun leur monture, mais Thiers était à pied. Le palefrenier des Laffitte mit donc à sa disposition l'un des magnifiques chevaux de son maître, bêtes anglaises de grand luxe, mais Thiers avait une peur bleue des chevaux, et surtout des chevaux géants sur le dos desquels il ressemblait à un gnome perché. Le journaliste perdit patience, il voulait bien un cheval, mais un cheval sur lequel il puisse monter. Un cheval de taille à peu près normale, en quelque sorte. On perdait du temps, et la colère lui brûlait de nouveau les tempes. Heureusement, il se trouva dans les écuries du prince de la Moskowa, gendre de Laffitte et grand amateur de boutures équines, le fruit d'un étrange croisement entre un poney et un percheron qui pourrait convenir au petit homme. Un lad courut le chercher. C'était un animal ridicule qui répondait au doux nom de Cob et, aidé d'une escabelle, Thiers parvint à s'y jucher. Il prit brutalement les rênes des mains du palefrenier, dont les moustaches ne dissimulaient plus le rire et, vêtu d'un frac à longues basques, d'un pantalon grotesquement serré, chaussé de simples escarpins de ville, piqua immédiatement vers Neuilly. Le peintre qui le suivait rêvait à Cervantes et regrettait pour sa part de ne pas avoir pris ses crayons.

Pendant que Laffitte tentait de nouer un dialogue avec le duc d'Orléans, La Fayette qui régnait désormais sur l'Hôtel de Ville et la place de Grève venait d'apprendre l'arrestation du duc de Chartres, le propre fils de Louis-Philippe, à la barrière de Montrouge. Là-bas, certains esprits échauffés se proposaient de fusiller ce prince qui, après tout, en valait bien un autre, mais le maire de la ville, lui, n'avait aucune envie de se trouver mêlé à un tel drame. Il avait donc adressé un message à La Fayette pour le supplier de sauver le jeune homme. À l'Hôtel de Ville, la nouvelle fit sensation. Les républicains se disaient que fusiller le duc de Chartes avant même d'avoir fait tomber la tête de Charles X dans un panier aurait pour effet de mettre une nouvelle fois en branle la grande faux de la Révolution, de rendre tout retour en arrière impossible et de barrer le passage aux Orléans par une belle flaque de leur propre sang. La Fayette hésitait. Bien sûr, il ne se donnerait jamais le ridicule d'être fait roi par la populace, mais président d'une république française, fût-elle un peu sanglante, le mettrait enfin sur un pied d'égalité avec Washington qui n'était rien d'autre avant la guerre d'Indépendance qu'un obscur planteur. Après tout, il suffisait de laisser faire le peuple et ne s'occuper de rien. Odilon Barrot s'interposa. Cette exécution serait un crime. Un crime tout aussi odieux que la mort du duc d'Enghien et avec les mêmes effets : un cri d'horreur d'un bout à l'autre de l'Europe. Les Orléans n'auraient plus qu'à rejoindre Charles X à Saint-Cloud pour y attendre que les armées de la Sainte-Alliance ne viennent – pour la troisième fois en quinze ans – rétablir les Capétiens sur le trône de Saint Louis. Il était donc impératif de relâcher le duc de Chartres sur-le-champ. La Fayette, qui se refusait à prendre le pouvoir au prix de sa réputation, acquiesça. On confierait cette mission à un jeune homme qui en imposait car il enseignait à ces polytechniciens dont l'esprit de méthode avait fait merveille sur les barricades et auxquels les émeutiers témoignaient autant d'admiration que d'obéissance. Odilon Barrot fit établir le laissez-passer au nom d'un certain Auguste Comte.

Dès sept heures du matin, le lourd heurtoir de bronze frappa à la porte de l'hôtel de la comtesse de Boigne qui, demeurée tout habillée, se leva d'un bond pour aller voir aux fenêtres donnant sur la rue d'Anjou. Elle aperçut une dizaine d'ouvriers, outils sur l'épaule, et, prise d'angoisse, vit sa maison livrée au pillage quand une femme de chambre vint la prévenir que les ouvriers qui avaient déserté les lieux depuis trois jours étaient de retour et prêts à reprendre le chantier. L'émeute ne nourrit pas son homme, et il fallait bien gagner son pain avec l'argent des bourgeois. À peine la maîtresse de maison était-elle revenue de sa frayeur qu'un terrible roulement de tambour éclata dans la rue. Cette fois, elle en était certaine, l'armée royale donnait l'assaut à la ville, tout allait être maintenant à feu et à sang. La curiosité étant toujours chez elle plus forte que la peur, la comtesse s'approcha derechef de la croisée ouvrant sur la rue pour assister à un spectacle du plus haut comique. Benjamin Constant, l'éternel amant de Germaine de Staël, la girouette des Cent-Jours, l'auteur d'*Adolphe*, était transporté sur un brancard transformé en litière par un cortège de théâtre. Le vieux député libéral trempé dans toutes les sentines politiques du Directoire sans grand succès politique faisait le personnage et, refusant d'un geste empathique les applaudissements que personne, dans cette rue tranquille, ne pensait lui adresser, saluait les balcons vides. La comtesse, que cette scène égaya à l'extrême, descendait son escalier pour l'aller voir d'un peu plus près quand elle croisa son portier en chemin qui venait lui remettre quelques lettres parmi lesquelles se trouvait notamment le sauf-conduit pour Saint-Cloud qu'elle avait réclamé la veille pour le baron de Glandevès. Elle en ouvrit une autre, celle-là signée de monsieur de Chateaubriand, dans laquelle le grand homme lui demandait de bien vouloir lui pardonner de n'être pas venu présenter ses hommages du matin, mais il avait été arrêté dans son intention par une foule en liesse qui l'avait porté, bien malgré lui, en triomphe dans les rues de son quartier. La seule idée que ces deux grands rivaux de plume, dont l'amour-propre permettait d'éclairer à la lumière d'une simple réalité humaine la notion d'infini, s'étaient donné le même jour un même ridicule aurait fait sourire la comtesse si les cris de madame de La Bédoyère ne l'avaient, de nouveau, effrayée. On cherchait maintenant à forcer les portes de l'hôtel voisin dans un vacarme affreux. Cette révolution finissait par vous rompre la tête à défaut de la trancher. Une foule bruyante escortait à présent un fût de canon pris aux troupes royales dans le but d'en faire l'hommage civique au citoyen La Fayette, auguste locataire des lieux. Ce n'était plus la révolution, c'était le carnaval, mais un carnaval de mauvais aloi et qui sentait fort. Les hommes avaient déjà chaud, ils avaient bu pour se désaltérer le vin que les bourgeois, heureux de s'en tirer à si bon compte, montaient de leurs caves et des femmes affreuses, toutes peinturlurées de vices, les accompagnaient en chantant des choses ignobles mais, sauf leur aspect repoussant, tous ces gens ne paraissaient pas bien méchants. On eut quelques peines à les convaincre d'aller porter cette belle pièce d'artillerie à l'Arsenal, quand enfin valets et domestiques, eux-mêmes révulsés par un tel spectacle, parvinrent à vider la cour et à fermer les portes. Il fallut encore aller chercher les sels des Indes pour madame de La Bédoyère qui perdit connaissance après qu'elle avait cru perdre et la vie et l'honneur.

La voiture abandonnée dès le bois de Boulogne pour éviter au duc de Mortemart et à ses compagnons d'être pris sous le feu croisé de la garde royale et des francs-tireurs parisiens venus préparer en éclaireurs un assaut sur Saint-Cloud, c'était donc à pied que le nouveau Premier ministre du roi de France s'apprêtait à faire son entrée dans une capitale soulevée. À Auteuil, après une courte halte à la maison de campagne de son beau-frère Palamède, le duc décida d'éviter la barrière de Passy, où l'attendait pourtant un contingent de la garde nationale chargé de lui faire escorte jusqu'à l'Hôtel de Ville, et préféra entrer dans Paris par le pont de Grenelle, la rive gauche ayant été jugée plus sûre. Le chemin fut long, mais à huit heures et demie du matin les naufragés de la monarchie étaient quand même parvenus à franchir sans encombre les fossés des Invalides, le pont Louis-XVI puis la place Louis-XV encore jonchée des bagages abandonnés de la garde et à remonter la rue Royale. Ce petit groupe de bourgeois mal vêtus, mal rasés, l'air harassés de fatigue et marchant à pied n'attirait pas l'attention de

Parisiens habitués aux cortèges éblouissants de voitures aux roues dorées qui, quelques jours plus tôt, gagnaient les Tuileries à un train d'enfer. Une fois au croisement avec une rue Saint-Honoré entièrement hérissée de barricades, on tint conseil sur le pavé de Paris, ou plus exactement ce qui en restait. Monsieur d'Argout échaudé par son interminable périple du jour précédent parvint à convaincre le duc de Mortemart qu'il lui serait impossible d'arriver vivant à l'Hôtel de Ville devenu le siège d'une sorte de Comité de salut public enragé à proclamer la république. Il ajouta que le sort du roi Charles X et de son gouvernement ne pouvait maintenant se jouer qu'en ouvrant un dialogue direct avec monsieur Laffitte chez lequel se regroupaient depuis la veille les gens raisonnables, les hommes de talent et les esprits sérieux. Le drapeau tricolore qui flottait sur le fronton de l'église de la Madeleine ne présageait en effet rien de bon. On changea donc encore une fois de direction et l'on obliqua par la rue Duphot pour se perdre entre les palissades de ce quartier neuf avant de franchir de nouveau plusieurs barricades. La ville offrait un visage fermé. Les volets restaient obstinément clos alors que le soleil était levé depuis plusieurs heures, aucune devanture de boutique n'était relevée, et les arbres coupés jonchaient le boulevard. On fut heureux de déboucher, enfin, au bas de la rue des Mathurins. L'hôtel du banquier Laffitte se trouvait désormais à moins d'une demi-lieue. Ce n'était rien pour des hommes qui marchaient depuis l'aube, et ils pressèrent le pas comme des chevaux fourbus qui sentent l'écurie. Quelques particuliers descendaient en sens inverse. Ils portaient le frac, la canne et la cravate, on pouvait donc les croiser sans trop de danger. Certains trahissaient même la vie militaire par leur démarche raide et décidée. On reconnut le vieux général Mathieu Dumas accompagné de son fils le capitaine Christian Dumas et de son gendre, le député de Seine-et-Oise, Louis Bérard. C'était là une famille libérale à faire peur, les plus âgés avaient signé, quatre mois plus tôt, la fameuse adresse des deux cent vingt et un qui avait tant ulcéré le roi et qui était en réalité la cause de toute cette catastrophe, mais ils restaient, surtout dans de telles circonstances, gens de bonne compagnie. On se salua, et le vicomte d'Argout présenta le député Bérard au duc de Mortemart que plus personne n'attendait. Le député de Seine-et-Oise habitait en vis-à-vis, il invita ces messieurs à prendre quelque repos chez lui bien que, depuis le début des événements, il fût un des partisans les plus intransigeants de la résistance aux ordonnances. Lorsqu'il apprit que ses hôtes allaient négocier directement avec Laffitte, Bérard empoigna le bras de Mortemart et, s'approchant jusqu'à lui souffler dans la figure, lui dit :

— Il ne faut pas aller chez Laffitte ; il y va de la sûreté de votre personne ; au reste vous venez pour traiter d'un accommodement ? Eh bien, il est trop tard !

Sa phrase n'était pas terminée que le général Dumas renchérit en décrivant les portes de l'hôtel Laffitte assiégées par des hommes en armes bien décidés à faire un mauvais sort aux envoyés du roi Charles X. Certains menaçaient même de venger la mort du maréchal Ney, dont le fils était devenu le gendre du banquier, en fusillant tous les pairs de France qui passeraient à leur portée. Mortemart protesta qu'il était bien trop jeune à l'époque pour avoir pu prendre part au procès du maréchal Ney, mais on fit tant qu'on l'effraya et qu'il changea de nouveau de projet et de direction. Il fut alors convenu de se séparer. Le secrétaire du duc, qui l'accompagnait depuis le début de son périple, irait l'attendre à son hôtel de la rue Grenelle-Saint-Germain. Le duc se fit alors remettre l'original des ordonnances signées par le roi que le jeune Mazas conservait depuis le matin dans la doublure de sa veste. Lui-même allait rebrousser chemin pour gagner le palais du Luxembourg. Là, il se mettrait sous la protection de la Chambre des pairs et commencerait à y établir un gouvernement. Il ne pouvait pas continuer à exposer sa dignité de Premier ministre, et donc celle du roi, à toutes les vicissitudes d'une rue en révolution. Sa vie n'était rien, mais l'honneur d'une charge dont il n'avait pas voulu, Dieu lui en était témoin, exigeait qu'il le défende. Il convenait donc de le mettre à l'abri.

Au château de Neuilly

Les trois cavaliers partis de chez Laffitte purent, grâce à leurs laissez-passer, atteindre la villégiature des Orléans sans trop de difficulté. Contrairement à leurs craintes, le château n'était pas encerclé par la garde royale. La famille princière restait donc libre, mais ses portes étaient fermées à double tour. On frappa, on tambourina, on cria, on appela. Des laquais en petite livrée d'été accoururent. Thiers, d'autorité, demanda aussitôt à parler au duc d'Orléans. Un premier valet de chambre lui répondit que Son Altesse Royale n'était pas chez elle. Le ton monta, des éclats de voix inusités se firent entendre dans l'antichambre. Thiers exigeait d'être entendu et ne cessait de répéter : «Le moment est décisif, il fallait maintenant que « l'on s'explique ». Le premier valet de chambre s'éclipsa quelques instants pour revenir accompagné du chevalier d'honneur de la duchesse. Elle acceptait de les recevoir en présence de sa belle-sœur, mademoiselle d'Orléans. Les trois hommes furent donc introduits dans le salon de compagnie, Ary Scheffer ouvrant la marche pour rassurer les deux princesses qu'il connaissait bien.

La duchesse se tenait debout, un mouchoir à la main, deux yeux bleus délavés par les larmes encadraient le fameux nez de famille qui l'attachait irrémédiablement à ces Bourbons dont la France ne voulait plus. Ses cheveux un peu roux étaient emmaillotés dans un bonnet de fine chantilly à très longues barbes sur lequel une femme de chambre, inspirée par les beaux jours de juillet, avait trouvé bon de fixer un immense chapeau de paille blonde à bord relevé orné de rubans de taffetas rayé piqué de roses trémières. La pauvre Marie-Amélie, dont le visage ingrat disparaissait presque sous ce savant échafaudage, semblait comme écrasée par la carrure de sa belle-sœur, qui se tenait un pas derrière elle mais dont le regard fixait intensément la petite délégation d'un air impérieux et décidé. Thiers fut immédiatement frappé par la ressemblance de cette grande femme avec son frère Louis-Philippe. Il crut même un moment à une ruse du prince qui se serait travesti pour tromper son monde. En commençant sa harangue, il regardait la duchesse mais s'adressait à sa belle-sœur en orateur accompli, déroulant avec feu les raisons qui exigeaient désormais que le duc d'Orléans accepte de ramasser la couronne que le vieux Charles X avait laissée tomber par terre.

Saisie par la colère des timides et rappelée à l'ordre par la conscience de son rang, Marie-Amélie s'insurgea et interrompit ce bavard mal élevé qui lui vantait sa politique comme un bonimenteur des Halles l'aurait fait d'une marchandise douteuse. Elle ne pouvait pas se compromettre davantage à écouter un dément qui lui parlait du roi son oncle comme d'un vieillard que l'on devait conduire à l'asile. N'ayant jamais été officiellement présentée à ce monsieur Thiers, elle répondit au seul personnage auquel il lui était permis de le faire sans manquer aux usages, le professeur de dessin de sa fille. Le ton était sec, et un seau d'eau glacé tomba alors sur la tête du peintre :

— Monsieur, comment avez-vous pu vous charger d'une telle mission ?

Puis, désignant de son regard bleu de France le petit homme qui gesticulait devant elle depuis cinq minutes, elle ajouta avec un mépris souverain :

— Que monsieur l'ait osé, je le conçois : il ne nous connaît pas. Mais vous !... monsieur... comment ? Vous avez pu penser que nous ferions passer dans notre maison une couronne arrachée à un vieillard qui s'est toujours montré fidèle et ami généreux ? Jamais ! Vous m'entendez ? Jamais !

Mademoiselle Adélaïde n'eut plus alors d'autre choix que de se joindre aux protestations de fidélité au roi de sa belle-sœur, mais tout dans son regard encourageait Thiers à poursuivre. Au fond de son âme, elle se sentait prête, comme autrefois la Grande Mademoiselle, à faire tirer les canons de Paris sur les troupes de son cousin le roi de France ! La couronne qui échappait à sa famille depuis plus d'un siècle était cette fois à portée de main. Un mot, un geste pouvaient permettre de s'en emparer enfin. Une hésitation, un faux pas pouvaient tout faire manquer, et ce serait alors une nouvelle fois l'exil à partager avec ces vieux spectres de Versailles. Elle se permit un signe d'approbation, et Thiers s'en saisit. Pour la première fois de sa vie, il était parvenu à se hisser sur le grand théâtre de l'Histoire, personne ne serait de force à l'en faire redescendre. Il n'était rien. Il voulait parvenir à tout. Alors il s'emporta, il s'enflamma, il décrivit la situation telle qu'elle était, sans fard ni faux-semblants. Charles X avait joué mais il avait perdu. La place était à prendre. Les candidats ne manquaient pas. Certains s'accommoderaient du duc de Bordeaux, voire de l'impuissant duc d'Angoulême, d'autres du duc de Reichstadt; La Fayette se verrait bien, quant à lui, président d'une république à la sauce américaine. La révolution avait fait table rase. Tout devenait possible, et il existait en faveur du duc d'Orléans un formidable alignement des planètes politiques. Il était d'esprit assez libéral pour s'attacher les libéraux et de sang suffisamment royal pour rassurer les royalistes, mais attention à ne pas rater la marche car alors la chute serait vertigineuse. Et Thiers de menacer froidement les deux princesses effarées par cet ouragan de mots qui les emportait :

— Votre mari, votre frère peut perdre tous ses avantages en un seul jour, et les plus rapides seront les plus habiles : les trônes sont au premier occupant ! Qu'il vienne aujourd'hui au milieu de Paris déclarer qu'il se rallie à la révolution !

La duchesse d'Orléans, aucunement préparée à répondre à une telle harangue car elle n'entendait rien à la politique, restait silencieuse et, le regard perdu, laissa alors la voie libre à sa belle-sœur qui s'y engouffra en faisant don de sa personne au destin de son frère. Elle déclara donc avec une modestie d'apparat :

— Si vous croyez, monsieur, que l'adhésion de notre famille puisse être utile à la révolution, nous la donnons volontiers. Une femme n'est rien dans une famille. On peut la compromettre. Je suis prête à me rendre à Paris... J'exige une seule chose, c'est que monsieur Laffitte et le général Sébastiani viennent eux-mêmes me chercher.

Thiers, qui n'en demandait pas tant, triomphait. Son ambassade était un succès, les Orléans acceptaient de rentrer dans une danse dont il était depuis quatre jours le maître de ballet. Demain, le nouveau roi de France lui devrait sa couronne. Sa réponse fut aussi définitive que théâtrale, presque un alexandrin :

— Madame, aujourd'hui, vous placez la couronne dans votre maison.

On fit raccompagner la petite délégation après lui avoir offert de se restaurer. Le Marseillais n'en revenait pas d'être servi dans des assiettes presque royales par des valets qui le dépassaient de deux têtes mais gardaient la leur inclinée. On se sépara contents les uns des autres. Mademoiselle Adélaïde, qui s'y était engagée en aparté avec Thiers, alla à son secrétaire pour adresser une lettre à son frère l'engageant à quitter sa cachette pour la retrouver à Paris où tout se jouait, et la duchesse Marie-Amélie se précipita à la chapelle, ne sachant si elle devait prier pour le succès de son époux ou pour le salut de son oncle. Elle choisit donc d'implorer Dieu pour le bonheur de la France.

À *Saint-Cloud*

Muni de son laissez-passer, le baron de Glandevès se présentait aux grilles du parc de Saint-Cloud au moment même où Thiers franchissait celles du château de Neuilly, le passé et l'avenir empruntaient désormais des chemins différents. Son grade de lieutenant général lui donnait les entrées du cabinet où il lui était loisible de pénétrer à tout instant pour demander à voir le roi. En homme de cour sûr de ses droits et plastronné de tous ses ordres, le baron traversa les grands appartements où quelques domestiques sommeillaient plus qu'ils n'assuraient leur service et se présenta à l'huissier pour se faire annoncer. À l'aube, il avait lui aussi tenté, de son propre chef, une tentative de conciliation avec Laffitte en personne, en vain. Il venait donc rendre compte au roi de l'évacuation des Tuileries, de l'état de la capitale et de ses démarches. Le temps pressait, et il devait être entendu. Il lui fut répondu d'attendre, comme l'exigeait l'étiquette, le passage du roi se rendant à la messe pour solliciter de Sa Majesté l'honneur d'une audience privée. Le cortège n'allait pas tarder. Il insista violemment. Il connaissait parfaitement l'étiquette qu'il se chargeait de faire respecter aux Tuileries, même en l'absence du roi, mais ce qu'il avait à dire à Sa Majesté était de la plus haute importance. L'huissier faisant le service du cabinet, impressionné par l'emportement du baron de Glandevès, se permit d'aller gratter de nouveau à la chambre du roi qui se décida à recevoir le gouverneur de son château des Tuileries, immédiatement introduit. Le roi n'était pas seul. La présence du baron de Damas, gouverneur du duc de Bordeaux, et de quelques courtisans bien connus pour leur ultracisme ne faciliterait pas l'entretien et, de fait, le roi offrit au baron le visage de la disgrâce. Glandevès monta plusieurs fois à la charge pour tenter de démontrer que seules des mesures énergiques pouvaient encore renverser le cours des événements, cependant il ne récolta que paroles vagues. Alors le vieux gouverneur se permit l'inconcevable pour un fidèle serviteur de la Couronne rompu au langage de cour :

— Sire, je vois bien que le roi ne veut pas m'écouter ; je me bornerai donc à lui demander ses ordres sur ce que je dois devenir.

La réponse tomba comme une lettre de cachet :

— Retournez à vos Tuileries.

Interloqué, Glandevès crut que Charles X voulait plaisanter :

— Le roi oublie qu'elles sont envahies et que le drapeau tricolore y flotte.

Mais le roi ne plaisantait pas, il le congédiait :

— Il est pourtant impossible de vous loger ici.

Il ne restait pas d'autre choix que de s'incliner :

— En ce cas, Sire, je partirai pour Paris.

— Et vous ferez très bien.

— Le roi n'a pas d'autres ordres à me donner ?

— Non, pas moi, mais voyez mon fils, bonjour Glandevès.

Obéissant à l'injonction, le baron prit congé. En traversant l'enfilade des salons pour se rendre chez le dauphin, il fut pris à partie par quelques courtisans qui cherchaient à savoir ce qui se passait réellement à Paris, s'inquiétaient pour leurs biens et leur famille, certains se préparant même à partir pour une nouvelle émigration dont ils se disaient qu'elle serait cette fois sans retour. La duchesse de Gontaut était dans les lamentations et accablait de reproches amers le prince de Polignac qui, toujours en grand habit de ministre, promenait son flegme sous les plafonds peints par Mignard. À chaque reproche, le ministre déchu disait à la cantonade :

— Mais ayez donc la foi, ayez donc la foi, elle vous manque à tous !

Il est certain que, ce jour-là, on voyait dans les yeux des courtisans plus de peur que de ferveur.

Glandevès passa son chemin et se contenta d'un salut aussi bref que protocolaire à l'ancien Premier ministre. Il entra sans difficulté dans le cabinet du dauphin qui tapotait sur son baromètre et ne lui adressa pas le moindre mot. Le baron se décida alors à prendre la parole :

— Monseigneur, le roi m'envoie savoir si monseigneur a quelque ordre à me donner pour Paris où je retourne.

Sans quitter des yeux l'aiguille du baromètre de bronze doré, le dauphin d'un ton las répondit :

— Moi, non, quel ordre aurais-je à vous donner ? Vous n'êtes pas de mon armée.

Et il tourna ostensiblement le dos à son interlocuteur de façon à lui signifier que l'entretien était terminé.

À Paris

Mortemart, harassé, les yeux fiévreux et les pieds en sang dans ses escarpins de chevreau, arrivait au palais du Luxembourg après une marche interminable à travers Paris. Il grelottait de fièvre, avait les entrailles nouées et les idées brouillées. Le marquis de Sémonville l'attendait impatiemment, il était parvenu à regrouper autour de lui une vingtaine de pairs pour assurer au nouveau gouvernement et à son chef désigné par le roi un semblant d'assise parlementaire. Il tentait même de joindre aux pairs du royaume quelques députés de droite, soutiens du régime, pour venir renforcer une légitimité chancelante. Sourd à toutes ces combinaisons politiques, Mortemart, dont les jambes ne le soutenaient plus, implora du grand référendaire de lui faire préparer un bain chaud dans lequel il se plongea avec l'espoir de voir baisser sa fièvre. Pendant que les laquais faisaient couler l'eau dans le grand baquet de cuivre rouge, le marquis de Sémonville, assis sur sa propre chaise de commodité transformée en fauteuil de présidence, exhortait le nouveau Premier ministre à prendre sur-le-champ les actes d'administration nécessaires au retour de l'ordre public. Seules de véritables décisions de gouvernement permettraient d'établir au palais du Luxembourg le siège d'un pouvoir capable de s'opposer aux folies républicaines de l'Hôtel de Ville comme aux manigances sournoises de l'hôtel Laffitte qui n'avaient déjà que trop intrigué et circonvenu les quelques députés qui siégeaient désormais au Palais-Bourbon. Mortemart, à travers les vapeurs de son bain, tentait de reprendre ses esprits. Il envoya un domestique lui chercher à son hôtel du linge propre, un habit neuf et, dans le cas où plus d'apparat se révélerait nécessaire, un uniforme de lieutenant général. Les pairs entraient maintenant dans la salle de bains où il siégeait comme si ce fût son cabinet, mais, lorsqu'il leur exprima sa volonté, une fois reposé, de se diriger vers l'Hôtel de Ville pour y faire enregistrer les nouvelles ordonnances, ce fut un cri unanime. Il ne pouvait pas prendre un tel risque, quitter le Luxembourg, c'était condamner le pouvoir légitime à une nouvelle itinérance à travers Paris et exposer sa personne, mais aussi son rang, à toutes les avanies populaires. On décida que le comte de Sussy, dont l'esprit de modération politique était connu des libéraux et des Parisiens, irait lui-même porter les ordonnances, d'abord au Palais-Bourbon, puis à l'Hôtel de Ville, mais que Mortemart resterait sous la protection de la pairie. On eut pourtant toutes les peines du monde à obtenir de lui qu'il se dessaisisse de l'original des documents puis, de guerre lasse, il céda et sortit de son bain pour signer, nu comme un ver, la levée de l'état de siège et ordonner au *Moniteur* de publier les nouvelles ordonnances. Ce fut le moment où l'on vit arriver dans la grande cour du palais du Luxembourg le vicomte de Chateaubriand, porté en triomphe par une foule d'étudiants débraillés qui criaient à tue-tête : « Vive le défenseur de la liberté de la presse ! » L'auteur du *Génie du christianisme* n'eut conscience du parfait ridicule de cette scène qui l'avait vu ainsi promené comme une bête de foire depuis la colonnade du Louvre jusqu'aux galeries du Palais-Royal, et du Palais-Royal à celui du Luxembourg, qu'une fois qu'il eut ajusté son habit, donné un coup de peigne à ses cheveux et repris place au milieu de ses pairs. Inquiet de la risée que cette farandole ne manquerait pas de déclencher dans les salons parisiens, il s'empressa d'écrire depuis son pupitre une lettre à la comtesse de Boigne dont la conversation toujours sucrée pouvait se révéler plus méchante que la morsure de l'aspic.

À l'Hôtel de Ville, le marquis de La Fayette s'enivrait de cette popularité qui est à la politique ce que l'encens est au culte des dieux. Chaque fois qu'il paraissait au balcon, c'étaient des acclamations sans fin, et il ne pouvait pas faire un pas hors du salon dont il avait fait son cabinet sans être accablé de sollicitations et de flatteries qu'il payait comptant en distribuant les caresses et les embrassades câlines, quels que fussent l'âge ou le sexe de ses admiratrices et de ses partisans. Jamais il n'avait autant mérité son surnom de « Père Biseur », et il se croyait revenu au temps de la fête de la Fédération où un peuple immense, ivre de liberté et de grands mots, tirait son char de triomphe sur le Champ-de-Mars. Toutes les heures, des délégations arrivant des faubourgs ou des phalanstères agitaient des drapeaux et brandissaient des pétitions réclamant la république pour le prix des morts et le respect des martyrs. Le « héros des Deux Mondes » n'avait qu'un mot à dire, et le peuple de Paris lui offrait sur l'instant une couronne de laurier et une toge bleu-blanc-rouge. Des élèves des Beaux-Arts, fidèles à leur esprit farce, l'appelaient déjà « Gilles-César », et il leur souriait comme un enfant dont les aînés se moquent en l'affublant d'un vieil uniforme. Allait-il sauter le ruisseau qui le séparait des Tuileries conquises comme l'autre avait franchi le Rubicon ? Il s'interrogeait, il se regardait, se laissait tenter puis se reprenait. Qu'un George Washington se soit cru flatté d'être élu président des États-Unis, il pouvait le concevoir, le pauvre n'avait ni nom ni naissance, toute illustration était donc bonne à prendre pour hisser une famille de planteurs protestants au-dessus de sa triste condition, mais lui ? Lui, Gilles Motier, marquis de La Fayette, dont le nom et les titres prenaient racine dans la nuit de temps immémoriaux, lui dont la famille avait donné un maréchal de France pendant la guerre de Cent Ans, un évêque à Limoges et même une favorite royale morte en odeur de sainteté, allait-il se laisser tenter par une gloriole de si bas étage ? Présider une république pouvait faire rêver un fils de boutiquier, un riche créole à la rigueur, mais pas le «héros des Deux Mondes», pas le marquis de La Fayette, pas lui ! Aussi, lorsque Charles de Rémusat, son petit-fils par alliance, un peu inquiet du vent de folie républicaine qui soufflait entre l'église Saint-Germain-l'Auxerrois et l'Hôtel de Ville, mais guère au-delà alors que le seul choix raisonnable était le changement de dynastie, vint lui demander ses intentions, il se montra sous le jour dont il aimait s'éclairer pour la postérité. Celui du vieux Romain, généreux et magnanime, qui ne connaît pas d'autre intérêt que celui du bien public et qui, après avoir vaincu, tel Cincinnatus, dépose les armes pour reprendre la charrue et tracer des sillons.

La taille toujours bien prise dans son uniforme de commandant de la garde nationale, il attira à lui ce jeune homme talentueux qui avait épousé sa jolie petite-fille et dans les yeux duquel il croyait déjà voir s'élever un monument à sa gloire pour lui déclarer :

— Qu'on me laisse faire, et le duc d'Orléans sera roi, aussi vrai que je ne le serai pas !

Soulagé de voir que le soleil de juillet et l'exaltation de ces journées populaires n'avaient pas égaré le grand homme au-delà des bornes de la bienséance politique, Charles de Rémusat lui assura qu'il avait bien raison, qu'il n'existait pas d'autre choix, et se précipita à la Chambre des députés où Thiers se faisait fort de gagner son pari.

Aussi, lorsque le comte de Sussy parvint enfin à l'Hôtel de Ville pour présenter l'original des ordonnances royales et la composition du nouveau ministère au marquis de La Fayette, il fut reçu avec une courtoise indifférence. C'est à peine si on voulut bien lui en donner récépissé. Le représentant de la Chambre des pairs insista pour que des négociations avec le nouveau gouvernement du duc de Mortemart s'engagent. Les commissaires politiques qui formaient le gouvernement insurrectionnel s'y opposèrent de toutes leurs forces. Plus enragé qu'aucun autre, Puyraveau ne cessait de répéter : « C'est trop tard ! C'est trop tard ! » Sans se départir de son éternel sourire, La Fayette quitta la pièce, s'avança de quelques pas vers la foule hétéroclite qui encombrait l'Hôtel de Ville et, d'un ton calme, se mit à lire la première ordonnance. Il venait de trouver le moyen de mettre tout le monde d'accord car, en quelques instants, le peuple s'enflamma comme de l'étoupe, et des hurlements résonnèrent d'un bout à l'autre du vénérable bâtiment jusqu'à incendier la place de Grève. On ne criait plus, on vociférait :

— Plus de Charles X ! Plus d'ordonnances ! Plus de Bourbons !

Certains allant plus loin proposaient de jeter à la Seine le scélérat qui avait osé se faire le messager d'un roi parjure, et Sussy alla immédiatement se réfugier dans le Salon rond. Satisfait de son effet, le marquis de La Fayette rentra dans la pièce dont il fit fermer les portes et déclara au comte de Sussy plus mort que vif :

— Vous avez entendu ? C'en est fini des Bourbons, il faut vous résigner…

Et d'ajouter :

— Hier il eût été temps ; aujourd'hui il est trop tard.

Au château de Saint-Cloud

Sans nouvelle de son Premier ministre, le roi tuait le temps dans ses petits appartements, le dauphin interrogeait anxieusement son baromètre, le prince de Polignac cherchait la divine Providence sous les marbres de la galerie de Diane, les ministres déchus, moins confiants néanmoins, tentaient de trouver un passeport et un cheval frais, les derniers courtisans bouclaient leurs malles, les huissiers continuaient à se lever sur leur passage, mais de mauvaise grâce, avant de déguerpir à leur tour.

Rendue à la vie depuis qu'elle savait ses amours engloutis par la Seine, la duchesse de Berry tenait conseil dans son boudoir avec le fidèle Mesnard, son premier écuyer, le gendre de celui-ci, le marquis de Rosanbo, le comte de Brissac, son chevalier d'honneur, quelques valets intérieurs et enfin l'officier du pont Royal dont les bandages témoignaient encore de la violence des coups qui lui avaient été assenés la veille par les gardes nationaux en faction aux Tuileries. La princesse, dont la tête pouvait désormais se préoccuper de politique, agitait un plan qu'elle voulait mettre à exécution le plus vite possible. Tous ces messieurs qui conseillaient encore le roi se trompaient lourdement. On vivait à Paris non pas une révolution, mais une nouvelle Fronde fomentée, comme toujours, par la branche cadette. Aussi, la tête pleine des mémoires de ce temps, la princesse ne pouvait pas faire moins que madame de Longueville, la sœur des princes de Condé et de Conti, qui s'était rendue à l'Hôtel de Ville alors qu'elle était au bord d'accoucher pour y défendre les intérêts de ses frères et offrir son enfant à naître en otage aux frondeurs. Elle n'était pas moins courageuse que les princesses du Grand Siècle et défendrait elle-même les intérêts de ses enfants. Il lui suffirait de présenter le jeune duc de Bordeaux à la foule pour gagner le cœur du peuple de Paris, se faire aussitôt déclarer régente de France et sauver la couronne de son fils. Les hommes qui l'entouraient applaudissaient à cet héroïsme digne des vieux romans mais opposaient mille difficultés, redoublaient de prudence et tergiversaient. Les larmes montaient aux yeux de la petite duchesse devant tant de pusillanimité masculine quand des cris éclatèrent dans le parc. Les officiers mirent la main à l'épée, et tout le monde se précipita dans les escaliers. On entendait la garde crier distinctement : « Vive le roi ! Vive la Charte ! » Des shakos et des bonnets de poils volaient en l'air.

On apprit quelques minutes plus tard par le baron d'Haussez qui remontait de la terrasse sur la Seine, tout essoufflé et rouge d'indignation, que ces cris de joie étaient provoqués par une proclamation signée du maréchal Marmont qui annonçait aux troupes restées fidèles que, grâce aux concessions accordées par le roi, un accord politique était en cours de négociation avec l'insurrection. Qu'à Paris les combats venaient de cesser et que chaque soldat recevrait bientôt de la part de Sa Majesté un mois de solde. D'où leur enthousiasme. Le ministre ne cessait d'entrecouper son récit d'imprécations contre Marmont qui n'était plus en situation de prendre de telles décisions, surtout sans en référer au roi ou au dauphin. Il existait à Saint-Cloud une petite coterie d'ultras qui ne désarmaient pas, et ceux qui avaient tout fait pour empêcher la nomination de Mortemart, avant de chercher à entraver son retour pour Paris, ne pouvaient admettre que la proclamation du maréchal Marmont ne vienne donner du crédit à une solution négociée jusque sous les fenêtres de Saint-Cloud. Laisser entendre aux troupes que le roi cédait aux insurgés, c'était les encourager à déserter ou, pire, à se joindre à l'insurrection. La duchesse de Berry que cette agitation contrariait demanda avec dédain en parlant de Marmont :

— Est-ce qu'il trahit encore, celui-là ?

Dès que le dauphin eut appris par le baron d'Haussez, ce que confirmaient plusieurs officiers, que le maréchal avait publié une déclaration destinée aux troupes sans même lui en avoir fait part, il entra dans une colère noire et convoqua Marmont.

À peine celui-ci était-il en sa présence que le dauphin agita sous son nez la feuille sur laquelle la déclaration avait été rédigée à la main et distribuée aux officiers :

— Maréchal, comment un ordre du jour a-t-il pu être rédigé et publié ici, à mon insu ? Comment ? Qui a pu donner un tel ordre ?

Marmont, dont la taille écrasait littéralement celle du dauphin, plus contrefait qu'un Bourbon d'Espagne, ne marqua ni étonnement ni surprise, prit le papier qui lui était tendu, le lut attentivement comme pour augmenter la colère du prince et répondit très calmement :

— C'est moi, monseigneur…

Le dauphin, que ses mouvements désordonnés d'épaules reprenaient chaque fois qu'il était sujet à l'émotion, s'appuyait sur le dossier du fauteuil placé devant pour tenter de se hisser à la hauteur de son interlocuteur, et le dialogue tourna bientôt à l'orage :

— Maréchal, dois-je comprendre que vous avez donné un ordre du jour à la garde sans m'en prévenir? Vous oubliez donc que je commande?

— Non, monseigneur, mais comme major général de la garde royale de service, j'ai le droit de prendre directement les ordres du roi...

— Vous méconnaissez donc l'ordonnance qui m'a nommé généralissime? Vous me bravez ouvertement? Je vous mets aux arrêts!

Marmont ne se contentait plus de regarder le dauphin, il le toisait maintenant avec l'air de mépris que peuvent avoir les soldats sortis du rang pour les officiers dont les épaulettes ont été gagnées dans les antichambres des ministres et ne disait mot. Désappointé, le prince chercha à s'emparer de l'épée du maréchal qui, après l'annonce de sa mise aux arrêts, aurait dû la lui remettre sur-le-champ. Le duc de Raguse repoussa violemment le dauphin en lui jetant à la figure:

— Mon épée, monseigneur? Vous n'y pensez pas, j'aime mieux la briser que de vous la laisser prendre!

Pris de tremblement nerveux, les pupilles dilatées, submergé par la colère et suffoqué par l'affront inouï dont il était l'objet, le duc d'Angoulême arrêta au bord de ses lèvres la bordée d'injures de palefrenier qui lui montait à la bouche. Il voulait une réponse qui soit à la hauteur de l'offense, un mot royal, un de ces mots qui survive à travers les siècles à ceux qui les ont prononcés pour avoir tué net l'adversaire. Alors qu'il était d'habitude si lent à rassembler ses pensées, il répliqua presque aussitôt dans un grincement de dents:

— Traître, misérable traître, vous voulez faire avec nous comme avec l'autre?

L'insulte atteignit Raguse en plein cœur. Il vacilla, perdit ce calme qui depuis le début de la conversation lui permettait de tenir le dauphin à longueur de gâche. Il avait osé ! Ce nabot, cet avorton de race, cette rincée de saillie avait osé ! Il osait lui reprocher la capitulation de Paris et les négociations sans lesquelles jamais les Bourbons n'auraient pu reprendre pied en France ! Il osait lui reprocher de leur avoir sacrifié Napoléon, sa gloire passée et son honneur de soldat ! C'était à n'y pas croire ! C'était à devenir fou ! C'était surtout à lui foutre sa main sur la gueule. Marmont ne voyait plus rien, la fatigue, la fureur et la haine l'aveuglaient. Il tira son épée non pas pour la remettre à ce demi-Louis qui tremblait en face de lui, mais pour le saigner, pour en finir avec cette race d'ingrats.

Il suffit au duc d'Angoulême d'une lueur dans le regard de Raguse pour comprendre. Cette fois il eut vraiment peur et appela à l'aide. Deux valets de chambre qui écoutaient aux portes depuis les premiers éclats de voix, prêts à intervenir, firent aussitôt irruption, ce qui empêcha un crime. Le duc de Guiche, premier écuyer du duc d'Angoulême, lui aussi alerté par le bruit, arriva à son tour. Le dauphin profita de cette diversion pour se jeter sur Marmont, resté immobile et indécis, et lui arracher son épée des mains. Le maladroit saisit la lame par le tranchant et se coupa les doigts. Il hurla de douleur. Le sang gicla sur les uniformes et les livrées. Le maréchal, revenu à lui, se laissa faire. Il avait trahi l'empereur quinze ans plus tôt. Pouvait-il aujourd'hui assassiner le fils du roi de France ? Depuis l'antichambre, les cris retentissaient désormais dans les escaliers et les salons du château. Un brigadier des gardes du corps accourut et ne crut pas à la scène qui se déroulait sous ses yeux. Il fallut que le dauphin lui ordonne d'arrêter son propre chef pour qu'il comprenne ce qui se passait. On le vit alors se ruer dans la salle des gardes et crier :

— Vite, messieurs, huit hommes pour arrêter le maréchal !

Cet ordre inouï roula comme un grondement de tonnerre sous les ciels peints d'un palais construit pour le plaisir des princes. Les autres soldats pensèrent avoir mal entendu et crurent que l'on avait simplement demandé une escorte d'honneur pour le maréchal.

Lorsqu'il se vit prisonnier de ses propres hommes, Marmont retrouva sa dignité militaire et n'opposa aucune résistance mais, en quittant le cabinet du dauphin, il ne put s'empêcher de lui décocher la flèche du Parthe :

— Monseigneur, je puis avoir le malheur d'être un de vos sujets, mais je ne serai jamais un de vos serviteurs.

Le prince, livide, pissait le sang.

Ce qui restait au palais de courtisans et de valets regardèrent incrédules le maréchal Marmont, duc de Raguse, pair de France, major général de la garde royale, gouverneur de la première division militaire, grand-croix de l'ordre du Saint-Esprit et de la Légion d'honneur, entouré de ses aides de camp, traverser les grands appartements sous bonne garde et hurler, chaque fois qu'à son passage les soldats en faction lui rendaient machinalement les honneurs :

— Point d'honneur ! Point d'honneur ! Je ne suis plus rien, je n'en veux pas !

Une fois qu'il fut conduit à ses appartements, une sentinelle en interdit l'entrée. Personne ne comprenait ce qui se passait et, lorsque l'on vit Distel, premier chirurgien honoraire de Sa Majesté, sortir du cabinet de monseigneur le dauphin, on ne put rien lui arracher d'autre que :

— Ce n'est rien ! Puisque je vous dis que ce n'est rien !

La confusion fut à son comble quand le roi passa accompagné du duc de Guiche qui se rendait d'un pas qui n'était pas d'étiquette chez le duc d'Angoulême et à une heure parfaitement incongrue. Tout paraissait déréglé dans ce palais où pourtant cent pendules sonnaient toujours de concert, au point d'effrayer les rats. Le château, que les événements avaient presque entièrement vidé, se trouvait quand même encore suffisamment habité pour qu'un petit attroupement se fasse dans l'antichambre du dauphin. Chacun s'interrogeait, et ceux qui savent tout par habitude n'osaient même pas faire étalage de leurs certitudes. Enfin, l'étonnement parvint à son paroxysme lorsque les rares témoins virent réapparaître le roi, sans personne à ses côtés, remontant seul jusqu'à ses appartements et portant lui-même, à la main, l'épée du maréchal Marmont.

Un quart d'heure plus tard, le maréchal traversait derechef le château, mais uniquement escorté de ses aides de camp cette fois – les gardes avaient disparu –, et le duc de Guiche le précédait. Arrivé chez le roi, il fut introduit par Edmond Marc, huissier de la chambre en service. Le duc de Guiche et les aides de camp restèrent dans l'antichambre car Sa Majesté souhaitait parler au maréchal en particulier. Le duc de Guiche pensa tomber à la renverse quand il entendit que non seulement le roi élevait la voix mais qu'une véritable dispute éclatait encore de l'autre côté de la porte. Personne n'osa bien sûr aller coller, sous le regard des autres, son oreille contre le trou de la serrure de bronze chargée de fleurs de lys. Des bruits de pas couvraient maintenant les voix quand la porte s'ouvrit brusquement. C'était le roi lui-même, chose extravagante, qui en tournait la poignée. L'huissier se précipita pour faire son office, mais le roi ne le vit pas, il parlait haut et vif. Les deux hommes ne paraissaient pas s'apercevoir qu'ils poursuivaient désormais en public un entretien engagé en tête à tête.

— Vous avez fait une faute très grave ; il faut la réparer, c'est de toute justice.

— Jamais, Sire, jamais, je me tuerai plutôt.

— Comment, vous, duc de Raguse, un vieil officier... Comment ne convenez-vous pas que vous avez manqué à la discipline militaire ?

— Oui, Sire, je le veux bien. Mais mon épée ! Mais mon honneur ! Je ne survivrai pas à cette honte.

— Encore une fois, vous lui avez manqué, vous lui devez réparation. Vous irez faire vos excuses à votre commandant en chef.

— Non, Sire, c'est plus que je ne puis faire. Tout pour vous, Sire ! disait le maréchal en serrant la main du roi qu'il ne lâchait plus. Ma vie est à vous, mais des excuses à qui m'a déshonoré, c'est impossible !

— Oui, maréchal, quand on a des torts, il est toujours beau de les réparer. Faites-le donc puisque c'est juste, puisque c'est votre devoir. Promettez-le-moi.

Le roi paraissait pris d'une réelle émotion.

— Impossible, Sire.

— Marmont (le ton cette fois n'était plus amical), je vous prie, comme votre ami ; comme votre roi, je vous l'ordonne. Vous irez en sortant d'ici. J'y compte absolument.

Sur ces mots, le roi retourna dans son cabinet dont il ferma lui-même la porte, laissant l'huissier sans emploi.

Le maréchal, sous le coup de cet échange, ne prêtait plus attention à rien ni à personne et soliloquait, tenant des propos sans suite. Le duc de Guiche, très impressionné par la succession de ces scènes auxquelles il aurait aimé ne pas assister, tentait de le ramener à la raison en le rappelant à ses devoirs de Français, de sujet et d'officier. Raguse, loin d'obtempérer, s'insurgea, allant jusqu'à traiter la famille royale de maison ingrate pour laquelle il avait tout sacrifié, sa vie, son honneur, ses opinions. La colère, de nouveau l'empourprait, le sang lui montait aux tempes, la tête lui tournait. Il fallut toute la présence d'esprit de l'huissier qui lui tendit une chaise d'antichambre pour éviter qu'il ne s'affale par terre. Effondré sur son siège, il demanda un verre d'eau glacée. La chaleur, même à Saint-Cloud, était terrible. Il s'épongea le front, personne ne comprit ce qu'il racontait sinon qu'il aimait le roi et qu'il était prêt à mourir pour lui mais que le dauphin, lui, pouvait toujours aller au diable.

Le duc de Guiche, profitant de ce moment de faiblesse, revint doucement à la charge. Le maréchal devait obéir au roi et ne pouvait pas rester ainsi pantelant à la porte de son cabinet. Il fallait aller chez le dauphin pour l'amour du roi. Marmont, absent, comme rencogné en lui-même, demeurait muet. Son regard se perdait dans les entrelacs de la tapisserie dont il semblait suivre attentivement les lacis labyrinthiques comme pour en trouver l'issue, puis il se leva brutalement en disant :

— Allons, encore ce sacrifice. J'y vais !

Et, à grandes enjambées, suivi plus qu'accompagné par Guiche, il se précipita chez le dauphin. Sur son passage, les gardes lui rendirent ostensiblement les honneurs sans qu'il y prête attention.

Un face-à-face glacial s'instaura :

— Monseigneur, c'est par ordre exprès du roi que je viens près de vous et que je reconnais avoir eu tort en publiant un ordre du jour sans votre assentiment.

Le dauphin, que cette entrée en matière irrita au plus haut point, chercha à se maîtriser. Lui aussi avait semble-t-il reçu des instructions précises de son père :

— Puisque vous reconnaissez votre tort, je conviens que j'ai été un peu vif.

Marmont resta de marbre. Les abeilles de juillet bourdonnaient comme des folles. Le dauphin continua :

— Au surplus, j'ai été bien puni car je me suis blessé avec votre épée.

Alors, le maréchal fit un pas en direction du dauphin qui lui avait ouvert la voie pour une belle phrase.

— Elle n'avait pas été destinée à faire couler votre sang mais à le défendre.

L'héritier du trône, ne trouvant plus ses mots pour répliquer, chercha une attitude digne de l'instant et s'approcha à son tour du maréchal pour lui donner l'accolade militaire, mais Marmont, qui le dominait de sa haute taille, ne fit pas un geste pour s'abaisser jusqu'à lui. Le dauphin fut alors contraint de se mettre sur la pointe des pieds, et ce furent les franges dorées des épaulettes du maréchal qu'il embrassa.

À Paris

Thiers savait maintenant qu'il pouvait gagner la partie qui se jouait depuis quatre jours et sur laquelle il avait misé toute sa vie. À ses yeux, le pacte avec les Orléans était scellé. Il suffisait désormais de prendre de vitesse les barbons qui, au palais du Luxembourg, tentaient de sauver la couronne de Charles X et les jeunes fous qui, à l'Hôtel de Ville, rêvaient tout éveillés d'une Seconde République. Les premiers avaient un demi-siècle de retard, les autres peut-être un demi-siècle d'avance et, seul à avoir compris où devait s'arrêter en cet instant le balancier de l'Histoire, il comptait bien en devenir le grand horloger. Il partit donc à la Chambre des députés où l'on discutait pour savoir quelle valeur juridique pouvaient encore posséder les ordonnances dont monsieur de Sussy leur avait délivré une copie le matin même au nom du duc de Mortemart. Son arrivée permit d'apporter la réponse que personne – en dehors de l'acrimonieux Benjamin Constant – n'osait avancer : aucune. Le petit homme raconta avec cette volubilité magnétique propre aux Méridionaux ambitieux ses entretiens de Neuilly avec les deux princesses. Il en rajouta, donnant à certains de ses silences le poids immense des sous-entendus qui suffisent parfois à subjuguer les assemblées. Une personne de très haut rang, il tut le nom prestigieux mais gratifia l'hémicycle aux trois quarts vide d'un regard qui en sait long, serait à Paris le soir même. Chacun put croire, à l'entendre, ou plus exactement à le sous-entendre, que le duc d'Orléans était en route pour le Palais-Bourbon. Cette fois il n'y avait pas à hésiter. La rumeur annonçait des régiments républicains dont on disait qu'ils hissaient, en ce moment même, leurs canons sur les hauteurs de Montmartre pour foudroyer Paris, imposer une dictature de salut public et taxer les riches. Un quart d'heure plus tôt, certains juraient, mais à l'inverse, que la même position était tenue par les troupes restées loyales à Charles X. Thiers balaya ces inquiétudes d'un revers de manche, il fallait couper l'herbe sous le pied de la révolution avant qu'elle ne soit devenue assez puissante pour couper des têtes. Un frisson parcourut les députés rassemblés à la hâte sous la présidence de Laffitte qui, dans un effort surhumain, était parvenu à monter sur le perchoir pour diriger les débats. Plusieurs voix fortes maintenant s'élevaient, on devait proclamer la déchéance de Charles X sur-le-champ et appeler le duc d'Orléans au trône. Thiers se vit dépassé par sa propre éloquence. Tout cela allait beaucoup trop vite. Il ne fallait pas effaroucher le prince qui pourrait disparaître bel et bien, pas plus qu'il ne fallait agiter un bouquet de fleurs de lys sous le nez sensible du marquis de La Fayette et de ses gardes nationaux. Enfin, il ne pouvait pas être question de faire un roi sans l'avoir vu, car il était plus prudent de lui imposer un gouvernement d'abord et de prendre quelques assurances. Laffitte, comprenant lui aussi le danger de ce brusque emballement, suspendit aussitôt la séance. Ce fut le moment choisi par Rémusat pour arriver de l'Hôtel de Ville. Le compère tombait à pic. Il assura d'emblée que La Fayette ne commencerait pas à près de soixante-treize ans une carrière de dictateur et qu'il était pour le duc d'Orléans mais que lui aussi voulait être ménagé et, lui aussi, réclamait du temps. Le changement de dynastie était dans l'intérêt de tous, cependant chacun voulait tenir un moment la couronne entre ses mains avant de la déposer sur la tête du nouveau monarque pour qu'il ne puisse jamais penser un seul instant qu'il la recevait de Dieu seul. Une idée soudainement s'imposa. D'où venait-elle? Qui pouvait en revendiquer la paternité? Personne ne le savait au juste. Thiers, bon prince, voulut qu'elle soit née de l'esprit érudit et fertile de l'ami Rémusat. Rémusat cabotina, elle lui serait venue sans y penser, comme le font parfois les idées de génie qui se posent toujours où elles veulent. Le duc de Brissac lui avait-il soufflé cette solution de moyen terme en route ? Ce n'était pas impossible, car tout ce que Paris compte de pairs, de députés, de généraux et de ministres jouait aux quatre coins entre le Luxembourg, le Palais-Bourbon, le Palais-Royal et l'Hôtel de Ville. On se croisait, on s'apostrophait, on échangeait des informations et parfois des idées. Quoi qu'il en soit, dès qu'elle eut fusé, l'idée fit florès, au point que les conciliabules s'arrêtèrent immédiatement et que le bruit dont les coups de clochettes de Lafitte ne parvenaient pas à venir à bout se tut enfin. Si la Chambre ne pouvait pas faire Louis-Philippe roi de France, elle pouvait au regard des circonstances exceptionnelles le faire lieutenant général du royaume. Ce titre était une vieillerie gothique héritée de la guerre de Cent Ans qui avait sauvé plusieurs fois la France du chaos et par laquelle un prince, ou à défaut un grand qui n'était pas le roi, se voyait investi de la réalité du pouvoir royal. Philippe Égalité, le propre père du duc d'Orléans, avait rêvé de s'en affubler en 1789. Peut-être même que le pire eût été évité si les événements avaient alors emprunté ce chemin. L'idée était si belle qu'une petite délégation quitta instamment le Palais-Bourbon pour aller la soumettre à la Chambre des pairs. On prit soin de choisir des députés présentables, conduits par monsieur Hyde de Neuville dont la fidélité à Charles X n'était plus à démontrer. On rêva tout haut d'une décision commune des pairs et des députés dont l'unanimité balaierait définitivement les prétentions du gouvernement provisoire de l'Hôtel de Ville.

Au palais du Luxembourg, le duc de Mortemart dictait depuis la fin de matinée au secrétaire particulier du marquis de Sémonville des ordres que personne ne prenait plus la peine de lire. Le directeur du *Moniteur* avait même refusé de publier les nouvelles ordonnances dans son journal sans l'accord exprès du gouvernement provisoire qui siégeait à l'Hôtel de Ville. Il craignait que l'émeute ne vienne rompre ses presses! Le Premier ministre, qui commençait à prendre goût au pouvoir de décider et de nommer, s'offusqua d'abord de la proposition des députés mais, à bien y réfléchir, il ne voulut pas non plus rejeter une solution, évidemment transitoire, qui aurait pour effet d'empêcher l'anarchie et de le dessaisir d'une responsabilité décidément bien dangereuse. Son talon, mis à vif par ses marches et ses contremarches à travers la capitale, le faisait, en ce moment même, atrocement souffrir. Sémonville, dont l'esprit était obsédé par la baisse vertigineuse de la rente et le danger que tous ces atermoiements laissaient peser sur les propriétés, se rangerait sans difficulté à une solution de compromis qui ne trancherait pas nettement entre le roi et son cousin. Les pairs, toujours fidèles dans leur petite majorité à Charles X, commençaient eux-mêmes à s'interroger. Après tout, en 1814, alors qu'il n'était encore que le comte d'Artois et que le roi Louis XVIII n'avait pas posé le pied en France, il avait été lui-même revêtu de cette charge avant de rendre tous ses pouvoirs à son frère aîné. L'argument portait, et c'est peu dire que les pairs hésitaient lorsque Chateaubriand prit la parole. Avec l'affectation qui lui était coutumière, il se mit à raconter comment trois mille jeunes gens épris de liberté, mais auxquels il était parvenu à faire crier avec lui « Vive le roi ! », l'avaient porté en triomphe jusqu'au Luxembourg. Il y voyait la preuve que l'opinion n'était pas celle que l'on croyait et que les Bourbons n'étaient pas à ce point détestés. Puis, semant les phrases à tout vent dans l'espoir de rencontrer enfin celui de l'Histoire, il en appela au courage et au devoir de fidélité qui liait chacun de ses pairs au roi Charles X, le seul roi légitime. Enfin il les exhorta à combattre la peur, à se souvenir qu'ils tenaient leur dignité et, pour nombre d'entre eux leur fortune, de celui qu'ils s'apprêtaient à abandonner et les conjura de ne pas laisser tomber la France dans des combinaisons anarchiques où elle ne pourrait que se perdre.

Très vite, plus personne n'écouta ce Caton de salon qui, n'ayant pas dix mille francs de fortune, avait beau jeu de sacrifier celle des autres sur l'autel de ses chimères politiques. Le grand référendaire, furieux de voir s'éloigner une solution raisonnable, leva de nouveau la séance. Personne ne répondrait à Chateaubriand car il n'y avait rien à répondre à un discours que personne n'avait pris la peine d'écouter jusqu'au bout. Seul le baron Hyde de Neuville vint féliciter le père d'*Atala* pour son sens de l'honneur. Les autres le regardaient comme un danger public.

Devant les atermoiements de la Chambre des pairs, les députés aiguillonnés par Thiers et par la peur de la révolution firent un pas de plus vers le duc d'Orléans. Benjamin Constant rédigea à la hâte un projet de motion visant à proposer au prince de venir à Paris pour y exercer les fonctions de lieutenant général du royaume dans le respect de la Charte et des trois couleurs. C'était peu mais déjà beaucoup pour des hommes que l'emballement de l'Histoire affolait. Le texte fut aussitôt voté à une majorité de quarante-sept voix contre trois. Cette fois les jeux étaient faits. Les députés présents à Paris qui tergiversaient depuis bientôt quatre jours prenaient enfin un parti. Thiers exultait et exigea de Charles de Rémusat que son journal publie dès le lendemain un article favorable au duc d'Orléans et à la solution de compromis qu'il avait lui-même suggérée. La liberté de la presse était une chose sacrée, mais son impartialité dans des moments décisifs pouvait se révéler un crime impardonnable. La part saine de la population, celle dont l'opinion importait, devait être rassurée, éclairée et guidée, sans quoi l'argent investi dans un journal le serait à fonds perdus.

Quelques esprits s'enhardissaient et se demandaient pourtant si, avant d'appeler un lieutenant général pour faire respecter la Charte, l'Assemblée ne devrait pas se déclarer constituante et donner enfin à la France une Constitution digne de ce nom. Ils réclamèrent alors la parole et proposèrent une résolution allant en ce sens. Certains commençaient même à proposer des commissions chargées de la rédaction. Laffitte se leva avec une dextérité que sa corpulence ne laissait pas imaginer et suspendit encore une fois la séance. Un changement de règne suffisait à la haute banque. Il n'était pas encore temps de changer de régime. Quelques députés furent dès lors chargés de se rendre au château de Neuilly pour y porter la proclamation. La démarche matinale de Thiers n'était qu'officieuse, la délégation du soir était désormais pourvue d'un message officiel. Tout devait être réglé avant le lendemain pour ne laisser aucune chance aux républicains comme aux légitimistes d'avancer d'un pas de plus.

Thiers fit alors discrètement savoir à Talleyrand que la couronne de France était à portée des Orléans, qu'il lui fallait donc user de toute son influence afin de convaincre le prince de l'accepter et l'Europe entière de regarder ailleurs pendant que le vieux prestidigitateur accomplirait ce dernier tour de passe-passe dynastique. Lui seul savait en effet où Louis-Philippe se cachait.

Dans l'île de la Cité, sur les quais de Seine, au débouché de la rue du Marché-Neuf

La ligne de flottaison annonçait une lourde cargaison, mais le drapeau noir qui flottait sur cette longue barge en disait déjà assez par lui-même pour que les Parisiens accoudés aux parapets du pont Saint-Michel se signent et enlèvent précipitamment chapeaux et casquettes avant d'accourir. Les secousses de l'accostage ébranlèrent violemment l'empilement de caisses en bois qui encombraient le pont, on entendit des craquements lamentables qui n'étaient pas ceux de la coque mais de vilaines planches trop facilement brisées par le choc, et aussitôt les passants maintenant agglutinés poussèrent des cris d'effroi. On pouvait voir de façon assez distincte un bras ou une jambe sortir de ces cercueils cloués avec trop de hâte. Un silence inhabituel succéda au bruit infernal des battoirs maniés par des lavandières devenues tout à la fois muettes et immobiles car les morts des combats de la veille étaient si nombreux que tous n'avaient pas pu être mis en bière, et un amoncellement de corps nus, sur lesquels les bateliers jetaient de temps à autre des pelletées de chaux vive, apparaissait derrière l'alignement des cercueils. Une fois le bateau arrimé, il devenait facile de distinguer dans cette motte de chair humaine des enfants de dix à douze ans fauchés sur la barricade alors qu'ils ravitaillaient, des femmes touchées par des balles perdues auxquelles on avait laissé leurs chemises et quelques vieillards incapables de courir assez vite pour échapper aux charges de la cavalerie, mais la plupart de tous ces morts étaient des hommes jeunes. Au contraire des femmes, ils étaient entièrement nus. De là, personne ne pouvait dire si ces cadavres portaient de leur vivant l'uniforme ou la blouse, mais on distinguait sans difficulté les pieds sales des ouvriers des corps propres et bien nourris des soldats, même si la blancheur de la chaux comme les premiers effets de la putréfaction commençaient à venir à bout de toutes ces distinctions. La mort donnait à des peaux déjà blettes la couleur de l'eau sale. Des voix suppliaient l'équipage de préserver la pudeur de ces héros entremêlés en couvrant leur intimité avec de la paille. Sur le quai, les débardeurs et les arrimeurs s'affairaient déjà à débarquer la cargaison et, une fois toutes les caisses portées et sagement posées sur le pavé humide, ils utilisèrent les énormes crochets de fer qui, en temps normal, servaient à harponner les grumes de bois flottant pour attirer les cadavres sur la terre maçonnée. Les employés de la morgue auxquels cette livraison macabre était destinée nouaient ensuite des étiquettes en carton aux poignets sans vie et donnaient des numéros à des gens qui n'avaient plus de nom lorsqu'un hurlement de bête interrompit ce travail difficile et minutieux. Une femme du faubourg Saint-Martin qui cherchait son fils depuis bientôt deux jours venait de le reconnaître parmi les enfants passés à la chaux. Il avait les cheveux collés sur le front, les lèvres vertes, la langue gonflée et les yeux enfoncés très loin dans leurs orbites mais, à n'en pas douter, c'était bien lui. Deux petits trous auréolés d'un sang déjà noir indiquaient l'impact des balles de plomb qui lui avaient été fatales. Elle tenait son enfant embrassé malgré l'intervention de deux employés de l'Hôtel-Dieu tout proche et d'un garde national aux souliers neufs qui saluait le sacrifice de ce soldat de la liberté avec les mots avantageux lus le matin même dans les pages du *National*. Le cri de la mère, lui, n'était plus qu'une longue plainte inarticulée, mais cette douleur animale réveilla d'un coup de fouet la colère d'une foule de badauds qui criait maintenant: «Mort au roi!»

Rue d'Anjou

À l'heure où les salons ouvraient leurs portes pour recevoir les visites d'avant souper, celui de la comtesse de Boigne ne désemplissait pas. On pouvait se croire en pleine saison et à mille lieues d'une capitale en révolution. François Arago avait été le premier à franchir le seuil. Il voulait alerter le conseiller Pasquier des progrès effrayants que la république faisait dans les esprits, autant chez les meneurs de l'Hôtel de Ville que parmi les jeunes gens des écoles qui s'étaient transformés en moniteurs de l'émeute. Il se faisait fort de refroidir les têtes échauffées de ses chers polytechniciens, mais Pasquier n'était pas encore arrivé. L'ambassadeur de Russie et le gouverneur des Tuileries le précédèrent. Glandevès, meurtri par l'accueil reçu à Saint-Cloud, racontait, des larmes dans les yeux, à la comtesse et à Pozzo di Borgo la froideur presque blessante avec laquelle le roi s'était adressé à lui et le dos que le dauphin lui avait présenté avant même la fin de son audience. Il était convaincu que cette attitude tenait à la méchanceté du prince de Polignac et des ministres qui ne s'étaient certainement pas privés de raconter à Sa Majesté sa poignée de main avec Casimir Perier, lorsque ce dernier était venu aux Tuileries parlementer avec Marmont. Fallait-il aussi dédaigner des hommes dont les idées n'étaient certes pas les siennes mais qui tentaient d'éviter la catastrophe ? La comtesse de Boigne jetait des cris d'indignation contre cet esprit de parti qui, depuis les débuts de la Restauration, avait tout gâché. Quant à Pozzo di Borgo, il ne cessait de ponctuer le triste récit du baron par des « Ils sont perdus ! », « Ils sont finis ! » et d'en conclure d'un ton d'évidence : « Le salut du pays est à Neuilly. »

Le cher Pasquier arriva en réalité fort tard, l'air soucieux et pénétré des hommes d'État chargés de lourds secrets et de plus lourdes responsabilités encore. Il commenta à peine les propos d'Arago, de Pozzo et du baron de Glandevès que sa bonne amie prenait pourtant un soin particulier à lui restituer fidèlement. Elle en fut même un peu pincée, mais cette mauvaise mine ne dura pas car le grand homme se décida enfin à parler d'une voix très basse et très grave, de ce ton de confidence dont tout politique de métier aime à user pour signifier à ceux auxquels il s'adresse qu'il partage avec eux des propos de la plus haute importance. Il revenait du palais du Luxembourg où il avait vu le duc de Mortemart en proie à une de ces terribles crises nerveuses qu'aucun baquet d'eau glacée ne parvenait à apaiser. Le médecin du marquis de Sémonville avait beau le maintenir dans un bain depuis plusieurs heures, la fièvre ne tombait pas, et le malheureux, jeté sur un lit de sangle, n'était plus en état de gouverner. La république serait déclarée dans les heures à venir si aucune initiative ne barrait la route. La consternation s'abattit aussitôt sur le salon, la maîtresse de maison et ses habitués. La république avait été leur cauchemar, il n'était pas seulement pensable qu'elle fût de nouveau leur avenir. Comme tous les hommes de gouvernement qui ne maîtrisent plus rien et se voient dépassés par les événements, Pasquier aggravait le pessimisme général par des prophéties d'apocalypse. Les rênes étant tenues par des sots ou des incapables, la voiture ne pouvait que verser dans un ravin. Il fallut l'arrivée de monsieur de Fréville, bien après les douze coups de minuit, pour qu'un peu d'espoir renaisse. Le duc d'Orléans était à Paris, il dormait au Palais-Royal. Un gouvernement se dessinait dont il prendrait la tête comme lieutenant général, et le général Sébastiani allait être fait ministre de la Guerre. À cette annonce, la comtesse de Boigne se récria. Élever le général Sébastiani à une telle hauteur, c'était perdre irrévocablement le soutien du comte Pozzo di Borgo, et avec lui celui de tout le corps diplomatique. Une haine corse les opposait depuis toujours, et le duc d'Orléans pouvait manquer la couronne pour une vendetta dont il ignorait tout.

Pasquier, adossé à un magnifique meuble de Boulle qui faisait l'orgueil de la maîtresse de maison, acquiesçait d'un air entendu. Les quelques fidèles réunis autour de ce vieux couple qui ne disait pas son nom se lamentèrent de voir leurs espoirs anéantis par une sombre histoire corse à laquelle personne décidément ne comprenait rien. À Paris, les haines de la veille scellaient sans difficulté les alliances du lendemain, alors au diable les mœurs sauvages de cette île qui n'avait apporté que malheur à la France ! Il fut décidé d'informer au plus tôt le Palais-Royal de cet obstacle majeur, et chacun supplia la bonne hôtesse de se charger elle-même de cette délicate commission. Elle seule, par l'amitié d'enfance qui la liait depuis Naples à la duchesse d'Orléans, pouvait approcher le prince et l'avertir de ce grand danger politique qui avait peut-être pour origine un coup de dague ou d'escopette entre deux marins génois vieux de plusieurs siècles.

La comtesse prit un air digne et modeste, ce n'était pas là affaire de femmes. Elle n'entendait rien à la politique, ne serait ni écoutée ni entendue, mais personne ne voulait se rendre à ses raisons. Il ne fut pourtant pas nécessaire d'insister trop longtemps, car l'idée de jouer un rôle dans cette grande politique qui mitonnait ses ragoûts sur son feu domestique depuis des années la ravissait. Elle se bénissait intérieurement de n'avoir jamais cédé à la peur et d'être restée à Paris. Elle accepta ce sacrifice, fit apporter du vin cuit, des sorbets et quelques biscuits. On prépara alors minutieusement sa mission sous l'œil de loupe des carafes en cristal qui se vidaient par petites rasades.

À *Tonnerre*

Tout au long de la journée, la dauphine avait fait bonne figure. Son programme était resté inchangé, et des gentilshommes de la province, alertés par la rumeur, lui faisaient désormais escorte pour empêcher que sa voiture ne soit abordée par des visages grimaçants et des bouches injurieuses. Le sous-préfet, monsieur Partouneaux, s'était porté garant de ses administrés. La visite de l'hospice se terminait dans le calme. Quelques louis d'or permirent de réchauffer le royalisme de vieillards dont la bave, que des sœurs appliquées essuyaient avec abnégation, n'avait aucune coloration politique. La duchesse d'Angoulême ne s'était jamais montrée particulièrement caressante avec les régiments d'orphelins, d'aveugles, de paralytiques et de nécessiteux dont elle s'imposait la visite depuis son retour en France mais elle fut, ce jour-là, particulièrement revêche. Tout son esprit restait tourné vers les événements de Paris, les sottises de sa famille et les souvenirs terribles qui hantaient ses nuits et de nouveau ses journées.

Enfin, on parvint dans la soirée à la sous-préfecture de l'arrondissement, un bâtiment bête comme une grande maison de province mais entouré de hauts murs. La calèche découverte, car la princesse avait exigé d'affronter les regards dès son entrée dans la ville, suivie de la berline de voyage, s'engouffra derrière la grille protégée par la garde nationale. Sur le perron attendait depuis plusieurs heures le fidèle Charlet. Charlet ! Le baron Charlet, secrétaire des commandements et trésorier général de la maison de madame la dauphine, le seul homme dans lequel la princesse avait réellement confiance, se tenait là, debout, l'air grave mais présent. Il était là, comme son beau-père, jeune garde du corps, avait su l'être, à Versailles, lors de l'affreuse nuit du 5 octobre 1789 pour défendre, l'épée à la main, l'appartement de la reine Marie-Antoinette. Habituée à ne jamais faire montre de la moindre émotion, la duchesse d'Angoulême ne laissa rien paraître de sa joie, elle ne pressa pas le pas, ne fit pas le moindre geste qui pût laisser à penser qu'elle éprouvait le premier réconfort depuis qu'elle savait la publication des ordonnances. Sa joie secrète fut d'ailleurs de courte durée car, en quelques phrases, elle connut l'étendue du désastre. Paris s'était soulevé, les Tuileries étaient tombées aux mains des insurgés, le marquis de La Fayette régnait sur une sorte de commune à l'Hôtel de Ville. À ce seul nom, elle eut comme un haut-le-cœur. C'était l'Histoire qui recommençait. Charlet se montrait catégorique, il ne pouvait être question de poursuivre le voyage selon l'itinéraire officiel pour regagner Paris. Les villes n'étaient pas sûres, une municipalité libérale pouvait se mettre en travers de la route et décider de retenir la dauphine en garantie. Il ne fut pas besoin de longues phrases pour que la fille de Louis XVI et de Marie-Antoinette comprenne le danger. Dès cet instant, elle n'était plus à Tonnerre mais à Varennes où la berline de ses parents était entravée par des municipaux bavards qui cherchaient à faire respecter la loi et protéger le roi de lui-même. Elle avait encore devant les yeux le regard soupçonneux de Drouet éclairé par la lanterne de monsieur Sauce qui vérifiait précautionneusement les papiers de monsieur Durand et de madame de Korff, les noms d'emprunt de ses parents. Ces regards-là, elle ne voulait plus jamais avoir à les croiser. Elle ferait ce que Charlet voudrait, et Charlet avait un plan qu'il exposa avec calme et méthode. Il fallait évidemment abandonner la berline, les voitures de suite et les fourgons à bagages pour quitter la ville sous une fausse identité. Le sous-préfet, trop heureux de se décharger de son illustre invitée, approuva, il donnerait les ordres nécessaires. La dauphine monta se changer et enfila une simple robe de voyage, protégée d'un grand tablier, empruntée à sa femme de chambre. Ses mains tremblaient un peu en ajustant ses mèches sous le simple chapeau rond qui venait remplacer les chapeaux aux formes étonnantes qu'elle affectionnait et qui la désignaient toujours à la foule. Là encore, dans la nuit du 20 juin 1791, elle avait été contrainte de se déguiser, et elle se souvenait combien tout cela l'avait amusée à l'époque mais, ce soir, endosser ce simple costume de voyage ne l'amusait pas. Maintenant il fallait partir, et comme la princesse refusait d'abandonner sa suite, madame de Sainte-Preuve, sa dame de compagnie, le marquis de Conflans son premier écuyer et monsieur de Faucigny, l'officier de la garde en charge de sa protection, l'accompagneraient dans sa fuite. Charlet et Partouneaux marchaient devant. On quitta la sous-préfecture par une cour des communs qui donnait directement sur la campagne et, de là, on gagna un petit chemin qui serpentait le long de l'Armançon. La nuit était superbe, l'air était doux, la rivière murmurait, ce serait une délicieuse aventure champêtre si la tension n'était palpable et le pouls de la dauphine d'un rythme inhabituel. Arrivés au faubourg Bourbereau, il fallut encore longer la promenade du Pâtis. C'était là que la voiture attendait. On la chercha à la lumière d'un joli croissant de lune, mais on ne la trouva pas. On avança jusqu'au pont Saint-Nicolas, rien. Le baron Charlet échangea quelques propos à voix basse avec le sous-préfet pour ne pas effrayer les deux femmes. Il était dix heures et demie du soir, la voiture devait être là depuis une heure. Où était-elle?

La duchesse d'Angoulême eut une faiblesse. On l'assit sur l'un des bancs de pierre de la promenade. Le soir de la fuite des Tuileries, la berline qui devait aussi se trouver à la barrière Saint-Martin n'y était pas. Son père et Fersen la cherchèrent longtemps, perdant des heures qui deviendraient bientôt fatales. La dauphine égrena son chapelet, et madame de Sainte-Preuve en fit autant. Les deux femmes furent laissées à la garde de Conflans et Faucigny pendant que d'un côté Charlet faisait le guet sur le pont tout proche et que, de l'autre, Partouneaux rebroussait chemin pour essayer de comprendre ce qui avait bien pu se passer. L'attente commençait, elle dura deux heures durant lesquelles la dauphine tenta de chasser ses pires souvenirs en récitant toutes les prières du chrétien. Sa femme de chambre, épuisée, ne savait plus, pour sa part, à quel saint se vouer. Qu'adviendrait-il si jamais un promeneur, un insomniaque ou un garde national venait à passer par là ? Elle ne voulait même pas y songer. La dauphine, elle, ne pensait plus, elle priait, s'en remettait entièrement aux mains de la Providence et à l'habileté de ce brave Charlet qui venait régulièrement auprès d'elle, sans prononcer un mot mais simplement pour les rassurer de sa présence. D'abord lointains, le pas d'un cheval puis le roulement d'une voiture se firent bientôt entendre de façon distincte. Faucigny leva le chien de ses pistolets, prêt à tirer. Charlet posa sa main sur le sien. La voiture s'arrêta, le sous-préfet en descendit. Il donna des explications confuses, ce n'était pas la voiture attendue mais une autre, prêtée par un officier de gendarmerie fidèle... Peu importaient les raisons et les explications, il était temps de partir et de filer sur la grand-route. Enfin on roula et, au bout d'un kilomètre, on trouva la grande berline de voyage qui attendait toutes lanternes éteintes sur le bord de la route. Le cocher n'avait pas compris les instructions, il patientait depuis près de quatre heures. La petite suite monta et s'installa aussitôt dans le strict respect de l'étiquette, la duchesse occupant la banquette arrière, le marquis de Conflans à sa droite et Faucigny face à elle, madame de Sainte-Preuve à ses côtés. Le renversement des rôles exigé par les travestissements avait été de courte durée. Charlet, lui, était directement monté sur l'impériale pour s'asseoir près du cocher où il avait pris la place du postillon. Il lui montra ses pistolets en précisant qu'ils étaient chargés. La consigne claqua comme un coup de feu au beau milieu de cette belle nuit d'été :

— Brûle le pavé, ou je te brûle la cervelle !

À Neuilly

Caché dans une petite fabrique du bosquet de Tourniquet, au carrefour dit des Poteaux-Ronds, Louis-Philippe réfléchissait à son destin. Toute la journée, le prince avait joué à cache-cache avec la révolution qui voulait à toute force lui mettre une couronne sur la tête. Les premiers émissaires crurent le trouver à Neuilly, il était prudemment à Villers, certains juraient l'avoir vu discuter avec un roulier à Aubervilliers, il avait déjà décampé pour son petit château du Raincy où personne n'imaginait un seul instant qu'il puisse encore se cacher. Dans ce repaire, il était tenu informé en permanence par ses deux fidèles aides de camp des délégations et des messagers secrets qui ne cessaient de se succéder

335

auprès de sa femme et de sa sœur pour lui proposer, les uns la couronne, les autres la lieutenance générale. Lorsqu'il avait appris par Anatole de Montesquiou, dépêché en toute hâte par Marie-Amélie dont les larmes ne brouillaient pas tout à fait les ambitions, que le propre gendre du marquis de La Fayette, monsieur de Lasteyrie, était venu la prévenir que son beau-père ne pourrait pas contenir très longtemps la volonté populaire qui, à l'Hôtel de Ville, réclamait la république et que le duc d'Orléans devait se montrer au plus vite, il avait pris la décision de revenir à Neuilly, mais pas au château où un coup de main de la garde royale était toujours à craindre.

C'est donc dans le pavillon de ce bosquet des bords de Seine que Louis-Philippe voulait entendre directement de la bouche de sa femme et de sa sœur le récit des événements de la journée. Elles n'y parvinrent que vers huit heures du soir après avoir reçu la délégation de la Chambre des députés qui attendait une réponse. L'humidité de la rivière et la lumière du soir donnaient à cette longue attente des airs de rendez-vous galant qui n'étaient pas vraiment dans les habitudes du couple. Enfin, les deux femmes accompagnées de Montesquiou, parti au château pour les escorter, arrivèrent dans une simple voiture de louage, vêtues comme des rentières de Puteaux cherchant le frais auprès de l'eau après une journée accablante. Les retrouvailles se firent sans effusions inutiles, car la scène n'avait qu'un seul témoin de confiance et il n'était donc pas nécessaire de jouer la comédie. Le nombre de députés ayant voté l'appel au prince paraissait suffisamment important pour revêtir cette lieutenance générale d'un peu de légalité. La Fayette ayant donné des gages, l'Hôtel de Ville ne serait pas un obstacle. Mortemart n'était pas encore tout à fait Premier ministre car les ordonnances qui le désignaient n'étaient ni publiées ni même enregistrées, il y avait là un interstice juridique, et en politique un interstice permet toutes les audaces. Il suffirait de maintenir le contact avec lui pour ne pas couper tout à fait le lien, certes ténu, qui unissait encore le duc d'Orléans au roi Charles X. Si jamais les troupes restées loyales à Saint-Cloud renforcées par la cavalerie du camp de Lunéville l'emportaient demain, le brave Mortemart serait une garantie vivante de leur loyauté. Pour l'instant, il convenait de se dévouer pour empêcher le pire et faire don de sa personne à la France. La décision était prise. Louis-Philippe irait à Paris. Il accepterait la lieutenance générale du royaume pour sauver la monarchie. La nuit tombait, les douze députés, toujours conduits par Montesquiou, lurent au prince la déclaration rédigée par Benjamin Constant dans ce théâtre de verdure éclairée par la seule lueur des torches. Le visage des princesses était dissimulé par la capuche de leurs immenses dominos de taffetas noir. C'était à peu près dans le même accoutrement qu'au siècle précédent le Régent et sa fille couraient à Montfaucon voir le diable apparaître dans des verres d'eau.

Au château de Saint-Cloud

Au château, le dîner du roi avait été servi à l'heure et avec le nombre de services qu'exigeait le règlement d'étiquette, mais la salle à manger, où quelques jours plus tôt une foule empressée jouait des coudes pour être vue de Sa Majesté, était quasiment déserte. Seuls le duc de Duras, le duc de Luxembourg et le comte de Pradel représentaient encore les grands officiers de la Couronne. Ainsi le roi put-il se mettre à table dignement, le premier gentilhomme de la chambre et le capitaine des gardes se tenant un pas en arrière, à droite et à gauche de son fauteuil. L'abbé de Sambucy, aumônier de service, dit le bénédicité, et monseigneur le dauphin présenta au roi la serviette chaude pour lui permettre de se laver les mains avant le début du repas. Un huissier égrenait l'arrivée des plats dans un silence morne, quand tout à coup un bruit sourd comme un sac de plâtre jeté brusquement à terre se fit entendre. C'était un valet de chambre qui se trouvait mal car, avant de prendre son service, il avait reçu un mot de sa femme éplorée qui annonçait l'attaque imminente du château et le massacre de tous les domestiques de la Couronne comme en 1793. Le roi ne vit rien de ce petit drame qui se joua dans son dos, mais le duc de Duras fit enlever ce garçon qu'aucun valet surnuméraire ne vint remplacer. Les antichambres étaient vides de leurs serviteurs comme les cuisines d'où, après que le dîner eut été préparé, tout le petit monde du service de la bouche avait décampé, emportant la desserte et laissant la vaisselle sale au bord des grands éviers de marbre lustrés comme des bénitiers de cathédrale. Lorsque l'huissier annonça les entremets de Sa Majesté, on vit paraître le vicomte Hocquart qui, rouge de confusion et après un rapide conciliabule avec le premier gentilhomme, dut se résoudre à glisser à l'oreille du roi qu'il se trouvait dans l'impossibilité de servir à sa table les glaces dont il raffolait.

— Le grand malheur ! dit le roi en haussant les épaules et en retournant à son silence.

Le dîner touchait à sa fin, le duc de Duras présenta, à son tour, la serviette chaude à Sa Majesté, car tel était depuis des temps immémoriaux le privilège de sa charge, puis l'aumônier prononça les grâces, et le roi, le dauphin et la duchesse de Berry, après s'être signés, regagnèrent leurs appartements. Personne ne vint desservir, et Edmond Marc, l'huissier de la chambre en service qui avait assisté de son mieux le dîner du roi, attendit vainement d'être relevé par Piel des Ruisseaux, le valet de chambre normalement chargé de veiller toute la nuit sur la porte de communication qui donnait accès aux petits appartements depuis cette antichambre servant à Saint-Cloud de salle à manger. Ne voulant pour rien au monde empiéter sur les prérogatives de messieurs les valets de chambre, qui sont les seuls à pouvoir dormir la nuit sur le pas de porte des appartements royaux, il crut bon de demander ses instructions au duc de Duras qui, faute d'autre ressource, l'engagea à faire office, mais pour cette nuit seulement, de valet de chambre. Il y avait là un manquement sans précédent aux règles de la maison du roi, mais il fallait bien, quoi qu'il advienne, servir Sa Majesté. Le jeune huissier se mit donc en quête du lit de sangle sur lequel les valets passaient normalement la nuit, en vain. Il désespérait lorsqu'un vieux garçon d'antichambre qui avait connu le château au temps béni des séjours de la reine Marie-Antoinette, et qui n'imaginait pas quitter son service, lui indiqua le placard, astucieusement dissimulé dans la boiserie, dont il extirpa un matelas. Un coussin de velours, destiné ordinairement à rehausser le siège de la duchesse de Berry pour lui permettre de se tenir à table sans avoir le menton sur la nappe, fit un oreiller tout à fait passable. Le jeune homme enleva sa veste d'uniforme qu'il plia soigneusement sur un siège puis souffla les bougies que personne n'avait même songé à éteindre.

À *Paris, rue Saint-Florentin*

La nuit était déjà très avancée, mais le prince de Talleyrand retardait son coucher bien au-delà de l'heure habituelle. Sa nièce s'en étonna. Il attendait une visite tardive et ne la retint donc pas. C'est à pied que l'invité arriva devant l'orgueilleux porche de la rue Saint-Florentin et tira lui-même le cordon. Le Suisse n'aurait jamais ouvert si on ne lui avait donné des instructions précises, et il n'en crut pas ses yeux lorsqu'il vit son maître, déjà prévenu par la sonnerie, traverser la cour de l'hôtel d'une démarche toujours claudicante mais étonnamment rapide pour atteindre la porte cochère et lui ordonner d'ouvrir.

Le Suisse s'exécuta et fit pivoter les deux vantaux.

Dès qu'il aperçut la silhouette de son invité, accompagné d'une petite suite, se dessiner dans l'encadrement du porche, Talleyrand s'inclina profondément en murmurant des paroles indistinctes où il était question d'un honneur immense fait à sa maison. L'échange ne dura que quelques instants, car le duc d'Orléans ne dépassa pas le grand vestibule. Il était juste venu s'assurer auprès d'un serviteur fidèle à tous les régimes qui s'installent que le corps diplomatique ne s'opposerait pas à la lieutenance générale et que les ambassadeurs des principales puissances ne profiteraient pas de l'accalmie relative qui régnait sur Paris pour aller rejoindre Saint-Cloud.

Muni de la seule assurance qui lui importait vraiment Louis-Philippe gagna le Palais-Royal en évitant soigneusement les barricades de la rue Saint-Honoré et de la rue de Rivoli. Il portait à son chapeau un ruissellement de rubans bleu-blanc-rouge dont sa sœur avait tenu elle-même à l'affubler au moment où il quittait Neuilly. Lui-même avait un peu honte de ce colifichet, mais il fallait bien se dévouer au bonheur et à la tranquillité de la nation.

La journée des embrassades

Samedi 31 juillet 1830

Au château de Saint-Cloud

On frappa à la porte de grands coups de cérémonie, mais le roi dormait.

Il est couché sur un lit de draps d'or vêtu de la longue camisole cramoisie des catéchumènes et d'une robe d'argent. Au-dessus de lui, il voit très distinctement le visage de son fils le duc d'Angoulême et la tête fâcheuse des deux princes du sang, Orléans et Condé, qui se penchent pour le regarder dormir. Leur cou paraît bien long.

Pourquoi le duc de Berry n'est-il pas là ? Où est-il encore passé, celui-là ? Il court la gueuse, à n'en pas douter. Mais non, je déraisonne, se persuade le dormeur, le pauvre Berry a expiré dans mes bras à l'Opéra-Comique cinq ans plus tôt. Il ne peut pas être présent au sacre.

Les coups redoublent.

Il ne sait pas si le bruit vient de la porte ou du pas d'infirme du grand chambellan qui racle le parquet de sa chaussure ferrée et s'avance en ce moment même pour demander au grand chantre de la cathédrale de Reims qui attend, entouré de tout le chapitre et d'une nuée d'enfants de chœur portant des cierges de vingt francs, ce qu'il peut bien vouloir à une heure pareille.

— Que demandez-vous?

La voix du cardinal de Clermont-Tonnerre répond :

— Nous demandons Charles X que Dieu nous a donné pour roi !

C'est le signal. Il est temps d'ouvrir la porte et de faire entrer les cardinaux venus assister au sacre. Mais que fait Talleyrand? Il reste là les bras ballants comme un échassier et, loin de donner ordre aux huissiers de faire entrer la procession dans la chambre, réplique d'un ton rogue :

— Le roi dort...

Ce n'est pas du tout ce qui avait été décidé avec Villèle et Dreux-Brézé, le grand-maître des cérémonies. Talleyrand se trompe. Il a été convenu que le vieux rituel du sacre serait simplifié et qu'il ne serait pas couronné comme Louis XVI. Talleyrand est-il devenu fou? Il ne s'agit pas aujourd'hui du sacre de son malheureux frère mais du sien ! Talleyrand – c'est certain – vient de retomber en enfance. Il faut mettre un terme à cette mascarade qui menace tout l'édifice patiemment construit. Les libéraux et les doctrinaires vont encore répandre leur fiel dans la presse.

Le roi aimerait protester mais il est cloué sur son lit de parade comme par un maléfice.

Les coups recommencent.

Le cardinal de Clermont-Tonnerre doit être furieux, planté derrière cette porte qui ne s'ouvre pas. La cathédrale de Reims est pleine à craquer, les grandes tribunes menacent de s'effondrer sous le poids des diamants et des parures de femme, il faut y aller. Les chœurs ont déjà entamé le répons *Ecce ego*, il n'est plus permis d'attendre. Le roi ne peut pas être en retard à son mariage avec la France. Et ça y est, c'était prévisible, les enfants de chœur rient sous mosette. C'est le dey d'Alger qui leur fait la grimace à travers les vitraux. Mais qui donc a pu envoyer un carton d'invitation à ce mahométan ?

Talleyrand se moque bien de tout cela, voilà maintenant qu'il entame un pas de quadrille avec le duc d'Orléans et qu'il fait de nouveau mine de respecter le vieux rite en répondant pour la seconde fois mais en chantant désormais :

— Le roi dort...

Mais non, il ne dort pas, il ne dort pas. Je ne dors pas ! Comment pourrais-je dormir, rêve le roi, avec ces coups qui maintenant tambourinent à fendre la porte et ces deux fous qui se donnent en spectacle ? Condé crache du sang royal, et Angoulême annonce qu'il part pour la chasse. Ah, elle va être belle, demain, la presse libérale ! Orléans et Condé trahissent une nouvelle fois la Couronne, c'est une habitude dans leurs familles, et cherchent à ridiculiser à toute force son sacre. Je dois me lever, il est l'heure, il faut y aller, échapper à ces déments dont je suis entouré, ne cesse de somnoler le roi que la chaleur des courtines étouffe. Il se retourne alors d'un mouvement brusque pour échapper au bruit mais, saisi d'une crampe, se réveille maintenant tout à fait. Les chambres tournent autour de lui, il n'est pas au palais archiépiscopal de Reims ni aux Tuileries, mais à Saint-Cloud. Qui peut se permettre de tambouriner ainsi à sa porte ? Quelle heure est-il donc ? D'un geste machinal, sa main cherche le petit cordon du cartel d'alcôve qui sonne immédiatement une heure du matin. Où est le premier valet de chambre ? N'est-il donc plus personne au château pour le servir ? Il aura cauchemardé, ce n'était qu'un rêve étrange comme il en fait trop souvent en ce

moment mais, celui-là, au moins, n'était pas peccami-
neux. Il lui faut retrouver le sommeil pour affronter la
journée qui s'annonce encore chaude mais on frappe de
nouveau et, cette fois, du côté vers lequel il vient de se
retourner et ce n'est pas dans son rêve.

Qui peut oser venir le réveiller une seconde fois?
C'est devenu une véritable manie depuis quelques jours
que de réveiller le roi! Quelle concession Vitrolles va-t-il
encore chercher à lui arracher? Où est passé le duc de
Mortemart?

Charles X se redressa sur ses deux coudes, tenta d'y
voir quelque chose, s'assit sur le bord du lit et chercha
ses vieilles pantoufles de maroquin. «Qui va là?»

La voix du jeune huissier donna le mot de passe de
la nuit pour se faire connaître et ajouta aussitôt que
les aides de camp de monseigneur le dauphin voulaient
parler à Sa Majesté de toute urgence mais que, la porte
donnant sur le cabinet particulier étant fermée de l'intérieur, ils avaient été contraints de passer par la salle
du Conseil et d'y frapper de nouveau avec insistance.
Le roi, totalement éveillé cette fois, ordonna de faire
entrer. Le jeune duc de Lévis s'avança de quelques pas
dans l'obscurité de la chambre avant de s'immobiliser
pour un salut militaire pendant qu'un valet de chambre
tirait les rideaux de lit et qu'un simple garçon d'appartement allumait les bras de lumière au-dessus du torse
nu de cariatides dorées. Monseigneur le dauphin venait
d'être informé par des agents très sûrs – en réalité
l'alerte avait été donnée pas la duchesse de Berry dont
la tête s'égarait – que les émeutiers préparaient un coup
de main sur le château pour s'emparer de la famille

royale. Aussi monseigneur le dauphin se permettait-il de suggérer à Sa Majesté de se replier sur Versailles et Trianon avec le gros des troupes pendant que lui-même protégerait leurs arrières en se portant sur le pont de Saint-Cloud. Le roi ne réfléchit pas longtemps, jamais il ne se laisserait conduire en carrosse jusqu'à Paris comme son pauvre frère avait accepté de le faire au lendemain des journées d'octobre 1789. Autant monter tout de suite en charrette ! Il préférait encore son cheval. Il fit aussitôt répondre au dauphin qu'il était prêt au départ et donna l'ordre pour trois heures.

Lorsque l'huissier et le duc de Lévis repassèrent par la salle du Conseil, car ils n'avaient pas osé demander à Sa Majesté la permission de regagner les appartements du dauphin par son cabinet particulier, ils y trouvèrent le baron de Damas et quelques anciens ministres déchus, déjà en tenue de voyage. Le baron d'Haussez se préparait même une orangeade pendant que dans un coin de l'immense pièce, allongé par son gouverneur sur deux chaises rapprochées en forme de lit, le jeune duc de Bordeaux dormait dans l'attente du départ. Il suffit alors d'un moment pour réveiller le château endormi dont les derniers occupants n'attendaient plus qu'un signal pour déguerpir. La duchesse de Gontaut était allée tirer Mademoiselle de son lit et emplissait les corridors de ses lamentations, remerciant néanmoins sa femme de chambre d'avoir eu le bon esprit de ne pas défaire les malles préparées pour Dieppe. Dieu seul savait où ce voyage les conduirait mais, au moins, elles auraient du linge et même des gaines de bain. Cette femme de chambre n'était pas la seule à montrer de la présence d'esprit dans un moment où chacun se cognait à son voisin de chambre dans des corridors mal éclairés et où les ordres et les contre-ordres ne cessaient d'ajouter du désarroi au désordre. Madame de Vathaire, la première femme de chambre de la duchesse de Berry, celle-là même qui l'avait assistée dans les premières douleurs qui précédèrent de quelques instants à peine l'expulsion, bien trop rapide aux yeux de la Cour, de monseigneur le duc de Bordeaux, se souvint que personne ne s'était préoccupé de débarrasser les tables du roi après le dernier service. Elle se présenta à la salle à manger avec quelques domestiques et leur donna ordre de prendre chacun un coin de nappe en ajoutant : «Liez tout cela, j'ai déjà vu des révolutions, cela ne sera point inutile.» On fit ainsi de pesants baluchons de toute la vaisselle d'argent et de vermeil que l'on jeta dans le fourgon devant suivre les diamants de la Couronne. Il ne serait pas dit que Sa Majesté se verrait réduite par la colère des Parisiens à manger dans de la faïence.

Dans les écuries, les gardes du corps qui dormaient, selon la consigne de la veille, à côté de leur cheval, la bride dans les bras, furent réveillés à deux heures du matin par les maréchaux des logis leur intimant l'ordre de brider sans bruit et de mettre des chiffons aux sabots. Plus d'une chemise fine y passa mais, en moins de deux quarts d'heure, les hommes se rangèrent par numéro de compagnie, à l'arrière du château, sous les fenêtres du roi, face à l'orangerie. La cour d'honneur restait vide et silencieuse afin de ne pas alerter d'éventuels éclaireurs de la révolte. Ce fut en silence et par les petits appartements que la famille royale descendit pour rejoindre le cortège des voitures et des fourgons. La duchesse de Berry, que le roi faisait discrètement garder à vue depuis qu'il avait eu vent de ses projets romanesques, fit son apparition en costume d'homme, coiffé d'un chapeau à large bord, portant un pantalon et une redingote verte empruntés à un officier complice ; elle avait serré sa poitrine dans un gilet noir. Un foulard du même ton parachevait l'ensemble et conférait à la princesse l'air d'une fiancée de pirate.

La duchesse de Gontaut crut tomber du haut mal lorsqu'elle découvrit que la taille de la duchesse était prise dans un grand ceinturon de cuir où se trouvaient glissés deux petits pistolets de voyage aussi ciselés que des bijoux. Les gardes sourirent un peu, mais cet héroïsme de mélodrame les galvanisait.

Les grandes berlines dorées avaient été sorties des remises, avancées et placées selon la disposition des cortèges royaux. Le jeune duc de Bordeaux, qui dormait debout, fut installé dans la voiture de tête par le baron de Damas, son gouverneur, et l'on attendit pour fermer les portières qu'il fût rejoint par ses deux sous-gouverneurs, le marquis de Branbaçois et le comte de Maurepas, ainsi que par le chevalier de Lavillatte, son premier valet de chambre qui, malgré ce départ pour le moins précipité, n'avait pas oublié de mettre à son habit la belle croix de Saint-Ferdinand dont le roi de Naples venait de le décorer à l'occasion de son voyage en France.

Dans la voiture suivante, Mademoiselle, la sœur du duc de Bordeaux, prit place entre la duchesse de Gontaut, sa gouvernante, et la comtesse Eugénie de Rivera, sa sous-gouvernante, dont chacun savait qu'elle était la fille secrète d'une reine d'Espagne[*]. On fit monter en

---

[*] Il se murmurait en effet aux Tuileries que la comtesse Eugénie de Rivera était en réalité le fruit illégitime des amours de la reine Marie-Louise d'Espagne et du beau Manuel Godoy.

face d'elles mademoiselle Vachon, l'institutrice, et enfin mademoiselle L'Hermite, la femme de chambre. Les flambeaux portés par les rares domestiques encore présents au château éclairaient des visages bouleversés. L'une et l'autre se voyaient déjà passer le reste de leur vie derrière les barreaux de la Conciergerie, ou pire encore. Il fallut que madame de Gontaut désigne d'un regard la petite princesse âgée de douze ans à laquelle rien de ce spectacle n'échappait pour que ces pauvres femmes se recomposent un air de dignité. L'espace manquant, on fut conduit à des choix déchirants et contraint de laisser des gens sur place auxquels le duc de Duras donnait congé avec sa brusquerie habituelle. Des familles étaient séparées. Ainsi mademoiselle Le Gros, la fille du valet de chambre préféré de Sa Majesté, ne fut pas autorisée à monter dans les voitures, mais il ne pouvait être question pour son père d'abandonner son maître. Elle pleura beaucoup, en vain.

Avant de quitter son cabinet, le roi avait eu une entrevue avec Marmont car, dans la mesure où le dauphin restait à Saint-Cloud pour faire manquer le coup de main, il souhaitait lui confier le commandement militaire de la colonne. Le maréchal accepta de bonne grâce et, ce fut donc lui qui chemina botte à botte avec son souverain, le duc de Luxembourg tenant la droite et le duc de Maillé prenant la gauche du maréchal. Le dauphin vint embrasser son père avant qu'il ne s'en aille, mais il n'y eut pas d'effusion. Les énormes berlines s'ébranlèrent escortées par plus de huit cents gardes et chasseurs à cheval ainsi que par les élèves de l'école de Saint-Cyr arrivés en renfort pour protéger Charles X et sa famille. Outre les berlines royales, le cortège se composait de douze attelages d'apparat au complet réservés aux grands dignitaires de la Couronne, accompagnés des cent chevaux de selle de la vénerie royale. Seuls les chiens n'étaient pas du voyage, et ils glapissaient de désespoir au fond de leur chenil, furieux d'être privés d'une belle chasse. Venait à la suite une longue file de simples voitures de service dans lesquelles se serrèrent, tant bien que mal, les aumôniers, les huissiers, les cuisiniers et les domestiques strictement indispensables au service de la Cour. Les ministres étaient, quant à eux, cachés dans une bâtarde dont les rideaux restaient soigneusement fermés. Plusieurs pièces de canon, des fourgons à bagages et à munitions fermaient la marche. Un détachement de lanciers escortait le fourgon des diamants de la Couronne.

Le roi poussa sa monture jusqu'à la portière des berlines dont il fit baisser les vitres pour sourire à ses petits-enfants. Le duc de Bordeaux et sa sœur, qui n'avaient jamais vécu de leur vie une aventure pareille, étaient aux anges.

À peine les grilles donnant sur la route de Ville-d'Avray étaient-elles refermées que le duc d'Angoulême ordonnait l'évacuation du château de Saint-Cloud pour le mettre en défense. Même le concierge et sa fille, réveillés eux aussi en pleine nuit, furent priés de quitter les lieux. Il ne resta bientôt dans l'immense palais qu'un garçon de la chambre du roi envoyé en arrière du convoi récupérer quelques objets personnels de Sa Majesté et notamment ses lunettes, abandonnées dans la précipitation du départ. Il avait les bras chargés de gros paquets lorsqu'il croisa le chemin d'Edmond Marc, le jeune huissier qui avait réveillé le roi quelques heures plus tôt et qui cherchait lui aussi désespérément ses effets car, dans le désordre de ce départ impromptu on lui avait volé outre son beau frac de cérémonie, un chapeau tout neuf. La perte était de plusieurs centaines de francs. Le domestique, qui n'avait que deux bras pour porter les effets du monarque, le prit alors en pitié et lui donna un vieux chapeau gris que Sa Majesté avait rapporté d'émigration et qui pouvait encore faire de l'usage. Certes il n'était plus tout neuf, mais à la guerre comme à la guerre.

À *Paris, au palais du Luxembourg puis au Palais-Royal*

À l'heure où le long convoi de la monarchie s'ébranlait pour Versailles et s'étirait nonchalamment sur la route, le duc de Mortemart, réfugié dans un petit entresol du palais du Luxembourg, recevait la visite du colonel Heymès. Monsieur de Sémonville avait hésité un moment à conduire l'officier jusqu'au Premier ministre de Charles X car cet ancien aide de camp du maréchal Ney était de ceux qui l'avant-veille encore autorisaient la défection des 5e et 53e régiments d'infanterie de ligne, mais le colonel avait insisté. Son Altesse Royale, monseigneur le duc d'Orléans, souhaitait s'entretenir au plus tôt avec le duc de Mortemart. Il y allait de l'intérêt du roi et de sa famille. Habillé à la hâte, le pied toujours souffrant, le président du Conseil accepta de suivre l'envoyé du prince. La nuit n'était pas parvenue à dissiper la chaleur de la journée, et il régnait toujours dans Paris une lourdeur insupportable. Les laissez-passer dont le colonel était muni permirent d'arriver au Palais-Royal comme par enchantement, là où la veille près d'une demi-journée s'était révélée nécessaire. La voiture s'arrêta bien avant

351

le péristyle d'honneur, au croisement de la rue Saint-Honoré et de Richelieu, devant le Café du roi, dont toutes les lanternes avaient été brisées et l'enseigne criblée de plomb. Le colonel conduisit Mortemart par le passage de Nemours qui permettait au public d'accéder aux jardins, une porte basse s'ouvrit sur la gauche, les deux hommes traversèrent ensuite la cour des remises puis empruntèrent les escaliers et les corridors normalement réservés aux commis de l'administration générale des domaines, forêts et finances de la maison d'Orléans, pour parvenir enfin à l'appartement d'Oudard, l'homme de confiance du prince. Les fenêtres restaient veuves de leurs grands carreaux de verre dont les débris gisaient encore au sol. Si le palais avait été respecté par l'émeute, les combats des jours précédents laissaient des traces partout. Là, le colonel remit le visiteur entre les mains d'un aide de camp, le baron Berthois qui, sans même allumer un flambeau, continua la longue pérégrination à travers le dédale des corridors et des entresols, guidé par sa seule connaissance des lieux. Au bout d'un bon quart d'heure de ce manège, ils pénétrèrent dans une chambre obscure où le duc d'Orléans les attendait, couché sur un simple matelas de service jeté à même le sol. À demi nu et tout suant, il ne portait qu'une chemise dépoitraillée tombant sur des caleçons longs, son toupet postiche posé sur une table de nuit et sa calvitie dissimulée par un torchon de madras noué à l'orientale. À peine Louis-Philippe eut-il reconnu le visage du visiteur qu'il se lança dans de longues explications sur sa conduite et sa présence au Palais-Royal. Il avait été traîné de force à Paris par des meneurs qui menaçaient de prendre pour otages sa propre famille si lui-même n'obtempérait pas. Avec cette volubilité qui lui était familière, mais que l'angoisse aggravait cette nuit-là, il justifia son absence de Saint-Cloud. Non seulement il avait été tenu dans l'ignorance complète des volontés du roi mais, dès le mardi précédent, il était instruit que certains à la Cour cherchaient à le noircir aux yeux de son oncle et projetaient même de le faire arrêter. Il avait donc préféré s'éloigner de son château de Neuilly pour gagner une retraite sûre seulement connue de sa femme et de sa sœur, et ce n'était qu'après avoir reçu une lettre par laquelle les pauvres femmes l'appelaient à leur secours qu'il était réapparu, s'était trouvé contraint de recevoir une délégation de députés affolés par les événements, puis de les suivre jusqu'au Palais-Royal où ils avaient décidé de le faire lieutenant général du royaume bien contre son gré. Et tout cela dit dans le souffle d'une seule phrase. Bien entendu, il n'avait accepté cette nomination qu'à contrecœur et uniquement pour empêcher que le marquis de La Fayette, devenu une poupée aux mains d'agitateurs de tout poil, ne proclame la république depuis le balcon de l'Hôtel de Ville. Aussi, il demandait instamment au duc de Mortemart d'informer la Cour de tout cela et de plaider en sa faveur contre les ultras qui tentaient de le perdre. Il le suppliait – littéralement – de dire au roi qu'il se ferait mettre en pièces plutôt que se laisser poser la couronne sur la tête. C'étaient là ses propres mots, et il ajouta que tout ce qu'il venait de dire était consigné dans une longue lettre écrite de sa main qu'il destinait à Sa Majesté pour preuve de sa loyauté et de son esprit de famille.

Mortemart, se demandant où il était tombé et quelle scène on lui jouait, expliquait que lui-même avait toutes les peines du monde à communiquer avec Saint-Cloud d'où aucun de ses messagers ne revenait jamais et dont aucune consigne ne lui était parvenue depuis sa dernière entrevue avec le roi, mais le duc d'Orléans n'en avait cure, ne désarmait pas et insistait. Une fois le prince amplement justifié par lui-même, il demanda néanmoins à son interlocuteur, au détour d'une nouvelle phrase interminable, si les pouvoirs de Premier ministre dont le roi l'avait investi ne pouvaient pas lui permettre de valider par une ordonnance signée de sa main – il tenait à sa disposition une écritoire, de l'encre et du papier – les fonctions de lieutenant général qu'il venait lui-même d'accepter sous la contrainte. Ainsi, en acceptant par la voix des députés des fonctions qui pourraient lui être confirmées par le chef du gouvernement légitime, il pensait préserver les intérêts de la monarchie et démontrer sa loyauté.

Mortemart se récria, il n'était pas investi de tels pouvoirs juridiques. Il eut même le courage de rappeler au prince en chemise et sans perruque qu'il avait protesté quelques heures plus tôt devant la Chambre des pairs contre une nomination – il n'osa pas utiliser le terme « usurpation » – parfaitement illégale à ses yeux. Le visage du prince se ferma si durement que le duc de Mortemart, troublé, s'empressa d'ajouter qu'il ne fallait pas regarder cette protestation officielle autrement que pour ce qu'elle était, une simple garantie juridique, car, à titre personnel, il jugeait cette décision propre à sauver le pays de l'anarchie et ne pouvait, bien sûr, que l'approuver. La conversation fut interrompue par des cris suivis d'un tohu-bohu de tous les diables qui se rapprochait dangereusement. Mortemart eut peur. La porte s'ouvrit et laissa apparaître l'aide de camp qui, s'adressant au prince, lui dit:

— C'est une foule d'hommes qui veulent vous voir.

Sans paraître autrement surpris par cette demande d'audience en pleine nuit, Louis-Philippe rétorqua :

— Mais est-ce une députation des écoles ou des gardes nationaux ?

— Pas du tout, ce sont des gens du peuple ; ils disent qu'ils veulent vous voir et que, si vous ne paraissez pas, ils bouleverseront tout et arriveront vraisemblablement jusqu'ici…

— Dites-leur que je suis exténué de fatigue et déshabillé, que je ne puis les recevoir tous, mais que je parlerai à leur chef. Amenez-le-moi.

Mortemart jugea bon de prendre congé, mais déjà un homme habillé dans le plus grand désordre, les pieds nus dans des chaussures de bourgeois, un sabre passé à la ceinture, un foulard rouge noué autour de la tête et le visage outrageusement maquillé de poudre, s'avançait comme un acteur du boulevard du Temple prêt à scander sa tirade face au public :

— Nous sommes venus ici pour te nommer roi, mais nous ne voulons que toi car nous ne voulons ni pairs ni députés. Ce sont des gueux alors que toi tu es un bon prince. Tu gouverneras bien, et cela nous suffit.

Le duc de Mortemart tombait maintenant de surprise en stupéfaction. Qui pouvait se permettre d'entrer ainsi au Palais-Royal, de faire irruption dans les appartements privés et de tutoyer un prince du sang ?

Aussitôt le duc d'Orléans s'insurgea, non pas contre le tutoiement devenu de rigueur à Paris en quelques heures, mais contre l'antiparlementarisme de son interlocuteur. Il ne deviendrait jamais roi sans l'aval de la Chambre des pairs et des députés. Le Premier ministre de Charles X nota l'inflexion du discours mais se garda bien de faire la moindre remarque.

355

Le bonhomme qui faisait glisser son pied droit d'avant en arrière sur les parquets cirés pendant qu'il parlait continuait à conseiller au prince d'envoyer promener tous ces gueux de députés, mais l'altesse ne voulait rien entendre.

De guerre lasse, l'homme du peuple, à bout d'arguments – à moins que ce ne fût d'une tirade trop vite apprise –, se retira en parlant de façon à être entendu des couloirs :

— Eh bien ! arrangez cela comme vous l'entendrez, mais nous vous voulons pour roi !

L'usage du vouvoiement était revenu comme par enchantement...

À peine la scène terminée, le duc d'Orléans se tourna vers Mortemart qui pensait avoir rêvé pour lui remettre la lettre destinée au roi Charles X, le prenant de nouveau à témoin de la violence qui lui était faite par toutes sortes de gens qui entraient chez lui comme dans un moulin. Même à l'époque de la Fronde le Palais-Royal était mieux gardé !

Avant de partir pour affronter les incertitudes de la rue, le duc de Mortemart prit soin de refaire le large nœud de sa cravate et d'y dissimuler la lettre au roi, puis il pressa le pas en direction du palais du Luxembourg. Il portait maintenant autour du cou de quoi faire fusiller deux fois le duc d'Orléans et le savait.

Rue d'Artois

À l'hôtel Laffitte, où les députés étaient reçus depuis le début de la semaine à table et draps de lit ouverts, on s'interrogeait et l'on s'inquiétait. Le duc d'Orléans avait certes suivi la petite délégation venue à sa rencontre à Paris mais il tergiversait, parlait pour ne rien dire, répondait toujours à côté des questions qui lui étaient posées et, surtout, il venait encore de disparaître sans que l'on sache vraiment où il se cachait. Cet homme dont le nom courait de bouche en bouche était aussi insaisissable qu'une ombre. Le temps paraissait bien long, et les députés qui avaient voté sa nomination à la lieutenance générale du royaume se demandaient s'ils n'étaient pas allés un peu vite en besogne. Qu'Orléans se dérobe, et c'était l'affrontement direct entre la république et la monarchie. Une vraie révolution cette fois qui les emporterait comme la précédente avait sacrifié tous ses députés ou presque. Par ailleurs, des bruits bien sombres circulaient de nouveau. Le général Gourgaud préparerait un coup d'État bonapartiste à l'aide de tous les demi-soldes qui encombraient Paris et, à l'Hôtel de Ville, la situation était pire. La Fayette à moitié tombé en enfance n'était plus le maître mais bien l'otage des jeunes républicains qui menaçaient d'égorger les commissaires municipaux et d'abattre Louis-Philippe si l'envie venait à ce prince de se montrer.

Peu à peu, chacun était allé se coucher sans même parfois prendre congé. Laffitte et Benjamin Constant restèrent seuls dans l'immense salon trop richement meublé d'acajou :

— Qu'adviendrons-nous demain ? se demandait à haute voix le vieux banquier dont le parler conservait les mauvaises tournures de ses origines plébéiennes.

— Nous serons pendus... répondit, flegmatique, le rescapé de la Révolution et du Directoire...

Il restait heureusement un excellent rhum des Amériques, autant que les émeutiers n'auraient pas. Les petits verres en cristal taillés à la pointe de diamant se vidèrent les uns après les autres, et seul le tintement qu'ils faisaient entendre en heurtant la carafe meubla le silence.

Le maître d'hôtel annonça un militaire, il entra. C'était ce brave colonel Heymès qui leur apprenait la présence du duc d'Orléans au Palais-Royal où il attendait les députés, encore à Paris, pour neuf heures du matin.

Orléans jouait la partie. Elle n'était donc pas perdue, mais Laffitte s'offusquait de ne pas être appelé auprès du prince le soir même. Depuis cinq jours qu'il travaillait pour lui, c'était manquer de gratitude.

— C'est un prince du sang, répondit Benjamin Constant que le rhum et la fatigue avaient décidément rendu fataliste.

Sur la route de Joigny

La berline roulait depuis plusieurs heures, le ronflement régulier de madame de Sainte-Preuve répondait en rythme à celui du marquis de Conflans mais ne suffisait pas à bercer l'angoisse de la dauphine. Chaque fois que, dans un ralentissement, elle entendait le cliquetis des harnais, elle croyait reconnaître celui des serrures de la prison du Temple. Il approche, elle sent son souffle aviné sur son visage, les mots horribles qu'il lui dit et, dans un demi-cauchemar, elle crie. Monsieur de Faucigny qui somnolait à peine porta aussitôt la main à son pistolet, la femme de chambre se réveilla en sursaut et en nage. Heureusement, Conflans dormait toujours. Ce n'était rien. Un mauvais rêve que le jour qui se lève allait nettoyer très vite, il suffisait de prier avec plus de fermeté, quand tout à coup le véhicule ralentit sans en avoir reçu l'ordre. On entendit des voix, nombreuses, le pas ferré des chevaux qui martelaient distinctement la route et la respiration des bêtes dont le museau fumant venait se coller aux portières. À n'en pas douter, la voiture était encerclée. Faucigny, toujours armé, demanda à Conflans, qui avait quand même fini par ouvrir un œil, de remonter doucement le rideau. Des hommes partout, tout un régiment ! Faucigny respira, il avait reconnu au premier regard les dolmans bleus de France et les culottes écarlates du 1er hussard, les hussards du duc de Chartres ! Ils étaient sauvés ! La dauphine ne marqua pas la même joie, mais son visage se détendit légèrement. Charlet, descendu de l'impériale, vint ouvrir lui-même la portière et baisser le marchepied, Son Altesse Royale, le duc de Chartres, était là qui demandait à présenter ses hommages à sa tante. On descendit de voiture, et le beau Ferdinand-Philippe, le fils aîné du duc d'Orléans, la moustache parfaitement frisée et ses jolis cheveux aux reflets roux délicatement bouclés, s'avança d'un pied gracieux pris dans des bottes du dernier chic anglais. Tous les hussards descendus de cheval, la pelisse à l'épaule, présentèrent les armes, leurs aigrettes d'un blanc immaculé formant une haie parfaite. Madame de Sainte-Preuve se crut transportée comme par enchantement dans la cour du Carrousel un jour de parade et respira enfin aussi aisément qu'aux Tuileries.

La duchesse d'Angoulême répondit à tous ces saluts d'un simple mouvement de tête et, sans s'encombrer de propos de cérémonie, elle lança aussitôt au fils aîné de la branche cadette :

— Nous pouvons toujours compter sur vous et sur votre régiment, mon cousin ?

Désarçonné par une attaque aussi précise, le jeune homme, qui savait depuis le matin que la révolution était victorieuse partout dans Paris, hésita maladroitement, les yeux baissés et son shako sous le bras :

— Je ne sais pas, madame...

Pour la princesse, c'était assez, elle lui tourna alors le dos et remonta en voiture. Son oncle et son beau-père auraient dû bannir à jamais cette famille qui avait brisé, un jour de 1793, les lys de France d'un lambel rouge du sang de son propre père.

Conscient de sa bévue, le jeune Ferdinand-Philippe courut derrière sa tante pour lui proposer de l'escorter avec ses hussards jusqu'à Paris car les routes n'étaient plus sûres. La réponse fut cinglante, une fille de France n'avait pas besoin d'être gardée à vue sur les routes du royaume. Faucigny faisait très bien l'affaire, c'était un homme de confiance, et sans attendre la réponse de son jeune cousin, elle donna ordre à Charlet de poursuivre le voyage avant de se jeter dans le fond de la berline. Madame de Sainte-Preuve regarda les beaux hussards s'éloigner avec regret jusqu'à ce que la dauphine, sous prétexte que le soleil du matin l'aveuglait, demandât à tirer le rideau.

À Paris, au Palais-Royal

La nouvelle du départ de Charles X et de sa famille parvenait au Palais-Royal. Cela changeait tout. Tant que le roi demeurait à Saint-Cloud, il restait le maître. En prenant la fuite, il abandonnait la place et, lorsque le pouvoir quitte le pouvoir, il est à prendre. Aussitôt averti, Louis-Philippe avait fait rappeler le duc de Mortemart pour lui demander de lui rendre, sous prétexte d'y apporter d'indispensables corrections, la lettre dont il était le dépositaire. Mortemart, qui venait enfin d'arriver au Luxembourg, rebroussa chemin – il était à bout de fatigue –, défit son nœud de cravate et rendit au duc d'Orléans ses protestations de fidélité au roi légitime. Un autre courrier destiné à Talleyrand était parti dans le même temps. Il offrait des garanties aux puissances de l'Europe.

Les députés montaient déjà le grand escalier d'honneur du Palais-Royal. Ils étaient attendus pour neuf heures. Dans quelques instants ils seraient massés dans le vestibule. L'heure était venue de les recevoir. Louis-Philippe fit ouvrir les portes de tous les salons à deux battants. La délégation s'avança pressée par cette foule populaire et baroque qui avait pris position dans la cour de l'horloge, sous le péristyle, dans le vestibule d'honneur et jusque sur les marches du grand escalier sous prétexte de protéger le prince. Un certain nombre de combattants des premières heures, des ouvriers, des gagne-deniers mais aussi des souteneurs venus des rues misérables qui lapaient depuis des siècles les murs du vieux Louvre, habillés des casques et des cuirasses du temps de la Ligue et de la guerre de Cent Ans arrachées aux vitrines du musée de l'Artillerie, s'étaient proclamés «Régiment de Chartres» et donné pour mission la garde d'honneur du Palais-Royal. Le duc d'Orléans ne pouvait plus faire un pas sans cette escorte de pantomime à laquelle il ne se fatiguait jamais d'adresser des paroles aimables.

Une fois le calme revenu, il écouta attentivement les députés qui lui proposaient, officiellement, la lieutenance générale du royaume. Dans la foule, des gens du peuple se demandaient gravement comment on pouvait être lieutenant et général en même temps. C'était bien là des finasseries de bourgeois. La réponse du prince s'entortillait dans ce flot de paroles vagues dont il aimait à noyer l'esprit de ses interlocuteurs. Il était venu sans hésiter partager les dangers des Parisiens, mais des liens de famille avec Charles X lui imposaient des devoirs personnels et d'une nature étroite – c'étaient ses propres mots – auxquels il ne pouvait déroger. Les députés murmuraient, et la foule grondait. Rien ne pressait, il devait encore recueillir les avis et les conseils de personnes en lesquelles il avait la plus grande confiance – il attendait la réponse de Talleyrand qui n'arrivait pas – mais qui n'avaient pas encore pu atteindre le Palais-Royal. Cette fois, c'en était trop. Laffitte, que l'on avait hissé avec tant de peine jusqu'au vestibule d'honneur des grands appartements, protesta à haute et intelligible voix. Bérard explosa et s'adressa directement au duc :

— Si vous n'acceptez pas la lieutenance générale, dans une heure vous entendrez dire que la république est proclamée, et avec elle l'anarchie !

Il fallait prendre un parti, et vite. Le duc d'Orléans demanda une demi-heure avant de se retirer dans son cabinet escorté du général Sébastiani et de Dupin, son avocat. La foule finissait d'envahir totalement le palais, et chacun s'asseyait où il pouvait. La nervosité dépassait la mesure. Le prince revint. Il souriait. La réponse de Talleyrand était enfin parvenue à destination, et le vieux roué donnait à la proclamation dont le prince tenait le texte à la main sa bénédiction d'évêque défroqué. Louis-Philippe toussota pour s'éclaircir la voix puis il lut, ou plus exactement il déclama :

— Habitants de Paris ! Les députés de la France, en ce moment réunis à Paris, ont exprimé le désir que je me rendisse dans cette capitale pour y exercer les fonctions de lieutenant général du royaume. Je n'ai pas balancé à venir partager vos dangers, à me placer au milieu de votre héroïque population, et à faire tous mes efforts pour vous préserver de la guerre civile et de l'anarchie...

Le duc d'Orléans fut aussitôt acclamé. Il s'interrompit. Personne ne l'avait vu sur la barricade au cours des dernières journées mais son ombre, sans doute, planait. C'était certainement ce qu'il avait voulu dire. En tout cas personne ne contesta ni ne ria sous le nez de tous ces messieurs sérieux que la peur pressait les uns contre les autres. D'un geste plein d'humilité, l'orateur demanda le silence. Laffitte gueula à la foule de la boucler ! Des paroles historiques allaient être prononcées, il fallait laisser finir le prince et ouvrir ses oreilles. Les députés relayaient l'ordre parmi le peuple rassemblé. Le silence revint, joyeux. Louis-Philippe lança :

— En rentrant dans la ville de Paris, je portais avec orgueil ces couleurs glorieuses que vous avez reprises, et que j'avais moi-même longuement portées...

Là des hurlements éclatèrent, et la joie tourna au délire. Les bonnets et les casquettes volèrent au-dessus des têtes. Certains restèrent même accrochés aux bras des lustres immenses, déclenchant une franche rigolade. Le prince acceptait les trois couleurs. Il acceptait donc la révolution et la gloire de l'Empire. On applaudit à tout rompre comme à la foire. Les Bourbons allaient pouvoir remballer leur vieux drapeau de chouans et s'en faire des nappes.

Le prince, imperturbable, acheva :

— Les Chambres vont se réunir ; elles aviseront aux moyens d'assurer le régime des lois et le maintien des droits de la nation. La Charte sera désormais une vérité...

Cette fois, ce fut au tour des députés de laisser exploser leur joie. Ils avaient fait un lieutenant général, demain ils en feraient un roi qui n'aurait plus rien à devoir au Saint-Esprit et tout à leur suffrage. Ils quittèrent le palais et traversèrent de nouveau le Seine pour aller soumettre cette déclaration au vote de la Chambre. Le service des omnibus n'étant pas encore rétabli, ils eurent à marcher d'un bon pas.

Au château de Trianon

Le roi, après son départ de Saint-Cloud, souhaitait passer la journée à Versailles, mais il en avait été très vite dissuadé par le marquis de Vérac, gouverneur du château qui, alerté par l'avant-garde, était venu à sa rencontre. La population de ville s'était soulevée deux jours plus tôt, prenant d'assaut et pillant les hôtels des gardes du corps, la maison des pages ainsi que la caserne de la garde. Les Versaillais craignaient maintenant que les gardes du corps ne se vengent et ne réclament leurs portemanteaux. Ils avaient peur. On parlementa. Le roi accepta de contourner la ville pour faire halte à Trianon mais à la condition que le peuple se montre respectueux et que la garde nationale tolère la présence du général Vincent et de ses hommes.

La colonne obliqua alors pour éviter de traverser le centre de Versailles, et c'est par le boulevard de la Reine que l'on parvint enfin au château de Trianon. Les élèves de Saint-Cyr attendaient déjà l'arme au pied dans l'allée principale avec quelques débris du 50e de ligne restés fidèles au drapeau blanc. Les troupes se placèrent en défense, braquant les bouches des canons vers la ville.

Le roi, qui était entré dans le parc à cheval, demanda, à peine débotté, à pouvoir entendre la messe. Les débris de la Cour attendaient dans le salon de marbre. Par commodité, on décida de célébrer l'office dans le salon de la chapelle car il était trop tôt, ou plus exactement trop tard, pour faire préparer dignement la chapelle du château. Un valet dépêché par le baron Picot de Buissaison, qui veillait sur Trianon, donna un tour de clef à la serrure de ce qui en apparence n'était qu'un grand placard de boiserie puis en ouvrit délicatement les deux battants, laissant apparaître une alcôve qui dissimulait un autel. On appela le premier aumônier, et le roi traversa le péristyle de marbre comme il l'avait fait la veille de la galerie de Diane, chacun occupant à ses côtés la place que l'étiquette lui désignait, et les gardes du corps, épuisés, présentèrent les honneurs à son passage en criant malgré le découragement et la fatigue : «Vive le roi! Toujours!» Les sièges manquant, chacun resta debout, et seuls le roi et la duchesse de Berry eurent un prie-Dieu. Au sortir de la messe où le roi n'avait cessé de fixer le grand crucifix de bronze doré les mains jointes et le regard implorant, il exigea aussitôt du marquis de Vérac qu'il fasse préparer le grand cabinet du château de Trianon pour y tenir son Conseil des ministres. Le marquis se récria. Le roi ne pouvait pas tenir Conseil avec des ministres qui ne l'étaient plus depuis deux jours sans donner à penser que la nomination du duc de Mortemart et la constitution d'un nouveau cabinet n'étaient qu'une manœuvre de diversion. Le roi, sans avoir l'air de saisir vraiment ce que lui racontait le gouverneur du château, lui répondit qu'il ne prenait plus le conseil de ses anciens ministres mais qu'il se refusait «à les livrer à la populace»...

Vérac n'insista pas et donna les ordres en conséquence. On alla chercher les fauteuils au garde-meuble
et l'on dressa la table du Conseil. Pendant ce temps,
un déjeuner était servi dans l'appartement du roi et
dans celui de la duchesse de Berry. Tout le monde s'y
rua, car la faim commençait à tenailler les estomacs, et
les cuisines s'étaient révélées parfaitement vides. Dès
que le roi et la princesse eurent grignoté, on dévasta
les tables. Les vaches de la laiterie du hameau de la
reine Marie-Antoinette donnèrent leur lait puis, vers
onze heures, on les abattit pour prendre leur viande.
Elles furent rôties pour nourrir la garde, et seule la
vache laitière qui suivait Sa Majesté depuis Saint-
Cloud fut épargnée, car elle s'était perdue en route. Le
baron Hocquart, réduit au désespoir, partit d'un pas
de condamné pour aller annoncer au roi une nouvelle
catastrophe, dans la mesure où Sa Majesté aimait plus
que tout le lait de cette belle normande.

La duchesse de Berry, prise d'une violente agitation,
ne cessait d'apostropher les uns et les autres. Le duc
de Montmorency-Laval, ancien ministre du roi qui était
parti pour Londres quelques jours plus tôt retrouver son
ambassade, avait ordonné à son cocher de faire demi-tour
à l'annonce de la prise des Tuileries pour rejoindre Saint-
Cloud, que la Cour venait de déserter, et de là Trianon.
C'était un homme d'énergie et de décision. Dès son
arrivée, entrevoyant le gouffre vers lequel la monarchie
se précipitait, il avait proposé à la duchesse de l'accompagner à Paris pour qu'elle présente son fils au peuple et
sauve sa Couronne. Elle l'aurait embrassé et serait partie
sur-le-champ mais elle devait impérativement parler de
tout cela au roi, car elle se sentait depuis plusieurs jours

l'objet d'une surveillance permanente. On la suivait, on la surveillait et, ce qu'elle détestait par-dessus tout, on ne la laissait plus jamais seule, même avec ses enfants.

Dans l'attente du Conseil, Sa Majesté déambulait à travers Trianon, adressant un mot affable à chacun, se préoccupant des uns et des autres, traversant les jardins ; elle demanda à voir le Petit Trianon, fit quelques pas en direction du pavillon français, puis se ravisa. L'émotion était trop forte. C'était le décor de sa jeunesse. L'heureux temps où, comte d'Artois, il donnait le ton à la Cour, jouait sur le petit théâtre de la reine avec la duchesse de Polignac, avançait les pendules pour envoyer le roi son frère se coucher plus tôt, faisait des mots, des nœuds et des nattes, jouait gros jeu, dansait jusqu'à l'aube. De tout cela il n'avait jamais cessé de demander pardon à Dieu, mais peut-être que les péchés commis à cette époque n'avaient pas été suffisamment expiés et que les rigueurs de l'émigration n'étaient pas de nature à effacer sa dette envers le Ciel. Tous les témoins de ce temps-là avaient payé ce bonheur de leur sang, et les jardins parfaitement entretenus sur ses ordres restaient les orphelins choyés de ces fêtes galantes. Ils n'étaient plus parcourus que par des ombres joyeuses. La matinée était limpide et c'était ici, disait-on, que la reine Marie-Antoinette avait été prévenue lors des journées d'octobre que des poissardes de la halle réclamant du pain approchaient du château. Le parc restait silencieux et la lumière si coupante que, malgré sa vue basse, le roi reconnaissait les bancs, les bosquets et les charmilles. Il fit un geste d'adieu en direction de ses souvenirs et tourna les talons.

Le capitaine des gardes était à ses côtés, un huissier les cherchait. Le cabinet était prêt pour le Conseil, et les ministres l'attendaient. Dans l'antichambre, le marquis de Vérac s'était permis de demander au prince de Polignac quelles étaient les nouvelles de la province. « Excellentes ! », avait répondu l'ancien président du Conseil en reprenant son chapelet.

Charles X traversa la cour à pas très lents, remonta les marches du péristyle de marbre, un huissier mal rasé mais en grand uniforme galonné sous toutes les coupes l'annonça et l'introduisit. Ces messieurs se levèrent. Ils parlèrent, chacun avait un avis, mais aucun ne partageait celui de son voisin. Il fallait se retrancher dans Rambouillet, forcer l'allure vers la Loire pour se jeter dans Orléans où l'on attendrait le retour de l'armée d'Alger. Le comte de Bourmont disposait de suffisamment de troupes pour reprendre Paris, et le trésor de la casbah donnerait du cœur au soldat. À moins que l'on ne poussât jusqu'à la Vendée qui n'attendait qu'un mot de Sa Majesté pour reprendre les armes et défendre son roi. Le baron d'Haussez, dont la tête dodelinait, bercée par d'aussi graves considérations, dormait maintenant d'un sommeil profond. Il n'avait rien à dire d'autre que ce qu'il avait déjà déclaré à Sa Majesté. La Cour devait quitter Trianon, se barricader dans Rambouillet et attendre les régiments de Saint-Omer et Lunéville. On gratta à la porte. L'huissier réveilla le baron d'Haussez en lui touchant l'épaule. Un homme demandait à lui parler. Le ministre de la Marine sortit. L'homme se présenta, il était du pays de Bray comme lui et possédait une fabrique de toiles peintes tout près de là, à Jouy. Le baron d'Haussez mal réveillé ne comprenait pas ce qu'on lui voulait. Pourtant l'industriel voulut à toute force lui glisser dans la main des billets de banque. Ce n'était pourtant plus la saison des pots-de-vin. Il y avait un malentendu, l'homme était venu à Trianon lui proposer son argent, sa maison et sa voiture. Il disait appartenir au parti libéral qui triomphait à Paris mais voulait simplement venir en aide à son «pays». Le ministre refusa l'argent mais pas le refuge qui lui était proposé. D'un simple signe cabalistique, il comprit enfin à qui il avait affaire, remercia chaleureusement et assura qu'il rejoindrait Jouy par ses propres moyens car il avait un bon cheval. Le bonhomme alla plus loin, sa réputation de libre-penseur lui permettait d'abriter d'autres ministres. Le prince de Polignac et sa femme étaient donc les bienvenus chez lui. Le ministre remercia, mais il était temps pour lui de retourner au Conseil. À peine fut-il entré dans le cabinet où se trouvaient toujours le roi et ses autres collègues que Peyronnet le prit à partie. Cela faisait un bon quart d'heure que l'on attendait. Où était-il donc passé ? Sans laisser à son collègue le temps de répondre, le ministre de l'Intérieur lui tendit une plume et du papier :

— Allons, vite, à l'œuvre. Il vous faut rédiger sur-le-champ une circulaire à la marine pour la prévenir qu'elle ne doit obtempérer à aucun ordre n'émanant pas du roi ou de l'un de ses ministres...

Les ministres venaient seulement de prendre conscience qu'il faudrait des bateaux pour faire traverser la mer Méditerranée à l'armée d'Algérie et que, si la marine passait à la révolution, le roi pourrait attendre longtemps les renforts espérés. Le prince de Polignac confessa qu'il avait oublié de donner l'ordre de faire couper les télégraphes – l'étourdi gardait depuis deux jours l'ordre signé du roi dans la poche de son habit mais il est vrai qu'il avait la tête ailleurs avec la charge de l'État sur ses épaules – et qu'il y avait donc un risque de voir la flotte qui mouillait dans les ports de Marseille et de Toulon recevoir des instructions contraires du pseudo-gouvernement de La Fayette.

Le baron d'Haussez s'exécuta, tourna sa phrase, chercha à se rappeler les formules utilisées par ses commis. Il recommença plusieurs fois, à peine proposa-t-il une version que ses collègues l'amendèrent aussitôt. Le métier de ministre était bien difficile lorsque l'on ne disposait plus d'administrateurs, de secrétaires ni de commis.

Soudain, un galop et des cris de palefreniers se firent entendre. Le dauphin était de retour. Le roi dont l'esprit s'était absenté et qui ne participait évidemment en rien à ces travaux d'écriture reprit vie et se précipita vers la cour d'honneur avant même que l'huissier de service n'ait eu le temps de lui retirer son fauteuil. Chacun le suivit au pas de course. Le duc d'Angoulême, entouré de ses aides de camp et de sa compagnie de lanciers, était encore à cheval. Il avait le regard étrange et l'uniforme poussiéreux. Il descendit de sa monture, fit quelques pas en direction du perron, puis se ravisa et remonta en selle avant de mettre de nouveau pied à terre. La garde présentait les honneurs chaque fois. Enfin le dauphin s'avança vers son père qui l'attendait sur le haut du péristyle de marbre, l'air affligé. Il chercha à parler, mais son bégaiement le reprit. Il parlait, et personne ne comprenait rien de ce qu'il disait. Il fallut toute la patience de son père et le témoignage des aides de camp pour que l'on parvienne enfin à reconstituer les faits. Parvenu à l'aube sur le pont de Sèvres, monseigneur le dauphin, maintenant généralissime des armées royales, était allé courageusement au-devant des troupes mutinées pour les haranguer et les inviter à retrouver le chemin du devoir et le service du roi. En réponse, il avait reçu des coups de feu dont certains avaient sifflé bien près de ses oreilles. Même en 1814, la troupe n'avait pas osé une telle infamie. Rendu furieux par tant d'insolence, il donna ordre aux lanciers de charger les mutins et de libérer entièrement le pont, ce qui fut fait en quelques coups de sabre, mais une fois le pont de Sèvres dégagé, une partie des troupes placées sous ses ordres firent défection à sa barbe et passèrent à l'insurrection. On déplorait ainsi la trahison d'une compagnie entière de la garde et de tout un bataillon du 1er régiment Suisse. Le dauphin ne cessait de répéter à son père qu'il fallait partir pour Rambouillet, car les troupes insurgées pouvaient arriver à Versailles d'un moment à l'autre. La voie leur était désormais ouverte. Affolé, Guernon-Ranville se précipita vers la salle du Conseil, ramassa à la hâte tous les papiers abandonnés sur la table pour les détruire lui-même consciencieusement sous le regard étonné des huissiers. Il ne voulait laisser derrière eux aucune trace de ce dernier Conseil des ministres dont il savait la tenue parfaitement illégale depuis la nomination de Mortemart.

Le roi donna aussitôt l'ordre du départ, et l'on attela une nouvelle fois l'interminable convoi.

Dans l'attente des préparatifs, Sa Majesté se retira dans son cabinet avec le duc de Maillé, l'un des quatre premiers gentilshommes de la chambre qui n'était pas de service à Saint-Cloud cette année-là mais qui était venu rejoindre son roi dès le début des troubles. Ils virent tout à coup arriver la duchesse de Berry, vêtue de son invraisemblable costume d'amazone, les joues en feu et le regard couleur d'orage, poursuivie par un huissier qui n'avait pas eu le temps de l'annoncer mais la suppliait de bien vouloir lui confier le pistolet de carrosse qu'elle tenait à la main et qu'elle agitait maintenant inconsidérément sous le nez du roi, son beau-père. La jeune femme, avertie que le départ pour Rambouillet était ordonné, voyait ses plans politiques s'effondrer. Aussi marcha-t-elle droit au roi et vint-elle le supplier de la laisser partir pour Paris avec son fils qu'elle voulait présenter sur le front des troupes puis aux Parisiens. Elle saurait leur parler, car elle parlerait en mère et, comme les reines, Blanche de Castille, Catherine de Médicis ou Anne d'Autriche qui avaient un jour bravé la sédition dans l'intérêt de leur fils, elle sauverait la couronne du duc de Bordeaux.

Le roi, pour la calmer, lui tapota gentiment l'épaule, lui rappela qu'elle n'était pas encore reine et la congédia avant de se laisser retomber d'accablement dans le large fauteuil de bois doré sur le dossier duquel le duc Maillé, se tenant familièrement accoudé, venait d'assister à la scène.

À peine la princesse et ses pistolets d'arçon disparus, le roi, que cette apparition de sa belle-fille déguisée en héroïne de Walter Scott plongeait dans des abîmes de perplexité, demanda d'un ton las à son vieux compagnon du temps de l'émigration :

— Comment la trouves-tu, Maillé ?

— A… bo… mi… na… ble, Sire ! répondit le duc en marquant bien chaque syllabe, car cette ancienne fréquentation du roi à l'époque où il n'était que le comte d'Artois lui donnait des droits à une familiarité qu'aucun courtisan des Tuileries n'aurait jamais pu se permettre.

Les deux hommes se regardèrent puis éclatèrent de rire avant que le roi ne s'enfonce encore davantage dans son fauteuil en baissant la tête.

En quittant Trianon, Charles X salua ses ministres, heureux que certains d'entre eux aient pu se procurer un asile ou un passeport. Seuls le baron de Montbel, ministre des Finances, et Capelle, sous-secrétaire d'État aux Travaux publics, faute de mieux, continuaient avec lui le voyage.

Dès que les berlines royales s'ébranlèrent, le baron d'Haussez courut à sa monture pour gagner Jouy au plus vite, mais il ne trouva plus ni cheval ni harnais. Un autre n'avait pas attendu que le roi s'éloigne pour le devancer. Il en fut quitte pour gagner son asile à pied. C'était depuis quelques jours le principal moyen de locomotion de tout un gouvernement.

Pendant ce temps, le marquis de Boisgelin et deux fourriers du palais parvenaient à Rambouillet pour y faire les logements. La Cour allait arriver d'un moment à l'autre, et rien n'était prévu.

Sur la route de Fontainebleau

À l'approche de la capitale, la dauphine et sa petite suite croisèrent une voiture de la malle-poste dont les cochers, ayant pris l'air de Paris, portaient à leurs chapeaux d'énormes cocardes tricolores. Plus loin, c'étaient des files de gardes nationaux qui se portaient au secours de l'insurrection. La révolution était partout sur la route. Il fallut pourtant s'arrêter pour relayer, supporter le lyrisme patriotique du maître de poste qui offrait le verre de la liberté à tous les voyageurs qui acceptaient de trinquer à la santé de La Fayette et du gouvernement provisoire. La dauphine avait exigé, une nouvelle fois, que les stores restent baissés. Les hommes étaient sortis pour se soulager, mais à tour de rôle, afin de ne jamais laisser l'extérieur de la voiture sans surveillance. Les femmes, pour ne pas se montrer, utilisaient le tuyau d'aisance habilement dissimulé dans la parclose d'un siège intérieur. Une fois les chevaux changés et le véhicule de nouveau attelé, on attendit, en vain, le cocher et les postillons, car ils avaient pris la fuite sans demander leur reste. Faire appel aux garçons d'attelage qui se trouvaient là eût été une folie. Ils étaient déjà fin soûls et dégueulaient dans les ornières du grand chemin des insanités révolutionnaires. Charlet avait heureusement pris les devants. Aidé de sa bourse et de ses pistolets, il venait d'acheter à prix d'or un costume de postillon en même temps que le silence de celui qui s'en défaisait. C'est dans cet accoutrement qu'il se présenta devant la dauphine à laquelle il expliqua qu'il conduirait désormais lui-même la voiture, et il lui demandait l'autorisation, pour compléter son costume, de guider les chevaux avec la langue habituelle des charretiers. La duchesse d'Angoulême, qui en avait vu d'autres, le lui permit, tout en ajoutant d'une voix faible que cela lui déplaisait.

C'est dans le crissement des essieux, le fracas des roues sur les pavés, le soupir des suspensions et une bordée d'injures à faire rougir la plus vieille maquerelle du Palais-Royal que la berline repartit.

Au château de Neuilly

Élégamment vêtue d'un costume de voyage et d'une jolie capote de paille, dont son ami le savant Arago lui avait lui-même noué le ruban sous le menton de

peur qu'elle ne se mette en retard à force de préparatifs, la comtesse de Boigne passait les grilles du château
de Neuilly. Sa mine modeste dissimulait à peine l'état
d'exaltation dans lequel la mettait le petit rôle politique
qu'il lui fallait maintenant jouer. Le duc d'Orléans ne
pourrait prétendre à rien si le corps diplomatique se
portait auprès de Charles X pour protéger sa légitimité
chancelante de toute la puissance de l'Europe coalisée.
Déjà l'ambassadeur d'Angleterre, pourtant bien chapitré
par Talleyrand, montrait des signes d'agacement contre
cette révolution brouillonne, et ce n'était rien dire du
comte d'Ofalia, représentant du roi d'Espagne, dont le
maître devait d'avoir encore une couronne posée sur la
tête grâce à l'intervention des troupes françaises alors
commandées par le duc d'Angoulême. Si le comte Pozzo
di Borgo exigeait de faire jouer son droit de vendetta
contre le général Sébastiani, jamais le tsar Nicolas n'accepterait de voir le duc d'Orléans lieutenant général du
royaume et, à plus forte raison, roi de France, en lieu
et place du souverain régnant. Une fois Pozzo basculé
en faveur des droits de la branche aînée, il entraînerait
tout le corps diplomatique. Aussi la comtesse de Boigne
avait-elle envoyé un courrier la veille afin d'éviter au
duc d'Orléans un tel faux pas. Il lui avait été proposé de
gagner Neuilly dans les plus brefs délais, signe que l'on
prenait ses avertissements très au sérieux. Elle venait
d'y arriver, et il faisait déjà une chaleur assommante.
Accueillie par madame Dolomieu et mademoiselle de
Montjoie, les dames d'honneur des deux princesses,
la comtesse put se rafraîchir un peu et n'eut pas à
attendre longtemps la visite de la sœur de Louis-
Philippe qui arriva dans un état de grande excitation

mais la mine résolue, car elle voyait enfin sa famille vengée de quarante ans d'humiliation et d'avanie. Pozzo pouvait être entièrement rassuré, Sébastiani ne serait pas ministre. Ce fut un soulagement pour l'élégante émissaire. On savait à Neuilly que la Cour venait de quitter Trianon pour Rambouillet car le Palais-Royal ne manquait pas d'espions dans l'entourage direct du vieux roi. Espions dont le zèle augmentait, d'ailleurs, avec l'heure. Mais ce fut de la bouche de la comtesse de Boigne que mademoiselle d'Orléans apprit que son frère venait d'être proclamé lieutenant général par les députés. Elle l'avait découvert en passant la place Beauvau où la proclamation était déjà placardée sur les murs. La princesse marqua de la surprise :

— Lieutenant général ? Vous vous trompez, ma chère.

— Non, mademoiselle ; je l'ai entendu trois ou quatre fois et j'en suis sûre.

— Mon frère, en partant, comptait ne prendre que le titre de commandant de Paris...

— Il aura été entraîné par le vœu général. Il faut qu'il puisse commander hors de Paris, répondit la comtesse qui ajouta que, dans les salons, tout le monde, même les plus fidèles soutiens du roi Charles X comme Glandevès, se lamentait de voir que le duc hésitait encore à s'emparer du pouvoir alors que le danger d'une république de sans-culottes n'avait jamais été aussi grand.

La conversation en était là lorsque la dame d'honneur de la duchesse d'Orléans vint prévenir la jolie voyageuse qu'elle était attendue.

La princesse Marie-Amélie vêtue d'une robe de chambre, les cheveux en papillotes, était effondrée, plus qu'elle n'était assise, dans un large fauteuil qui tournait le dos aux fenêtres alors même que les persiennes avaient été fermées pour protéger la pièce des ardeurs du soleil. D'une main, elle caressait les cheveux de Louise, sa fille, dont la tête reposait sur l'accoudoir, et, de l'autre, un mouchoir couronné dans lequel elle pleurait à chaudes larmes. À la vue de son amie d'enfance, la femme de Louis-Philippe se leva, lui tendit la main, la serra sur son cœur et replongea son long nez dans son mouchoir. Elle était en proie à une véritable crise nerveuse et ne cessait de répéter entre deux sanglots :

— Oh, quelle catastrophe ! Quelle catastrophe ! Et dire qu'en ce moment même nous pourrions être à Eu…

La comtesse qui faisait déjà sa cour cherchait à rassurer la princesse. La conduite de son mari était admirable. Il faisait don de sa personne à la France qui ne serait certainement pas malheureuse de se réveiller, demain, sous le règne du roi Philippe VII.

À ce mot, la duchesse d'Orléans poussa des cris. Accepter de devenir lieutenant du royaume était déjà une chose bien dangereuse, mais roi ! roi ! Talleyrand lui-même avait prévenu. Il fallait accepter le commandement de Paris et rien d'autre sous peine d'être frappé d'illégitimité aux yeux de l'Europe coalisée.

— Dieu garde ! Dieu garde ! Ma chère, ils l'appelleraient aussitôt usurpateur.

Les sanglots redoublaient, la crise nerveuse reprenait de plus belle car, à l'idée de voir son mari traité comme un vulgaire général Buonaparte, la princesse née Bourbon des Deux-Siciles devenait à moitié folle. La comtesse ne sachant comment interrompre ce torrent de larmes, temporisait :

— Sans doute, madame, on l'appellerait usurpateur, et on aurait raison, mais, si on l'appelait conspirateur, on aurait tort. Il n'y a que cela de répréhensible dans l'usurpation, et les contemporains même l'en disculperaient.

La duchesse cessa soudain de pleurer, leva son nez du mouchoir qu'elle continuait à triturer machinalement et regarda sa vieille amie comme une sorte d'oracle ou de pythonisse, stupéfaite qu'une femme qui avait partagé ses jeux à Naples puisse penser si aisément.

— Oh, oui, assurément, il n'a pas conspiré ! Qui le sait mieux que le roi lui-même ?

Et la princesse revenait sans cesse à la dernière conversation entre son mari et Charles X au cours de laquelle ce dernier avait rassuré son cousin, inquiet par les menées du prince de Polignac, que jamais il ne sortirait de la Charte pour aller s'engager dans une aventure politique.

— Et puis il a fait ces ordonnances !

Et la princesse plongeait derechef dans son mouchoir mais les larmes se faisaient moins abondantes.

La crise se calmait. La comtesse de Boigne appela pour qu'un valet vienne ouvrir les persiennes. Il faisait dehors un soleil superbe dont il était dommage de ne pas profiter. Saisissant cette courte accalmie, elle plaida la cause de son vieil ami le duc de Raguse qui n'avait fait lui aussi que son devoir, car il n'était absolument pour rien dans ces ordonnances de malheur et aurait peut-être bientôt besoin d'un passeport et même d'un peu d'argent pour passer en Angleterre. C'était là l'autre objet de son voyage à Neuilly. Une mission personnelle et secrète dont la comtesse s'était bien gardée de parler à sa petite coterie et notamment à ce bon Pasquier toujours un peu jaloux. Elle fut écoutée avec bienveillance. Personne n'en voulait à ce grand soldat, et l'on savait déjà qu'il s'était violemment opposé au dauphin. Décidément, Neuilly n'ignorait rien de ce qui se passait à Saint-Cloud. Certains n'avaient pas tardé à retourner leurs livrées…

Enfin, la voiture était prête, il était temps de rentrer à Paris rassurer Pozzo. La duchesse d'Orléans remercia mille fois son amie de ses paroles, de son soutien et de son courage, mais, avant de partir, la comtesse, n'y tenant plus, se permit un dernier conseil. Loin de rester à Neuilly et de s'y morfondre, la princesse devait monter avec ses enfants dans ses attelages d'apparat, accompagnée de tous ses postillons, de tous ses palefreniers et de tous ses valets en grande livrée pour faire une entrée triomphale au Palais-Royal où le peuple de Paris, flatté de tant de confiance et facilement ébloui par un faste royal, lui ferait des ovations.

La duchesse d'Orléans écouta avec autant de bienveillance que d'attention ces conseils avisés et le récit rêvé d'un épisode héroïque tiré de l'histoire antique, mais elle n'était pas Agrippine, et elle recommença à chiffonner dangereusement le mouchoir tout neuf qu'elle venait de prendre dans une belle boîte en palissandre moucheté. La crise nerveuse revenait. Elle donna ordre au cocher de la comtesse de Boigne de fouetter les chevaux.

À Paris

Depuis le matin, Louis-Philippe adressait au marquis de La Fayette des courriers pleins d'emphase pour le décider à rejoindre le Palais-Royal. La manœuvre était habile car, une fois que le commandant de la garde nationale aurait quitté l'Hôtel de Ville pour rejoindre le duc d'Orléans et les députés, il n'y aurait plus qu'un seul lieu de pouvoir à Paris, et le gouvernement communal ne représenterait plus que lui-même. Quant au duc de Mortemart, plus personne ne s'en souciait. Fatigué d'attendre la nouvelle version de la lettre au roi, il était retourné au palais du Luxembourg où il dormait comme un sonneur. La manœuvre était habile certes mais elle ne prenait pas. Autour de La Fayette, les jeunes têtes républicaines s'échauffaient, et les vieilles moustaches de l'Empire faisaient la grimace, certains menaçaient même d'empêcher ce tour de passe-passe par des coups de canon. Louis-Philippe n'avait pas d'autre solution que de venir lui-même. Il en était convaincu. Ce serait la montée au Calvaire, mais la Couronne valait bien une nouvelle promenade à travers les barricades. Les députés réunis au Palais-Bourbon furent aussitôt informés. Ils supplièrent le prince de les attendre car il ne pouvait pas se rendre sans eux à l'Hôtel de Ville. Le risque serait trop grand de voir la commission municipale qui gouvernait depuis trois jours s'emparer définitivement du pouvoir en même temps que de sa personne. Ils accoururent. Benjamin Constant avait pris place dans une chaise à porteurs et Laffitte, qui était toujours en pantoufles, tant sa crise de goutte empirait, était monté dans un fiacre. Bérard les devançait et, le valet de chambre du duc ayant disparu, ce fut lui qui aida le prince à revêtir son uniforme de la garde nationale. Il prit soin de lui enlever ses plaques des ordres de Saint-Louis et du Saint-Esprit, ne conserva que la Légion d'honneur et lui accrocha des cocardes tricolores partout où l'habit pouvait en porter.

Arrivé au Palais-Royal, Laffitte fut immédiatement hissé sur sa chaise jusqu'au premier étage pour lire solennellement au nouveau lieutenant général la déclaration que les parlementaires avaient rédigée dans l'urgence afin de répondre à sa proclamation du matin... Ce fut long, cérémonieux et ennuyeux. Le peuple s'impatientait. Ce n'était pas bon.

Le temps n'étant plus aux discussions, aux palabres et aux négociations, Louis-Philippe, jouant son rôle à merveille, souscrivit à ce que l'on voulut et se lança dans une de ces tirades dont il avait le secret, car jamais un prince français n'avait autant aimé s'écouter parler :

— Messieurs, les principes salutaires que vous proclamez ont toujours été les miens. Vous me rappelez tous les souvenirs de ma jeunesse, et mes dernières années en sont la continuation. Je travaillerai au bonheur de la France pour vous et avec vous comme un vrai père de famille...

Laffitte, qui s'excusait d'être toujours en chaussons mais promettait à son client une couronne, s'étrangla d'émotion. Le prince avait les larmes aux yeux. Rien de cette scène ne devait échapper au peuple, on ouvrit les fenêtres qui donnaient sur la place du Palais-Royal, et les deux hommes s'embrassèrent. Ce fut la liesse. Tout au moins chez les badauds et les bourgeois qui souhaitaient le retour du commerce et des pratiques. Les ouvriers, eux, commençaient à se lasser de toutes ces simagrées.

Il ne restait plus qu'à marcher pacifiquement sur l'Hôtel de Ville.

Monté sur un cheval blanc, un flot de ruban tricolore à son chapeau, un autre à son revers, le duc d'Orléans s'avança. Benjamin Constant avait repris place dans sa chaise ambulante qu'il partageait maintenant avec Laffitte, mais elle manquait de chavirer à chaque coup d'épaule des portefaix qu'ils s'étaient choisis pour équipage. Le banquier souriait à la foule, s'arrêtait pour parlementer à la portière et monnayer, de temps à autre, le passage d'une barricade de quelques louis qui, malgré le profil du roi Charles X, disparaissaient aussitôt dans les vastes poches des révolutionnaires en faction. Un tambour précédait cet étrange cortège mais, sous l'effet de la chaleur ou de l'ivresse, l'homme titubait et donnait à cette marche solennelle d'un prince du peuple des sinuosités difficiles à supporter pour l'estomac des passagers de la chaise à porteurs. Quatre huissiers du Palais-Royal accompagnaient leur maître dans l'espoir de donner un peu de dignité et de direction à la procession. La délégation des députés suivait comme elle le pouvait, chacun ayant sur le dos le costume du matin, la veste courte côtoyait la redingote et la cravate n'était souvent qu'un simple mouchoir d'indienne. C'était un défilé en veste et chapeau rond. Le peuple regardait et se divertissait, reprenant parfois les « Vive le duc d'Orléans ! » criés à pleins poumons par les parlementaires et la petite coterie de journalistes et de publicistes fermant la marche. Thiers faisait l'important au milieu de ses confrères, il avait été présenté quelques heures plus tôt au prince qui l'avait chaleureusement remercié de ses démarches.

L'aide de camp gardait ses pistolets d'arçon chargés et scrutait la foule pendant que le prince distribuait à foison les poignées de main aux commis de boutiques et les baisers aux harengères de la halle. Il savait par ses informateurs que les républicains menaçaient de tirer à vue sur le duc d'Orléans si l'idée lui venait de se présenter à l'Hôtel de Ville. En croisant la rue de la Ferronnerie, il arma l'un de ses pistolets de peur que l'ombre de Ravaillac ne se penche un peu trop sur le cortège, mais le peuple restait bon enfant. Une blanchisseuse tendit même au duc d'Orléans un verre de vin que le prince accepta de bonne grâce en buvant à la santé de la nation. Il ne lui manquait plus désormais que le bonnet phrygien sur la tête pour faire un roi conventionnel.

Au débouché de la place de Grève, l'atmosphère changea brutalement; un silence lourd de réprobation accueillit Orléans. On le regardait sous le nez, on le dévisageait, on attendait. Il faisait toujours aussi chaud et la sueur imbibait les uniformes de laine alors que les ouvriers, eux, étaient en chemise ouverte, pieds nus dans des galoches mais les mains noires de poudre. Des cris d'hostilité brisèrent le silence déjà menaçant. On entendit: «À bas les Bourbons! Plus de Bourbons! À mort les Bourbons!» D'abord isolés et timides, les cris ricochaient maintenant d'un bout à l'autre de la place, repris par un écho inquiétant.

Le duc d'Orléans continua à saluer et à tendre la main à ceux qui voulaient bien encore la saisir. Ces injures n'étaient pas pour lui. Thiers l'avait écrit, dit et répété, le duc d'Orléans n'était pas un Bourbon mais un Valois… Et le prince, descendant direct d'Henri IV, de Louis XIII et même de Louis XIV par la main gauche, feignait de le croire.

Tout à coup, l'aide de camp entendit distinctement: «À bas le duc d'Orléans!» Les républicains, prévoyant cette visite, avaient placé des agitateurs au milieu de la foule. Il fallut descendre de cheval pour ne pas offrir une cible trop facile et entrer dans les salons de l'Hôtel de Ville car si ce cri, lui aussi, était repris par la foule, tout pouvait arriver.

Louis-Philippe, qui ne s'attendait pas à une promenade de santé, avait préparé avec ses conseillers quelques formules susceptibles de lui gagner le peuple. Il monta le perron et, se tournant vers la place, déclara à haute et intelligible voix :

— C'est un ancien garde national qui fait visite à son ancien général !

Le mot tomba à plat. Personne ne se souvenait que le prince avait servi sous les ordres de La Fayette quarante ans plus tôt, et tout le monde s'en moquait éperdument. Pire, les cris reprirent. On entra précipitamment pour se mettre à couvert.

Au pied de l'escalier d'honneur, Louis-Philippe fut soulagé d'apercevoir le marquis de La Fayette qui l'attendait. Le «héros des Deux Mondes» restait un vieil homme de cour qui ne pouvait manquer aux exigences élémentaires de l'étiquette, il s'était donc refusé à faire monter jusqu'à lui un prince du sang et s'avança jusqu'à lui en boitillant. Le duc d'Orléans se précipita pour l'empêcher de marcher davantage et, le prenant par le bras pour l'aider, lui dit de façon à être entendu de tous ceux qui étaient présents :

— Ah... ce sont les suites de la blessure reçue en Amérique ? À la bataille de Brandywine, je crois... ?

— Ah, monseigneur, quelle mémoire ! répondit le vieux cabotin, touché au cœur que le duc d'Orléans se rappelle un événement vieux de plus d'un demi-siècle et, jetant la rancune à la rivière, il oublia la haine qui l'opposait autrefois à son père.

Maître corbeau tenait depuis bientôt trois jours une couronne dans son bec, et le moment n'était pas loin où il allait la déposer sur le front d'un renard au poil fleurdelisé. La Fontaine était vengé.

On continua à échanger des compliments et à faire de magnifiques déclarations lorsque le «général» Dubourg, toujours vêtu de son uniforme emprunté aux magasins de l'Opéra-Comique, se fraya un passage à travers la foule avec l'aplomb d'un homme qui aurait – tout au moins l'assurait-il – chassé lui-même la garde royale de l'Hôtel de Ville dès la première heure de la Révolution. Depuis, ce personnage, dont en réalité personne n'était capable de reconstituer les états de service, traînait son sabre dans les couloirs et les salons, parlait fort, tapait sur le ventre des commissaires municipaux et racontait à qui voulait bien l'entendre la prise héroïque de la maison commune. Furieux de ne pas avoir été associé à l'accueil du prince, il l'interpella aussitôt sans façon :

— On dit que vous êtes un honnête homme, et comme tel incapable de manquer à vos serments, mais il est bon que vous soyez prévenu que, si vous ne les teniez pas, on saurait vous les faire tenir…

Disant cela dans un français faubourien, la main appuyée sur la garde de son sabre auquel pendait une énorme dragonne arrachée à la passementerie d'un rideau des Tuileries, l'homme tourna la tête de droite et de gauche d'un air farouche pour faire entendre qu'il parlait au nom de cette foule hostile et murmurante.

Pour le duc d'Orléans, c'était l'avanie de trop. Il avait tout accepté, cette cavalcade ridicule à travers les rues dépavées de Paris, l'invasion de son palais par une foule beuglante, des poignées de main distribuées à la lie du peuple, les gestes de camaraderie indignes d'un banquier dont son père n'aurait pas voulu pour créancier, la veulerie de députés prêts à se prosterner devant le roi ou l'émeute selon leur puissance de feu et enfin le regard infatué de La Fayette se prenant pour saint Remi. Il pouvait tolérer beaucoup de choses, mais certainement pas que l'on oublie à qui l'on parlait lorsque l'on s'adressait ainsi directement à lui sans lui avoir été officiellement présenté ni invité à le faire. Son regard fixa longuement le polichinelle qui s'était senti autorisé à le prendre ainsi publiquement à témoin.

Jamais peut-être sa ressemblance physique avec le roi Louis XIV n'avait été aussi frappante. Voilà qui contredisait mal à propos les approximations généalogiques d'Adolphe Thiers et de tous les publicistes à la solde du Palais-Royal mais donnait au duc d'Orléans une autorité et une majesté presque naturelles. Il était, il restait un Bourbon.

Louis-Philippe laissa le silence, et même la gêne, s'installer, puis il répondit d'une voix de bronze :

— Vous ne me connaissez pas, monsieur ! Vous apprendrez à me connaître, mais je ne vous ai donné aucun droit de m'adresser de semblables paroles. Je n'ai jamais manqué à mes serments, et ce n'est pas quand la patrie me réclame que je songerais à la trahir.

Insensiblement, les députés avaient fait corps autour du prince, et Dubourg, décontenancé et moins général que jamais, balbutia des paroles inintelligibles avant de se perdre parmi les gardes nationaux qui commençaient à se moquer ouvertement de lui. Les républicains venaient de manquer leur coup, les choses eussent peut-être tourné autrement si la scène s'était jouée sur la place de Grève où la foule continuait à manifester son mécontentement, mais sous les lambris de l'Hôtel de Ville, elles venaient de tourner court.

Pour en finir, La Fayette entraîna le duc d'Orléans sur le grand balcon, se saisit d'un drapeau tricolore et en drapa le prince avant de le serrer sur son cœur pour lui donner par trois fois l'accolade. Il frotta longtemps ses vieilles joues maquillées sur les favoris teints du nouveau lieutenant général du royaume sans oublier de s'envelopper, lui aussi, dans l'immense drapeau national. Cette fois, ce fut l'ovation. La foule, comme au théâtre, applaudissait désormais à tout rompre la prouesse des acteurs. Le duc d'Orléans savait qu'il avait gagné une partie risquée et mal engagée. Il salua longuement la foule en agitant ses rubans tricolores. Certes, la place de Grève n'était pas la cathédrale de Reims ni même Notre-Dame de Paris mais, après tout, Paris valait bien une accolade maçonnique ! Louis-Philippe n'était pas l'héritier d'Henri IV pour rien.

Au château de Rambouillet

C'est le roi que l'on attendait lorsque, vers les huit heures du soir, une voiture ronde à l'anglaise, sans capote ni luxe, mais conduite à un train d'enfer par un postillon en veste blanche, arriva dans la cour d'honneur. Le prince de Polignac en descendit pâle et défait. Il portait un frac verdâtre qui augmentait la décomposition de ses traits, demanda d'abord à boire puis à pouvoir disposer du nécessaire pour écrire un mot à l'un de ses frères. Il ne resta pas au château plus de vingt minutes avant de remonter dans son curieux équipage sans que personne ou presque l'ait reconnu.

Une heure et demie plus tard, l'avant-garde du long convoi partie quatre heures plus tôt de Trianon se présentait. Elle était composée d'un détachement de la gendarmerie d'élite, suivi des gardes du corps. Le roi, qui avait fait une partie du chemin à cheval en tête de la compagnie de Luxembourg, était remonté en voiture à quelques lieues du château. Il en descendit le premier, couvert de poussière, le visage congestionné et le regard perdu. Des larmes avaient tracé de petits sillons sombres sur les revers de son habit poudré par la terre des chemins. Puis ce fut le tour de la duchesse de Berry, dont l'accoutrement romanesque ne manqua pas d'être commenté par les domestiques du château. Elle s'occupait de sa fille pendant que le baron de Damas portait dans ses bras le petit duc de Bordeaux endormi.

Le roi, que tout le monde observait et qui piétinait depuis quelques minutes sur le premier palier intérieur de l'escalier d'honneur, montra des signes d'impatience car il attendait sa belle-fille pour lui donner le bras. Il ne serait pas convenable qu'il entre, seul, au château. Lorsque enfin la princesse comprit qu'elle était attendue et se décida, elle fut suivie du maréchal Marmont, de tous les officiers en uniforme et des autorités de la ville accourues dès la nouvelle connue.

Le duc de Duras insista une nouvelle fois pour que la garde intercepte les voitures de la poste afin d'empêcher que le courrier ne répande la révolution à travers la province. Mais le roi refusa, comme il l'avait fait lorsque la malle-poste avait croisé les berlines de la Cour, jugeant que ce serait là un acte non seulement illégal mais d'une grande incorrection. Le gouvernement provisoire tenait le télégraphe grâce à l'étourderie du prince de Polignac, le roi dans sa très grande élégance lui abandonnait la poste... La révolution pouvait se répandre, elle tenait les communications.

Tout le monde ayant été invité à entrer dans le grand salon, démeublé et dont un seul lustre restait éclairé, le roi, sans se départir de sa courtoisie parfaite, salua chacun d'un mot aimable. Il échangea alors quelques paroles avec le maire de la ville :

— Eh bien, monsieur Delorme, vos habitants sont-ils toujours sages ?

La réponse l'ayant rassuré, il ajouta dans un soupir de lassitude :

— Pourquoi n'en est-il pas de même partout ?

Madame de Gontaut et le baron de Damas entrèrent et lui présentèrent les enfants de France qui allaient être mis au lit. Les logements avaient été distribués. Le roi occuperait celui qui donnait en contrebas, sur les parterres, la duchesse de Berry et ses enfants la plus grande partie du deuxième étage de cette même aile. Le grand appartement du premier niveau, qui communiquait discrètement avec l'appartement du roi par l'escalier de la tourelle de l'est, resta réservé à la dauphine dont on espérait ardemment le retour. Quant au dauphin, il se voyait exilé de l'autre côté du château dans l'ancien appartement de l'usurpateur que Charles X dédaignait depuis toujours. Autant il avait toujours su gré à l'ogre corse de l'excellent entretien dans lequel il avait retrouvé les châteaux de la Couronne à son retour d'émigration, autant il refusait partout de coucher dans ses draps. Le roi embrassa les enfants, regarda sa montre puis se fit confirmer l'heure qu'il venait de lire. Au courtisan qui s'empressait de la lui indiquer, il répondit :

— Tiens, il n'est que dix heures ? Je croyais qu'il était plus tard…

Profitant de ce quart d'heure gagné, il retourna vers le petit groupe des autorités municipales pour les interroger derechef sur l'état d'esprit de la population de Rambouillet. Il attendit de nouveau d'être rassuré.

— Vous dites donc que vos habitants sont sages ?

— Oui, Sire, je réponds d'eux comme de moi-même, répéta le maire.

C'est à ce moment-là que le maréchal Marmont, après un long conciliabule avec les officiers généraux, s'avança vers le conseil municipal pour demander du pain pour la Cour et pour les troupes qui n'avaient rien dans le ventre depuis la veille.

Une fois le roi rentré dans sa chambre, ministres, officiers, gouvernants des enfants de France et courtisans se ruèrent sur les provisions de bouche que l'on fit monter des cuisines. La duchesse de Berry ne fut pas la dernière à se jeter sur le pain et les confitures. Les enfants ayant été oubliés, la duchesse de Gontaut, partie en exploration dans les cuisines, en rapporta du pain rassis. Le duc de Bordeaux dormait comme un sonneur. Sa sœur en fit son dîner.

Les bêtes, pour leur part, furent nourries avec le foin qui venait d'être récolté dans le parc du château et emmagasiné dans le grand commun, ce qui faisait dire aux soldats affamés que les chevaux étaient mieux servis que les cavaliers.

Alors que le roi et la famille royale dormaient déjà, le maréchal Marmont et le général Vincent s'occupèrent de mettre le château en état de défense. Les gardes du corps bivouaquèrent avec les gardes à pied, sous les quinconces, dans le jardin neuf et la cour Verte, mais il fallut toute la nuit aux troupes pour parvenir à Rambouillet et prendre position selon les instructions des officiers généraux. Un régiment de la garde rentra de Normandie où il était parti quelques semaines plus tôt pour rétablir le calme dans une province ravagée par de mystérieux incendies. Ses trente-huit pièces d'artillerie offraient au roi de nouveaux arguments.

À Paris, au Palais-Royal

Retiré dans son cabinet, Louis-Philippe se félicitait d'avoir dans la même journée reçu la lieutenance générale du royaume des mains des représentants de la nation et des acclamations du peuple de la place de Grève, mais il n'avait pas aimé l'apostrophe de cet énergumène en uniforme d'opérette dans lequel il voyait une marionnette entre les mains des jeunes républicains qui faisaient feu de tout bois pour relancer les fureurs révolutionnaires. Il avait vécu l'emballement de 1789, cette révolution lancée comme une voiture folle que rien n'arrête et qui écrase tout sur son passage. Les combats cessaient, les députés incarnaient une légitimité politique dont il était désormais le dépositaire. Il fallait que l'ordre revienne, et avec lui la tranquillité des gens.

Thiers, lui non plus, n'avait pas apprécié cette manœuvre grossière de Cavaignac et de sa petite bande de têtes brûlées, aussi il s'était fait fort de calmer ces esprits échauffés par de belles promesses. Demain l'État ne serait plus qu'une dépouille dont la curée froide pourrait satisfaire l'appétit des plus affamés. Plus besoin d'un beau nom, d'ancêtres prestigieux ou d'une haute naissance pour parvenir aux emplois, une belle ambition et un peu de talent suffiraient. L'Empire avait fait des maréchaux de vingt-cinq ans, la monarchie constitutionnelle ferait appel à des ministres de trente ! Aussi était-il parvenu à convaincre le duc d'Orléans de recevoir quelques-uns de ces jeunes fous pour les gagner à sa cause et en faire les futurs soutiens du régime qui commençait à poindre sous les dorures toutes neuves du Palais-Royal.

Le duc accueillit donc la petite délégation avec affabilité, mais les lionceaux de la république commencèrent à se faire les dents sur le nouvel Henri IV, leurs questions étaient aiguisées comme des lames. Louis-Philippe s'attendait à distribuer des bureaux de tabac et des perceptions publiques, on lui demandait de dessiner une politique. Comment comptait-il obtenir des puissances européennes la réparation des traités iniques de 1815 ? Allait-il abolir la pairie héréditaire et instaurer le suffrage universel ? Pourquoi ne convoquait-il pas sur-le-champ une Assemblée constituante ? Le prince d'abord surpris esquivait, bottait en touche, répondait aux questions que personne ne lui posait pour éviter les chausse-trappes, parlait pour ne rien dire, évoquait son passé révolutionnaire, Valmy, Jemappes. Pour appeler ces jeunes gens au calme et à la modération, il évoqua maladroitement les excès de la Convention. Ce fut la phrase de trop. Cavaignac regimba :

— Monsieur, vous oubliez que mon père était de la Convention !

Louis-Philippe, que ces jeunes gens qui affectaient de le traiter en simple citoyen commençaient à importuner, répliqua :

— Le mien aussi, monsieur, et je n'ai jamais connu d'homme plus respectable…

Thiers n'aimait pas le ton que la conversation prenait et chercha à faire diversion. Il s'approcha de l'un des compagnons de Cavaignac, lui frappa sur l'épaule et, prenant le duc d'Orléans à témoin, lui dit avec un clin d'œil appuyé :

— N'est-ce pas, monseigneur, qu'il ferait un beau colonel ?

Loin de se voir déjà en uniforme galonné, le jeune homme s'écarta brusquement de l'étreinte du pouvoir en criant comme une demoiselle à laquelle un vieux débauché proposerait la botte :

— Nous prend-on pour des filles qui viennent se vendre ? Je ne veux pas être colonel, et jamais je ne servirai pareille cause !

— Vous reviendrez à moi, répondit le prince d'un air pincé, ajoutant : Vous verrez…

— Jamais !

— Jamais est un mot qu'il ne faut jamais prononcer en politique… rétorqua le prince en mettant fin à l'entretien.

Thiers laissa partir sans un geste les jeunes républicains qu'il avait lui-même conduits des locaux du *National* au Palais-Royal. Leur effronterie n'était plus de saison, et il s'apprêtait dès demain à les combattre. Déjà il donnait en secret des ordres pour que les troupes ralliées arrachent les proclamations républicaines placardées dans les rues et que des partisans de l'ordre et de la maison d'Orléans partent saccager les bureaux de *La Tribune* qui les relayaient dans l'opinion. La liberté de la presse avait déjà beaucoup servi depuis lundi, il n'était pas nécessaire d'en abuser.

Pour sa part, il était bien décidé à rester auprès du duc d'Orléans auquel il n'avait jamais manqué de donner ostensiblement du « monseigneur » dans l'espoir de pouvoir l'appeler bientôt « Sire »… Il était d'ailleurs temps que des hommes habiles et déterminés occupent le ministère de l'Intérieur, et si par hasard ils étaient d'anciens journalistes, ils n'en surveilleraient que mieux les journaux.

Personne aux abords de la place Louis-XV, qui conservait la trace des combats de la veille, ne prit garde à l'omnibus qui venait de s'arrêter devant les grilles des Tuileries, faute de pouvoir pousser plus loin à cause des barricades, et ni les passants ni les gardes nationaux en faction n'accordèrent la moindre attention à la nombreuse famille qui en descendit pour continuer son chemin à pied. Il faisait beau, les combats avaient cessé depuis la veille, les bourgeois partis pour la campagne rentraient simplement chez eux. Au Palais-Royal, les Suisses, qui tentaient d'en garder les portes malgré les allées et venues de tous ceux qui se croyaient le droit d'accéder au héros du jour, furent ébahis lorsqu'ils virent arriver, marchant comme de simples promeneurs, la duchesse d'Orléans et les enfants princiers accompagnés de Mademoiselle Adélaïde, la sœur du prince, et de leurs dames d'honneur qui, quelques jours plus tôt, eussent préféré se jeter dans la Seine plutôt que de monter dans une voiture publique et de déambuler par les rues sales du quartier comme de simples grisettes.

Les conseils de la comtesse de Boigne n'avaient pas été totalement suivis, car c'était en bourgeoises que les princesses s'étaient décidées à quitter Neuilly pour retourner à Paris. Il leur fallut d'ailleurs enjamber les Parisiens qui dormaient en travers des marches de l'escalier d'honneur, accepter les hommages d'émeutiers déguisés en spadassins de comédie, écouter des chansons ridicules et saluer une foule poisseuse pour parvenir, enfin, à leurs appartements privés. Seuls les jeunes princes, habitués à aller tous les jours au collège – leur père aimait afficher des mœurs simples –, s'étaient amusés de ce voyage, expliquant à leur mère et à leur tante les usages particuliers de ce nouveau mode de transport collectif qui permettait, moyennant quelques sous, de parcourir Paris comme en diligence. L'idée même que des hommes et des femmes pussent se retrouver mêlés dans ces immenses guimbardes aux chaos suggestifs donnait à la duchesse des vapeurs anglaises et des terreurs rétrospectives pour la pureté de ses garçons. À peine avait-elle atteint sa chambre qu'elle tomba épuisée dans les bras de ses femmes qui la délacèrent pour lui donner de l'air.

Les retrouvailles de Rambouillet

Dimanche 1er août 1830

Sur la route de Fontainebleau à Versailles

Encore une fois, il avait fallu changer de voiture, abandonner la berline pour un équipage plus discret, se déguiser, jouer à la bourgeoise allant à sa campagne accompagnée d'une jeune nièce. Le brave Faucigny gardait pourtant belle allure sous la livrée, et le marquis de Conflans s'amusait lui aussi à jurer comme un charretier sous son paletot de cocher. Ils conduiraient eux-mêmes l'attelage. La dauphine acceptait toutes ces facéties du destin, mais elle s'était montrée très hésitante à laisser le baron Charlet regagner Paris pour qu'il aille, là-bas, veiller à ses intérêts. Le fidèle homme d'affaires voulait, tant qu'il en était encore temps, donner des ordres à l'agent de change et aux banquiers, dresser des inventaires, établir des procès-verbaux et faire mettre les scellés sur les biens propres de la duchesse d'Angoulême afin de les garantir du pillage et des convoitises.

Quelques heures plus tard, la grande berline de voyage, escortée par un petit détachement de gendarmes, s'était paresseusement engagée sur d'autres chemins avec à son bord la femme de chambre portant un des étonnants chapeaux de sa maîtresse pour tromper d'éventuels espions.

On avait donc pris la route de nuit. Arrivée au grand carrefour de la Croix de Bernis, la voiture croisait la carcasse calcinée du fourgon à bagages pillé par l'émeute et basculé dans le fossé. Du linge pathétique pendait encore aux branches des arbres. La dauphine avait tourné la tête pour pleurer au souvenir de son linge en désordre. D'un courrier à cheval trop bavard, on apprit que la Cour n'était déjà plus à Saint-Cloud. Faucigny prit sur lui de passer le relais de poste sans relayer, et il fit bien. Ensuite, on creva les chevaux pour atteindre Versailles avec le lever du soleil.

À la hauteur des octrois, il n'était pas possible de passer outre. Un attroupement s'était formé pour débusquer les soldats perdus et boire au départ du roi et de la garde. Des hommes et quelques femmes encerclaient déjà la voiture. Ils criaient, disaient des insultes et chantaient des couplets patriotiques. La ville, la route, la haine, la peur, tout recommençait, et la dauphine respirait maintenant avec beaucoup de difficulté, serrant sur son sein le gros sac à ouvrage de toile verte qui ne la quittait jamais. En 1789, elle avait vu, à cet endroit même, des hommes affreux, déguisés en femme, danser, chanter et hurler autour du carrosse qui les conduisait de Versailles à Paris sur une route pavée de sang. Elle revoyait maintenant très distinctement les visages de sa mère et de sa tante déformés par la frayeur, celui de son père qui tentait de faire bonne figure avec cet importun de La Fayette chevauchant à la portière et le regard encore ensommeillé de son jeune frère cherchant à comprendre ce qui se passait. Tout à coup, une tête montée sur le marchepied et surmontée d'une énorme cocarde se pencha par la fenêtre. Elle voulait trinquer, à toute force, avec les deux voyageuses serrées l'une contre l'autre. Faucigny comprit tout de suite le danger, et c'est en hurlant «Vive la Charte!», «À bas les Bourbons!» qu'il fit détaler les chevaux dans une volée de coups de fouet et une pluie d'étincelles.

À l'intérieur de la voiture, la crise nerveuse, longtemps retenue, se débonda comme un étang que l'on purge. La dauphine, autant secouée par le hoquet des sanglots que par les cahots de la route, pleurait comme une enfant de onze ans. Elle voulait voir le roi, le roi! Madame de Sainte-Preuve eut toutes les peines du monde à la calmer. Un soldat qui avait reconnu la passagère mais gardé prudemment le silence indiqua d'un simple geste accompagné d'un air entendu la direction de Rambouillet. On s'y engagea.

À Paris, rue du Faubourg-Saint-Honoré

La comtesse de Boigne trottait dans les rues de Paris, la joie au cœur et avec une excitation folle qui lui mettait le feu aux joues. Les passants ne pouvaient heureusement rien en deviner car elle sortait en grand deuil, et un flot de crêpe noir lui couvrait le visage. Le matin, sur le coup de sept heures, madame de Montjoie, dame d'honneur de la princesse Adélaïde, la sœur de Louis-Philippe, s'était présentée chez elle pour la charger d'une mission de la plus haute importance. La princesse voulait s'entretenir à toute force avec le comte Pozzo di Borgo, ambassadeur du tsar, pour le rassurer personnellement sur les intentions de son frère au sujet du général Sébastiani. Son petit voyage à Neuilly avait finalement porté ses fruits. La veille au soir, elle était même parvenue à empêcher *in extremis* l'ombrageux Pozzo de rejoindre Charles X à Rambouillet avec tout le corps diplomatique. C'était uniquement sur les assurances et les implorations de sa bonne amie que l'ambassadeur retardait son départ, mais il comptait bien en recevoir la confirmation du duc d'Orléans en personne car le seul nom de Sébastiani déclenchait, chez lui, des humeurs si noires que son jugement, si sûr, s'en trouvait soudain altéré. La rivalité ancestrale entre les Pozzo et les Bonaparte avait transformé l'Europe en un immense champ de bataille, Louis-Philippe ne tenait pas à faire les frais de ces haines corses. Le général Sébastiani ne serait pas ministre des Affaires étrangères, et on lui confierait tout simplement un autre portefeuille.

Charmé de ces intentions, le comte Pozzo fit savoir qu'il verrait la princesse d'Orléans avec plaisir mais qu'il ne pouvait pas être question pour lui de mettre les pieds au Palais-Royal où sa visite engageait son gouvernement plus loin qu'il ne souhaitait aller pour l'instant. En revanche, l'entrevue secrète aurait lieu rue d'Anjou, chez leur amie commune. La comtesse exultait de joie. Son salon, l'œuvre d'une vie, devenait pour quelques heures une sorte de ministère, mieux encore, un nouveau pavillon de Tilsitt où allait se décider, entre ses bergères et sa table à ouvrage, la paix de l'Europe. Elle marchait d'un pas léger, passant les barricades, sautant les flaques de sang, frôlant de ses tulles noirs les soldats dépenaillés de la révolution couchés à même le sable des rues dépavées et qui dormaient encore. Cette passante bien mise se mêlait habilement à la procession de femmes pieuses bien décidées, elles aussi, à braver la rue et la populace soulevée pour se rendre à l'office du dimanche. Toutes les églises étaient ouvertes et se remplissaient à une vitesse surprenante. Le parvis de Saint-Roch offrait même l'animation joyeuse des jours de fête. La comtesse regretta presque de ne pas avoir pris un joli missel des dimanches pour compléter son déguisement, mais personne ne songeait à venir importuner cette grande dame voilée de deuil empêchée d'aller en voiture par les événements et l'état des chaussées.

Enfin, à l'angle de la rue de Richelieu, elle entra dans un magasin d'articles de mode resté curieusement ouvert un jour chômé. Comme convenu, madame de Montjoie l'y attendait dans l'arrière-boutique, dont une porte donnait sur l'un des escaliers intérieurs de l'aile des remises. La comtesse suivit alors le labyrinthe emprunté la veille par le duc de Mortemart, marcha sur les mêmes débris de vitre, monta dans les combles, redescendit, traversa des pièces abandonnées, se crut perdue pour parvenir enfin comme par enchantement jusqu'à un passage dérobé qui ouvrait dans la petite galerie où l'attendait la princesse. Les deux femmes eurent à peine le temps d'échanger deux mots à propos de Pozzo que la duchesse d'Orléans entra en trombe. Elle n'avait plus de larmes pour pleurer, et de petites rigoles rougeâtres offraient un méchant ourlé à ses gros yeux bleus. Son agitation arracha à sa belle-sœur un imperceptible geste d'agacement. Celui d'une femme supérieure importunée par une oie ivre. Un valet de chambre de la duchesse de Berry venait de porter une lettre que la petite princesse adressait à sa très chère tante, la pauvre femme en était toute retournée. D'un regard, la princesse lui interdit d'en dire davantage en présence de leur amie. Se taire, soit, mais que fallait-il répondre ? Marie-Amélie prise entre l'ambition démesurée qu'elle caressait depuis toujours pour son mari et ses devoirs de famille à l'égard de la maison de Bourbon-Sicile, dont sa nièce était issue, ne savait plus à quel saint napolitain se vouer. Peut-être d'ailleurs étaient-ils trop nombreux pour qu'elle s'y retrouve. Sa belle-sœur ne la laissa pas longtemps se tourmenter. La réponse fut claire, il ne lui fallait écrire sous aucun prétexte, voilà tout. Des bonnes paroles au messager tant que l'on voudrait, mais pas une ligne. Rassurée, la duchesse retourna à ses appartements pour réapparaître quelques instants plus tard tout effrayée, cette fois, d'avoir croisé le général Sébastiani qui emplissait les salons du Palais-Royal de son accent corse et de ses aigreurs d'estomac. Il exigeait de voir un membre de la famille pour obtenir des explications car il savait que l'on se préparait à le sacrifier sur l'autel de la haute diplomatie et ne décolérait pas. Là encore, sans se départir de son calme, Adélaïde d'Orléans trouva les arguments qui rassuraient. Elle recevrait ce brave général en l'absence de son frère bien-aimé pour lui expliquer qu'il lui revenait de se soumettre à des intérêts qui le dépassaient et pourraient bien l'étouffer dans le cas où il n'y prendrait garde. La roue de la révolution roulait maintenant dans le bon sens, et elle écraserait impitoyablement ceux qui ne l'auraient pas encore compris, fussent-ils corses, généraux ou les deux à la fois, ce qui était pire ! La duchesse d'Orléans et la comtesse de Boigne jugèrent à propos de quitter la pièce et de se retirer par les intérieurs pour ne pas avoir à croiser celui qui allait devoir consentir à sa propre immolation pour la plus grande gloire des Orléans.

Au château de Rambouillet

Le visiteur, banalement vêtu, arrivé dans une voiture sans armoiries, conduite par des cochers et des postillons sans livrée, mais muni d'un laissez-passer en règle, s'était présenté à l'aube afin de voir Sa Majesté. Il avait dû attendre son réveil pour que l'huissier l'introduise par les arrières avant même que le premier gentilhomme ne pénètre dans la chambre. L'homme s'était entretenu avec Charles X pendant près de trois quarts d'heure avant de disparaître sans que personne puisse dire de qui il s'agissait. Cette visite matinale occupait la petite troupe de courtisans défaits et désœuvrés qui attendaient dans le grand salon le lever de Sa Majesté avant de l'accompagner à la messe. Pour certains, c'était un ambassadeur d'une grande puissance venu offrir au roi des garanties. Pour d'autres, il s'agissait, à n'en pas douter, d'un émissaire secret du duc d'Orléans. Quelques-uns, plus sombres, se lançaient des regards entendus, convaincus d'avoir reconnu Martin, le paysan visionnaire de Gallardon auquel l'archange Raphaël apparaissait régulièrement coiffé d'un chapeau haut de forme et revêtu d'une redingote blanche. Ce laboureur visionnaire avait fait à Louis XVIII les pires prédications dans le cas où il se refuserait à restituer le trône à son neveu Louis XVII qui n'était pas mort au Temple. Le terrible bonhomme avait dû venir, au petit matin, répéter directement au roi ce qu'il avait dit à monsieur de La Rochejaquelein envoyé à sa rencontre à quelques lieues de Rambouillet sur la route d'Écrosne. Quand bien même le roi Charles disposerait d'une puissante armée, il était inutile de verser le sang, il fallait partir pour l'exil car tout était perdu. Ni lui ni son fils ne reverraient la France, et le jeune duc de Bordeaux ne régnerait jamais.

Ces spéculations provoquèrent les sarcasmes chez les officiers de service qui demandèrent, goguenards, aux dames spiritualistes pour quelle raison – tant qu'à faire la route depuis Gallardon – le voyant n'avait pas donné au roi des nouvelles du duc de Mortemart disparu depuis bientôt trois jours ou de madame la dauphine dont on restait sans nouvelle.

À ce moment précis, le bruit d'un équipage entrant dans la cour pavée suivi des cris de la garde précipita vers le vestibule et l'escalier d'honneur les restes de Cour qui tuaient le temps en échangeant des extravagances. La dauphine sortit d'une petite calèche jaune tirée par trois chevaux. Elle portait une vulgaire robe d'indienne et un petit chapeau en carton bouilli qui lui donnaient des airs de marchande retirée des affaires. La modestie de son costume conférait à sa laideur une gaucherie presque provinciale. Les gardes du corps qui l'avaient reconnue dès que la voiture s'était engagée dans le parc accouraient déjà pour la fêter. Jamais elle n'avait été reçue par une haie d'honneur aussi débraillée. Les hommes les mieux mis étaient en simple tenue d'écurie, mais ils ne formaient pas, loin de là, une majorité. Les autres, qui à cette heure encore matinale terminaient leur toilette dans les pièces d'eau et les abreuvoirs, n'avaient sur eux que leur chemise, portaient des barbes à moitié faites et des pantalons à ponts ouverts qu'ils ne pensaient même pas à reboutonner. La dauphine qui, en d'autres temps, eût renvoyé à ses quartiers un soldat mal colleté, se laissait baiser la main par tous ceux qui l'approchaient et l'ovationnaient. Tout juste reconnus, les cochers, si bien nés, se trouvèrent, à leur tour, entourés et pressés de questions. On voulut les porter en triomphe.

Le duc d'Angoulême sortit lui aussi de la voiture car il avait rencontré sa femme par hasard sur la route de Coignères où il tentait de rassembler les troupes débandées. À peine l'avait-elle retrouvé qu'elle lui demandait de sa voix rauque à travers la portière :

— Les Orléans sont-ils avec le roi ?

— Non, lui avait-il répondu, surpris qu'elle puisse se préoccuper de ces gens-là.

Et elle marmonna aussitôt :

— Alors nous sommes perdus…

Donnant le bras à son épouse, il l'entraîna aussitôt à l'intérieur du château.

Le couple entra dans le grand salon de compagnie où le roi avait fait son apparition pour aller entendre la messe. Ses prières ferventes venaient d'être exaucées. La dauphine, éperdue, submergée par l'émotion, se précipita vers son beau-père qui lui ouvrit les bras. Il lui fut d'abord impossible de prononcer le moindre mot. Pendant trois jours et trois nuits, elle avait cru que le cauchemar des séparations vécues au Temple recommençait et qu'il lui faudrait de nouveau affronter l'emprisonnement, la solitude et le mutisme. Enfin, elle parvint à articuler :

— Ah, mon père, qu'avez-vous fait !

Avant de lancer :

— Du moins ne nous quittons plus, ce sera la plus grande des consolations.

Charles X, qui, depuis le début des événements, tentait de se composer ce visage impassible dont on lui avait répété tout au long de sa vie qu'il était le seul qu'un monarque puisse présenter à ses sujets, ne parvint pas, lui non plus, à contenir ses sanglots, et chacun l'entendit répondre :

— Me le pardonnerez-vous ?

La dauphine se redressa et, reprenant ce port de tête qu'elle tenait de sa mère, se soumit immédiatement aux volontés divines en assurant au roi et à son mari qu'elle partagerait désormais tous leurs malheurs.

— Laissons là le passé, se contenta-t-elle de dire.

Un conseil de famille fut aussitôt improvisé, l'aumônier prié d'attendre et les courtisans de se retirer, à l'exception du duc de Luxembourg et du baron de Damas, à qui la fidélité, la haute naissance et l'éminence des charges respectives offraient ce privilège inouï. Chacun prit alors place comme il le put. Le retour de la duchesse d'Angoulême avait réveillé le courage du roi qui parlait maintenant d'agir et même de résister. La dauphine qui, à Bordeaux en 1815, avait tenu tête, presque seule et abandonnée de tous, aux troupes de Napoléon, regardait son mari et son beau-père d'un tel air de pitié que cela leur fouettait un peu les nerfs. Le roi prit enfin une décision, la première depuis la signature des ordonnances. Le duc de Bordeaux devait être mis à l'abri au château de Saumur. La duchesse de Berry cria très haut que personne ne la séparerait de ses enfants et qu'elle irait partout où son fils irait. Le roi refusa. La princesse trépigna, menaça de se poignarder le cœur ou de se jeter dans un brasier, et le roi céda. On composa alors avec le plus grand soin un détachement de gardes du corps dont chaque soldat fut choisi pour sa loyauté, sa bravoure et ses qualités de cavalier. Au grand étonnement de son beau-père, la duchesse de Berry montrait une connaissance très sûre des hommes, de leur fidélité et même de leur endurance à la fatigue. Pour accélérer la marche, le voyage ne se ferait pas en voiture, le jeune prince serait porté alternativement en croupe par Damas et Lavillatte. En cas d'accident ou d'accès de faiblesse de l'un ou de l'autre, seul un officier supérieur serait autorisé à les remplacer. Un officier d'état-major fut immédiatement dépêché auprès du gouverneur de la place de Saumur pour qu'il prenne toute disposition.

Soulagé d'avoir décidé de quelque chose, le roi se rendit à la messe accompagné du duc de Luxembourg. Il était précédé de ses valets de pied, du duc et de la duchesse d'Angoulême, de son aumônier, du premier gentilhomme, du maréchal Marmont et des officiers supérieurs encore présents à Rambouillet. Il y avait là, entre autres, la plupart de ses aides de camp, le duc de Maillé, le marquis de Conflans qui continuait à mi-voix son récit des aventures de la dauphine, les comtes de Trogoff et de Bouillé, le vicomte Mermet et enfin le chevalier de La Salle. La duchesse de Berry marchait quelques pas derrière Sa Majesté. Enfin, pour prix de son dévouement, le jeune Ferdinand de Faucigny reçut l'autorisation d'escorter la famille royale. Ses camarades le regardèrent avec admiration et une pointe d'envie.

Pour la première fois depuis des semaines, le roi assistait à la messe entouré de tous les siens, mais à Rambouillet la chapelle dissimulée dans la tourelle sud était si exiguë que la famille royale se voyait agglutinée au pied des saints autels et les courtisans contraints de suivre l'office depuis la salle à manger contiguë. La dauphine, toujours affublée de son petit chapeau de carton jaune et de sa vilaine robe de cotonnade, car elle n'avait plus de linge à se mettre, donnait bien malgré elle le ton général de la Cour. Les uniformes galonnés, dorés et chamarrés avaient beaucoup souffert d'un départ précipité. Des auréoles suspectes teintaient les taffetas froissés dans des malles bouclées à la hâte, et un regard qui n'aurait pas seulement fixé le tabernacle aurait pu voir des courtisans chaussés de bottes crottées en lieu et place des escarpins de satin à boucles d'argent. Quant aux femmes, il leur avait été impossible de se faire coiffer et poudrer, alors elles cachaient sous des mantilles improvisées, des chapeaux trop habillés pour le matin ou des bonnets sans grâce le désordre de leurs anglaises sans parvenir à dissimuler les marques bistre que la fatigue et la peur laissaient sur des yeux, des joues et des lèvres sans fard.

Après l'élévation, alors que l'aumônier entonnait le *Sanctus* avec le plus de force qu'il lui était possible, sa voix se brisa au moment de prononcer le *Domine, salvum fac regem*. Le malheureux pleurait sur son roi, la Cour pleurait sur son sort, le roi, lui, priait de tout son cœur pour le salut de la France, de son petit-fils et de son pauvre Polignac qu'il aimait comme un fils et voyait déjà monter en charrette. La dauphine recommandait à Dieu l'âme de ses morts, et ils étaient nombreux, mais elle restait convaincue que son père avait échangé, au ciel, une couronne royale toujours fragile contre un diadème impérissable, tressé par la main des anges de lys immortels. C'étaient là les propres mots du défunt pape Pie VI au lendemain de l'exécution de Louis XVI, et sa fille les connaissait par cœur. Le dauphin fouillait dans sa mémoire pour savoir par où il avait bien pu pécher pour provoquer une telle catastrophe, et les enfants royaux, pourtant heureux d'être invités pour la première fois à partager la messe de leur grand-père, la trouvaient en vérité bien triste et ne comprenaient pas pourquoi l'abbé pleurait comme une Madeleine.

Au sortir de la chapelle, le roi, plein de fermes résolutions, fit appeler ses ministres pour tenir un nouveau Conseil. Ils n'étaient plus que deux, Montbel et Capelle, les autres couraient déjà la poste pour atteindre un port ou une frontière. Le duc de Mortemart n'ayant donné aucune nouvelle depuis son départ de Saint-Cloud, il paraissait clair que la main tendue aux fauteurs de troubles n'avait pas été saisie et que, dans ces conditions, les concessions accordées n'avaient plus lieu d'être. Le roi reprenait sa parole, et les ministres retrouvaient la plénitude de leur pouvoir et toute liberté d'action. Sa Majesté ne pouvait donc pas rester les bras croisés, elle devait non seulement prendre des décisions mais des actes officiels pour démontrer que la royauté, qu'elle soit installée aux Tuileries ou à Rambouillet, continuait. Depuis des temps immémoriaux, le Conseil se tenait là où le roi de France décidait de s'asseoir, fût-ce sous un chêne du bois de Vincennes. Les huissiers vidèrent l'appartement de parade, et le premier gentilhomme veilla à ce que les portes qui en permettaient l'entrée soient fermées à double tour. On reprit donc le Conseil des ministres là où il avait été interrompu à Trianon. Le roi allait lancer un appel solennel à tous les Français fidèles en s'adressant à leur sens de l'honneur et des intérêts d'une patrie qu'une nouvelle poussée révolutionnaire menaçait de ses désordres et de ses crimes. Il dénoncerait les factieux et les ambitieux qui avaient longuement préparé sur leurs petits feux les ferments de la révolte en réduisant volontairement le peuple à la famine pour le jeter contre le roi. Montbel, d'un tempérament pourtant réservé, s'enflammait, trouvait des phrases magnifiques et des solutions à toutes les difficultés. Une fois rédigée, cette proclamation serait envoyée à travers tout le pays et notamment aux camps de Lunéville et de Saint-Omer, à l'armée d'Afrique, dans ce Midi languedocien qui s'était montré si loyal pendant les Cent-Jours, et bien sûr en Vendée, où l'armée catholique était prête à se reformer pour se porter au secours du roi. Le dauphin et la dauphine, qui ne quittait plus jamais son beau-père des yeux, acquiesçaient. Le vieux sang des Bourbons, cinglé par l'adversité et chauffé par le feu de Montbel, semblait couler tout à coup plus vite dans ces veines trop bleues. Il fut aussi question de se procurer les expédients nécessaires à l'entretien des troupes. Si l'argent manquait au point que l'on fondait même une partie de l'argenterie emportée de Saint-Cloud, les diamants de la Couronne offraient une solide garantie. Il y avait là pour plus de quatre-vingts millions de pierreries, à quoi il convenait d'ajouter le fabuleux trésor du dey d'Alger dont une partie cinglait déjà dans des coffres de fer vers une destination secrète. L'espoir renaissait, après sept jours d'abattement. Le roi, heureux d'avoir retrouvé la duchesse d'Angoulême et de se voir entouré de tels aigles politiques – il savait juger les hommes à leur piété et leur fidélité –, donna ordre que l'on rédige au plus vite ces différentes proclamations et assura, avant de se lever et de quitter la pièce, qu'il les signerait dans l'heure.

Les deux ministres exaltés restèrent dans le salon du billard où s'était tenu le Conseil pour se mettre au travail, or il n'y avait ni plume, ni encre, ni papier. Ils sonnèrent longtemps jusqu'à ce qu'un valet de pied se présente. Ils le querellèrent pour n'avoir pas disposé le nécessaire sur les tables en vue du travail de l'État, mais le vieux domestique attaché au château depuis l'Empire leur répondit qu'il n'était pas notaire et que Rambouillet était une maison pour chasser, non pour écrire. Les deux hommes quittèrent donc le château pour se rendre à la sous-préfecture dont monsieur de Frayssinous, neveu de l'aumônier de Sa Majesté, était alors le titulaire. Ils y trouvèrent un homme tout dévoué à la cause du roi, des commis capables de tailler correctement quelques plumes, un grand bureau plat, enfin des rames entières de papier timbré. Les deux sauveurs de la monarchie se mirent aussitôt à l'œuvre.

À Paris, au Palais-Royal

Arrivée dans le salon des Batailles où elle devait attendre la fin du colloque particulier entre Adélaïde d'Orléans et le général Sébastiani, la comtesse de Boigne tentait d'adopter un maintien décent et convenable dans ce qui ressemblait désormais davantage à un caravansérail qu'à une maison princière. Chacun s'asseyait où il voulait, une foule de gens se promenait dans les salons et les galeries comme s'il se fut agi du foyer de la Comédie-Française ou de la Grande Galerie du Louvre. On admirait les tableaux, on jouissait de la vue sur les jardins, on musardait, et le prince et ses conseillers travaillaient sous le regard de la foule. Le duc d'Orléans, contre tous ses principes d'économie, avait donné ordre que des tables soient dressées en permanence et copieusement servies dans chaque salon du palais où la malheureuse duchesse faisait désormais office de cantinière du peuple parisien. Cette impression désastreuse était aggravée par les travaux en cours dans le palais dont l'architecte Fontaine achevait à peine la restauration. Les carrés de parquet démontés encombraient le coin de certaines pièces, obligeant les visiteurs à marcher sur de simples lambourdes, et les boiseries mises à nue offraient à tout ce désordre social un décor pitoyable. Il ne manquait plus qu'un tour de chant de la Pasta pour que l'on puisse se croire non pas au Palais-Royal, mais en pleine représentation de *L'Italienne à Alger*. La comtesse n'avait pas relevé ses voiles de deuil de peur d'être reconnue par des fournisseurs venus là pour passer leur dimanche et qui se seraient peut-être aventurés à lui faire la conversation. Elle avait été rejointe par la marquise de Dolomieu, la dame d'honneur de la duchesse qui, ne sachant où donner de la tête au milieu de ce tourbillon plébéien, cherchait, elle aussi, une contenance et des visages connus. Les deux femmes affrontaient ce renversement de leur monde avec la résignation des premiers chrétiens à l'hippodrome. Des cris et des hurlements de tambour annoncèrent l'arrivée au Palais-Royal du marquis de La Fayette venu rendre au lieutenant général du royaume sa visite de la veille. Le général des Amériques pensait pouvoir arracher au prince de nouvelles concessions républicaines alors qu'en réalité il n'était là que pour se soumettre. Louis-Philippe l'embrassa cette fois encore, le berça de paroles, le couvrit de ces compliments dont il était si friand, mais ne céda rien. Il signa au contraire la nomination de commissaires qui ressemblaient à s'y méprendre à de véritables ministres et profita de la présence du vieux mannequin de 1789 pour convoquer les Chambres à la date du 3 août. Le pouvoir quittait inexorablement l'Hôtel de Ville pour le Palais-Royal et le Palais-Bourbon. La commune de 1830 avait vécu, et Thiers se chargeait déjà de ficher et de faire intimider les partisans de la république pendant que son journal chantait sur ordre les glorieuses journées de juillet.

Louis-Philippe, enfin libéré de tout ce peuple, regagna ses appartements, salua chaleureusement la comtesse de Boigne avant de s'enfermer dans son cabinet de travail avec sa femme, sa sœur et le général Sébastiani qui eut alors pour la comtesse un regard à la tuer si ses yeux avaient été chargés comme des pistolets. Il savait le rôle qu'elle venait de jouer dans le petit drame qui l'opposait à Pozzo.

La comtesse n'eut pas le temps de trembler, car très vite la princesse Adélaïde la rejoignit. Le temps de mettre un chapeau suffisamment large pour dissimuler son visage mais assez décent pour une promenade matinale, les deux femmes se retrouvèrent dans la rue de Valois, traversèrent la place du Palais-Royal couverte de débris et de caisses de munitions éventrées puis obliquèrent tout de suite par la rue de Chartres* pour gagner la rue de Rivoli à travers le dédale répugnant du quartier, mais c'était là le plus court chemin. Il faisait une chaleur lourde qui réveillait l'odeur âcre de la pauvreté et ralentissait leur avancée quand, d'une pression de la main, la princesse Adélaïde attira l'attention de son

---

* La rue de Chartres reliait la place du Palais-Royal à celle du Carrousel. Elle a disparu lors du prolongement de la rue de Rivoli et de l'achèvement du Louvre.

amie sur un homme qui ajustait un peu trop ses pas sur les leurs. Il s'agissait en réalité de Jules Goulay, le maître d'hôtel de la comtesse de Boigne qui, par prudence, se faisait suivre depuis le matin par son plus fidèle domestique armé d'une redoutable canne à bout ferré. La princesse, soulagée, proposa qu'il vienne se placer entre elles deux afin de leur donner le bras comme un bon père de famille promenant sa femme et sa sœur, et c'est ainsi que cet homme habitué à s'incliner reçut un honneur réservé aux ducs et pairs. Soucieuses néanmoins de ne pas mêler ce serviteur à leur conversation, les deux femmes la continuèrent en anglais. La comtesse de Boigne profita de ce long entretien pour évoquer de nouveau le sort de son cher Marmont. Elle lui avait fait porter le matin même un peu d'argent et un courrier dans lequel elle lui promettait un sauf-conduit en règle pour gagner les Pays-Bas, l'Italie ou l'Angleterre. La princesse assura que c'était chose faite et que son frère n'avait aucun ressentiment personnel à l'encontre du maréchal. Ensuite, la jolie marcheuse plaida la cause du pauvre baron de Glandevès chassé des Tuileries avant d'être éconduit par les princes à Saint-Cloud. Elle pouvait être rassurée, le baron conserverait sa charge, son logement et ses pensions, car Louis-Philippe aurait bientôt besoin du fidèle soutien de la noblesse pour éloigner le spectre odieux de la république. La comtesse, décidée à ne pas s'arrêter en si bon chemin, continua à faire la carrière de ses amis en recommandant chaleureusement le conseiller Pasquier, ministre disgracié, homme de grand talent et de décision. Lui offrir un portefeuille, c'était assurer au duc d'Orléans le soutien de tous les doctrinaires. Cette petite secte était aussi choisie qu'efficace car elle connaissait parfaitement les rouages de l'appareil d'État et maîtrisait à la perfection la langue difficile des jurisconsultes, or la place d'un point-virgule pouvait parfois changer la face des choses. Les deux femmes poursuivaient leur périple à travers le jardin des Tuileries où leur présence passait inaperçue, mais les grilles donnant sur la place Louis-XV se révélèrent fermées. Contraintes de rebrousser chemin pour retrouver la rue de Rivoli, elles continuaient leur bavardage sous un ciel d'été. Après avoir fait la carrière de ses amis, la comtesse pouvait maintenant aborder une question épineuse mais de la plus haute importance politique. La veille, elle avait reçu un courrier de son amie madame Récamier qui s'était placée, depuis plus de dix ans désormais, à la tête du petit troupeau des folles adoratrices de Chateaubriand. Inquiète de voir son grand homme se draper de toute sa hauteur dans l'oriflamme de Saint-Denis avec la volonté farouche de défendre les intérêts de la légitimité aux dépens des siens propres, la pauvre pensionnaire de l'Abbaye-aux-Bois comptait donc sur l'influence de sa vieille amie de la rue d'Anjou pour engager les Orléans à faire un geste d'apaisement en direction de celui qu'elle considérait comme le plus grand génie de son siècle. La comtesse de Boigne connaissait trop bien les afféteries du grand écrivain pour le croire très utile dans des circonstances qui réclamaient de la mesure et de la souplesse d'esprit, mais elle le savait en revanche suffisamment fat et talentueux pour devenir un adversaire formidable du nouveau pouvoir. Or, elle tenait qu'en France tout combat engagé avec un homme de lettres était perdu d'avance. La princesse en convint et proposa de le dédommager de ses tourments avec une ambassade à

Rome où l'auteur du *Génie du christianisme* pourrait, tout à loisir, s'admirer devant des ruines car c'était, au fond, ce qu'il savait faire de mieux. Elles gloussèrent de leur pointe.

La princesse et la comtesse n'étaient ni ministre ni reine mais elles distribuaient avec générosité les places, les titres ou les charges et y prenaient un goût certain. Pour éviter de s'aventurer sur la place Louis-XV traversée en tous sens par des régiments gagnés à la révolution, elles décidèrent de rejoindre la rue Saint-Honoré par la rue Saint-Florentin. Au moment de passer devant l'immense porte cochère de l'hôtel Talleyrand, Adélaïde d'Orléans, qui s'était placée à la droite du majordome, demanda à changer de côté en expliquant à sa nouvelle confidente :

— Je ne veux pas que le vieux boiteux m'aperçoive. Il est si fin ! Il serait capable de me reconnaître de sa fenêtre. Je ne me soucie pas qu'il remarque mon passage et encore bien moins d'être exposée à lui parler.

Parvenue à la hauteur de la rue des Champs-Élysées[*], la comtesse de Boigne abandonna la princesse à la surveillance de son domestique qui fut chargé de l'accompagner jusqu'à son hôtel de la rue d'Anjou pour aller tirer le cordon chez le concierge de Pozzo di Borgo, un cosaque taillé comme un Hercule, à qui elle laissa le message convenu pour le prévenir que la princesse l'attendait. Puis elle s'en retourna. Un petit vent annonciateur d'orage gonflait ses voiles noirs. Ce rôle de conspiratrice l'enchantait au-delà de toute mesure.

---

[*] Actuelle rue Boissy-d'Anglas.

Au château de Rambouillet

En quittant la sous-préfecture pour remonter jusqu'au château à travers les jardins, monsieur de Montbel se trouvait, lui aussi, dans un état d'exaltation tel qu'il sentait battre son cœur car il tenait, dans un large portefeuille bien calé sous son bras, les proclamations rédigées selon la volonté du roi et dont la lecture devait toucher jusqu'au fond de l'âme la France honnête, royaliste et religieuse. La longue marche dans les majestueuses allées du parc, loin de le fatiguer, redoublait sa détermination et offrait un écrin superbe au vagabondage de son esprit qui suivait, lui aussi, les plus belles perspectives. Il se félicitait de ne pas avoir abandonné Sa Majesté comme venaient de le faire ses collègues trop vite démoralisés. Par sa seule présence et son talent de persuasion, il avait su convaincre Charles X de se ressaisir et de prendre enfin les mesures énergiques de nature à affronter les vents contraires. Demain, des troupes fraîches répondant à son appel viendraient grossir les régiments de Rambouillet jusqu'à constituer une armée capable de rétablir l'ordre dans Paris. Il savourait déjà ce jour prochain où, accompagnant le roi, il entrerait à ses côtés aux Tuileries rendues une nouvelle fois à leur maître légitime. Alors, ayant gagné par sa fidélité la totale confiance du monarque, il présiderait le Conseil et par la fermeté de son gouvernement ferait taire les Chambres libérales compromises par leurs errements du mois de juillet, restaurerait les droits du trône et rétablirait l'Église dans toute la plénitude de ses anciens privilèges. Emporté par ses chimères politiques, Montbel ne vit pas le temps passer et se trouva en un clin d'œil à la porte du cabinet de Sa Majesté où il demanda à l'huissier d'être introduit avec un Capelle qui le suivait tout essoufflé mais ne s'opposerait pas à le laisser parler le premier.

Mis en présence du roi, Montbel sortit sans tarder les proclamations de son grand portefeuille et se proposa de les lire avec ce ton solennel qu'il savait donner aux moindres choses touchant à l'État. Il se raclait déjà la gorge pour éclaircir sa voix que la nuit presque blanche passée à se battre contre les puces de Rambouillet laissait un peu enrouée lorsque le roi l'interrompit d'un geste :

— Messieurs, il ne s'agit plus de proclamations. J'ai à vous lire un acte bien différent par lequel je nomme monsieur le duc d'Orléans lieutenant général du royaume.

La belle chimère politique que le comte de Montbel chevauchait depuis le matin se déroba dans l'instant, laissant son cavalier tomber de tout le haut de son ambition. Il dut se tenir à la table placée devant lui pour ne pas vaciller, mais le rêve avait été trop beau pour qu'il ne continue pas à s'y accrocher comme à une planche de salut. Le ministre désarçonné se permit alors de rappeler très respectueusement au roi les rapports secrets qu'il lui avait régulièrement transmis lorsqu'il était ministre de l'Intérieur. Ces dossiers contenaient la preuve des éternels complots ourdis par le duc d'Orléans contre la branche aînée avec l'aide de Benjamin Constant, Sébastiani et Schonen, tous suppôts du Palais-Royal, attisant en sous-main la secte libérale, les loges maçonniques et la trop fameuse société « Aide-toi, le Ciel t'aidera ». Pour ne rien dire des carbonari et des rescapés de la Révolution qui avaient juré la perte de la monarchie

417

et de la religion. Le roi demeurait impavide, sa bouche, qu'il avait toujours légèrement entrouverte tant la lippe héritée des Habsbourg s'alourdissait avec l'âge, laissait maintenant échapper un souffle irrégulier. Son regard étonné paraissait ne même plus voir le ministre qui se tenait en face de lui. Le dauphin, appuyé sur le dossier du fauteuil de son père, était absent, comme indifférent à tout ce qui ne concernait pas directement ses chiens. Profitant de ce double silence, Montbel se crut autoriser à poursuivre et il osa. Dès le lendemain de la naissance miraculeuse de monseigneur le duc de Bordeaux, Louis-Philippe orchestrait à l'étranger les rumeurs les plus malveillantes sur la duchesse de Berry, sa mère, et l'on savait, de source trop sûre hélas, qu'il était à l'origine de l'odieux pamphlet publié clandestinement à Londres pour jeter les pires doutes sur la légitimité de cette naissance. À défaut de pouvoir accomplir lui-même le crime régicide, comme son père Philippe Égalité l'avait fait en 1793, ce prince ourdissait depuis dix ans un véritable régicide moral. Le roi parut réagir à ce coup, son visage comme ses mains montrèrent des signes d'agitation, mais il demeurait obstinément mutique. Alors Montbel, emporté par sa haine contre les Orléans et tous les libéraux pendus à son habit, continua sa charge. Il se soulageait à longs traits. Lors de son récent et pénible séjour à Saint-Cloud, le marquis de Sémonville ne lui avait-il pas révélé que le Palais-Royal et l'Hôtel de Ville étaient non seulement en étroite communication depuis les premiers jours de l'insurrection mais marchaient de front contre la Couronne ?

Le roi, agacé par une mouche imaginaire qu'il tentait de chasser d'une main lasse, répliqua d'un ton vif très inhabituel chez lui :

— Je sais tout cela et j'en sais encore davantage. Je connais monsieur le duc d'Orléans depuis plus longtemps que vous, mais il faut que je prenne un parti, étant donné l'affreuse situation où se trouvent ma famille et mes fidèles serviteurs...

Montbel ne parvenait pas à comprendre ce brusque revirement qui voyait le roi passer en moins de quelques heures de la volonté la plus déterminée à un état de complet abandon. Il se refusait à céder du terrain et plaidait encore la résistance :

— Comment ? Sire ! Un semblable parti quand vous avez des canons et la garde royale ?

— Ne vous abusez pas, répondit le roi, le général Bordesoulle lui-même vient de faire défection et d'emmener à Paris la grosse cavalerie de la garde qui a fait, en masse, sa soumission aux révoltés. Les autres régiments désertent aussi.

Montbel apprenait tout cela de la bouche du roi. Enfermé dans sa voiture et dans ses rêveries politiques, il n'avait rien vu de l'état de l'armée ni de sa démoralisation, pas plus d'ailleurs que, enfermé dans son ministère, il n'avait vu quoi que ce soit de l'état de la France. Les choses allaient si vite depuis quelque temps...

Le dauphin prit à son tour péniblement la parole, ce qui en disait long sur la gravité de la situation. Les gardes du corps à pied de la compagnie de Mortemart, pourtant troupe d'élite s'il en fut, étaient venus le voir pour lui signifier très respectueusement qu'ils feraient encore leur devoir pendant vingt-quatre heures mais qu'ensuite ils iraient se ranger sous le drapeau tricolore du gouvernement provisoire. Autant dire que tout le monde les abandonnait. À titre personnel, lui-même restait évidemment très méfiant à l'égard du duc d'Orléans dont il connaissait aussi les menées et les sournoiseries, mais il considérait que son seul devoir était de se soumettre à la volonté du roi son père. Il termina cependant sa longue tirade par une question qui semblait le préoccuper bien plus que la désertion des troupes dont il était le généralissime :

— Mais que va dire ma femme ? Certainement elle ne pourra jamais accepter un tel expédient...

— Il le faut ! dit Charles X d'un ton qui n'admettait plus ni contestation ni réplique.

Puis il s'expliqua :

— Voici la situation : monsieur le duc d'Orléans est à Paris, les rebelles l'ont déjà nommé lieutenant général du royaume. Il est possible qu'en le nommant moi-même je fasse à son honneur un appel auquel il ne sera pas tout à fait insensible. Il est possible aussi que cette démarche l'oblige à renoncer à ses projets coupables. Ma confiance peut le compromettre et le forcer ainsi à défendre les intérêts de la Couronne.

En vieux joueur de whist, le roi, malgré l'acharnement du sort et sa mauvaise donne, tentait une annonce risquée pour impressionner l'adversaire mais en pure perte car, désormais, le Palais-Royal qui avait longtemps surestimé le jeu du roi connaissait parfaitement le dessous des cartes. Charles X n'avait plus le moindre atout en main, il le savait, et son découragement était tel qu'il donnait le sentiment de n'accorder que peu de crédit à la stratégie qu'il exposait quelques instants plus tôt, car il ajouta :

— Enfin, je ne vois pas d'autre moyen d'échapper à une situation qui serait pour moi bien affreuse. Je ne veux pas tomber entre les mains de La Fayette, car – le savez-vous ? – il n'y a, en France, que lui et moi qui n'ayons pas changé d'idées depuis 1789 ! Il vient de me faire dire par un homme qui s'est donné comme une espèce d'aide de camp que, demain, à la tête de la population de Paris, il se rendrait ici pour s'emparer de moi et de ma famille.

La terreur dans les yeux, il poursuivit:

— Je veux absolument éviter un tel sort. J'y ai bien réfléchi, je ne vois pas d'autre moyen que cette nomination du duc d'Orléans. Je vais vous dicter ce que j'ai préparé (le roi avait honte de sa grosse écriture de myope), je vous ordonne d'écrire.

Et il fallut obéir en utilisant la provision de papier et de plumes rapportée de la sous-préfecture. Jamais, depuis une semaine, les ministres du roi n'avaient d'ailleurs mérité, à ce point, leur titre de secrétaire d'État car, en l'absence de toute administration, ils passaient leur temps à écrire sous la dictée des uns et des autres. C'était la dernière fois du reste qu'ils exerçaient leurs fonctions, car la décision qu'ils venaient de mettre au propre, dès lors qu'elle abandonnait tous les pouvoirs entre les mains du duc d'Orléans, renvoyait le gouvernement, et eux avec.

C'est à monsieur de Girardin que l'on confia le soin de repartir pour Paris porter cette lettre au duc d'Orléans. Le grand veneur, qui avait été plus efficace ou plus habile que le duc de Mortemart lors de son séjour parisien, avait fait sa réapparition à Rambouillet le matin même afin de délivrer au roi un message de Louis-Philippe dont la teneur restait secrète, même pour les deux ministres. Il monta en selle sur le coup de cinq heures de l'après-midi.

Il ne restait donc plus à Montbel et Capelle, désormais rendus à la vie privée, qu'à quitter le navire qui prenait l'eau de toute part pour sauver leur tête. Aussi, en remettant au roi les copies de sa déclaration – celle de Montbel avait été jugée la plus propre –, ils prirent congé de lui. Charles X parut ému et s'inquiéta de leur sort, mais ils lui répondirent qu'ils s'en remettaient à la Providence – ce qui plut au dauphin préférant toujours que l'on se soumette à la volonté de Dieu. Ils partaient pour éviter que leur présence auprès du roi n'attise la haine, car ils se savaient désormais détestés du peuple. C'était le triste sort de tout ministre depuis le règne de Louis XIII.

Le roi les embrassa avec beaucoup d'affection, ainsi que le dauphin qui, en sa présence, réglait toujours sa conduite sur celle de son père, puis, avec cet égoïsme aveugle et désarmant de tous les princes, il ajouta en les saluant une dernière fois, des larmes dans les yeux :

— Du moins, revenez près de moi dès qu'il sera possible…

À Paris, rue d'Anjou

Pendant de longues heures, la comtesse de Boigne jouit de voir le sort de la France et de l'Europe se jouer dans son salon. Le comte Pozzo di Borgo s'était présenté quelques instants à peine après qu'elle eut installé la princesse dans l'élégant boudoir retapissé à grands frais et dont il lui fut fait des compliments qui l'enchantèrent. En femme du monde, elle s'éclipsa aussitôt pour monter la garde dans son antichambre et écrire quelques billets à ses amis les plus chers. Il lui fallait rassurer Marmont aussi bien que Glandevès et

inviter le fidèle Pasquier à venir faire sa cour diplomatique à la sœur du duc d'Orléans dont tout dépendrait
demain. Monsieur de Lobinski, premier conseiller de
l'ambassade de Russie, se présenta muni d'une petite
écritoire car il avait une dépêche urgente à faire signer
à son maître. Une dépêche qui déciderait de l'avenir.
La comtesse en suffoquait presque de contentement,
mais elle pensa crever d'orgueil lorsque le jeune diplomate, en parfait gentilhomme, la remercia pour le rôle
essentiel qu'elle venait de jouer au milieu du concert
des nations. En partant, il poussa la galanterie jusqu'à
lui offrir la plume qui, toujours selon lui, avait sauvé la
tranquillité du monde. En femme d'esprit, elle fit mine
d'en rire mais, en précieuse politique, elle crut défaillir
dans les bras de Pasquier lorsqu'il se présenta. Une fois
Pozzo parti, elle conduisit son vieil amant – il avait plus
de soixante ans – auprès de la princesse Adélaïde. Elle
entretenait pour ce dernier les plus grands desseins, et
lui-même n'en était plus à un serment politique près.
Il avait d'ailleurs pour habitude de dire, en prenant
l'air roué des serviteurs de tous les régimes, que les
serments n'étaient rien d'autre que la contremarque
nécessaire pour assister au spectacle dans les meilleures
conditions.

Lorsque tout fut fini, la comtesse raccompagna la
princesse jusqu'au pied de son hôtel. Adélaïde était
enchantée des bonnes dispositions de l'ambassadeur du
tsar. Non seulement il empêchait le corps diplomatique
de se rendre à Rambouillet auprès de Charles X, mais la
dépêche qu'il venait de lui lire avant de la signer sous
ses yeux offrait à son frère toutes les garanties. Elle
fut moins diserte à propos d'Étienne Pasquier qui avait

eu la maladresse de plaider au cours de leur entretien pour les droits légitimes du duc de Bordeaux et de se prononcer en faveur d'une régence exercée par Louis-Philippe. La princesse n'aima pas cette tirade mais n'en dit rien. Son frère serait roi ou rien, car elle estimait que la maison d'Orléans ne gagnerait aucune grandeur supplémentaire à compter un nouveau régent. Aussi, tout en descendant le grand escalier, elle ne cessait de répéter à propos de Pozzo :

— Il est parfait, madame de Boigne, il est parfait, c'est tout à fait l'un de nous...

La comtesse fut flattée d'être ainsi associée au parti orléaniste mais le « madame de Boigne » lui laissa un petit goût amer. La princesse se refusait obstinément à valider les titres de courtoisie, même au beau milieu d'une révolution. À tout prendre, la comtesse eût préféré « mon amie », « ma très chère », « ma bonne », plutôt que ce terrible « madame de Boigne » qui sentait la bourgeoise comme la caque le hareng. Adèle d'Osmond était issue d'une excellente famille, mais elle n'avait jamais été comtesse par son mariage, pas plus d'ailleurs que son mari ne s'appelait Boigne. Il était bêtement né Benoît Leborgne, ce qui sonnait assez mal. Elle le savait, en souffrait et dissimulait de son mieux cette vilaine cicatrice matrimoniale parmi d'autres plus secrètes encore. Madame Adélaïde venait de raviver la plaie.

Les fiacres recommençaient à rouler ; elle en avait donc fait arrêter un par le fidèle Goulay pour le proposer à la princesse qui l'accepta sans façon. Fille de Saint Louis, elle était arrivée à pied, elle repartait en fiacre, les temps s'amélioraient. Elle rendrait compte à son frère de son action diplomatique avant d'aller entendre la messe. Le bon Dieu se montrait, depuis quelques jours, particulièrement arrangeant.

Au château de Rambouillet

L'après-midi finissait, gagnée par une chaleur lourde, les hommes désœuvrés rechignaient à porter la soubre-veste, et certains, pour se décrasser autant que pour se rafraîchir, n'hésitaient pas à plonger nus dans les pièces d'eau et à se faire ensuite sécher le poil dans le plus simple appareil sur les berges herbeuses. La duchesse de Berry, qui tuait le temps en promenant son pantalon d'homme le long du grand canal, crava-chait de sa badine les herbes folles, les regardait avec attention mais ne les dénonçait pas. Pour éviter que le désœuvrement ne se transforme en désertion et que la faim qui tenaillait la troupe ne tourne en mutinerie, le roi ouvrit son tiré. Ce fut un grand carnage. Les malheureux faisans dorés habilement sélectionnés par monsieur le lieutenant des chasses pour le tir du roi, à cause de leurs plumes voyantes et de leur vol aussi lent que bas qui transformait ces gros oiseaux un peu bêtes en cibles volantes, furent les premiers immolés. On formait alors sur les parterres, en guise de tableau, de véritables meules de gibier à plumes où chacun était invité à se servir pour le dîner. Ensuite, ce fut le tour des cerfs et des biches dont les soldats de la garde firent une sorte d'holocauste. Il n'était plus question de chasser à courre, mais d'organiser de méthodiques battues à cheval, dont pas le moindre daim ne devait réchapper. Les grands bois fuyaient inutilement devant une véritable armée qui se vengeait sur eux de sa défaite. Le spectacle était si affreux que le dauphin refusa d'aller mêler ses chiens à une chasse si peu régulière, la meute hurlait de dépit. Les moutons de la bergerie, les vaches de la laiterie dont les ancêtres offraient autrefois leur lait à la reine Marie-Antoinette n'étaient pas davantage épargnés, mais l'on ne se donnait pas la peine de les pourchasser. Une balle dans la nuque, et la bête s'effondrait, prête à être dépecée au sabre de cavalerie ou à la baïonnette par des équarrisseurs en uniforme. Chaque coup de feu vrillait le cœur du roi, navré de voir son gibier si mal servi.

À Paris, en route pour la rue d'Enfer

Le fiacre puait si fort que madame Récamier ouvrit une jolie vinaigrette d'or et de nacre pour combattre cette odeur d'homme et de crottin qui imprégnait jusqu'au cuir des banquettes. De temps à autre, elle proposait à sa voisine de respirer des arômes moins rudes en lui présentant la petite boîte sous le nez. La comtesse de Boigne se confondait alors en excuses pour être venue la chercher au fond de sa retraite dans cette voiture publique mais, si la circulation reprenait peu à peu, la révolution tenait encore Paris, et les barricades n'aimaient pas les portières armoriées, tirées à six chevaux. Les deux amies s'amusaient de l'aventure.

Ces deux femmes de cinquante ans, brinquebalées par de pauvres haridelles autant que par la vie, avaient accepté, dans leur jeunesse, plus d'hommages qu'il était convenable d'en recevoir, mais elles se souvenaient d'avoir régné sur Paris sans partage, formant avec madame de Staël, dont la laideur brutale leur offrait un écrin, les Parques impitoyables du bel esprit. Un mot de l'une ou l'autre suffisait, sous l'Empire et même encore dans les premières années de la Restauration, à cloîtrer chez elle une jolie dinde ou à projeter du haut de cette roche Tarpéienne que formaient leurs trois salons les plus solides réputations d'homme de lettres ou de talent. L'empereur Napoléon avait fait, lui aussi, les frais de leurs sentences. Ensemble elles riaient encore, un quart de siècle plus tard, de leur folle médisance lorsque le maître de l'Europe, non content de s'être fait couronner empereur à Notre-Dame au milieu d'un faste de satrape, se présenta un soir de réception aux Tuileries affublé d'un costume impérial de satin blanc, avec bas de soie et culotte bouffante à la Henri IV et la tête qu'il avait déjà grosse coiffée d'une impressionnante toque à plumet qui le faisait ressembler à une sorte de polichinelle. Elles avaient osé faire rire les salons parisiens – et donc avec eux l'Europe tout entière – aux dépens de l'homme dont les armées bousculaient des empires. Napoléon leur voua une haine féroce, mais il ne quitta plus jamais son uniforme de colonel des grenadiers à cheval, et ce fut là leur plus grande gloire.

Aujourd'hui leur beauté s'était flétrie, et l'élégant tapage de leur vie n'était plus de saison aux yeux des duchesses du faubourg Saint-Germain qui ne leur pardonnaient pas de s'être amusées quand elles grelottaient de froid et d'ennui à Mitau ou à Holyrood. Aussi un changement de dynastie leur était une véritable aubaine. Les dames d'œuvre du noble faubourg, bêtes comme des paniers et mariées pour la saillie comme des pouliches de race, allaient bien être obligées d'en rabattre un peu sur leur bigoterie ou devraient se résoudre à reprendre le chemin de l'émigration, à faire place nette en quelque sorte.

Pour le moment, il convenait d'empêcher monsieur de Chateaubriand de prendre une pose pour la postérité, de ruiner sa carrière et celle du salon de madame Récamier. Parvenues rue d'Enfer où le grand homme vivait petitement, les deux amies eurent le privilège d'être mises aussitôt en sa présence. Le nom et le visage de madame Récamier étaient trop connus des rares domestiques pour qu'ils s'étonnent de la voir venir rendre visite à leur maître à la nuit tombante. La comtesse de Boigne ne manqua aucun de ces indices de la plus grande familiarité mais elle n'en laissa rien paraître, elle n'était que sucre. Chateaubriand les reçut en robe de chambre et en pantoufles, sa chevelure de vieux lion prise dans un tissu de madras rouge et vert. Il s'était levé à leur arrivée avant de reprendre place à l'immense table de travail qui tenait aussi de la table de salle à manger et de barbière. Il y avait là des rames de papier, des plumes en réserve, de petites fioles d'encre, de nombreux volumes dépareillés, des paquets de journaux non décachetés, des épreuves à corriger, des pots à onguent, une bassine en porcelaine au fond de laquelle stagnait une eau grisâtre, un carafon de vin à moitié vide flanqué d'un verre plein, les restes d'un dîner solitaire dont les souris auraient fait un festin somptueux et tranquille si deux importunes n'étaient venues balayer les parquets de la maison du bas de leurs robes. Le père d'*Atala* était surpris dans l'ivresse d'une colère froide. Celle de l'homme supérieur auquel personne ne pense à demander conseil. Il déclamait des imprécations contre le roi Charles X dont la réponse à ses offres de service se faisait grossièrement attendre, fulminait contre le duc d'Orléans prêt à commettre l'irréparable, et n'avait pas de mots assez durs contre ses collègues de la pairie dont aucun n'était venu le consulter. Afin d'interrompre le flot des récriminations et d'apaiser cette agitation nerveuse, madame Récamier engagea son tendre ami à leur lire le discours qu'il préparait pour la prochaine réunion des Chambres fixée le matin même par le duc d'Orléans au 3 août. Changeant immédiatement de physionomie, figé dans la pose de Caton affrontant le sénat romain, Chateaubriand prit les feuilles de papier qu'il venait de noircir rageusement et, se levant de nouveau pour les approcher de la lampe qu'un valet était venu allumer, commença sa déclamation d'une voix d'estrade. La consternation ne tarda pas à se lire sur le visage des deux femmes du monde, et les souris, paniquées par cette fureur sourde, quittèrent la pièce à une rapidité que trahissait le bruit menu de leur course frénétique. Le discours se révélait d'une violence inouïe, car l'écrivain prenait un plaisir d'esthète à allumer un immense incendie politique par la seule force de son style et le choix de ses images. Le duc d'Orléans était peint sous les couleurs les plus noires, marchant vers le trône en tenant deux têtes coupées à la main, celles du roi Louis XVI et de son propre père. Il devenait sous cette plume ni plus ni moins que le spectre du régicide revenu d'entre les morts pour réclamer le salaire de son crime. Tout le reste était à l'avenant. Il y avait là de quoi recevoir un billet sans retour pour l'exil ou un coup de fusil. Madame Récamier pensa tomber du haut mal. La comtesse de Boigne, convaincue depuis longtemps que Chateaubriand était fou, s'adressa à lui avec une infinie douceur et, lui parlant comme à une sorte d'innocent dangereux, elle commença par saluer la beauté du style, la force de la composition et la supériorité d'un morceau de bravoure qui devait faire résonner à la Chambre la phrase de Tacite portée par la voix de Cicéron, puis elle en vint par étapes aux basses contingences des nécessités politiques.

Peut-être que, entre deux maux, il convenait de choisir le moindre. Certes le duc d'Orléans poussait un peu loin son avantage, mais il s'y trouvait contraint par l'aveuglement du vieux roi et l'emballement des événements, et il restait surtout le seul rempart contre une révolution qui relevait la tête pour mieux couper les leurs. L'orateur en chambre s'était tu, il paraissait même attentif aux compliments de la comtesse autant qu'à ses raisons. Madame Récamier crut le moment favorable pour oser et, prenant la comtesse de Boigne à témoin, laissa entendre que le duc d'Orléans pensait déjà à lui confier l'ambassade à Rome. La malheureuse n'eut pas le temps de terminer sa phrase que son amant piqué au vif se leva d'un bond en hurlant:

— Jamais!

Une fois le premier sursaut de surprise passé, les deux femmes ne baissèrent pas la garde, car il fallait bien sauver ce vieil enfant de lui-même. Habilement, elles choisirent de faire appel au dévouement et à l'esprit de sacrifice de l'auteur du *Génie du christianisme*. Ce n'était pas une faveur qui lui était faite mais une sorte de supplique car, dans une période aussi troublée et dont les conséquences sur l'équilibre de l'Europe restaient très incertaines, c'était Rome qui avait besoin de lui. Dans un tel contexte, il pourrait être non seulement utile au successeur de Pierre mais à la sainte Église et au-delà à la religion elle-même, toujours menacée par ses ennemis embusqués et les esprits faux.

Chateaubriand marchait à grandes enjambées le long des bibliothèques qui cernaient l'immense table de toute leur hauteur. Il donnait le sentiment de ne plus rien entendre, tant il était absorbé par ses pensées quand, interrompant sa marche qui le faisait ressembler à son père dans la nuit de Combourg, il se figea devant une des planches sur laquelle trônait, bien en vue, une édition complète de ses œuvres. Il contempla avec une attention toute particulière chaque pièce de titre, comme si une sorte de dialogue silencieux s'engageait, puis, sans un regard pour les deux amies que ce petit manège inquiétait, il s'écria comme profondément blessé par ses propres réflexions :

— Et ces trente volumes qui me regardent en face, que leur répondrais-je ? Non... Non, ils me condamnent à attacher mon sort à cette famille de misérables ! Et pourtant... qui les connaît ? Qui les méprise ? Qui les hait plus que moi ?

Et, pivotant brutalement vers ses interlocutrices, il se lança dans une terrible philippique tournée cette fois non plus contre le duc d'Orléans mais contre le roi, les princes, la Cour, les ministres et tous ces fantômes d'une France morte mais à laquelle il avait un jour juré fidélité et lié son destin dès les premiers crimes de la Révolution. Une fois qu'il eut déversé tout son fiel sur la dynastie qu'il jurait pourtant servir de toute son âme, il fut saisi d'un attendrissement soudain pour cette nouvelle révolution dont il avait prévu le fracas sans être jamais entendu et pour cette glorieuse jeunesse dont le courage réveillait la France d'un engourdissement profond. Il parlait désormais comme ses livres,

431

peignait en quelques phrases brillantes relevées d'anachronismes charmants et de trouvailles sublimes les dernières journées écoulées, quand un accès de bile le reprit sans crier gare. Il voyait déjà avec lucidité la victoire de cette jeunesse confisquée au profit de ces «petits messieurs» secs et froids qui entouraient le duc d'Orléans de leurs intelligences courtes, et il enrageait à l'idée de cet immense enthousiasme, de celle belle jeunesse, de cet élan formidable bridé par des nains montés sur des calorifères. Peut-être que, en d'autres circonstances, il eût prêté main-forte à cette génération magnifique qui venait de se montrer capable d'écrire une page d'histoire au nez et à la barbe des revenants du passé, mais c'était rigoureusement impossible car son honneur le lui interdisait. Lui-même restait viscéralement attaché à ce passé comme les serfs de ses ancêtres l'étaient autrefois à leur glèbe. Il se souvenait d'avoir écrit quelque part – il faisait mine de chercher le volume sur l'étagère – qu'il mourrait royaliste et légitimiste car, en dehors du long chemin de la légitimité tracé par la patience des siècles, il n'existait rien d'autre que le gouffre béant et noir de la révolution. Gouffre diabolique dans lequel iraient se précipiter tous ceux qui chercheraient à emprunter un autre chemin. Quand cette longue rêverie psalmodiée à voix haute prit fin, la comtesse de Boigne, malgré son désir de planter là ce forcené des lettres et ses élucubrations, remonta à la charge pour tenter de lui arracher quelques mots d'ouverture en faveur des Orléans ou quelque chose qui puisse ressembler à une paix armée. Monsieur de Chateaubriand, épuisé par son propre génie, s'était adouci ; il voulut bien admettre que certaines des images dont il parsemait son discours dans le feu de l'esprit méritaient d'être reconsidérées et que Louis-Philippe, à tout prendre, se trouvait dans une situation bien difficile, mais pour ce qui était de servir un autre régime que celui qui venait de tomber, il ne pouvait en être question.

Lorsqu'elles se retrouvèrent sur les pavés inégaux de la rue d'Enfer, les deux amies cherchèrent longtemps le cocher du fiacre qui, ne les voyant pas revenir, patientait à l'estaminet. Il fallut que l'or miroite pour le convaincre de traverser de nouveau Paris en pleine nuit révolutionnaire. Le soulagement de madame Récamier était néanmoins perceptible car, à la vérité, elle ne tenait pas nécessairement à voir la poutre maîtresse de son salon partir pour Rome où le délabrement de sa fortune ne lui aurait plus permis de le suivre, mais elle était heureuse de savoir que son génial amant renonçait à faire marcher publiquement le duc d'Orléans deux têtes sanglantes à la main.

Au château de Rambouillet

La noirceur d'un ciel d'orage hâtait la tombée de la nuit. Malgré cette menace, le roi venait de sortir, suivi des deux princesses et du jeune duc de Bordeaux pour visiter les bivouacs. Les troupes avaient été cantonnées sans ordre ni raison. La cavalerie paissait derrière les fossés qui ceinturaient le parc alors même que l'infanterie, rangée à la diable dans les allées rayonnant autour du château, se trouvait à la merci d'une charge ennemie. Personne n'avait pensé à faire hisser le drapeau fleurdelisé sur la plus haute tour, et des ragoûts de biche mitonnaient dans les popotes. Le roi laissait tomber sur son passage quelques mots aimables pour la garde sans trop s'attarder. La présence de l'enfant du miracle galvanisait l'émotion des soldats dont beaucoup pleuraient autant de honte que de fatigue. La dauphine consolait les plus abattus du ton abrupt dont elle n'était jamais parvenue à se départir, et on l'entendait murmurer à l'oreille des officiers qu'elle savait les plus fidèles à la monarchie légitime :

— Croyez bien mes amis que je n'y suis pour rien...

Quelques lourdes gouttes de pluie commençant à tomber, Sa Majesté jugea plus prudent de se retirer dans ses appartements mais, pour ne pas priver les hommes de sa personne, Charles X consentit à réapparaître au balcon qui surplombe les quinconces. Ce fut alors un déchaînement de fidélité. Aux cris de « Vive le roi ! », quelques exaltés répondirent :

— Mourons pour le roi !

La proposition, loin de susciter l'enthousiasme, provoqua une réplique politique venue du cœur même de la garde, car un soldat s'écria alors très distinctement :

— Vive le roi, mais pas la Vendée ! Pas la guerre civile !

Cette phrase jeta la consternation sur le balcon et le trouble dans les parterres. Les hommes murmuraient, on menaçait d'en venir aux mains et de faire un mauvais sort aux traîtres et aux déserteurs. Il fallut un geste impérieux du duc de Luxembourg pour que le brouhaha cesse, mais le roi était rentré dans le grand salon de compagnie en donnant l'ordre de fermer les fenêtres. L'orage éclatait, un orage d'une violence rare qui déchirait l'été et inondait la nuit.

Au milieu de la forêt, deux anciens ministres trempés jusqu'aux os et les pieds déchirés par leurs chaussures de luxe cherchaient leur chemin.

À *Paris, rue d'Anjou*

En rentrant chez elle, éreintée par cette journée folle qui l'avait vue tout à la fois sauver l'Europe d'une guerre continentale et Chateaubriand de ses propres démons, la comtesse de Boigne ne tenait plus debout, mais un petit sourire de triomphe ne la quittait pas. Elle eut pourtant le chagrin de trouver sur la grande console de marbre de son antichambre une lettre du maréchal Marmont qui acceptait son argent comme un prêt d'honneur mais refusait de quitter le roi et la famille royale tant qu'ils ne seraient pas tous hors de danger. Elle soupira. Le baron de Glandevès et le conseiller Pasquier l'attendaient confortablement installés dans le grand salon dont ils appréciaient tout particulièrement les récents aménagements alors que, dehors, l'orage se déchaînait et que la pluie criblait avec une violence rare les grands carreaux épargnés par les balles. Le premier remercia chaleureusement la maîtresse de maison de ses bons offices auprès des Orléans, mais un chevalier de l'ordre de Saint-Louis ne pouvait évidemment pas accepter la moindre charge d'une famille qui resterait à jamais tachée du sang des rois. Quant à Pasquier, il soutenait que, si jamais Charles X venait à abdiquer, ce qui paraissait désormais la seule issue raisonnable, le duc d'Orléans n'avait bien sûr pas d'autre choix que d'accepter la régence au nom du petit duc de Bordeaux. Toute autre combinaison politique serait vouée à l'opprobre et à l'échec.

La comtesse, qui n'avait plus la force de ferrailler d'esprit, se laissa tomber dans le fauteuil qu'un valet de pied lui avança. Elle restait hébétée, comme assommée par la bêtise de tous ces hommes.

Le voyage à Cherbourg

La cascade des abdications
Lundi 2 août 1830

Au château de Rambouillet

L'aube se levait sur le parc, et avec elle une brume d'été née des pluies de la veille qui flottait au-dessus de la pièce d'eau noyant les îles et leurs frondaisons dans un bain d'étoupe. La silhouette d'une robe de femme qui se déplaçait avec une démarche de grenadier donnait à ce décor fantomatique une tournure cocasse. C'était la dauphine cherchant, dans la solitude des futaies et la compagnie des chevreuils réchappés de l'hallali, un réconfort qu'elle ne parvenait pas à trouver auprès d'un mari qui avait dormi toute la nuit à ses côtés comme une bûche... Ses pas la conduisaient toujours vers la laiterie de la reine où sa mère aimait à aller boire le lait de ces vaches qui, enfant, lui faisaient si peur. Elle avait appris, depuis, que la férocité des hommes était sans commune mesure avec celle des animaux mais, à la seule pensée d'affronter une dernière fois des souvenirs si éloignés qu'ils lui paraissaient ceux d'une autre, elle fit brusquement demi-tour, quitta l'allée qui conduisait à la fabrique dont l'élégance n'était plus de saison et tourna définitivement le dos à sa douleur.

En reprenant le chemin du château, elle vit hisser le drapeau blanc sur la tour de François Ier, et des larmes lui montèrent aux yeux, ce n'était plus des larmes de chagrin mais bien des larmes de dépit et de rage.

Les hommes de troupe se réveillaient eux aussi, enveloppés dans leurs manteaux et trempés par la rosée. Certains retournaient dans les bois pour continuer à tirer le gibier tout en évitant de croiser la solitude de la dauphine, d'autres s'attachaient à établir les campements avec les moyens du bord. Ils commencèrent par arracher les treillages des jardins et à abattre les arbres les plus proches pour construire leurs casemates auxquelles les dépouilles du grand parc donnaient un aspect très bucolique. Un garde du corps facétieux accrocha au-dessus de la porte de sa petite hutte une pancarte sur laquelle était écrit au charbon « Au quinconce des Tuileries ». Il expliquait en riant que, soucieux de recevoir son courrier, il lui fallait bien une adresse et, en un moment, chaque cabane reçut son nom de baptême. On vit alors s'établir « La rotonde du Palais-Royal », « Les barreaux verts » ou « La Petite Provence » ; un village de branchages venait de naître en quelques heures sous les fenêtres du roi. Aucun ordre n'ayant été donné pour arrêter les journaux, ils étaient distribués et passaient de main en main. Ainsi, des soldats, assis sur le bord de leur cabane, lisaient-ils tranquillement *Les Débats* ou *Le Constitutionnel*, pourtant ouvertement hostiles à leur cause, en tirant des bouffées de tabac sur leur pipe d'écume. La troupe s'installait paisiblement dans une sorte de villégiature, le ciel balayé par l'orage de la nuit offrait maintenant un bleu limpide, le soleil commençait à réchauffer les corps et à sécher les uniformes. Un immense cerf, braconné la veille, vidé et aussitôt dépecé, tournait en broche pour assurer le déjeuner d'un des quartiers. Ses bois servaient d'enseigne à la cantine improvisée où pendait aussi une pancarte sur laquelle une main maladroite avait cette fois inscrit : « Au cocu magnifique ». Même les officiers riaient de bon cœur en venant surveiller l'état de braises.

L'arrivée du colonel Berthois, revenu de Paris à bride abattue pour apporter la réponse du duc d'Orléans au courrier de la veille, réveilla les campements de leur torpeur, la joie se lisait sur les visages. L'oncle et le neveu allaient bien trouver un arrangement, et chacun pourrait bientôt rentrer chez lui ou rejoindre son cantonnement, sa ration et sa maîtresse. L'espoir fut de courte durée car la nouvelle parvint aux oreilles de la troupe avec cette rapidité mystérieuse que mettent les rumeurs à se répandre. Louis-Philippe refusait de recevoir des mains du roi la charge de lieutenant général du royaume qu'il tenait désormais des représentants de la nation, en revanche, il assurait son oncle de sa très respectueuse affection et promettait de tout entreprendre pour le préserver des dangers qui le menaçaient. Le roi avait écouté, impassible, l'aide de camp du duc d'Orléans lui rapporter sa réponse. La dernière carte qu'il avait cru pouvoir abattre la veille se révélait maintenant parfaitement inutile. Louis-Philippe dévoilait totalement son jeu, et il était très clair.

Charles X, dont le visage marquait de nouveau l'abattement le plus profond, croisa le regard de son fils qui l'interrogeait en silence et auquel il lança :

— Que voulez-vous que j'y fasse ?

Au château, c'était la consternation et, pour la première fois, un homme osa évoquer à voix haute et jusque dans les antichambres l'éventualité d'une abdication. C'était le maréchal Marmont qui, rappelant le sacrifice accompli par Napoléon lui-même quinze ans plus tôt pour garder la couronne impériale sur la tête du petit roi de Rome, envisageait à présent que l'on fît de même à l'égard du petit duc de Bordeaux. Il parla si haut, que – comme il arrive souvent dans les palais – ses propos, à peine prononcés, parvinrent aux oreilles du roi qui le fit demander sans délai. Marmont, toujours crâne, suivit le premier gentilhomme et vint se présenter devant son souverain, convaincu d'essuyer une nouvelle cravachée. Il n'en fut rien. Invité sans tarder par le roi à lui faire part de ses projets, le maréchal déroula son plan de campagne. Les Chambres devaient se réunir le lendemain sur la convocation du duc d'Orléans, et il ne faisait plus de doute pour personne qu'il briguait la couronne. Le seul moyen de l'en empêcher restait de prendre les devants car, au point où en étaient les choses, le duc de Bordeaux représentait la seule planche de salut de la dynastie. Dans le cas où Charles X n'aurait pas compris ce que le maréchal était en train de lui dire, Marmont n'hésita pas à ajouter avec une brutalité toute militaire :

— Avec ce qui se passe, Sire, vous déclarer que vous pouvez encore régner serait vous tromper. Chaque jour votre situation deviendra plus fâcheuse et, j'ose dire…, plus misérable.

Le mot fit au roi l'effet d'un coup de caveçon mais il n'en laissa rien paraître et encouragea même Marmont à poursuivre, ce qu'il ne manqua pas de faire :

— Que Votre Majesté ne se laisse pas arracher sa couronne qui tombe ; qu'elle sache s'en dépouiller elle-même, la prendre et la mettre sur la tête de son petit-fils…

À quoi l'ancien compagnon de Bonaparte ajouta une foule de considérations historiques, politiques et diplomatiques pour étayer son raisonnement afin de noyer sous un flot de paroles la rudesse de son propos. Propos que le roi, le menton dans une main, écoutait avec beaucoup d'attention et un détachement apparent. Une fois que leur lent déroulé fut achevé, car Marmont ne savait plus très bien comment arrêter sa monture rhétorique, le roi répondit très posément :

— J'ai déjà pensé à ce parti mais il y a bien des inconvénients ; il faut d'abord que mon fils y consente, car ses droits sont les mêmes que les miens ; ensuite il me faudra confier ce pauvre enfant aux soins de monsieur le duc d'Orléans...

À cette seule pensée, les yeux du roi s'embuèrent, mais Marmont ne se laissa pas attendrir par la faiblesse de ce vieillard couronné dont il connaissait par ailleurs l'égoïsme de race. Tenant sa vengeance sur l'humiliation que lui avait fait publiquement subir le duc d'Angoulême, il tint l'assentiment de ce dernier comme une simple formalité, car personne n'imaginait qu'il puisse émettre un autre avis que celui du roi. Quant à ce qu'il devienne roi lui-même, un petit haussement d'épaules exprima clairement sa pensée. Pour ce qui était de la garde du duc de Bordeaux, en bon militaire, Marmont ne voyait là, ce furent ses termes, qu'une « simple mesure d'exécution » à laquelle il suffirait de veiller. Le roi devenu soudain bavard se lança à son tour sur la grand-route des considérations, tourna la chose dans tous les sens, réfléchit à haute voix, pesa le pour et le contre, soulevant une nouvelle difficulté au moment où il semblait parvenir à un accord avec lui-même. Chaque fois, Marmont sabrait d'un coup sec toutes ces tergiversations. Le roi, acculé, demanda quelques instants de réflexion et, congédiant son contradicteur, lui promit de le faire de nouveau demander lorsqu'il aurait pris un parti dans le recueillement et la prière car, pour l'heure, il devait aller assister aux saints offices.

La messe fut célébrée dans le même appareil, triste, exigu et recueilli que la veille. Marmont, dont la foi d'artilleur supportait mal ces célébrations quotidiennes, avait pris son mal en patience, convaincu que le roi le ferait appeler dès le dernier *Deo gratias* pour reprendre leur conversation et choisir un parti, mais il attendit en vain.

Inquiet de ce silence qui n'augurait rien de bon, le maréchal demanda à parler au baron de Damas. Vingt ans plus tôt, il n'aurait pas hésité un seul instant à faire fusiller cet émigré français qui avait honteusement servi sous l'uniforme russe, mais il appréciait son honnêteté et la dévotion avec laquelle cet homme du passé servait le petit duc de Bordeaux. Ce fut donc au nom de cet enfant que, sans prendre de gants, il le supplia de l'aider à arracher au roi son abdication. Sans quoi, répéta-t-il au moins trois fois, tout était perdu.

Damas resta un moment interdit devant cette requête qui niait tout ce en quoi il croyait, tout ce pour quoi son père était mort, et lui-même avait autrefois pris les armes contre son propre pays. Le roi régnait par la volonté de Dieu, il avait été sacré à Reims, avait reçu le saint chrême, et ses noces avec la France étaient indissolubles. Comment pouvait-on imaginer qu'il puisse demander à son souverain de fouler tout cela aux pieds pour faire pièce aux ambitions d'un cadet de famille ? Marmont, impatienté, repoussa toutes ces mômeries moyenâgeuses avec mépris. Napoléon aussi avait été sacré, et en présence du pape par-dessus le marché, comme Charlemagne ! Il n'en avait pas moins abdiqué par deux fois, et ses cendres reposaient maintenant sur une île perdue à l'autre bout du monde. Quant à Louis XVI, le saint chrême ne lui avait été d'aucun secours place de la Révolution un certain jour de janvier 1793, et sa tête était tout aussi bien tombée dans le panier que celle d'un autre... L'époque n'était plus aux principes mais à sauver ce qui pouvait l'être encore, c'est-à-dire la survie de la dynastie et donc les droits de son pupille. Le maréchal brossait au gouverneur du duc de Bordeaux un état de la situation avec la lucidité froide et désespérée d'un homme qui n'a jamais rien su faire d'autre dans son existence que de calculer la trajectoire d'un boulet de canon et, cette fois, il atteignit sa cible en plein cœur. Le baron de Damas baissa pavillon et accepta de se renier lui-même pour sauver l'avenir de l'enfant dont il assurait l'éducation. Après tout, Dieu avait Ses raisons.

Mis en présence du roi qui reposait dans le petit cabinet d'angle autrefois aménagé pour l'impératrice Joséphine, le fidèle serviteur des princes l'aborda directement sans aucun respect de l'étiquette et avec la gaucherie d'un homme qui cherche à se débarrasser d'un fardeau :

— Est-il vrai qu'on a parlé d'abdication à Votre Majesté ?

Le roi ne parut pas surpris et, continuant à évoquer la question de son renoncement à la couronne de France comme s'il se fût agi de donner son accord pour une promotion dans l'ordre de Saint-Louis, il répondit sans hésitation :

— C'est vrai, et je suis assez disposé à le faire...

— Mais, dans ce cas, Sire, il n'y a pas un moment à perdre, insista Damas, trop heureux de s'en sortir à si bon compte.

Charles X, qui n'était pas, pour sa part, tout à fait dans les mêmes dispositions, se contenta d'ajouter comme un homme que l'on importune avec des tracasseries :

— Je verrai, ce soir ou demain matin...

Damas, que cet échange mettait à la torture mais qui s'était juré de ne pas avoir à y revenir, perdit patience, au point de parler au roi comme il l'aurait fait à son jeune élève :

— Vous avez déjà perdu trop de temps ; ce n'est ni ce soir ni demain. Dans ma pensée l'abdication n'est pour ainsi dire pas permise ; mais si c'est un moyen de sauver l'État, il faut le faire tout de suite.

Le roi, surpris par la rudesse du ton de la part d'un homme rompu aux usages de cour et dont la loyauté était au-dessus de tout soupçon, consentit un :

— Eh bien, j'écrirai.

— Écrivez donc tout de suite, rétorqua le baron qui connaissait trop bien le caractère pusillanime de Charles X pour lui laisser la moindre possibilité de s'échapper.

— Revenez dans une heure, et vous verrez...

Ce fut le dernier mot d'un homme qui parlait encore en roi et dont le ton était à ne plus admettre une seule repartie.

Damas salua et se retira. Une heure plus tard, il se présentait de nouveau chez le souverain qui lui tendit une feuille de papier sur laquelle il avait lui-même rédigé, au prix de mille efforts, son acte d'abdication. Le gouverneur prit la feuille comme si elle lui brûlait les doigts, la lut, marqua de la surprise et la rendit au roi en lui expliquant que les termes n'étaient pas assez précis et que cette espèce de lettre adressée au duc d'Orléans ne pourrait jamais être considérée comme un acte officiel par les Chambres, qui refuseraient de l'enregistrer. Tout serait à refaire, mais la séance du 3 août aurait été tenue, et il serait trop tard pour sauver les droits du duc de Bordeaux.

Le monarque, profondément vexé de se voir ainsi rebuté, demanda alors à son interlocuteur de rédiger lui-même cet acte d'abdication dans la mesure où il paraissait visiblement très au fait de ce genre de procédure. Le baron de Damas, mortifié, écrivit de sa jolie plume un texte court qu'il laissa en évidence sur le plat du bureau avant de quitter la pièce. Il venait de pousser l'insubordination jusqu'à son extrême et il ne voulait pas imposer sa présence au souverain au moment où ce dernier allait déposer sur un coin de table la couronne qu'il avait reçue de Dieu.

Charles X resta seul, son regard allait de la porte qui venait de se refermer derrière le baron de Damas à la haute fenêtre donnant sur les parterres puis, de là, revenait au bureau d'acajou sur lequel la lettre, une plume et un vieil encrier de marbre l'attendaient impassibles et indifférents à son tourment. Ses pensées ne se présentaient pas ce matin-là dans le meilleur ordre. Faire face à des contrariétés imprévues était la chose qu'il détestait le plus. À la vérité, il ne regrettait rien des décisions prises une semaine plus tôt et se félicitait même de son esprit de fermeté, mais il ne comprenait pas comment tout avait pu aller ainsi à vau-l'eau. Les ordonnances étaient justes car elles étaient la seule réponse possible aux attaques incessantes de la presse et des libéraux contre son pouvoir. Ses armées venaient d'emporter à Alger la victoire sur les infidèles qui avait été refusée à Saint Louis devant

Tunis. Quel plus beau cadeau pouvait-il offrir au Christ et à la Vierge? Alors pourquoi cette situation atroce, cette débandade généralisée et le retour des spectres sanglants de 1789 et 1793? Quelle erreur avait-il pu commettre? Il connaissait le poids des péchés de sa jeunesse, mais il ne cessait de les expier, jour après jour, depuis que la douce Louise de Polastron lui avait indiqué le chemin de la rédemption au prix de son propre salut. Le jour même de sa mort, il était entré dans une éternelle pénitence faisant secrètement vœu de chasteté. Dieu le savait bien! Alors quoi? Où était sa faute? Pourquoi dans ses desseins impénétrables Dieu l'avait-Il fait roi de France alors même qu'il n'aurait jamais dû régner si c'était pour lui ôter maintenant la couronne? Cette couronne tachée du sang de son frère, il ne l'avait pas voulue, Dieu lui en était, là encore, témoin! Dieu les avait-Il désignés, son frère et lui, pour expier les péchés d'un peuple qu'ils s'étaient montrés incapables de guider? Lui revenait-il, comme Charles VII l'avait fait pour les péchés d'Isabeau de Bavière, de s'acquitter de ceux du roi Louis XV leur aïeul? Pourtant, ni lui ni aucun de ses deux frères n'étaient parvenus à atteindre un tel degré de majesté, et jamais la France n'avait été aussi grande que sous son règne. Il se souvenait encore parfaitement de chaque apparition publique de ce roi longtemps bien aimé et mort détesté mais dont un regard suffisait à le faire entrer sous terre. Sa beauté, sa grandeur et son autorité donnaient à chacun de ses pas, à chacun de ses gestes, à chaque parole qu'il prononçait une telle dignité royale que l'on ne pouvait que trembler ou se prosterner. Pourtant ce grand roi avait été un plus grand pécheur encore, et son règne resterait à jamais couvert de femmes. Sa vie était un scandale public, ses maîtresses innombrables, et lui-même payait encore sur sa cassette personnelle des pensions et des rentes à ses nombreux bâtards ! Toute une famille royale de la main gauche qui salissait le sang des Bourbons, mais qu'y pouvait-il ?

Quel crime, lui et son frère, Louis XVI, avaient-ils donc commis sinon d'aimer et d'admirer cette statue équestre vivante qui écrasait de Sa Magnificence royale leurs premières années ? La mort de son frère et celle de son fils Berry n'avaient-elles pas suffi ? Fallait-il aussi la sienne ? Ces pensées auxquelles venaient maintenant se mêler les horribles prophéties de Martin, le paysan de Gallardon, l'assaillaient de toute part. Il cherchait à comprendre, mais s'interroger de la sorte ne revenait-il pas à se révolter contre Dieu ? Dieu auquel il s'était soumis depuis les vœux faits en 1804 sur le lit de mort de madame de Polastron. Aussitôt les images de leurs anciennes voluptés remontèrent à sa conscience, il aurait voulu les arracher de son âme et tenta de les chasser à l'aide des exercices de piété patiemment appris de l'abbé de Latil. En vain ; alors l'épouvante le saisit, l'enfer s'ouvrait devant lui. Les épreuves terrestres qu'il traversait en ce moment même n'étaient que les premières marches qui conduisaient à l'Achéron. Il n'avait pas suffisamment demandé pardon et il devait maintenant consentir à un ultime sacrifice, s'abaisser devant son Créateur, se dépouiller de tout, de sa couronne comme de son royaume. Il s'approcha de la table, prit une feuille, recopia mot pour mot le texte qui lui avait été soumis, le signa et sonna pour que l'on fasse venir Damas. Une heure s'était écoulée depuis le départ de ce dernier. Une heure pendant laquelle il avait cherché une réponse dans le secret de sa conscience sans jamais la trouver.

Le baron prit la lettre délicatement, la relut avec attention. Elle était datée du jour et avait conservé la forme d'une adresse au duc d'Orléans mais cette fois le roi ne se dérobait pas :

Rambouillet, ce 2 août 1830.

Mon cousin, je suis trop profondément peiné des maux qui affligent ou qui pourraient menacer mes peuples pour n'avoir pas cherché un moyen de les prévenir. J'ai donc pris la résolution d'abdiquer la couronne en faveur de mon petit-fils, le duc de Bordeaux.

Le dauphin, qui partage mes sentiments, renonce aussi à ses droits en faveur de son neveu.

Vous aurez donc, en votre qualité de lieutenant général du royaume, à faire proclamer l'avènement d'Henri V à la Couronne. Vous prendrez d'ailleurs toutes les mesures qui vous concernent pour régler les formes du gouvernement pendant la minorité du nouveau roi. Ici je me borne à faire connaître ces dispositions; c'est un moyen d'éviter encore bien des maux.

Vous communiquerez mes intentions au corps diplomatique et vous me ferez connaître le plus tôt possible la proclamation par laquelle mon petit-fils sera reconnu roi sous le nom d'Henri V.

Je charge le lieutenant général vicomte de Foissac-Latour de vous remettre cette lettre. Il a ordre de s'entendre avec vous pour les arrangements à prendre en faveur des personnes qui m'ont accompagné, ainsi que pour les arrangements convenables pour ce qui me concerne et le reste de ma famille.

*Nous réglerons ensuite les autres mesures qui seront
la conséquence du changement de règne.*

*Je vous renouvelle, mon cousin, l'assurance des senti-
ments avec lesquels je suis votre affectionné cousin.*

Charles.

Une seule chose manquait, la signature du dauphin
dont l'acquiescement demeurait indispensable. Damas
fit respectueusement observer au roi cette anomalie juridique, mais Charles X ne lui répondit rien, il paraissait
absorbé par la vie militaire qui animait le parc. Damas
insista, le roi restait absent. Il fallut s'approcher de lui
à bout portant pour le tirer de sa rêverie de garnison.
Le roi s'expliqua sans détourner les yeux de la fenêtre.
Angoulême n'avait pas paraphé pour la simple et bonne
raison qu'il n'était pas encore informé de la décision
que son père venait de prendre à sa place. Il suffisait
d'aller le prévenir et de lui faire poser sa signature en
bas de la page.

Le chemin de croix du baron de Damas continua donc
à travers les escaliers et les paliers sans ordre du château
de Rambouillet, car il se rendit chez le dauphin qui se
trouvait en compagnie de sa femme rentrée de sa promenade matinale. Le duc d'Angoulême prit connaissance
de l'acte d'abdication de son père avec indifférence, le
rendit à celui qui en était porteur en disant simplement :

— Vous pouvez l'expédier…

— Monseigneur, je ne l'expédie que si vous le signez,
répondit Damas qui voulait en finir une bonne fois pour
toutes.

Son ambassade se révélait suffisamment difficile
et douloureuse pour que le prince ne s'amuse pas à la
prolonger.

Le visage du dauphin se contracta, une partie de sa bouche tremblait quand l'autre était prise de spasmes réguliers, ses yeux clignaient de façon anormale et, quelques secondes plus tard, ses épaules se mirent à chalouper, signe chez lui d'une prochaine crise nerveuse. La dauphine, alarmée, s'approcha. Son mari prononçait des morceaux de phrases péniblement mâchées qu'elle était la seule dans ces moments-là à pouvoir comprendre et interpréter. Il n'avait pas été associé à la décision de son père dont l'abdication le faisait à l'instant même roi de France, et il ne comptait pas abdiquer à son tour avant d'avoir réuni un Conseil pour prendre sa décision en connaissance de cause. Demain il ne serait peut-être plus roi mais, aujourd'hui, au moins, voulait-il régner. Damas, qui n'avait pas l'intention de répéter avec Louis XIX la scène jouée deux heures plus tôt avec Charles X, se retira sur-le-champ et courut prévenir le roi que les choses n'allaient pas si facilement. Chaque fois, la garde présentait les armes, et les courtisans inquiets et désœuvrés qui assistaient à ce curieux manège depuis le grand salon et la salle à manger cherchaient à lui arracher des mots qu'il se refusait à leur donner. Leur angoisse n'en devenait que plus vive.

Restée seule avec son mari emporté par des sanglots violents et accablé de tics, la dauphine plongea devant lui dans une immense révérence de cour. Cet hommage de celle qui devenait reine au nouveau roi de France eut pour effet de calmer aussitôt son époux dont le visage se recomposa dans une sorte de sourire et qui se précipita pour l'aider à se relever. Ils étaient ainsi serrés l'un contre l'autre lorsque Charles X entra dans la pièce. Jamais le père n'avait jeté sur son fils un tel regard de mépris. Angoulême était dépourvu à ses yeux de toute grâce autant que d'intelligence. Il avait toujours reporté ses espoirs sur Berry jusqu'à ce que le poignard de Louvel ne le prive de la consolation de ses vieux jours. Berry au moins savait faire des enfants ! Le roi prit des mains de Damas le texte de l'abdication et le tendit sans un mot à son fils pour qu'il le signe.

Le dauphin, les yeux mouillés et le nez pris, implora son père de le laisser au moins régner quelques heures. Pour toute réponse, le roi laissa tomber d'une moue dédaigneuse :

— Vous ? Certainement pas !

Et, d'un simple geste, il ordonna à la dauphine de mettre un terme à cette comédie avant de s'en aller. La porte se referma derrière lui dans ce grand fracas de cour qui annonçait, partout, le départ du roi.

Alors, la crise annoncée éclata. Les tremblements qui s'étaient calmés reprirent de plus belle, les mains du prince s'agitaient en tous sens quand soudain ses yeux se révulsèrent, et il s'écroula comme assommé. Les tremblements le cédèrent aussitôt aux convulsions, le corps du dauphin tressautait comme celui d'un animal à l'agonie, il écumait, et des filets de salive s'écoulaient des deux coins de la bouche formant à l'arrondi du menton de grosses gouttes de bave qui, tombant une à une sur son uniforme, irisaient joliment la moire bleu céleste du grand cordon du Saint-Esprit. Quant à la plaque de l'Ordre, portant le grand oiseau divin aux ailes déployées, elle jouait avec les rayons du soleil d'août qui envahissait la pièce, et ses miroitements pulvérisaient des éclats d'argent sur les trumeaux de glace comme aux cimaises des boiseries blanches. Pour calmer les soubresauts qui agitaient son mari, la dauphine se mit à genoux, le prit dans ses bras, lui caressa les cheveux graissés par la suée et le serra sur son cœur en lui murmurant les paroles les plus douces dont elle se souvenait. Elle berçait maintenant son cousin comme l'enfant qu'il ne lui avait jamais donné et qu'il était redevenu. Peu à peu les secousses se calmèrent, la crise s'éloigna, et le calme revint. Le dauphin reprit lentement connaissance, ouvrit les yeux, échangea quelques mots avec sa femme qui l'aida à se relever à son tour, remit de l'ordre à son habit et le conduisit jusqu'à la table où le roi avait déposé l'acte d'abdication. Il comprit, s'assit, lut de nouveau le texte et prit la plume pour signer, mais sa main s'y refusa obstinément, alors il la déposa sur l'encrier de marbre. Un regard de sa femme l'obligea à se ressaisir et à reprendre la plume, mais la même paralysie s'empara de ses doigts au moment d'approcher de la feuille de papier. Par trois fois la main blessée se refusa à le priver de la couronne des rois de France mais, à la troisième tentative, un mot brutal de la dauphine finit par le décider, et il signa maladroitement, mais il signa. Puis, jetant la plume loin de lui, il s'écria :

— Puisqu'ils ne veulent pas de moi, qu'ils s'arrangent !

Ce fut là son seul et unique discours du trône.

À *Paris, au Palais-Royal*

Le porteur du billet s'était montré insistant. Odilon Barrot devait se rendre sur l'heure au Palais-Royal où il serait reçu personnellement par le lieutenant général du royaume. Il lui était par ailleurs précisé de se présenter dans son uniforme de la garde nationale.

Le prince et le jeune avocat ne se connaissaient pas, un monde les séparait, mais l'un comme l'autre avaient eu un père conventionnel. Une révolution les rapprochait donc pour la deuxième fois. Le jeune ambitieux avait su faire montre d'une grande habileté pendant ces quelques journées au cours desquelles l'Hôtel de Ville, croyant représenter la France, s'était aventuré à vouloir la gouverner. Secrétaire de la commission municipale, il avait senti le vent tourner en faveur du duc d'Orléans bien avant les autres et, mettant ses talents de jurisconsulte à son service, il était parvenu à désarmer juridiquement un pouvoir provisoire qu'il était pourtant censé servir. La Fayette, dont les pensées pleines de sa propre épopée ne s'abaissaient jamais à descendre jusqu'aux terres arides du droit public, n'y voyant que du feu, signait alors tout ce que Barrot lui présentait sans même le lire. Orléans, moins aveuglé par sa destinée, sut reconnaître là un serviteur adroit. Il fut cordial, princier et direct, en s'adressant à celui qu'il venait de convoquer :

— Je viens de recevoir une lettre du roi Charles X qui, sur le point de quitter la France, me demande des sauvegardes. J'ai jeté les yeux sur vous pour cette mission car il est convenable que la Chambre, l'armée et la population de Paris y soient représentées.

Le prince ajouta que le maréchal Mortier, duc de Trévise, représenterait l'armée, le baron de Schonen la Chambre avec le colonel Jacqueminot, et que la population de Paris ne pouvait l'être que par un officier de la garde nationale. Odilon Barrot se voyait donc tout désigné. À ce moment précis, le révolutionnaire qui la veille encore composait avec les républicains s'inclina profondément devant le descendant de Louis XIII.

Le duc d'Orléans confia alors au jeune homme le salut de cette famille dont il avait la douleur d'être obligé de se séparer. Ce furent là ses mots exacts. Le temps pressait, une voiture était déjà prête et n'attendait plus que le dernier commissaire du nouveau gouvernement pour rejoindre Rambouillet. Le duc de Coigny, ami personnel du roi, leur servirait d'introducteur auprès de Charles X dont on craignait qu'il ne s'offusque de se voir dépêcher un simple avocat au Conseil d'État dont la famille obscure était parfaitement inconnue de lui. Barrot demanda à pouvoir retourner à son domicile prendre quelques effets et prévenir ses proches. Ce retard lui fut autorisé, mais le lieutenant général exigea qu'il repasse par le Palais-Royal avant de partir.

Deux heures plus tard, le brillant avocat entrait de nouveau dans le cabinet du prince qui, cette fois, n'était plus seul. La duchesse d'Orléans, toujours pleurant, l'avait rejoint pour compléter un tableau d'Histoire. Elle venait de se rendre à l'Hôtel-Dieu pour consoler les blessés et encourager les chirurgiens qui sciaient les jambes et les bras des émeutiers comme des soldats avec beaucoup de charité et peu de charpie. La duchesse était même venue avec du linge. Ce fut une trouvaille. Le duc qui faisait les cent pas depuis l'arrivée d'Odilon Barrot se récriait à haute voix sur cette cruelle destinée qui le condamnait à être l'instrument de la déchéance et de l'exil d'une famille qui l'aimait et le lui avait montré à maintes occasions. Son émotion paraissait si forte et si sincère qu'il se mouchait bruyamment et n'achevait jamais ses phrases. Sa femme, transportée par tant de tourments, s'accrochait à son cou pour le soutenir dans l'épreuve et le consoler d'avoir à s'emparer du pouvoir. Elle prenait à témoin ce petit jeune homme qu'elle n'avait jamais rencontré et dont la pilosité matinale prenait déjà des reflets bleus :

— Le voyez-vous ? disait-elle en montrant le pauvre prince déjà écrasé par le poids de sa charge. C'est le plus honnête homme du royaume...

Surpris lui aussi autant par l'émotion que par la singularité de la scène, le témoin conservait un silence respectueux quand le duc d'Orléans, ravalant ses sanglots et se composant un nouveau visage, s'adressa à lui avec un ton qui se voulait solennel :

— Monsieur Odilon Barrot, je vous ai choisi parce que je connais votre cœur et que j'ai pu déjà apprécier la générosité de vos sentiments.

C'était là une façon élégante de reconnaître le rôle essentiel joué par l'ancien secrétaire de la commune dans la réussite du tour de passe-passe politique qui s'était joué deux jours plus tôt, et le prince eut un regard très expressif pour prononcer ces remarques flatteuses. Ensuite, il ajouta :

— Je vous charge particulièrement non seulement de veiller à la sûreté de mes malheureux parents, mais de les entourer de tous les égards dus au malheur...

Devant tant de grandeur d'âme, la duchesse, dont les larmes finissaient tout de même par se tarir, essuya discrètement le coin de ses gros yeux à l'aide d'un mouchoir de batiste si fine que l'on voyait en transparence les énormes couronnes brodées qui en timbraient les angles. Celui-là n'avait pas trempé dans le sang des braves.

Lorsque le jeune Barrot se retira, il crut entendre à travers la porte de son cabinet le duc d'Orléans dire à sa femme qu'il lui fallait maintenant trouver des bateaux pour embarquer tout le monde.

Au château de Rambouillet

Au château, la nouvelle de la double abdication en faveur du duc de Bordeaux, que personne n'avait seulement pensé à prévenir de son accession au trône, se répandit comme une traînée de poudre dans les salons puis dans les jardins et, si quelques vieux courtisans assistaient à l'effondrement de leur monde, les soldats et les têtes les plus politiques se réjouissaient à la pensée que tout était sauvé. L'enfant devenu roi jouait avec sa sœur dans un des recoins de la vieille bâtisse où ils avaient établi leur campement et construit une sorte d'attelage à l'aide de chaises sur lesquelles ils étaient parvenus à hisser un haut siège antique qui servait à conduire ce char immobile.

Le baron de Damas, qui s'était parfaitement acquitté de sa délicate ambassade auprès du dauphin, fut tout naturellement chargé par Charles X d'annoncer à son petit-fils qu'il était désormais le roi de France. Il chercha son pupille à travers tout le château puis, après l'avoir débusqué dans les étages, s'adressa à lui en s'inclinant profondément et, après une longue inspiration, fit résonner sous les vieux plafonds du château de Rambouillet un retentissant :

— Sire…

Le jeune prince, tout à son jeu et juché sur sa banquette de cocher improvisée, n'y prêta pas la moindre attention. Sa sœur, elle, s'immobilisa. Elle ne cessait de répéter à son jeune frère qu'un grand malheur se préparait à leur tomber dessus car, depuis la fin de la matinée, tout le monde s'effondrait en larmes sur leur passage.

Le baron de Damas se fit alors plus explicite :

— Sire! Je suis chargé de vous apprendre que le roi, votre auguste grand-père, n'ayant pu faire le bonheur de la France, malgré le désir de son cœur, vient d'abdiquer et c'est vous, monseigneur, qui allez être roi sous le nom d'Henri V.

Le duc de Bordeaux considéra son mentor avec étonnement, puis il interrogea du regard sa sœur et la duchesse de Gontaut, elle aussi présente, pour essayer de comprendre quelque chose à ce qui se racontait, mais tous conservaient un silence affligé et une figure d'enterrement. Le jeune garçon descendit alors de son fragile échafaudage et, regardant Damas sous le nez, lui dit :

— Bon Papa, qui est si bon, n'a pu faire le bonheur de la France. Alors on veut me faire roi ?

Le gouverneur, pétrifié par une conversation qui le dévastait, ne trouva rien d'autre à répondre qu'un hochement de tête. Alors le duc de Bordeaux haussa les épaules et ajouta d'un ton mi-moqueur, mi-incrédule :

— Mais, monsieur le baron, c'est impossible, ce que vous me dites là !

Puis il grimpa de nouveau sur son équipage, prit le fouet qu'il avait obtenu d'un des palefreniers, ordonna à sa sœur de monter :

— Allons, ma sœur, jouons !

Marmont, soulagé d'apprendre que la double abdication était enfin signée et que le roi avait confié à son camarade Latour-Foissac le soin d'aller la porter à Paris, raccompagnait ce dernier jusqu'à la portière de sa voiture en donnant des ordres pour lui constituer une escorte quand, levant la tête, il aperçut le dauphin à la fenêtre de sa chambre faisant de grands signes en sa direction.

Charles X venait à l'instant d'insister auprès du maréchal pour qu'il accepte de reprendre le commandement des troupes, et Marmont n'avait pas eu le cœur de refuser quoi que ce soit à cet aimable souverain que l'Histoire terrassait de nouveau. Il craignait donc une autre scène du dauphin qui, après avoir été privé de son règne, se voyait aussi relevé de son commandement militaire. Il hésita, mais le dauphin, appuyé sur l'allège, accompagnait ses gestes de paroles amicales l'invitant à monter à ses appartements. Comment se dérober? pensa Marmont, d'autant qu'il n'avait qu'à gravir les quelques marches de l'escalier d'honneur pour atteindre son appartement. À peine était-il en présence du duc d'Angoulême que ce dernier, le remerciant d'être venu jusqu'à sa chambre, lui demanda de bien vouloir oublier ce qui s'était passé entre eux quelques jours plus tôt. Dans la mesure où il n'était plus rien, il ne voulait pas qu'une querelle née de ses anciennes responsabilités militaires leur survive. Les deux hommes se serrèrent ainsi la main, mais le dauphin attendit tout de même la fin de l'après-midi pour remettre son commandement à Marmont qui, ne sachant que faire, se préoccupa de trouver du fourrage et des vivres pour une armée qui, depuis son arrivée à Rambouillet, ne vivait que de la chasse.

Tout était cul par-dessus tête. Les régiments positionnés sans ordre, les ordres donnés sans suite. Le relâchement était partout, la discipline nulle part. Les officiers écrivaient leur courrier, les hommes jouaient aux dés, crachaient leur chique ou surveillaient la cuisson des chevreuils en se faisant lire la presse libérale. Les cols s'ajustaient bien au passage du maréchal mais de mauvaise grâce, car les soldats ne savaient plus à quel chef il leur fallait obéir. Pour compléter le tout, Marmont aperçut un nuage de poussière poindre au bout du parc. C'était le deuxième régiment Suisse arrivé d'Orléans la veille avec le colonel de Besenval à sa tête et auquel avait été assigné le village du Perray pour s'y tenir en avant-garde. Cette manœuvre absurde laissait le château et donc la famille royale à la merci du premier coup de main. Marmont enleva son chapeau, s'essuya la nuque d'un geste machinal et avança sa monture jusqu'au colonel pour lui intimer l'ordre de retourner à son poste au lieu de se promener avec ses hommes dans les allées du parc. L'autre répondit avec la dernière insolence qu'il venait se mettre sous la protection du reste de l'armée car son régiment subissait les assauts des paysans des villages alentour. Le maréchal, qui n'aimait pas rudoyer un officier, surtout lorsqu'il était de bonne famille, tenta de faire entendre raison au jeune Besenval pour qu'il retourne là où il n'aurait jamais dû cesser d'être en lui ordonnant de faire tirer en l'air pour disperser les fourches et les faux. Le colonel, se croyant perdu, ne voulait rien entendre et craignait même que le régiment ne retourne ses fusils contre lui. Marmont, à bout de patience, lui parla la langue des casernes, le releva de son commandement, prit cent gardes du corps et fit conduire le régiment jusqu'à sa position initiale avec ordre de ne pas en bouger et de fusiller tout paysan qui serait pris les armes à la main. Tout était à l'avenant et il fallait, par-dessus le marché, expliquer à chaque officier venant à sa rencontre que le roi de France s'appelait désormais Henri V.

Profondément abattu, le baron de Damas rédigeait des courriers à l'intention des officiers généraux qui commandaient encore le camp de Lunéville pour leur demander de rejoindre la famille royale à Rambouillet mais, avant de cacheter les lettres, voyant que tout croulait autour de lui et ne trouvant appui auprès de personne, pas même du roi qui ne voulait plus être dérangé, il en changea la rédaction de sa propre initiative pour laisser aux commandants de ces corps d'élite la faculté de juger par eux-mêmes si les circonstances étaient encore de nature à leur permettre d'obéir aux ordres qu'il leur donnait. Cela revenait à laisser à chacun la liberté de rester fidèle ou de rallier le gouvernement provisoire...

On distribua ensuite des copies de l'acte d'abdication pour que chacun puisse en prendre connaissance sans l'intermédiaire des rumeurs, et Charles X souhaita, après dîner, présenter son petit-fils à l'armée. Le roi déchu apparut sur le perron dans une tenue parfaitement inhabituelle. Ne portant plus son uniforme garni de couronnes brodées et relevé par l'éclat de ses décorations mais un simple frac bleu sans le moindre ornement, il paraissait un vieux gentilhomme de l'ancienne cour déguisé en bourgeois. Tout dans son maintien démentait le costume, mais ce dépouillement frappa les esprits, et les têtes se baissèrent respectueusement sur son passage comme elles l'eussent fait devant son catafalque. D'une main, il saluait comme à son habitude, souriant aux seuls visages que sa mauvaise vue lui permettait de reconnaître et, de l'autre, il tenait celle de son petit-fils auquel on avait fait revêtir pour l'occasion son uniforme de colonel des cuirassiers. Le garçon, qui ne voulait toujours pas croire que son grand-père n'était plus roi, gardait un air boudeur malgré le plaisir de jouer à la revue. Les drapeaux s'inclinèrent, des vivats éclatèrent, puis ce furent des acclamations, les casques des cuirassiers, les bonnets des gardes à pied et les shakos des dragons volaient en l'air. Tous juraient une main sur le cœur et l'autre sur l'épée qu'ils étaient prêts à sacrifier leur vie pour Henri V. Ils se pressaient autour de la famille royale jusqu'à l'étouffer. La duchesse de Berry frôlait des pantalons collants qui, à la grande confusion des soldats, ne se montraient pas insensibles quand, venant de nulle part, un moine surgit au milieu de la liesse. Il portait une robe crasseuse et une barbe en bataille, ses yeux fixaient le jeune roi maintenant à sa portée. Le sourire de la duchesse de Berry se figea. Louvel aussi avait eu ce regard en apercevant son mari à l'Opéra. Elle eut peur et chercha à protéger son fils. Plusieurs gardes du corps qui un an plus tôt avaient applaudi *Henri III et sa cour*, le drame de Dumas au Théâtre-Français, pensèrent la même chose au même instant et tentèrent de s'emparer du bonhomme, mais il leur échappa et, courant droit à la petite duchesse, il se mit à crier en brandissant une croix de bois :

— À la Vendée ! À la Vendée ! Henri V et sa mère ! À la Vendée !

La princesse crut défaillir ; immédiatement les hommes s'interposèrent entre la famille royale et le moine. L'homme se débattait, roulait des yeux, invoquait les légions célestes, appelait à son aide l'archange Saint-Michel. On l'emporta, il était fou. Le roi Charles X préféra écourter la revue des troupes et retourner au château. Des bras puissants portaient la duchesse de Berry à moitié évanouie et qui tardait à revenir à elle. D'un geste brusque, sa belle-sœur, que ce petit manège n'émouvait pas, sortit un flacon de sels de l'immense sac vert qu'elle traînait après elle et le lui colla sous le nez.

Le dauphin, resté en retrait des événements depuis la fin de matinée et de la famille royale, visitait assidûment les chenils accompagné de ses aides de camp et s'apitoyait devant les glapissements de la meute furieuse d'avoir été tenue à l'écart de la curée. Il parlait aux chiens, s'adressant à chacun d'eux par son nom pour les consoler de cette chasse perdue. Il flattait l'encolure de ceux qui s'approchaient de lui, la queue battante et les babines humides, dans l'espoir que cette visite de leur maître suffirait enfin à faire résonner la sonnerie des trompes sur l'air de la «sortie du chenil», signe attendu de leur délivrance et du début de la grande fête. Le dauphin, qui n'était plus en mesure de leur offrir ce plaisir, se désolait même à haute voix:
— Mais que vais-je faire de mes chiens?
Un des colonels de la garde qui le suivaient ne put s'empêcher de rétorquer:
— Monseigneur, vous avez d'autres intérêts qui passent avant cela...
Le dauphin, à qui le menton légèrement prognathe donnait un air de ressemblance avec ses compagnons préférés, piqué au vif, répondit d'un ton de souverain dédain:
— Eh bien, je ne veux m'occuper que de mes chiens!
Il s'empara aussitôt d'un seau de fer au fond duquel des morceaux de pain rassis nageaient dans du sang caillé pour en régaler ses animaux. Les deux aides de camp firent de même. Les chiens restèrent un moment immobiles, surpris de se voir récompensés avant même

d'avoir commencé à chasser, puis ils se disputèrent avec
rage ces quelques quignons sanguinolents. Les hommes
devenaient fous, eux aussi.

À *Paris, au Palais-Royal*

Sur le coup de cinq heures du soir, deux voitures se
croisèrent dans la cour encombrée du Palais-Royal. Dans
l'une, les commissaires choisis par Louis-Philippe pour
escorter le départ de Charles X venaient de prendre place.
Le maréchal Mortier ayant décliné une ambassade aussi
pénible, elle échut au maréchal Maison qui reçut instruction de gagner Rambouillet par ses propres moyens. Au
fond de l'autre, attendant que le cocher de la première
achève de manœuvrer, se tenait le général de Latour-
Foissac serrant sur son cœur l'abdication de son roi. Les
panneaux vernis et les harnais trop riches de la voiture
attiraient le regard suspicieux de la foule silencieuse et
hostile qui montait la garde devant le Palais-Royal. Le
général se trouva donc rassuré d'entendre les grilles se
refermer derrière lui. Aucun valet de pied ne venant
lui ouvrir la porte, il descendit sans autre cérémonie
dans la cour des princes, se présenta aux Suisses qui ne
prirent même pas la peine de sortir de leurs guérites et
lui firent simplement signe de s'engager, comme tout un
chacun, dans le vestibule d'honneur. Là, il fut saisi, à son
tour, par l'ambiance de foire qui régnait partout. C'était à
croire que les promeneurs des galeries marchandes et des
jardins du Palais-Royal avaient obtenu leur billet du duc
d'Orléans pour prolonger leur promenade et leur petit
commerce jusque dans sa maison. Les huissiers ayant
eux aussi disparu au profit des marchands d'oublies et

de cocardes, il entama la montée de l'escalier majestueux dont les marches servaient de lit de camp à la garde d'honneur plébéienne du lieutenant général. Parvenu au palier du premier étage, vaste comme une salle de bal, il avisa un aide de camp qui tentait de maintenir un semblant d'ordre dans tout ce remue-ménage, se présenta et demanda aussitôt à être reçu par Son Altesse Royale monseigneur le duc d'Orléans. L'officier sursauta au seul déroulé de cette titulature qui n'était plus de saison et refusa net d'introduire ce visiteur qui sentait par trop l'ancienne cour. Le général, agacé, insista ; si tout Paris pouvait entrer et venir à sa guise jusque dans les appartements privés du duc et de la duchesse, il s'étonnait que leur porte reste fermée au comte de Latour-Foissac, commandeur de la Légion d'honneur et chevalier de Saint-Louis. Nouveau refus. Il fallut parler plus haut et se présenter comme un messager personnel de Sa Majesté Charles X. C'était évidemment aggraver son cas, car l'écho de cette phrase roulant sous la coupole immense de l'escalier provoqua une stupeur méchante chez les cerbères du prince. L'aide de camp s'écarta quelques instants afin de conférer avec ses collègues mais revint pour se montrer tout aussi inflexible. Les ordres étaient sans appel : les Chambres se réunissaient le lendemain, et le lieutenant général du royaume ne recevait plus personne, fût-ce le nonce apostolique ! Latour-Foissac, stupéfait et décontenancé, expliqua qu'il était porteur de documents de la plus haute importance et qu'il avait reçu ordre du roi de les remettre entre les mains du duc d'Orléans. L'aide de camp se borna à lui conseiller de revenir le lendemain. Le général en conclut qu'il venait d'être devancé par des émissaires mystérieux, que des ordres avaient été donnés pour qu'il ne puisse accomplir sa mission, et il redescendit le gigantesque escalier, en proie à un complet désarroi. Il tenait entre ses mains un acte d'une portée politique immense dont le destinataire ne voulait apparemment pas s'encombrer. Pour quelle raison, il l'ignorait, et ne parvenait pas à le comprendre. Remonté dans sa voiture, il enjoignit le cocher de se rendre au palais du Luxembourg où siégeait encore la seule autorité légitime à ses yeux. Arrivé à destination, il demanda à voir le duc de Mortemart qui, depuis l'acceptation de la lieutenance générale du royaume par le duc d'Orléans et le départ du roi de Saint-Cloud contre son avis, se considérait relevé de ses fonctions. Pourtant, devant l'urgence de la situation, l'éphémère Premier ministre accepta de se faire l'introducteur de l'émissaire de Charles X auprès de Louis-Philippe, et les deux hommes repartirent aussitôt. Il faisait déjà nuit lorsqu'ils arrivèrent enfin au Palais-Royal, mais seul le duc de Mortemart fut reçu par le prince, et le comte de Latour-Foissac dut attendre sur la place, caché au fond de sa voiture que l'on veuille bien lui signifier que sa mission était enfin remplie. De temps à autre, une torche éclairait l'habitacle et des voix soupçonneuses interrogeaient le cocher sur la qualité de son passager. Pendant ces quarts d'heure qui comptaient pour des heures, le général garda toujours la main sur ses pistolets.

Au château de Rambouillet

À la tombée du jour, les commissaires entraient dans Rambouillet. Soucieux de ne pas se présenter devant le roi sans avoir été annoncés ni avoir pris quelques précautions pour leur propre sûreté, ils descendirent à l'hôtel comme de simples commis voyageurs et firent aussitôt dire au maréchal duc de Raguse qu'ils souhaitaient lui rendre compte de leur mission. Marmont arriva peu après et leur fit un excellent accueil mais, lorsque les envoyés de Louis-Philippe demandèrent à être mis en présence du roi séance tenante, il prit aussitôt un air embarrassé. Le roi était retiré dans ses appartements. L'ordre avait été donné. L'étiquette interdisait à quiconque sauf au premier gentilhomme ou au premier valet de pénétrer dans sa chambre. Les commissaires, rejoints par le maréchal Maison, vieux compagnon d'armes de Marmont, se crurent autorisés à insister. Ils devaient remettre une lettre du duc d'Orléans au roi, et cette lettre ne pouvait pas attendre.

Marmont, cherchant à se montrer coopératif avec des hommes qui pourraient peut-être lui permettre d'entamer des négociations avec le nouveau pouvoir, consentit à se faire leur porte-parole. Son grade lui donnait les grandes entrées, et le duc de Duras ne pourrait pas lui condamner la chambre du roi. Le duc de Coigny se proposa de l'accompagner. Son feu père avait été le sigisbée de la reine Marie-Antoinette et le compagnon des folies de jeunesse du comte d'Artois à Bagatelle. Sa Majesté l'aimait comme le fils d'un ami, et sa présence pouvait être de nature à disposer le roi en faveur des commissaires. Maison, sorti de la glèbe et du rang, comprit que ses états de service n'étaient pas de nature à lui permettre de se présenter devant Charles X au saut du lit. Il se renfrogna.

Le roi fit bon accueil au petit Coigny qui commença par lui remettre la longue lettre que lui avait confiée le duc de Mortemart avant son départ pour Rambouillet, et dans laquelle l'éphémère Premier ministre expliquait en détail l'échec de sa mission. Charles X en prit connaissance mais ne laissa rien paraître du coup qu'elle lui donnait. Il n'avait jamais pensé que Mortemart fût son meilleur atout, mais il avait eu si mauvais jeu depuis le début de ses déboires que cette piètre pioche ne l'étonnait pas plus que cela, puis, se tournant vers Coigny, il lui demanda ce qu'il faisait en compagnie de trois coquins qui ne valaient pas, à la vérité, la corde pour les pendre ? Cette entrée en matière n'augurait rien de bon. Décidément, Mercure, ce jour-là, n'aidait pas les messagers.

Une heure plus tard, Marmont revint auprès des commissaires et leur relata ses échanges avec le roi en se gardant bien de leur raconter toute leur conversation. Sa Majesté les remerciait de leurs bons offices mais, ayant autour de lui douze mille soldats fidèles, quatre hommes de plus lui étaient inutiles, d'autant qu'il n'avait demandé aucune sauvegarde à son cousin, contrairement à ce que celui-ci semblait leur avoir affirmé. Sa Majesté les remerciait néanmoins de leur sollicitude et ne voyait, par ailleurs, aucun obstacle à ce qu'ils demeurent à Rambouillet le temps que ce curieux malentendu se dissipe avec la nuit.

Odilon Barrot comprit que quelque chose lui échappait et que, entre le prince et le roi, il y avait place pour un menteur mais il avait trop d'intelligence politique pour demeurer l'otage d'un malentendu aux airs de guet-apens. C'est en juriste qu'il trouva la sortie. Le lieutenant général leur avait confié une mission de paix et de protection. Ils étaient munis d'un pouvoir de sauvegarde de la personne du roi et de sa famille ; dès lors que le souverain leur refusait son agrément, il ne leur restait plus qu'à rebrousser chemin. Leur voiture n'ayant pas encore été dételée, ils y remontèrent suivis par un Marmont très contrarié à l'idée de les voir s'éloigner car il avait commencé auprès d'eux un long travail de justification sur sa conduite pendant les journées d'émeute et il comptait bien sur les conseils avisés du jeune avocat pour préparer le procès qu'il savait inévitable. En guise de mémoire en défense, Odilon Barrot lui souhaita le bonsoir.

À *Paris, au Palais-Royal*

Une nuit profonde rendait au Palais-Royal le calme et la dignité d'une maison princière. Les promeneurs étaient rentrés chez eux, les prostituées avaient satisfait leurs clients, et les domestiques dormaient à poings fermés, épuisés d'avoir desservi des tables ouvertes à tous les appétits. Le concierge refusa tout d'abord d'ouvrir la porte, appela les Suisses puis les gardes nationaux en faction et les aides de camp du prince, mais, sans l'engueulade du maréchal Maison qui – en avait plein le c... de se promener en berline –, les commissaires qui rentraient de Rambouillet seraient restés dehors jusqu'au lendemain.

On réveilla le lieutenant général qui, par crainte de quelque coup de force des bonapartistes, des républicains ou des carlistes, dormait toujours dans sa soupente à proximité d'un escalier susceptible de lui permettre de quitter le palais en toute hâte. Il se présenta devant ses commissaires, sans son toupet, en robe de chambre, les pieds nus dans ses pantoufles, un bougeoir à la main, et salua tout le monde sans faire de façons. Le duc de Coigny croyait rêver.

Odilon Barrot, dont l'ascendant naturel s'était imposé à ses collègues, prit la parole, raconta leur mésaventure de Rambouillet et expliqua que, selon lui, ce refus du roi relevait de la manœuvre. Il était clair que la Cour cherchait à gagner du temps pour pouvoir rassembler des troupes et lancer la contre-attaque. La situation devenait dangereuse, Rambouillet pouvait être à Charles X ce que Saint-Denis avait été à Henri IV, le camp retranché qui lui avait permis de prendre Paris. Le moment était venu d'en finir et de conclure, d'un ton martial, que ce coup de semonce, seul le lieutenant général était en mesure de l'ordonner.

Louis-Philippe perdit aussitôt son air bonhomme, et la lumière de rares flambeaux lui offrait un visage tranchant et un regard d'acier noir. Il n'hésita pas un seul instant en donnant ses ordres d'une voix de bronze qui rompait avec le petit ton guilleret dont il enrubannait habituellement ses digressions interminables :

— Vous avez raison, monsieur Barrot, il faut faire une démonstration armée sur Rambouillet. Prévenez le général La Fayette et que le rappel soit battu dans tous les quartiers de Paris ; chaque légion de la garde nationale fournira un contingent de six cents hommes.

Puis, s'adressant aux autres commissaires médusés, il ajouta :

— Et vous, messieurs, vous précéderez cette colonne à Rambouillet. Cette fois peut-être, je serai compris et vous serez accueilli.

La marche sur Rambouillet

Mardi 3 août 1830

Dès la fin de la nuit, les agents du duc d'Orléans et les amis de La Fayette firent courir dans Paris les bruits les plus alarmants. Les commissaires partis la veille pour Rambouillet avaient été tirés à bout portant par la garde royale avant même de passer les grilles du château. La fuite de Saint-Cloud n'était qu'une manœuvre sournoise du vieux roi. Charles X s'apprêtait à reprendre Paris et n'attendait plus pour cela que le retour des troupes d'Alger. Le maréchal Marmont réclamait sa revanche sur le peuple en ordonnant le feu de ses canons au-dessus des toits de la capitale pour l'incendier, et déjà l'avant-garde de cette nouvelle armée catholique et royale s'approchait dangereusement de la capitale. Il fallait faire vite et déloger la famille royale de la forêt où elle se cachait avant qu'elle n'en sorte pour fondre sur sa proie et déchirer les pauvres gens à belles dents. En quelques heures, l'émeute assoupie par les triomphes des jours précédents se réveilla, et la garde nationale se trouva chargée de canaliser cette fureur hors de Paris pour la déverser sur Rambouillet. Louis-Philippe n'était pas fâché de voir la révolution battre la campagne pendant que, au Palais-Royal, il serrait un peu plus fort les rênes de l'État. La manœuvre ne manquait pas de talent. D'un côté elle permettait de déloger les Bourbons de leur repaire, de l'autre elle contribuait à dégarnir les rangs des républicains en vidant la place de Grève de ses agents les plus exaltés. Soucieux, par ailleurs, de se gagner les bonnes grâces de ceux que l'émeute avait mis à sa tête, il nommait sous-lieutenants par décret tous les élèves de l'École polytechnique et, pour faire bonne mesure, décorait les étudiants des facultés de droit et de médecine qui avaient pris part aux combats. Ce qui échouait la veille avec les amis de Cavaignac réussissait à merveille avec ces jeunes bourgeois instruits dont il comptait bien faire les piliers de son régime. Prétendre suffisait alors pour obtenir, et le vieux Rouget de Lisle, perclus de dettes, reçut pour sa part une pension de quinze cents francs sur les deniers du prince qui préférait embaumer «La Marseillaise» que d'avoir à subir le «Ah, ça ira!».

Quant à La Fayette, comme tous les vieux acteurs, il ne savait plus réciter d'autre rôle que celui qui lui avait assuré le succès quarante ans plus tôt, et s'apprêtait donc à rejouer les journées d'octobre en raccompagnant, une fois encore, la famille royale jusqu'à l'Hôtel de Ville, la protégeant d'un bras, la menaçant de l'autre. À soixante-dix ans passés, il versait dans le gâtisme de la gloire. Les vieux fantômes de la Bastille couraient en claudiquant après ceux de Versailles.

Des milliers de combattants des rues convergeaient donc vers les Champs-Élysées mais, comme rien n'était prévu pour les transporter jusqu'au chevet de Charles X et le tirer de son lit de plumes, un étonnant cortège s'improvisa. Tout ce qui roulait encore dans Paris, fiacres, omnibus, coupés, simples voitures de louage, diligences, calèches, berlines, corbillards à panaches, fourgons, tilburys, guimbardes, phaétons, pataches, landaus, chaises de poste et chars à bancs fut réquisitionné pour marcher sur Rambouillet. On prenait d'assaut les équipages, on se poussait les fesses pour monter sur l'impériale, on s'entassait, on s'invectivait dans des rires, on tombait dans le ruisseau le cul par terre, on se relevait puis on remontait en voiture, et c'était dans les cris et les injures que les chevaux parvenaient enfin à se mettre en route, tirant péniblement après eux la révolution montée sur un tombereau. Des femmes accouraient avant le départ pour donner à ces soldats d'atelier et de fabrique le quart de piquette et la gamelle oubliée sur le mauvais feu d'une cuisine commune. Les hommes les remerciaient par des baisers et répondaient aux saluts des badauds par des chants patriotiques écrits par Béranger dont les feuilles imprimées à la hâte se vendaient deux sous. Ils s'égosillaient à reprendre en chœur «Le vieux drapeau» ou «La sainte alliance des peuples».

Alexandre Dumas, que cette révolution égayait tant qu'il en négligeait sa belle maîtresse depuis trois jours, dormait du sommeil du juste lorsqu'il fut réveillé par le rappel qui se battait frénétiquement dans la rue et la visite matinale de son ami Delanoue venu le chercher pour marcher sur Rambouillet. La partie de campagne promettait d'être magnifique, et on ne pouvait rater ça pour rien au monde. Levé, rasé et habillé en un tournemain, le jeune dandy à la crinière de lion était déjà à la recherche d'un fiacre place de l'Odéon pour courir sus au roi de France dans le plus bel appareil. Là, les machinistes du théâtre dont il était devenu l'idole depuis le succès et les énormes pourboires de sa dernière pièce le reconnurent. Il fut acclamé par ces ouvriers du rêve qui, armés des hallebardes en fer-blanc tirées du magasin des accessoires, l'entourèrent pour en faire leur capitaine et lui demander de les conduire à la victoire. Le souffleur de l'Odéon arrêta une voiture dans laquelle tout le monde prendrait place, mais il n'était pas raisonnable de partir chasser les Bourbons le ventre vide et le gosier sec. Dumas fit porter huit bouteilles de vin à sa petite armée qui se restaurait avant d'aller lui-même déjeuner chez Risbeck, le meilleur traiteur de la place de l'Odéon, où la chère était exquise. Son appétit d'ogre offrait ainsi un répit à la monarchie chancelante.

Une fois rassasiée, la petite troupe prit place tant bien que mal dans le fiacre et se dirigea vers le Palais-Royal où l'on donnait des armes. Dans la cohue, un laquais reconnut à son tour le jeune auteur à succès et le désigna au colonel de Rumigny, l'aide de camp du duc d'Orléans qui veillait en personne à cette distribution. Il ne restait plus un seul fusil, aussi les compagnons sans arme de Dumas ne reçurent qu'un pistolet et un sabre mais, pour les dédommager de cette déception, l'officier leur offrit à boire à la santé de Louis-Philippe. Aussitôt des valets portant la livrée des Orléans apportèrent des plateaux chargés de carafes en cristal taillé. Les machinistes trouvèrent le vin très mauvais mais le burent entièrement par souci de ne pas dédaigner l'hospitalité du prince. Blessé dans son orgueil de domestique de grande maison, un des laquais exigea que l'on cède la place à des patriotes moins regardants sur la qualité de la barrique et qui attendaient patiemment leur tour pour être rincés gratis. On perdit beaucoup de temps à remonter dans le fiacre puis l'on se mit à la suite des voitures qui se dirigeaient toutes vers la place de l'Étoile.

Vingt à trente mille personnes encombraient déjà les allées des Champs-Élysées lorsque le baron Pasquier les rencontra à l'heure où il se rendait au Palais-Bourbon pour répondre à la convocation des Chambres. Ne comprenant rien à ce curieux rassemblement, il crut un moment que tout Paris profitait de la révolution pour déménager à la cloche de bois et trouva plus prudent de prendre un autre chemin sans manquer de saluer le drapeau tricolore en levant bien haut son chapeau dès qu'un gamin des rues le lui agitait sous le nez en l'appelant « citoyen ».

Rue de Miromesnil

Alfred de Vigny écrivait à sa table de travail où il taquinait une muse fuyante quand un grand remue-ménage dans son escalier puis des coups sur sa porte où l'on tambourinait l'obligèrent à quitter son fauteuil. Le poète, qui n'avait pas aimé entendre les balles de l'émeute briser ses vitres et siffler aux oreilles de sa femme, chargea lentement ses pistolets avant d'aller ouvrir. Il reconnut aussitôt son propriétaire, un ancien avoué que la vue des deux pistolets chiens relevés et canons brillants de graisse fit reculer d'un pas. Derrière lui se pressaient quelques bons pères de famille mal ficelés dans leurs uniformes de la garde nationale. Ces rentiers retirés, ces commerçants prospères, ces bourgeois satisfaits venaient le supplier de bien vouloir se mettre à la tête de leur compagnie et de pousser l'abnégation jusqu'à les entraîner au maniement des armes pour défendre leurs boutiques. Ne sachant trop quel titre de noblesse il fallait donner à cet ancien officier du roi qui, perpétuellement juché sur les échauguettes de son orgueil aristocratique, les toisait plus qu'il ne les regardait chaque fois qu'il les croisait, le propriétaire traitait alternativement le poète de comte et de marquis, ce qui fit sourire celui qui avait porté le manteau blanc, l'habit rouge et le casque noir pour escorter le roi Louis XVIII sur la route de Gand. La peur se lisait dans les yeux de ces bourgeois épuisés par une semaine de révolution. Le roi Charles était parti. Le duc d'Orléans était resté. Tout cela leur convenait à merveille, et le peuple n'avait plus qu'à remonter dans ses étages et reprendre le travail. Il était temps d'en finir mais, pour en finir, il ne suffisait pas d'être armé ; encore fallait-il être dirigé, et qui mieux qu'un ancien lieutenant de la garde royale pouvait commander à des gardes nationaux ? Le poète, qui attendait en vain depuis quatre jours l'appel des princes, prit en pitié les malheureux habitants du bas de la rue de Miromesnil et pensa que, à défaut de sauver la monarchie légitime, il lui revenait de rétablir l'ordre. Au grand soulagement de ses voisins, il accepta. Son propriétaire estimant que le grade de général serait certainement déplacé et celui de colonel peut-être prématuré lui donna immédiatement du «commandant», et tous se cotisèrent pour lui offrir l'uniforme bleu de la garde nationale qui, quelques mois plus tôt, eût fait monter le rouge au front du comte de Vigny mais, ce jour-là, il ne se froissa pas de le porter aux épaulettes.

Un bordel parisien, rue Godot-de-Mauroy

Lord Stuart de Rothesay, ambassadeur extraordinaire du roi d'Angleterre, avait beaucoup bu la veille, au point de s'endormir dans un lit où un gentleman ne fait habituellement que passer avant de céder obligeamment la place à un *partner*. La caresse qui le réveillait était trop précise pour qu'elle puisse être celle d'une simple femme de chambre de sa maison. Il discernait mal mais, au toucher, il lui sembla vite évident qu'il n'y avait pas une mais deux filles couchées avec lui. Elles gloussaient comme les dindons du pays de Galles en l'appelant de son petit nom de Stuart ainsi que toutes les grisettes de la ville en avaient pris l'habitude depuis qu'il écumait les bordels de la capitale. Il payait bien et buvait comme un Anglais. Deux qualités qui avaient suffi à établir sa réputation parmi les filles de l'Opéra. Lui n'avait pas la tête à l'amour, ce matin. Il ne se souvenait pas de s'être couché en si nombreuse compagnie quelques heures plus tôt et subodorait déjà une manigance de ces maudites Françaises pour doubler le tarif. Les événements auraient dû au contraire faire baisser les prix, mais il n'aimait pas cette révolution et craignait par-dessus tout que la France, qui dormait d'un sommeil d'éther depuis bientôt quinze ans, ne se réveille pour venir agacer l'Angleterre comme le faisait à l'instant même une petite main qu'il repoussa dans un grognement. Il n'avait pas aimé non plus la prise d'Alger qui dérangeait les ambitions de sa nation en Méditerranée ni la hauteur avec laquelle cet imbécile de Polignac s'était permis de répondre aux inquiétudes de son gouvernement, mais, de là à laisser renverser les Bourbons, Pozzo et Talleyrand allaient tout de même un peu vite en besogne. Au fond, il était avec Charles X et Louis-Philippe comme avec ces deux filles. Il ne savait plus trop quoi en faire, craignait que tout cela ne coûte à la fin bien cher à l'Angleterre et, en vieux tory, estimait très exagéré que le peuple se mêle de choisir son roi. C'était la porte ouverte à tous les débordements, à tous les excès. Une régence exercée par Orléans au nom du petit duc de Bordeaux offrait un juste milieu qui lui convenait assez. Il retrouvait là un schéma connu, éprouvé par l'Histoire, et rien ne pouvait davantage rassurer un ambassadeur qu'une vieille recette diplomatique. Aussi, en l'absence d'instructions de la Couronne, il prit son parti, se leva, paya sans marchander et quitta cette maison trop close pour y demeurer en plein jour en rouant de coups de canne son valet qui avait oublié de le réveiller pour pouvoir baiser gratis. Heureusement pour lui, le désordre des rues et l'impérieuse nécessité des événements lui fournissaient une magnifique couverture.

Au Palais-Boubon

À une heure de l'après-midi, une salve de coups de canon tirée depuis l'hôtel des Invalides saluait l'arrivée au Palais-Bourbon du duc d'Orléans en uniforme de la garde nationale. Il était accompagné de son fils le duc de Nemours. Les quartiers de la rive gauche, moins populeux que ceux qu'il avait fallu traverser deux jours plus tôt, offraient un accueil presque enthousiaste à une solution politique qui préservait l'essentiel. Les régiments de la garde nationale avaient pris soin d'écarter les fâcheux et de coffrer un groupe d'étudiants qui prétendaient voiler de crêpe noir le drapeau tricolore avant l'arrivée des princes.

Louis-Philippe pénétra dans la cour du palais, gravit le perron pour être reçu par des députés heureux et soulagés. Seuls quelques pairs, qui avaient quitté

Rambouillet le matin même à la demande de Charles X afin de venir défendre à Paris les intérêts de son petit-fils, marquaient encore leur distance en se composant un visage qui, sans être tout à fait hostile, se voulait réservé. Tous les acteurs des dernières journées étaient là avec leurs espoirs, leurs petites inimitiés et leurs grandes ambitions. La Fayette, sans uniforme, venait pourtant d'être reconnu. Il ne pouvait pas remuer la tête sans être acclamé. Laffitte, traînant toujours la patte, cherchait à se tenir au plus près du duc d'Orléans qui ne faisait aucun effort pour l'y aider.

Le lieutenant général du royaume donnait l'image d'un homme fatigué et fortement ému. Une émotion qu'il parvint difficilement à maîtriser lorsque, dans le salon du roi, il se retrouva face au trône au pied duquel, quelques mois plus tôt, à l'occasion de la cérémonie d'ouverture de la session parlementaire, il s'était baissé pour ramasser le chapeau tombé malencontreusement de la tête de son oncle. Tous les députés présents se rappelaient, comme lui, cette petite scène dans laquelle certains avaient déjà voulu voir un présage. Ils se demandaient si ce n'était pas une couronne que le prince allait ramasser maintenant en se baissant devant eux. Les coups de canon rythmaient la respiration de Louis-Philippe pendant que les députés retenaient la leur et que le prince s'avançait toujours à pas lent vers le fauteuil de velours et bois doré où il avait vu ses deux oncles, les rois Louis XVIII et Charles X, s'asseoir. Lorsqu'il se mit à grimper les premiers degrés recouverts de moquette rouge, chacun cherchait à savoir jusqu'où il les monterait. Arrivé sur le haut de l'estrade, le duc d'Orléans ne fit pas l'erreur de s'asseoir sur un trône laissé vide, mais qui n'était pas encore vacant, et prit simplement place sur un large ployant posé à sa droite. Son fils fit de même avec le tabouret placé à gauche. Sans attendre la fin de la canonnade ni même que le jeune marquis de Dreux-Brézé, héritier de la charge de grand maître des cérémonies de France qui se perdait un peu dans le cérémonial, ne l'y invite comme il était de règle, Louis-Philippe prit la parole d'une voix sourde, presque éteinte, à laquelle il ne parvint pas à donner la force du claquement de fouet avec laquelle Louis XIV s'était un jour adressé à ces messieurs du Parlement pour les souffleter à coups de «Majesté». Un long discours commença. Il avait été en partie rédigé sous la dictée de Dupin et de Guizot qui n'avaient su y insuffler que la morne passion du droit en barbouillant de légalité les prémices d'une usurpation. Louis-Philippe parla de la Charte, du courage des Parisiens descendus dans la rue pour la défendre et de la nécessité qu'il y avait désormais à rétablir cette même Charte dans toute sa pureté pour garantir les libertés octroyées. À aucun moment, les mots de «Constitution» ni même d'«Assemblée constituante» ne furent prononcés. C'était en roi que le prince s'exprimait déjà, ce qui ne manqua pas de provoquer quelques remous chez les parlementaires attachés au programme révolutionnaire de l'Hôtel de Ville. La Fayette, tout absorbé par ses pensées, ne paraissait pas comprendre qu'il était roulé dans les fleurs de lys. Les événements l'enchantaient, car ils lui permettaient de revivre en même temps les journées d'octobre et la fête de la Fédération. Il était là, revenu du fond de l'Histoire, admiré, célébré, congratulé, et il croyait à une sorte de triomphe comme celui que Paris avait réservé à Voltaire lors de son retour d'exil. Il souriait d'aise dans l'attente d'une couronne de laurier.

Sentant que l'auditoire lui échappait, Louis-Philippe tenta de le prendre à témoin de la situation cornélienne dans laquelle il se trouvait, partagé qu'il était entre, d'un côté, son dévouement à la Charte, à la liberté comme à la paix de l'Europe et, de l'autre, son attachement pour une malheureuse famille qui, de nouveau, perdait tout par sa propre faute. Le discours se perdait peu à peu dans un mélange de considérations juridiques et de réflexions personnelles quand, tout à coup, l'orateur abandonnant le texte qu'il lisait consciencieusement jusque-là le déposa par terre pour se saisir d'une lettre, celle-là même qui contenait la double abdication de Charles X et de son fils le duc d'Angoulême, qu'il voulait porter à la connaissance de l'Assemblée avant de la faire enregistrer par la Chambre des pairs. Le silence, qui avait tendance à se trouer de quelques murmures, se reforma aussitôt. Le prince lut, mais il ne lut que les premières phrases en prenant grand soin d'oublier le paragraphe consacré au jeune duc de Bordeaux, le nouveau roi de France dont le règne avait commencé la veille sous le nom d'Henri V et qui aurait dû être assis à côté de lui, sous l'immense dais de velours et de plumes d'autruche qui surplombait le trône, l'estrade et la scène de théâtre qui s'y jouait. Il ne lut que l'acte d'abdication et, désormais, chacun en était convaincu, le trône était vacant et Louis-Philippe en était si proche qu'il n'avait plus qu'à s'asseoir dessus. Dans les tribunes, la duchesse d'Orléans, installée à côté de sa belle-sœur et de ses filles, savourait d'être presque reine. Elle avait donné à son mari assez de fils pour permettre à ce qui n'avait été pendant longtemps qu'un surgeon méprisé de devenir la nouvelle branche de l'ancienne maison des rois capétiens.

Sur la route de Rambouillet

La voiture des commissaires de Louis-Philippe, escortée et munie de tous les sauf-conduits, avait dépassé sans aucune difficulté l'interminable colonne qui marchait sur Rambouillet. À Trappes, Odilon Barrot ordonnait au général Pajol d'empêcher que ces chars de carnaval n'aillent plus loin. Tous les occupants de la voiture étaient en effet parfaitement conscients que trois coups de canon et une simple charge de cavalerie suffiraient à mettre en déroute cette pauvre armée de Parisiens. Ils savaient pour les avoir vus la veille que le roi disposait encore d'une véritable armée composée de régiments d'élite et d'une artillerie redoutable. Un émissaire fut alors envoyé au maréchal Marmont afin de lui annoncer leur retour, et la voiture fut menée à un train d'enfer pour devancer l'avant-garde de la révolution.

Au château de Rambouillet

La nuit prenait le grand parc en écharpe lorsque les commissaires encadrés par un escadron de la garde y pénétrèrent. Les bivouacs étaient éclairés et, grâce à l'activité du maréchal au cours de la journée, la disposition des troupes offrait maintenant l'ordre et la régularité d'un véritable camp militaire. Les commissaires, prisonniers de leur voiture, furent contraints de passer en revue la totalité des troupes placées sur leur chemin de façon à les impressionner.

Cette dignité toute militaire contrastait avec la démoralisation de la Cour qui ne manqua pas de frapper les envoyés de Louis-Philippe dès qu'ils eurent pénétré à l'intérieur du château et que courtisans, officiers et fonctionnaires s'écartèrent devant eux. Certains s'approchaient jusqu'à leur parler et s'aventuraient à demander dans un souffle à ces représentants du gouvernement provisoire si leur présence devait être pour eux une raison de craindre ou d'espérer. Odilon Barrot engageait chacun à espérer. Le mot se répandit à travers l'antichambre à la vitesse d'une traînée de poudre, et même les visages les plus fermés commencèrent à s'illuminer lorsque la porte donnant sur les appartements intérieurs du roi se referma sur ses invités, laissant les courtisans à leurs supputations.

Charles X les attendait, seul et debout de l'autre côté d'une table, cherchant à dissimuler une forte agitation derrière un maintien de souverain. Sans leur laisser le temps de le saluer, il les questionna d'un ton brusque, faute d'avoir pu trouver celui de l'autorité :

— Eh bien, que me veut-on ?

Odilon Barrot, auquel ses collègues abandonnaient le soin de parler en leur nom, déclara d'une voix de prétoire un peu déplacée dans le cadre d'une audience :

— Sire, nous sommes suivis par une colonne armée de la population de Paris ; nous l'avons devancée et nous nous sommes hâtés de nous rendre auprès de vous pour épargner à la France un horrible conflit dans lequel périraient infailliblement vos plus fidèles serviteurs, ceux qui doivent vous être le plus cher... Or ce conflit est désormais sans objet, puisque vous et votre fils avez abdiqué.

— J'ai abdiqué il est vrai, reconnut aussitôt le roi ; mais c'est au profit de mon petit-fils, et nous sommes tous résolus ici à défendre ses droits jusqu'à la dernière goutte de notre sang.

Cette détermination, même feinte, n'était pas de nature à faciliter la tâche aux émissaires, qui ne savaient trop quoi rétorquer lorsque le jeune avocat, n'hésitant pas à franchir la barrière étroite qui sépare la barre d'un tribunal des tréteaux de la foire, décida de jouer franchement la comédie. Il s'approcha du roi, et contre toutes les règles de l'étiquette, lui prit les deux mains en le conjurant de ne pas souiller l'avenir de son petit-fils avec du sang français.

Le roi parut aussi surpris qu'ému par le geste de ce jeune homme et, totalement désarçonné, lui demanda ce qu'il convenait de faire dans des circonstances si compliquées. À quoi l'autre répondit en poussant son avantage :

— Vous avez déjà commencé le sacrifice, Sire, il faut le consommer et le consommer tout de suite, il n'y a pas un instant à perdre…

Le roi ne fit aucun commentaire mais pria le maréchal Maison qui appartenait à la délégation de bien vouloir rester pour s'entretenir avec lui. Les autres comprirent qu'ils devaient se retirer.

À peine Odilon Barrot retournait-il dans le grand salon plein d'une foule dorée suspendue à ses lèvres qu'il se composa une mine de circonstance, fit quelques pas en silence au milieu des fracs et des uniformes avant de simuler un accès de faiblesse, prenant même appui sur le marbre d'une des consoles disposées entre les hautes fenêtres pour manifester la gravité de son état. Ses compagnons le soutenaient, et plusieurs officiers de la Couronne accouraient pour lui venir en aide quand, les repoussant d'un geste qui désignait l'immense tableau accroché à la cimaise et représentant Charles X passant les troupes en revue sur le Champ-de-Mars*, il laissa échapper, le souffle court:

— Messieurs, sauvez le roi, messieurs, sauvez le roi...

Ces quelques mots jetèrent aussitôt l'alarme. On le pressait, on l'interrogeait, on le suppliait de parler. Alors, comme un homme qui met ses dernières forces dans une bataille qu'il sait perdue, il ajouta:

— Tout Paris est à Coignières, dans deux heures, soixante à quatre-vingt mille Parisiens seront ici...

La foudre tomba sur les panaches d'apparat, et l'immense salon où l'on pouvait à peine se mouvoir un instant plus tôt fut entièrement vide. Certains, dans la précipitation, abandonnèrent même leurs beaux chapeaux de velours à plume blanche et ganse brodée qui le soir attendaient encore piteusement sur les banquettes que l'on veuille bien les ranger dans leurs boîtes.

Au même moment, à l'intérieur de la chambre du roi, se jouait à peu près la même comédie avec des acteurs différents.

Le roi, rejoint à sa demande par le dauphin et la dauphine descendus à ses appartements par le discret escalier de la tourelle de l'est, exigea du maréchal

---

* Ce tableau de Nicolas et son pendant par Lemasle, *Le Roi Charles X visitant les peintures de Gros au Panthéon*, ornaient alors le grand salon de Rambouillet qui fait aujourd'hui office de salle à manger.

Maison, qui avait eu le bon goût d'ôter la cocarde tricolore de son chapeau avant d'entrer dans la pièce, qu'il lui confirme, sur son honneur de militaire, ce que venait de lui dire le petit avocat, car Sa Majesté n'avait, en réalité, qu'une confiance très limitée dans les gens de la chicane.

Maison se figea dans un salut militaire et, récitant le petit rôle mis au point avec Barrot, termina d'affoler la famille royale en confirmant :

— Sire, je ne les ai pas comptés, mais, approximativement, ils sont bien de soixante à quatre-vingt mille hommes, c'est une masse considérable et exaltée...

Le roi se taisait, et le maréchal Maison, croyant que ce silence exprimait l'incrédulité, décocha :

— Au reste, Votre Majesté pourra bientôt apprécier par elle-même l'importance de ce mouvement...

— Quoi ? Ce monde veut nous attaquer avant le jour ? demanda le roi dans ce qui ressemblait davantage à un gémissement qu'à une question.

— Sire, vous serez attaqué dans la nuit si vous restez... se contenta de répondre Maison avec ce laconisme distant propre aux militaires.

Ce fut au tour de la dauphine de chanceler. Elle voulait partir dans l'heure, tant cette marche sur Rambouillet lui en rappelait une autre, atroce, qui avait scellé le sort de toute sa famille et dont, depuis trois jours, elle revivait l'horreur dans des nuits sans sommeil. Déjà les échos sanglants du « À mort l'Autrichienne » résonnaient à ses oreilles, et elle voyait les émeutiers prendre d'assaut le château, massacrer ses défenseurs pour s'emparer de son petit-neveu comme ils l'avaient fait de son frère quarante ans plus tôt et à peu près au même âge. Les paroles rassurantes de son mari n'y faisaient rien, et il essuya une rebuffade terrible.

Il n'avait pas connu les horreurs de la Révolution car lui et son père – elle parlait là du roi – avaient quitté la France dès le lendemain du 14 Juillet, suivis par les parents de ce Polignac qui les abandonnait de nouveau aux furies de la populace. Elle savait et se souvenait de ce que ces gens leur avaient ensuite fait subir.

Marmont, interrogé par le souverain plus abattu que jamais, ne démentit pas le maréchal Maison. Il chargea même la barque déjà prête à sombrer en ajoutant que le château de Rambouillet était posé dans une cuvette impossible à défendre, que les dernières troupes encore fidèles ne feraient jamais feu sur le peuple et que les régiments de la garde royale, les seuls sur lesquels il était possible de compter, refuseraient de se lancer dans une manœuvre militaire qui les éloignerait de la personne du roi dont ils avaient juré de ne jamais se séparer. Ils étaient donc condamnés à attendre l'assaut final derrière les grilles du parc.

Charles X, sans même prendre la peine de faire vérifier les affirmations des commissaires par quelques éclaireurs, donna aussitôt l'ordre du départ. Il reçut les grands officiers de la Couronne encore présents à ses côtés pour les prévenir, fit informer Odilon Barrot de sa décision par un billet signé de Marmont remis au commissaire sur un plateau d'argent par un chambellan.

En quittant la pièce, le roi tomba sur le duc de Noailles venu aux nouvelles et, s'adressant à lui avec ce ton d'amitié qu'il prenait chaque fois qu'il s'adressait à l'un de ces rares noms qui, à ses yeux, résumaient toute la France, lui lança :

— Mon cher duc, pour éviter de grands malheurs, je me décide à m'éloigner ; recevez-nous ce soir à Maintenon.

Le duc s'inclina sans répondre car le roi de France étant partout chez lui, il ne convenait pas de l'y inviter mais simplement de lui céder sa chambre. Il partit sur-le-champ pour mettre sa maison en état de l'accueillir. Le signe du départ était donné.

En quelques instants, ce fut un immense branle-bas de combat. On dut néanmoins convaincre le roi d'abandonner les riches carrosses de la Cour qui avaient fait le voyage depuis Saint-Cloud pour des voitures et des berlines, certes dorées, mais plus adaptées à une longue route. Ce à quoi il consentit avec peine, car il voulait bien partir mais refusait obstinément que ce départ ressemblât à une fuite qui rappellerait celle de 1789 ou, pire encore, 1815, lorsque, talonné par Exelmans au milieu d'une maison militaire en pleine débandade, il cherchait à courir plus vite que son frère le roi Louis XVIII, dont la voiture brûlait le pavé pour mettre une frontière entre lui et les serres de l'Aigle qui venait de se poser sur les tours de Notre-Dame.

La dauphine, qui partageait cette préoccupation, ne cessait de déclarer autour d'elle :

— Au moins, cette fois, nous partons avec les honneurs...

Ce n'était pas l'avis du duc de Luxembourg, que cette retraite précipitée devant un ramassis de galeux mettait hors de lui-même, mais il connaissait suffisamment la Cour pour garder ses pensées pour lui. Contrairement au baron de Damas qui, lui, osa répliquer à la dauphine :

— Hélas, non, madame, nous ne partons pas avec les honneurs, et je ne connais rien de si honteux que ce qui nous arrive en ce moment !

La duchesse d'Angoulême fit cesser cet accès de franchise d'un seul regard.

Dans les communs du château, les palefreniers atte-
laient déjà les six voitures de voyage pour le roi et sa
famille. Le duc de Bordeaux, accompagné de monsieur de
Barbançon, sous-gouverneur, devait prendre place dans
la première. Le chevalier de Lavillatte, premier valet de
chambre, et trois personnes attachées à son service le
suivraient dans une deuxième voiture. La suivante était
réservée à la duchesse de Berry, à sa fille Mademoiselle
et à la duchesse de Gontaut, sa gouvernante. La petite
princesse, qui était déjà couchée à l'heure où les commissaires étaient arrivés à Rambouillet, ne voulait pas
sortir de son lit et pleurnichait. Les officiers de service
auprès de sa mère prendraient place dans une quatrième
voiture. Le dauphin, qui ne quittait plus son épouse que
ses nerfs abandonnaient tout à fait, prit soin de la confier
à sa dame d'honneur et de conduire lui-même les deux
femmes aux portières de la cinquième voiture.

La plus belle berline des services de la Cour était pour
le roi qui attendait dans le vestibule du château que le
cortège ait définitivement adopté un placement conforme
à l'étiquette. Lorsque toutes les voitures destinées à la
famille royale eurent pris leur place, il sortit sur le perron
accompagné de monsieur de Frayssinous, le sous-préfet,
qui lui donnait le bras pour guider ses pas et l'aider à
descendre les marches dans l'obscurité. Seule la flamme
vacillante d'un flambeau porté par un valet des chasses
éclairait leur chemin. Quelques serviteurs de la Couronne
encore présents s'inclinaient respectueusement au
passage de cette ombre royale vêtue d'un simple frac qui
avait pris la couleur de la nuit. Le sous-préfet, n'osant
pas usurper une prérogative qui n'était pas la sienne, ne
voulut pas conduire le roi jusqu'à sa voiture et lui baisa
la main au bas des marches avant de le laisser aller.

Charles X paraissait un peu perdu. Il hésita, fit quelques pas dans la cour d'honneur avant de revenir au bas du perron. Le valet connaissant la mauvaise vue du roi s'approcha avec son flambeau, révélant alors aux témoins de la scène le visage défait et le regard absent d'un homme qui ne savait pas où il se rendait. Les minutes passaient, et le roi, comme pris d'une sorte d'hébétude, ne cessait d'aller et de venir du château à sa voiture.

Marmont s'inquiétait mais ne savait que faire, n'osant pas lui non plus enfreindre l'étiquette. La dauphine, comprenant que quelque chose se passait, revint sur ses pas et parla à l'oreille du baron de Damas qui se précipita, prit délicatement le roi par le bras et le mena lentement vers la berline dont les laques brillaient sous la lune. Les valets ouvrirent la porte, le postillon abaissa le marchepied. La chaussure royale prise de tremblements hésita encore comme si le monarque devenu aveugle craignait que son pied ne se dérobe. Marmont s'approcha et demanda au roi :

— Sire, je vais rester encore deux heures, vous n'avez pas d'ordre à me donner ?

— Non, monsieur le maréchal, répondit Charles X, qui salua alors machinalement de la tête à droite et à gauche comme il avait l'habitude de le faire au sortir des Tuileries.

Le dauphin dépêché par sa femme auprès de son père monta avec lui.

Les ducs de Luxembourg et de Polignac prirent alors place dans une voiture de suite. Le cortège commença à s'ébranler doucement pour laisser la place aux autres véhicules de la Cour et à la file interminable des fourgons à bagages.

Tout à coup, un officier supérieur des gardes du corps, qui ne comprenait pas cette fuite éperdue devant quelques milliers de farceurs venus de Paris en omnibus, s'écria, désespéré, dans le claquement des portières :

— Pourquoi pas en avant ? Pourquoi pas en avant ?

On le pria de se taire et, pour être certain qu'il ne serait pas entendu, Marmont ordonna aux tambours de sonner la retraite.

Soulagé du succès de son petit stratagème, Odilon Barrot demanda alors de quoi écrire et à pouvoir se retirer seul dans une pièce. Là, il rédigea deux courts billets. L'un pour donner ordre au général Pajol d'empêcher les émeutiers de suivre les voitures du roi et d'inviter tout son monde à regagner Paris. L'autre adressé au duc d'Orléans, soigneusement cacheté et qui ne devait être remis qu'à lui.

Ensuite, il fut temps de penser à son propre départ, car les commissaires ne devaient quitter le roi et sa famille sous aucun prétexte, et les derniers fourgons empruntaient déjà l'allée qui conduisait à la porte de Guéville. La même qu'avait empruntée Napoléon avant de quitter lui aussi la France pour l'exil. Marmont, resté en arrière-garde, donnait des instructions, mais les palefreniers, épuisés, commençaient à rechigner. L'un d'eux se présenta, tout confus, on ne comptait plus un seul cheval d'équipage valide dans les écuries du château. Même les quelques chevaux de trait des fermes royales avaient été attelés pour permettre aux derniers fourgons de prendre la route. Il n'y avait, en tout et pour tout, que quatre braves mules dont les commissaires allaient devoir se contenter. Marmont répondit que les montures seraient à l'image des voyageurs, et cela fit rire tout ce qui restait à Rambouillet de serviteurs de la monarchie.

Dès que la dernière voiture du cortège eut disparu
dans la nuit, le maire de la ville fit descendre le drapeau
blanc de la grosse tour, fermer toutes les grilles et hisser
les trois couleurs.

À Paris, au Palais-Royal

Avant minuit, une estafette passait les grilles du
Palais-Royal, sautait à terre et demandait à voir le lieutenant général du royaume sur l'heure. Louis-Philippe
ne dormait pas et prit des mains de cet officier la lettre
qui ne pouvait être remise qu'à lui. Il congédia l'émissaire avant de la décacheter. Elle disait ceci :

> *Mon prince,*
>
> *Le roi Charles X se décide à quitter Rambouillet.
> Vous n'avez plus désormais de compétiteur pour le
> trône. Le seul héritier que vous puissiez avoir, c'est
> la république.*
>
> *Odilon Barrot.*

Prendre la route

Mercredi 4 août 1830

Au château de Maintenon

Il était quatre heures du matin lorsque les équipages précédés de deux régiments de cavalerie pénétrèrent dans la cour du château de Maintenon. Les hommes, épuisés par des nuits sans sommeil, dodelinaient sur le dos de leur monture. Ils étaient suivis par le train des bagages, l'artillerie de la garde, mèches allumées, et les caissons de munitions couverts de bâches obscures. Dans cette nuit calme dont la lune se voilait d'un peu de tristesse, un poète aux idées sombres eût pu croire que le roi emportait avec lui les cercueils profanés de Saint-Denis.

Les façades, les tours et les jardins du château offraient un contraste saisissant avec ce cortège funèbre qui franchissait d'un pas lent, rythmé par le martèlement des sabots, les ponts et les grilles. Le duc de Noailles avait fait préparer sa maison comme pour une fête et donné l'ordre d'illuminer la façade en grand. Toutes les fenêtres étaient donc éclairées *a giorno* et les broderies des parterres redessinées dans la nuit par des milliers de bougies. Des laquais en grande livrée armés de torches devançaient les voitures du roi pour leur montrer la route, projetant sur l'eau des douves l'ombre courbée de centaines de cavaliers

494

assoupis. Le jeune duc, vêtu comme pour se rendre à un bal des Tuileries, l'épée de cérémonie au côté et portant avec éclat la laideur légendaire des Noailles, attendait au bas de son perron que le roi de France veuille bien lui faire l'honneur de prendre possession de sa maison. Des valets de pied disposés de part et d'autre de la volée d'escalier tenaient à la main les flambeaux d'argent qui avaient autrefois orné la table de la veuve Scarron. Les princesses descendirent de voiture les unes après les autres, et la duchesse de Noailles, en grand décolleté de soie et diadème en tête, vint à leur rencontre, plongeant par trois fois dans une parfaite révérence de cour.

Lorsque le roi sortit à son tour de sa voiture, la lueur des torches révéla de nouveau le visage d'un homme accablé par le poids des siècles. Ses cheveux blancs décoiffés par un sommeil inconfortable se présentaient en bataille, et le craquellement du blanc de céruse dont il n'avait jamais abandonné l'usage depuis sa jeunesse laissait entrevoir des joues crevassées et une peau vilainement marbrée de rouge. L'homme paraissait avoir trente ans de plus que le chasseur athlétique qui épuisait encore ses chiens en forêt de Rambouillet quelques jours plus tôt.

Le duc de Noailles s'avança pour lui présenter ses devoirs, le regard du roi le scrutait comme celui d'un homme qui cherche à se souvenir de quelque chose ou de quelqu'un. Noailles comprit alors que Charles X s'était absenté de lui-même et joua d'une astuce pour lui rappeler où il se trouvait, puis il lui proposa aussitôt son bras pour l'aider à monter les marches du perron et le conduire dans les appartements qui lui étaient réservés. Ceux-là mêmes qu'occupait Louis XIV lorsqu'il rendait visite à madame de Maintenon entouré de ses chiens, de ses chevaux, de ses gardes et de ses menins.

À l'intérieur, tout était prêt pour le bien-être et le délassement de la famille royale qui avait vécu dans le plus grand dénuement depuis son départ précipité de Saint-Cloud. Les tables magnifiquement servies offraient un véritable médianoche d'opéra, et des bassines d'eau chauffaient dans la fournaise des cuisines pour permettre à chacun de reprendre ses esprits. Du linge propre attendait dans toutes les garde-robes, et l'enfilade des salons magnifiquement meublés offrait au regard de leurs hôtes une apothéose de tapisseries précieuses. Le baron de Damas porta le duc de Bordeaux endormi jusque dans la chambre choisie pour lui et demanda que l'on y installât aussi des lits de fortune pour l'ensemble de ses officiers, de façon à pouvoir protéger le jeune roi en cas d'attaque car, en dehors d'Odilon Barrot, personne ne savait que les Parisiens ne talonnaient plus la famille royale mais dormaient, le plus souvent ivres morts, dans les meules fraîches.

Un peu reposé, fardé et peigné, Charles X reçut toute la famille royale et ses hôtes dans la chambre de parade du château comme s'il se fût couché à Fontainebleau. Il avait retrouvé beaucoup de son maintien et un peu de son éternelle jeunesse après une conversation en tête à tête avec le duc de Luxembourg. Son capitaine des gardes, ulcéré par la fuite honteuse de Rambouillet alors que deux coups de canon auraient suffi à éparpiller l'émeute aux quatre coins de la forêt, était parvenu à le convaincre de se ressaisir. Il avait eu à ce propos un accrochage d'antichambre avec Odilon Barrot qui cherchait à l'assurer du contraire. Le duc de Luxembourg, dont l'esprit de grand seigneur était toujours en éveil malgré l'heure tardive, lui avait alors répondu en souriant que l'écrasement de cette canaille sanglante aurait à l'inverse rendu un fier service à Louis-Philippe en le débarrassant de son encombrante garde d'honneur. Lorsque le duc raconta cet échange au roi, celui-ci, levant les yeux au ciel, eut pour tout commentaire :

— Le duc d'Orléans ? Il n'est pas sûr d'avoir encore la tête sur les épaules dans quinze jours...

Puis les deux hommes s'étaient mis à rédiger une lettre à l'intention du duc de Wellington, le Premier Ministre anglais, dans laquelle Charles X demandait aux Anglais de mettre à sa disposition une frégate de guerre pour lui permettre de gagner la Méditerranée et l'Algérie. De là le roi espérait entreprendre la reconquête de son royaume. Il y disposait des troupes victorieuses de Bourmont et des millions pris au dey par droit de conquête. Le petit Corse était parvenu à reprendre pied en France avec une poignée d'hommes, que ne ferait pas le fils de Saint Louis avec une armée complète et le plus fabuleux des trésors de guerre ? Cette détermination l'avait, semble-t-il, ragaillardi, mais il n'en dit mot à personne, pas même à son fils ni à Marmont, car elle devait rester secrète.

Pour l'heure, il cherchait à justifier ses décisions depuis la signature des ordonnances jusqu'au départ de Rambouillet. Il n'avait jamais rien voulu d'autre que le bonheur de la France et préférait s'éloigner plutôt que déclencher une guerre civile. Il parla ainsi près d'une demi-heure quand, s'approchant de la duchesse de Noailles dont la fatigue et l'inquiétude altéraient les traits, il la conjura d'aller se coucher, ce qu'elle refusa avec obstination pour ne pas avoir le déshonneur de quitter une pièce où le roi demeurait encore. En premier gentilhomme de son royaume, il lui demanda alors de bien vouloir lui accorder la grâce de se retirer avant qu'il ne soit contraint de se coucher pour la laisser faire de même. Il devait encore donner des ordres mais ne souhaitait pour rien au monde lui imposer de nouvelles fatigues. La duchesse y consentit enfin mais à la condition que sa nièce, la jeune Beauvilliers de Saint-Aignan, la remplace pour qu'il ne soit pas dit que Sa Majesté se trouvait abandonnée par une duchesse de Noailles dans sa propre maison. Charles X le voulut bien et sourit à la jeune nièce qui ne perdait rien de cette scène d'un autre temps, puis il fit entrer les commissaires avec lesquels il devait tracer l'itinéraire du lendemain et, sujet plus délicat, des régiments qu'il garderait à ses côtés.

Avant de se coucher, le roi, accompagné de la duchesse de Berry, alla embrasser ses petits-enfants qui dormaient et s'entretenir avec la duchesse de Gontaut d'une question particulièrement pénible. Les circonstances obligeant à réduire la suite de la famille royale, la comtesse Eugénie de Rivera, sous-gouvernante en service auprès de Mademoiselle, ne pourrait pas les suivre dans le voyage qu'ils allaient entamer. Il avait donc été décrété que mademoiselle Vachon, l'institutrice de la princesse, suffirait à son éducation. La duchesse de Gontaut pleura beaucoup, se récria un peu puis céda à la terrible nécessité. Elle déplorait que l'on préfère une Vachon à la fille, certes adultérine, d'une ancienne reine d'Espagne. Avant que le roi ne sorte de la pièce, elle osa l'entreprendre sur les rumeurs qui couraient maintenant le château à propos d'un embarquement pour Cherbourg. Charles X ne marqua aucune émotion à l'évocation de cette éventualité, ce qui valait confirmation, mais la duchesse de Berry, qui la découvrait, s'effondra en larmes. En effet, elle avait le mal de mer.

Le roi laissa là les deux femmes en leur demandant de se soumettre, comme il le faisait lui-même, à la volonté de Dieu. Dans un dernier geste d'humilité, il avait même décidé de faire renvoyer à Paris les diamants de la couronne.

À *Paris, au Palais-Royal*

Précédé par le comte Anatole de Montesquiou, chevalier d'honneur de la duchesse d'Orléans, le vicomte de Chateaubriand, enjambant les débris de l'émeute et ses préventions, entrait au Palais-Royal par le passage de la rue de Valois. Introduit dans les petits appartements de la duchesse, il la trouva en compagnie de son inséparable belle-sœur qui ne la quittait jamais lorsqu'il pouvait être question de politique. Les deux princesses, qui s'étaient donné le mot après l'avoir longuement répété, lui firent un accueil auquel le vicomte ne fut pas tout à fait insensible bien qu'il se soit armé de longue main contre les guets-apens de cour.

Ce fut la duchesse qui, malgré sa timidité et la répugnance instinctive que lui inspiraient les hommes de lettres, fussent-ils d'excellente famille, invita l'académicien à s'asseoir auprès d'elle et, sans attendre d'en recevoir les compliments d'usage, lui fit la plainte qui lui était familière depuis que son mari gravissait chaque jour une nouvelle marche vers le trône :

— Ah ! Monsieur de Chateaubriand, nous sommes bien malheureux... Si tous les partis voulaient se réunir, peut-être pourrait-on encore se sauver ! Que pensez-vous de tout cela ?

Le vicomte, dont la décision était désormais arrêtée et qui savait son discours prêt pour la séance de la Chambre des pairs, se permit de jouer avec les nerfs des deux princesses et persifla sur un ton faussement détaché :

— Madame, rien n'est si aisé : Charles X et monsieur le dauphin ont abdiqué ; Henri est maintenant le roi ; monseigneur le duc d'Orléans est lieutenant général du royaume ; qu'il soit régent pendant la minorité d'Henri V, et tout est fini.

Après avoir délicatement déposé cette bombe d'insolence aux pieds de la duchesse qui le regardait de ses gros yeux rougis par les larmes de comédie qu'elle versait sur commande, le père d'*Atala* se félicitait de son intransigeance de vieux Romain et souriait de voir les princesses patauger dans leur embarras.

La duchesse, prête à essuyer toutes les avanies pour éviter de voir le visage de son mari griffé par la plume du redoutable fat qui se trouvait en face d'elle, tenta de l'amadouer par un argument qu'elle crut de bon sens en lui répondant :

— Mais, monsieur de Chateaubriand, le peuple est très agité ; nous tomberons dans l'anarchie.

Comme un aigle qui tient un malheureux lièvre entre ses serres et s'apprête à lui becqueter les yeux pour commencer son festin, Chateaubriand interrogea avec malignité la pauvre altesse sur les intentions politiques réelles du duc d'Orléans, son mari. Les deux femmes, qui ne s'attendaient pas à une attaque aussi vive de la part d'un homme auquel elles faisaient l'honneur de leur particulier, se regardèrent et jugèrent plus sûr de ne pas répondre, mais pour ne pas rester sans voix face à cet épervier breton, la duchesse poursuivit la discussion comme si la question n'avait pas été posée. C'était là le privilège de toute princesse du sang que de pouvoir se montrer sourde à ce qui paraissait inconvenant.

— Songez, monsieur de Chateaubriand, aux malheurs susceptibles d'arriver. Il faut que tous les honnêtes gens s'entendent pour nous sauver de la république, fut de nouveau le seul argument avancé par la princesse, mais son interlocuteur restait de marbre et la laissait se débattre dans le grand marécage de la politique avec un regard de souverain mépris.

Pour mettre un terme à son supplice, la duchesse d'Orléans cherchait une issue, fouillait dans son esprit, quand elle crut avoir trouvé son salut dans la corruption et se résolut à lâcher tout de suite ce qui aurait dû n'être que le prix déjà bien payé d'un ralliement:

— À Rome, monsieur de Chateaubriand, vous pourriez rendre de si grands services, ou même ici, si vous ne vouliez plus quitter la France...

La pauvre femme, affolée par ce regard d'aigle qui ne la quittait pas, venait de tout céder en une seule phrase sans avoir obtenu la moindre concession. Sa belle-sœur contemplait ce désastre d'un air navré pendant que les plumes de l'oiseau de proie se hérissaient. On voulait l'acheter avec des vanités, lui qui n'avait que mépris pour toutes ces bassesses ! Comment avait-on imaginer que le vicomte de Chateaubriand monnayait sa fidélité à une idée et à des principes pour une ambassade ou un portefeuille de maroquin ? Lui qui avait tenu tête à l'ogre ? Il avait eu bien tort d'écouter sa douce amie, madame Récamier, qui l'avait supplié de baisser la garde et de châtrer sa plume. Déjà son esprit plongeait sur une phrase assassine dont il se promettait de frapper Louis-Philippe en pleine face mais, pour l'heure, la princesse allait se repentir d'avoir osé venir frotter sa faiblesse d'esprit à son puissant génie. Il la fixa quelques instants puis, du ton de l'évidence, laissa tomber comme on rappelle une vérité à un enfant :

— Madame n'ignore pas mon dévouement au jeune roi et à sa mère...

Traiter le duc de Bordeaux en roi au beau milieu du Palais-Royal, où chacun s'employait à lui voler sa couronne, relevait déjà de la plus folle crânerie, mais ajouter à ce premier trait l'évocation de la duchesse de Berry, la propre nièce de la duchesse dont il n'avait pas été question jusque-là, revenait à rappeler publiquement à cette dernière des devoirs de famille auxquels elle semblait avoir choisi de se soustraire. Un soufflet n'aurait pas fait plus d'effet sur la duchesse d'Orléans. Tout étourdie, elle alla donc ramasser sa vengeance dans l'orgueil blessé de son interlocuteur dont la famille royale s'était toujours méfiée.

— Ah ! monsieur de Chateaubriand, ils vous ont si bien traité !

Le coup était rude, mais l'œil de l'oiseau de proie restait d'une impitoyable fixité. Un premier coup de bec n'avait pas suffi à réduire sa victime, il allait donc lui en donner un second en forme de leçon. Ce fut court, insolent et cruel :

— Votre Altesse Royale ne voudrait pas que je démentisse toute ma vie ?

Un long silence suivit, la duchesse, ne sachant que répondre, tordait d'une main nerveuse le mouchoir toujours humide qui ne la quittait jamais et offrait à son nez un asile lorsque les mots lui manquaient. Elle se leva, amorça quelques pas vers la porte de ses appartements comme pour les quitter avant de se raviser. L'allusion directe à sa nièce, la duchesse de Berry, ne pouvait rester sans réponse, il fallait faire taire ce grand phraseur qui confondait cette petite écervelée de Marie-Caroline avec Blanche de Castille.

— Monsieur de Chateaubriand, vous ne connaissez pas ma nièce : elle est si légère… Pauvre Caroline !…

Ce sous-entendu fut modulé avec les accents de la plus grande affection, puis la duchesse sortit, assurant qu'elle allait revenir avec le duc d'Orléans en personne. Cette conversation devait maintenant se poursuivre entre hommes. Après tout, aucune révolution ne saurait la contraindre à essuyer les avanies d'un vieil écrivassier qui n'était qu'un cadet de Bretagne.

Une demi-heure plus tard, Louis-Philippe, toujours vêtu à la diable, souffrant de la chaleur excessive et des fatigues d'un pénible coup d'État, fit son apparition. Il salua le vicomte d'un geste mécanique et, comme un acteur payé pour réciter quelques strophes dans un salon, joua sa scène habituelle. C'était un véritable malheur qui s'abattait sur lui et les siens, eux qui n'aimaient rien tant que les douceurs de la vie de famille, le bonheur des séjours à la campagne loin de la Cour, de la ville et des embarras de la politique. Ils étaient bien malheureux, bien malheureux, et le prince répétait ces mots à une telle vitesse que son interlocuteur, sauf à manquer à tous les usages, était dans l'impossibilité de lui répondre. Enfin, il marqua une pause entre deux tirades. Piètre entracte de comédie dont Chateaubriand se saisit pour dire une nouvelle fois que le seul remède à tant de malheurs était d'accepter la régence pendant la minorité d'Henri V, devenu par l'abdication de son père et de son oncle le seul roi légitime.

Louis-Philippe sentit tout ce que ces propos avaient d'offensant mais n'en montra rien. Comme à son habitude, il commença par abonder dans le sens de son contradicteur pour l'engluer dans son inimitable phrasé, hérité de cette langue raisonneuse et larmoyante dans laquelle il avait été élevé par madame de Genlis.

— Ah ! C'est là mon désir ! Combien je serais satisfait d'être le tuteur et le soutien de cet enfant ! Je pense tout comme vous, monsieur de Chateaubriand : prendre le duc de Bordeaux serait certainement ce qu'il y aurait de mieux à faire... Je crains seulement que les événements ne soient plus forts que nous.

Disant cela, le prince, d'un geste, désignait la rue...

— Plus fort que nous, monseigneur ? se permit Chateaubriand en saisissant la balle au bond comme au jeu de paume

Et il ajouta aussitôt pour éviter que le duc ne se lance dans une nouvelle tirade :

— N'êtes-vous pas investi de tous les pouvoirs ? Allons rejoindre Henri V ; appelez auprès de vous, hors de Paris, les Chambres et l'armée. Sur le seul bruit de votre départ, toute cette effervescence tombera, et l'on cherchera un abri sous votre pouvoir éclairé et protecteur.

Tant d'insistance commençait à lasser le prince, mais il restait comme toujours maître de lui-même et fit mine d'écouter avec intérêt ce discours de chouan obstiné. Lorsque l'auteur des *Natchez* eut terminé de lui dicter sa ligne de conduite, il plissa le front, prit l'air pénétré de l'homme d'État seul capable d'envisager l'événement dans toute son étendue pour en prévenir les conséquences. Il répondit ainsi comme un homme qui tente de ramener un égaré à la raison mais en évitant de le regarder dans les yeux, de peur de l'énerver davantage :

— Monsieur de Chateaubriand, la chose est plus difficile que vous ne le pensez ; cela ne va pas comme cela. Une bande furieuse peut se porter contre les Chambres aux derniers excès, et nous n'avons rien encore pour nous défendre.

Loin de convaincre le défenseur de la légitimité, cet aveu de faiblesse fut un encouragement, et Chateaubriand déroula, comme si le boudoir de la duchesse se transformait en un balcon ouvert sur la Chambre des pairs, la globalité de son projet politique. Si rejoindre Henri V n'était pas encore possible, il suffisait de dissoudre l'Assemblée et d'appeler à de nouvelles élections. Entre-temps, la garde nationale serait réorganisée et reprise en main. Une fois le calme revenu, une majorité écrasante se dessinerait en faveur du jeune Henri V et d'une régence qui pouvait être longue, certes, mais qui aurait une fin, ce qui présentait l'avantage de rendre un jour le duc d'Orléans à sa famille et à la douceur de cette vie privée à laquelle il paraissait si attaché. Quelle gloire alors pour ce nouveau Cincinnatus que d'avoir sauvé la France de l'anarchie, protégé un orphelin couronné et gouverné sagement en son nom jusqu'à sa majorité, puis de lui rendre le pouvoir et de retourner à sa charrue !

Pendant ce long discours, dont il était à craindre qu'il serait bientôt prononcé en public et depuis la tribune d'acajou aux figures de bronze, le regard de Louis-Philippe se perdit un peu vers les cimaises du plafond. Une fois qu'il fut achevé, le duc impatienté

505

chercha à congédier son hôte illustre par une formule qui se voulait aimable mais qui se terminait sur le tranchant d'un avertissement :

— Pardon, monsieur de Chateaubriand ; j'ai quitté pour m'entretenir avec vous une députation auprès de laquelle il faut que je retourne. Madame la duchesse d'Orléans vous aura dit combien je serais heureux de faire ce que vous pourrez désirer ; mais croyez-le bien, c'est moi qui retiens seul une foule menaçante. Si le parti royaliste n'est pas massacré, il ne doit sa vie qu'à mes efforts.

Pour bien signifier au prince qu'il était loin de voir encore en lui un futur roi de France, Chateaubriand se permit de reprendre la parole après ce qui avait pourtant toutes les formes d'un camouflet, car il ne pouvait pas accepter que le général qui s'était battu à Valmy comme à Jemappes aux côtés de Dumouriez, et dont le père portait la tache du régicide, se permette d'agiter sous son nez les massacres de septembre. Aussi, prenant cet air négligemment dédaigneux qui avait parsemé sa vie d'ennemis irréductibles, il n'hésita pas à rappeler au prince qui faisait mine de quitter la pièce une histoire qui, pour leur être commune, n'avait pas été nécessairement partagée :

— Monseigneur, j'ai vu des massacres : ceux qui ont passé à travers la Révolution sont aguerris.

Et d'ajouter, impertinent :

— Les moustaches grises ne se laissent pas effrayer par les objets qui font peur aux conscrits.

Louis-Philippe eut la sagesse de ne pas répondre à cette dernière insolence qui rappelait qu'une même rivière de sang avait traversé leur jeunesse mais qu'ils ne se trouvaient pas alors du même côté. Quant à Chateaubriand, il prit respectueusement congé de la duchesse d'Orléans et de madame Adélaïde sous le regard défait du comte de Montesquiou qui se maudissait d'avoir introduit un tel énergumène auprès de ses maîtres.

Au château de Maintenon

À Maintenon, les enfants royaux n'en revenaient toujours pas de cette aventure incroyable que la révolution leur permettait de vivre et, sans la tristesse qu'ils décelaient sur le visage de leur grand-père, ils auraient ri aux éclats de pouvoir se rouler sur les matelas étendus dans les pièces où ils avaient dormi pêle-mêle pour la première fois de leur existence. Même à Dieppe où leur mère aimait à jouer les femmes de marin pêcheur, ils ne jouissaient pas d'une telle liberté, et jamais ils n'avaient autant voyagé. Les fenêtres de la chambre ouvrant sur les douves qui ceinturaient le château, le duc de Bordeaux avait fait jouer une espagnolette, disposé une chaise pour atteindre le parapet et jeter des boulettes de mie de pain aux carpes en s'amusant des ronds qu'elles faisaient dans l'eau, au risque de les rejoindre en basculant tête la première. Sa sœur, voulant elle aussi nourrir les poissons, se penchait encore plus dangereusement, et la duchesse de Gontaut manqua de défaillir lorsqu'elle ne vit plus de sa pupille que les pantalons de dentelles et deux pieds battant au-dessus des parquets.

À dix heures, Charles X se rendit à la chapelle du château pour entendre la messe. Il offrait un visage reposé et confiant. La famille royale, le duc et la duchesse de Noailles, les quelques courtisans qui n'avaient pas disparu, ceux qui à l'instar de madame de

Charette étaient au contraire accourus pour partager un malheur que d'autres fuyaient à grandes enjambées, formaient une procession strictement conforme à l'étiquette, et à leur approche les gardes présentaient les armes comme aux Tuileries.

Une fois la messe célébrée, chacun remonta dans sa chambre pour prendre ses dispositions, puis l'on fit sonner le départ.

Le roi remercia le duc de Noailles avec effusion. Ce fut ensuite le tour d'une partie des troupes qui devaient être licenciées car, cédant à l'insistance des commissaires que le sort lui imposait, Charles X s'était résolu à ne conserver que les compagnies de gardes du corps et les hommes de la gendarmerie d'élite. La compagnie des gardes à pied demanda donc à pouvoir remettre son étendard au roi, et ses principaux officiers furent autorisés à venir s'incliner devant ce dernier, sa famille et leur malheur.

Lorsque l'on appela Théodore d'Indy, capitaine du 1er régiment de grenadiers, il s'avança d'un pas pour sortir du rang et saluer avec honneur. Le roi se souvint que son père appartenait aux cuirassiers de Condé et lui demanda si le marquis se portait toujours bien. Le jeune d'Indy, surpris et ému, resta interdit car il ne voyait pas du tout de qui le roi pouvait bien parler et, lorsqu'il comprit que c'était de son père, il eut la droiture de répondre que sa famille n'avait jamais porté ce titre. Le roi marqua à son tour la surprise puis, comprenant sa bévue, promit au jeune officier qu'à son retour en France il ne manquerait pas d'élever sa famille au marquisat*. Le baron de

---

* Ayant pris le roi Charles X au mot, la famille d'Indy timbre depuis ses armes d'une couronne de marquis.

508

Revel, pour sa part, reçut des mains du dauphin un très beau cheval blanc que ce prince montait toujours avec plaisir les jours de revue et qu'il aimait entre tous. Les régiments Suisses licenciés obtinrent des sauf-conduits pour traverser le pays et retourner dans leurs alpages ou partir se mettre au service du pape chahuté par les carbonari. L'artillerie, elle aussi, fut renvoyée, cependant le roi exigea de conserver deux canons pour sa sécurité. Les commissaires tentèrent de l'en dissuader, c'était peine perdue. Le roi n'en démordait pas, il exigeait de continuer à être accompagné de deux canons et de leurs caissons de munitions. Dans le cas contraire, il ne prendrait pas la route. Il avait quitté Versailles le 16 juillet 1789 escorté par un régiment de cavalerie et deux canons alors qu'il n'était encore que le comte d'Artois, il ne pouvait pas être question de prendre la route dans un moindre appareil alors qu'il était le roi de France. Les commissaires cédèrent, et Charles X conserva ses deux canons.

En partant du château de Maintenon, le roi remercia une nouvelle fois le duc de Noailles de son hospitalité puis, s'avançant sur le front des troupes, il dit aux soldats qu'il espérait les revoir bientôt. C'est à ce moment-là qu'un gendarme des chasses se jeta à ses pieds et, fondant en larmes, tenta de se saisir de sa main pour l'embrasser.

Ne sachant trop que faire dans cette situation plus inconvenante qu'héroïque, Charles X ordonna au soldat de se relever mais lui dit du ton le plus aimable :

— Allons, je vous remercie, vous avez fait votre devoir. Je suis content de vous mais vous devez être bien fatigué…

Le gendarme se releva et le roi marchait vers les voitures lorsqu'un grenadier à pied, sortant du rang, vint se planter devant lui sans prononcer un seul mot, au point que le duc de Luxembourg s'avança pour parer un coup éventuel, et, cette fois-ci, le monarque marqua plus d'impatience que de surprise. Il n'allait tout de même pas embrasser toute la troupe ! Alors il demanda avec humeur à ce soldat ce qu'il lui voulait. L'autre, figé dans un salut parfait, répondit qu'il souhaitait simplement le voir une dernière fois.

Le visage du roi s'empourpra, ses lèvres tremblèrent légèrement, et son regard se mouilla presque. Il ne dit rien et se jeta confus dans sa berline de voyage. Les deux premières compagnies de gardes du corps s'ébranlèrent en tête du cortège et, pour montrer de la considération aux hôtes de la nuit, c'est la compagnie de Noailles qui avait été choisie pour ouvrir la marche. Venaient ensuite les voitures de la famille royale. Charles X, que tout le monde continuait à traiter en roi comme si les abdications n'avaient pas eu plus de valeur qu'un billet de logement daté de la veille, occupait la dernière voiture tirée par huit chevaux, conduite par deux postillons en livrée d'apparat et toujours précédée de deux pages eux-mêmes commandés par un adjudant-major et un élève de l'École polytechnique. Les deux autres compagnies de la garde fermaient la marche, et la gendarmerie d'élite surveillait la longue procession des fourgons à bagages et des innombrables voitures dans lesquelles courtisans, officiers de la Couronne et domestiques s'entassaient dans le désordre le plus incommode.

Les régiments licenciés s'étaient rangés de part et d'autre de la route qui conduisait à Dreux pour rendre les honneurs militaires au roi et à sa famille une dernière fois. Certains officiers descendaient de leur monture et se précipitaient aux portières des voitures pour baiser la main de la dauphine et de la duchesse de Berry qui pleuraient toutes les deux. D'autres brisaient leurs épées sur les bornes de pierre en jurant qu'ils ne serviraient jamais d'autre souverain, sous le regard étonné de leurs chevaux qui agitaient les oreilles en signe de réprobation.

Un immense nuage de poussière signalait la présence de la colonne royale à des dizaines de lieues à la ronde. La sueur trempait les uniformes, le soleil chauffait les casques et accablait les cavaliers autant que leur monture. Les princesses suffoquaient dans les voitures dès qu'elles en montaient les vitres mais, aussitôt qu'elles ordonnaient de les faire baisser, leur voilette ne les protégeait pas longtemps de la terrible sécheresse du chemin. Un fourrier envoyé à Dreux pour y faire préparer les logements revint au grand galop. La population de la ville menaçait de faire mauvais accueil au roi. Les nouvelles de Paris marchaient plus vite que lui et les esprits s'échauffaient. Sur le mail, on jouait à la révolution, les maisons pavoisaient aux trois couleurs. Prévenus, les commissaires qui fermaient le cortège mais voyageaient maintenant dans une voiture tirée par de bons chevaux de poste longèrent la colonne et la dépassèrent pour s'interposer. Odilon Barrot et le maréchal Maison obtinrent du maire et de son conseil municipal qu'ils rétablissent le calme et que la garde nationale de la ville se range pour laisser passer le convoi. En moins d'un quart d'heure, la ville changea de visage, et les bourgeois, heureux d'apprendre que les chambres occupées par les voyageurs seraient grassement payées par le gouvernement, rangèrent leurs fusils de chasse et confièrent à leurs domestiques la clef des armoires à linge pour qu'ils en sortent les belles paires de drap fin.

La seule chose que les commissaires ne pouvaient pas raisonnablement exiger, c'était que la population enroule ses drapeaux. Personne ne savait comment prévenir le roi que sa bonne ville de Dreux était entièrement pavoisée et que sa vue risquait d'être offensée par ce drapeau tricolore qu'il abhorrait. Le maréchal Maison en avait des sueurs froides. Le dauphin, d'abord consulté, répondit que tout cela ne le regardait pas et qu'il fallait aller en parler directement à son père.

Il était près de six heures du soir, et le convoi était arrêté aux portes de la ville depuis une heure au moins. Les princesses prenaient le frais sur le bord de la route, heureuses de pouvoir se dégourdir les jambes et de profiter de la fraîcheur relative de ce début de soirée. Le roi, qui avait fait une partie du chemin à cheval, était remonté en voiture avec les ducs de Luxembourg et de Polignac quand un aide de camp le prévint de la raison pour laquelle on n'avançait plus et de la présence des trois couleurs.

— Cela m'est égal, pourvu que je rentre ! furent les seuls mots que le monarque opposa à cette situation, puis il ordonna à Luxembourg de tirer le rideau et se mura dans le silence.

On approchait des faubourgs lorsque le général Vincent, qui ne quittait pas la famille depuis Trianon, vint se placer à la portière pour épargner au roi la vue des drapeaux pendus aux balcons des premières fenêtres. Le dauphin, qui chevauchait à côté et dont personne n'avait entendu la voix depuis le matin, fit alors entendre dans une sorte de glapissement indigné :

— Vincent! Vincent! C'est la place du lieutenant des gardes du corps que vous occupez! Rangez-vous donc!

Le roi, plus offusqué par ce manquement à l'étiquette de la part d'un officier supérieur de sa maison militaire que par les trois couleurs répandues partout, jugea la faute impardonnable et ordonna que l'on déroule les stores attachés aux vitres des portières.

Ce fut donc rideaux tirés que les voitures de la famille royale pénétrèrent en ville. La garde nationale formait une haie d'honneur silencieuse et hostile jusqu'à ce qu'un vieil officier royaliste sorti de sa maison, la taille ceinturée d'une écharpe blanche, crie:

— Voilà le roi! Faites donc battre aux champs et présentez les armes!

Un roulement de tambour se fit entendre, et ces marchands de bois, merciers en détail, bouchers en gros, clercs de notaire, maquignons et maîtres de métier qui quelques heures plus tôt menaçaient de fusiller Charles X lui rendaient maintenant les honneurs. Aussitôt les plus belles maisons de la ville, même celles qui appartenaient à des familles libérales dont certaines refusaient ostensiblement de faire leurs Pâques, s'ouvrirent et se proposèrent pour loger le roi, les princes et toute leur suite.

La duchesse de Berry descendit la première de voiture sans comprendre ce qui se passait, car personne n'avait jugé utile de l'informer que l'on faisait étape. Elle interrogea le jeune Eugène de Roussy, officier de la garde, qui lui expliqua avec le bel accent de Montpellier que l'on couchait à Dreux et que lui-même assurerait le service d'honneur du duc d'Angoulême pour la nuit.

Regardant autour d'elle la longue rue de Paris tout infestée de gardes nationaux portant la cocarde tricolore, la petite princesse fit un bond en arrière et, portant la main à ses redoutables pistolets de manchon, s'écria :

— Comment ? Ici ? À Dreux ? Dans un endroit aussi mauvais ?

Le bel officier méridional, dont le regard velouté lui plut, ne manqua pas de la rassurer en lui expliquant que la ville n'était pas si mal disposée et que, si les commissaires n'étaient pas intervenus, deux coups de fusil auraient suffi à faire enrouler le drapeau des Jacobins.

Toute la noblesse des environs, alertée par ses paysans qui détestaient autant les ouvriers des manufactures travaillant à l'abri de leurs ateliers que les marchands et les maquignons auxquels ils vendaient leurs récoltes, commençait à arriver. Les plus généreux et les plus riches offraient leurs bourses, d'anciens muscadins qui avaient cassé l'échine de plus d'un enragé après thermidor proposaient leurs cannes noueuses pour apprendre à tous ces bourgeois libéraux comment on baissait le regard devant l'orpheline du Temple. Les paysans accourus aiguisaient soigneusement leurs faux avec la pierre qui ne quittait jamais les plis de leur taillole. Se parlant à voix basse, ils dévisageaient les gardes nationaux avec de drôles de lueurs dans le regard. Un gentilhomme, ami des muses, tenait à remettre lui-même au duc d'Angoulême le seul exemplaire imprimé de son long poème épique intitulé « Louis-Antoine en Espagne » et bien sûr dédié au dauphin. Le prince fut fort heureux d'avoir enfin une lecture plus réjouissante que celle des journaux à la solde du duc d'Orléans. Gaspard de Clermont-Tonnerre, chassé de Rouen par sa propre garnison partie rejoindre la révolution parisienne, arrivait à Dreux pour remettre son commandement entre les mains du roi et lui présenter son fils.

Comme au château de Saint-Cloud, en l'absence du premier gentilhomme de la chambre retourné à Paris pour siéger à la Chambre des pairs, c'était au premier chambellan qu'il convenait de solliciter l'autorisation d'être mis en présence de Sa Majesté, aussi le baron Hocquart empêchait-il toute famille qui, à sa connaissance, n'avait jamais eu les honneurs du Louvre de franchir la porte du roi. Monsieur de Clermont-Tonnerre fut évidemment introduit aussitôt qu'il en fit la demande, mais de vieux hobereaux dont personne ne connaissait ni le nom, ni les alliances, ni les titres se retrouvèrent parqués dans l'antichambre à attendre le passage du roi qui ne manquerait pas de leur rendre leur salut et peut-être même de les autoriser à le regarder dîner, mais pour ce qui était de leur accorder les entrées, il ne fallait pas y songer. En moins d'une demi-heure, le service intérieur fut établi avec autant de rigueur que si le roi avait passé la soirée à Saint-Cloud. L'abdication de Rambouillet n'était plus qu'un souvenir désagréable, et Charles X incarnait, seul, la majesté royale.

Dehors, tout ce que la ville comptait de gens convenables se pressait contre les grilles de la maison de monsieur Pierre de Barrey où dormirait le roi dans l'espoir d'en apercevoir la silhouette à travers les hautes fenêtres du rez-de-chaussée.

Marmont, qui avait troqué son grand uniforme de maréchal de France pour une simple redingote de peur d'être reconnu et pris à partie par la population, serait désormais chargé de négocier les étapes du voyage avec les commissaires. Ses instructions étaient contradictoires car, bien que Charles X ait abandonné toute idée d'aller se jeter en Vendée, il exigeait de faire de toutes petites

515

journées et de gagner du temps, mais dans quel but? Marmont n'en avait rien su, et chez les officiers courait depuis quelques heures déjà la rumeur d'un plan secret.

Dans les faubourgs, les ouvriers de manufactures buvaient goulûment un vin que la municipalité subventionnait largement.

À *Paris, place du Palais-Royal*

Les berlines de grand gala, chacune tirée par huit chevaux blancs des écuries royales portant les brides à œillères ornées de feuilles de laurier, tous somptueusement harnachés de maroquin rouge avec bouclerie ciselée, glands de fils d'or et caparaçonnés de mantelets pourpres, débouchèrent place du Palais-Royal sur le coup de huit heures du soir. Les derniers feux de la journée embrasaient littéralement les caisses à sept glaces, entièrement dorées elles aussi. Les carrosses du couronnement faisaient leur retour à Paris mais, cette fois-ci, c'était tout un peuple que les chevaux harassés promenaient à travers les rues de la capitale. Les essieux et les suspensions forgés par les carrossiers les plus réputés d'Europe ployaient littéralement sous le poids car il y avait du monde monté partout, agglutiné sur des marchepieds jusque sur les impériales. Ils pouvaient être jusqu'à dix ouvriers assis sur les banquettes des cochers à se disputer le privilège de conduire les pauvres chevaux de grand luxe, et ces postillons populaciers portaient pour toute livrée la blouse bleu sale des faubourgs. Ceux qui ne dormaient pas, épuisés par leur virée, agitaient mollement de grands drapeaux en signe de victoire. Les émeutiers, partis la veille, entassés dans des omnibus et des fourgons à marchandises pour déloger le roi de Rambouillet, lui empruntaient donc ses voitures d'apparat pour faire une entrée triomphale dans la capitale. Des femmes en cheveux, les seins lourds trop serrés dans des camisoles de serge, le teint cramoisi de couperose, les dents gâtées par le ratafia, se prélassaient à l'intérieur des précieux habitacles garnis de satin de soie blanche rehaussée de larges galons à motifs bleu et argent brochés sur fond d'or. Au-dessus de leur tête, un ciel en velours blanc lui aussi déployait un décor de rosaces, de couronnes, de fleurs, de feuillages brodés pour le roi par les demoiselles de la Légion d'honneur et, lorsqu'elles levaient les yeux pour reposer leurs cous épais des cahots de la route contre la banquette, les poissardes admiraient en connaisseuses la finesse du travail tout en regrettant de ne pas pouvoir se tailler dans cette garniture royale des fichus pour le dimanche. Les consignes des jeunes officiers de la garde nationale qui avaient veillé à leur embarquement avaient été très claires, elles prenaient place dans des voitures qui étaient désormais une propriété nationale, et toute dégradation serait sévèrement punie. Aussi devaient-elles se contenter d'admirer la finesse de l'ouvrage et profiter d'avoir les fesses bien calées sur des coussins de plumes.

La glorieuse caravane s'était formée depuis Rambouillet pour escorter jusqu'au Palais-Royal le fourgon contenant les diamants de la Couronne et les remettre entre les mains du lieutenant général du royaume car, faute d'être parvenus à ramener jusqu'à Paris le roi et sa famille, les émeutiers avaient mis la main sur son diadème et voulaient maintenant en faire don à Louis-Philippe pour le lui mettre sur la tête.

Une fois le cortège immobilisé sur la place, tous les voyageurs de l'impériale se mirent à appeler le prince d'une même voix pour qu'il paraisse aux fenêtres et vienne admirer leurs trophées, mais le duc d'Orléans, prévenu de ce que l'on voulait lui faire admirer les dépouilles de l'ancienne monarchie, refusa obstinément de se montrer au balcon. Les cris du peuple commençaient à le fatiguer et, autour de lui, même les plus libéraux de ses amis pensaient désormais à haute voix qu'il était temps de renvoyer la canaille dans ses faubourgs.

Prenant à part le précepteur de ses fils, et après l'avoir attiré dans l'embrasure d'une fenêtre, Louis-Philippe lui confia néanmoins dans un sourire qui rappelait le Régent :

— C'était une folie, mais le diable l'a fait réussir...

L'ébranlement du cortège funèbre

Jeudi 5 août 1830

À Dreux

La duchesse de Gontaut qui, par mesure de précaution, dormait tout habillée depuis le départ précipité de Rambouillet, fut tirée de son mauvais sommeil par un grand tumulte venant de la rue. Levée en moins de temps qu'il n'en faut pour le dire, elle courut à la fenêtre pour apercevoir des groupes d'hommes armés de fourches et de piques qu'une lune pâle éclairait mal. Au même instant, la duchesse de Berry entrait dans la chambre, pieds nus, simplement vêtue d'une chemise trop échancrée mais tenant à la main ses petits pistolets, prête à défendre ses enfants, sa vie et son honneur. La gouvernante, prise de pudeur et d'effroi, tira brusquement le rideau cramoisi quand un officier de la garde, lui aussi en chemise et armé, se rua à son tour dans la chambre afin de couvrir de sa veste militaire les épaules nues de la princesse. C'était le beau marquis de Rosanbo. Cette apparition laissa la duchesse de Gontaut interloquée, mais elle n'eut pas le temps de demander au gendre du comte de Mesnard par quel miracle il avait pu traverser si vite la chambre de la duchesse de Berry dans le but de leur venir en aide car les cris redoublaient et le marquis s'était déjà précipité, jambes nues et sabre au clair à travers l'escalier de la maison pour aller en défendre la porte.

La princesse, maintenant vêtue comme une amazone de la Fronde, voulait ouvrir les fenêtres à deux battants et tirer sur la canaille. Plus morte que vive, la gouvernante de ses enfants s'interposa, quand le bruit rassurant de chevaux ferrés frappant le pavé ramena un peu de calme à l'extérieur. La garde chassait l'émeute et prenait position autour de la maison.

Très vite, on apprit que tous ces gens n'en voulaient pas à la famille royale mais aux riches propriétaires de la ville qui refusaient d'augmenter le salaire des moissonneurs alors que la chaleur atroce des derniers jours rendait leur tâche bien plus dure qu'à l'ordinaire.

Le roi, qui avait certainement pris l'habitude de dormir au milieu des révolutions, ne s'était pas réveillé, mais Marmont, en accord avec les commissaires, décida qu'il était temps de quitter la ville. À quatre heures du matin, la longue traîne des voitures de suite et de bagages, escortée par les splendides uniformes couleurs bleu roi à revers écarlate des gendarmes des chasses, s'étirait déjà sur la grande-route en direction de Nonancourt.

Pendant que ce cortège chargé de valets, de cuisiniers, de marmitons et de piqueux avançait lentement dans la nuit, le roi pouvait assister à la messe depuis sa chambre sur un autel dressé à même le simple marbre d'une commode.

Les voitures royales attendaient, les essieux soigneusement graissés et les chevaux attelés, toujours placées dans le même alignement d'étiquette, la berline du jeune duc de Bordeaux en tête et celle du roi en queue.

Charles X ne montait dans la sienne – la seule qui fût à huit chevaux – qu'une fois que toute sa famille avait pris place. Il n'acceptait auprès de lui que le duc de Luxembourg et le duc de Polignac, revêtus d'une charge qui leur ouvrait le droit de voyager dans les carrosses du roi. Jamais le maréchal Marmont ne fut admis tout au long du voyage à un tel degré d'honneur, l'idée même n'en serait jamais venue à personne, du reste, mais, contrairement au général Vincent, il jouissait du privilège de chevaucher à la portière de Sa Majesté qui, de temps à autre, les voitures et les chevaux marchant au pas, laissait tomber depuis la portière un mot ou une phrase qui lui étaient personnellement adressés.

Une fois que la voiture du roi avait accompli une à deux lieues au-delà des portes de la ville, elle s'immobilisait, Sa Majesté en descendait de nouveau revêtue de son frac bleu à la coupe militaire et aux grosses épaulettes décorées de couronnes dorées, de la grand-croix du Saint-Esprit comme de celle de Saint-Louis et de celle plus modeste d'officier de la Légion d'honneur. Ce retour de l'uniforme et des décorations suffisait à démontrer que les abdications de Rambouillet perdaient toute valeur et que le roi restait le roi. Un palefrenier avançait alors un cheval à Sa Majesté qui continuait ainsi la route, botte à botte avec Marmont ou son fils le duc d'Angoulême, lequel n'avait jamais quitté l'uniforme de son régiment de cuirassiers à collet et revers cramoisis, boutons blancs et épaulettes d'argent. Derrière eux, une compagnie de garde de corps et les gendarmes de la chasse fermaient la marche.

Lorsqu'une ville s'annonçait, le cortège s'arrêtait, le roi descendait de cheval et remontait en voiture.

À *Nonancourt*

Le jour était déjà levé depuis un certain temps lorsque le cortège fit halte à Nonancourt où l'on n'avait pas vu tant d'équipages depuis la défaite de 1814. Certes, le gros de l'escorte stationnait sur les bords de l'Avre pour permettre aux chevaux de s'abreuver et aux hommes de soulager en aval les vessies pleines, mais les voitures de la famille royale s'engageaient dans les rues de la ville pour s'arrêter un peu plus loin sur la place principale, dont les maisons mal réveillées tassaient leurs encorbellements à pans de bois contre la vieille église Saint-Martin et son curieux chapeau d'ardoise. Un peu plus tôt, un groupe de vieillards arrivés la veille au soir par la malle-poste et que personne ne connaissait à Nonancourt sortait de la messe de prime. Ces visages graves, vêtus à l'ancienne mode, avaient intrigué le curé et les quelques dévotes qui psalmodiaient leurs prières matinales, mais aucune d'elles n'osa aller regarder sous le nez ces étrangers bien mis. Au moment de la quête, la vieille chaisière put tout de même apprécier d'un œil expert la somptuosité, certes marquée d'usure mais éblouissante, des manchettes de dentelles au point d'Alençon qui tenaient les missels et les aumônières. Celui qui paraissait leur chef glissa dans le panier des offrandes un demi-louis d'or à l'effigie du roi Louis XVI, d'une main aux ongles d'une couleur d'opale.

Un habitant d'Alençon, lui, eût reconnu au premier coup d'œil la petite coterie du marquis d'Esgrignon – ou ce qu'il en restait –, soit le précipité de noblesse le plus aristocratique de la province. Tous appartenaient à des familles dont le sang lavé par les croisades dans les eaux du Jourdain offrait un bleu si pur qu'il semblait dessiner à l'aigue-marine les veines pâlichonnes de ces derniers débris de la vieille race franque. Si la scène s'était déroulée sous le porche de la basilique Notre-Dame d'Alençon, les représentants des nombreuses familles anoblis avant-hier par l'intempérance héraldique des Bourbons se seraient respectueusement rangés devant ces fantômes du passé qui portaient des noms aussi fabuleux que Troisville, Castéran, Verneuil ou La Roche-Guyon, dans l'espoir fou d'un simple geste d'adoption qui eût suffi à leur orgueil, mais, à Nonancourt, ces vieilles perruques, décidément, ne disaient rien à personne.

Le petit groupe attendait donc sur le parvis de l'église Saint-Martin de voir passer la voiture du roi, comme leurs ancêtres l'avaient fait pour Charles IX le jour où il avait offert en apanage le duché d'Alençon à son frère François. Lorsque le cortège se montra, les hommes s'inclinèrent, et les femmes s'abîmèrent dans une profonde révérence. Le chevalier de Valois qui les accompagnait mais qui, par un reste d'impiété héritée de sa jeunesse, ne les avait pas suivis à la messe, vint les rejoindre, heureux d'avoir pu mettre à profit cette moitié d'heure pour retrouver parmi les membres de la suite royale le marquis de Pombreton, vieil ami des anciens pages, afin de lui remettre la somme de cinquante mille francs, soit la totalité de sa fortune, pour les besoins du roi. Ce don gratuit, joint à sa croix de Saint-Louis reçue pour ses services dans l'armée catholique et royale de Cathelineau pendant les guerres de Vendée, l'autorisait à suivre le roi jusqu'au terme de son voyage. Il prit alors congé de chacun de ses amis comme il l'avait fait quarante ans plus tôt pour rejoindre l'émigration.

Le vieux marquis d'Esgrignon regarda les voitures du roi s'éloigner puis, en homme qui n'avait jamais lu d'autres livres profanes dans sa longue vie que les savants ouvrages du comte de Boulainvilliers, déclara d'une voix brisée par la rage autant que par l'émotion :

— Les Gaulois triomphent !

Il ne restait plus au dernier des Francs qu'à rentrer chez lui pour y mourir, et c'est ce qu'il fit.

À Tillières

Le déjeuner devait être pris dans une maison de Tillières où les tables commandées par le vicomte Hocquart se trouvaient déjà dressées. Le duc de Bordeaux et sa sœur attendaient sagement l'arrivée de leur mère, mais à peine sa voiture fut-elle arrêtée qu'elle sortit la tête à travers la portière, demandant la raison de cette halte. Lorsqu'un garde du corps lui répondit que c'était là l'endroit marqué par les commissaires, elle hurla que ce n'était pas un lieu sûr et ajouta :

— Comment ? On déjeune ici ? Est-ce qu'à l'armée on s'arrête à chaque village ? Il faut partir tout de suite.

La portière refermée, la berline s'ébranla, la duchesse de Gontaut et le baron de Damas firent alors précipitamment monter les enfants royaux en voiture. Celle du roi ne marqua même pas l'arrêt, et Angoulême traversa la ville au galop pour rattraper son père. Hocquart fut contraint de faire remballer l'argenterie et la vaisselle dans les coffres de voyage et les plats qui ne purent pas être emportés furent offerts aux gardes du corps.

C'est à Verneuil que l'on fit halte pour la nuit. Le maire s'était précipité au-devant du roi en uniforme de service pour lui présenter les clefs de la ville, comme son prédécesseur l'aurait fait pour Louis XVI lors de son propre voyage à Cherbourg.

À *Paris, cour des Messageries royales,* rue *Notre-Dame-des-Victoires*

Le postillon des messageries, qui pestait en silence d'avoir été mis à pied pendant plus d'une semaine par la révolution et pleurait amèrement la disparition de sa riche clientèle, sauta d'un bond de la borne de pierre sur laquelle il se réchauffait de sa nuit lorsqu'il aperçut l'extraordinaire milord qui entrait dans la cour.

Des bottes à pouvoir s'y regarder pour se raser, un chapeau dont les reflets donnaient le tournis aux martinets qui criaient déjà leur joie au-dessus des toits, un habit si bien ajusté qu'il paraissait avoir été cousu à même le torse de ce gentleman, dont le cou orné d'un nœud de cravate trahissait, à ce seul détail, la maîtrise du fashionable et portait une tête faite à peindre qui, pour éviter de déranger ces savantes compositions, se refusait à accomplir des mouvements trop brusques. Un domestique vêtu comme un page et roux comme un écureuil suivait son maître en donnant des ordres en anglais à un portefaix indien coiffé d'un turban magnifique.

C'était à peine si le postillon avait eu le temps d'enfiler sa veste de drap bleu par-dessus son gilet d'écarlate pour se précipiter vers cette apparition qu'un petit attroupement se formait déjà. Les familles qui avaient attendu une accalmie politique pour aller respirer l'air de leurs propriétés à la campagne s'approchaient de ce spectacle gratuit et désignaient aux enfants cet homme à la peau cuivrée marqué au front d'un curieux point de couleur. L'étranger, que cette popularité soudaine agaçait visiblement, manifestait sa mauvaise humeur en donnant de petits coups brefs de sa badine à manche d'or guilloché sur le revers brun de ses bottes de voyage.

Le postillon écarta les familles trop curieuses en les invitant à prendre place dans la diligence et, s'approchant de ce riche seigneur anglais qui tombait du ciel, vint lui demander avec une obséquiosité inhabituelle si, comme sa nationalité le laissait penser, il souhaitait se diriger vers Douvres ou Cherbourg. Sans répondre ni se départir de son masque d'impassibilité, le voyageur tendit un passeport diplomatique revêtu de la signature du lieutenant général au nom de sir John Hobart Caradock, baron Howden, attaché auprès de Son Excellence lord Stuart de Rothesay, ambassadeur d'Angleterre. Puis, dans un français parfait, il exigea une place dans la première malle-poste pour L'Aigle et, comme il connaissait parfaitement les mœurs des messageries royales, il ajouta qu'il avait une bourse à brûler toutes les étapes et à crever plusieurs chevaux. Il devait être arrivé le lendemain avant la nuit car il y allait d'affaires de la plus haute importance.

Le postillon n'eut pas besoin d'en savoir davantage. Les rares places de la malle-poste étaient occupées, mais il expliqua à un malheureux armateur normand qui regagnait Cherbourg, et auquel il montra le passeport chargé de signatures et de phrases incompréhensibles, que Sa Majesté le roi d'Angleterre passait avant lui, et d'ajouter néanmoins que, en échange d'une petite gratification, il se faisait fort de lui libérer une banquette dans la prochaine diligence.

La table du roi

Vendredi 6 août 1830

Le chemin de Verneuil à L'Aigle était court, mais la route fut bien longue. Les voitures, grises de poussière, avançaient au pas sous une chaleur africaine. Les pauvres chevaux de cour, que plus personne ne bouchonnait depuis Rambouillet, offraient un aspect pitoyable, les sangles traçaient leurs chairs à vif et salissaient leurs robes de taches brunâtres. Les femmes emmaillotaient leurs chapeaux de tulle pour protéger leur visage, et les hommes tentaient d'oublier le ruissellement continuel qui trempait leur linge de corps sous des cuirasses d'acier chauffées à blanc par le soleil de midi. C'était à leurs mouchoirs noués autour de la tête qu'ils devaient de ne pas avoir les yeux brûlés par des filets de sueur qui, sans cela, n'auraient pas cessé de goutter le long de leurs cils. Les domestiques avaient abandonné leurs livrées galonnées pour voyager plus à leur aise dans un débraillé à l'odeur de débâcle. Seul un piqueur anglais attaché à la personne de monseigneur le dauphin depuis les temps de l'émigration, et qui avait obstinément refusé de parler français pendant quinze ans, conservait son uniforme parfaitement boutonné jusqu'au col, ce qui lui donnait le loisir de toiser ses compagnons d'infortune dont le relâchement vestimentaire lui paraissait une abdication plus fâcheuse encore que celle de son maître.

Le roi, qui chevauchait lentement avec son fils et les derniers gentilshommes de sa suite, portait un grand chapeau de paille acheté le matin même à une de ces bohémiennes que l'on trouvait assises en tailleur, au pied des anciens calvaires, pour y vendre leurs travaux de vannerie contre quelques mauvaises pièces de cuivre. La vieille femme, que la chaleur ne semblait pas atteindre, avait été soudain foudroyée par l'éclat de l'or que le roi avait laissé tomber de ses mains pour prix de son travail. Interdite, elle n'était même pas parvenue à prononcer un seul mot de bénédiction. Charles X continua sa route, pensant qu'il pouvait s'estimer heureux de s'en tirer avec un chapeau de paille là où le Christ avait été coiffé de la couronne d'épines et son frère du bonnet phrygien.

Sa voiture prenait d'ailleurs elle aussi des allures champêtres car, outre la poussière qui talquait de gris les dorures de l'énorme caisse autrefois vernie, les postillons s'étaient vus contraints d'abandonner leurs sièges à un curieux amoncellement de bottes de paille chargées tous les matins pour le cas où les relais de poste auraient manqué de foin. Le valet de pied, assis à l'arrière sur un coffre à bagages, n'avait plus alors d'autre ressource que de se tenir à une grosse corde grossièrement nouée aux deux côtés de la voiture. De temps à autre, il se servait de sa cravate pour s'éponger le front et chasser de son habit les fétus de paille qui, tombant des ballots, venaient se ficher dans son habit. Enfin, pour mettre la dernière main à ce tableau, ses bas autrefois blancs s'étaient détachés de leurs jarretières et plissaient sur ses mollets tombant un peu plus à chaque ornière.

Cette route au cœur du pays d'Ouche offrait peu de distraction, car les haies, qui formaient un bocage sombre et serré, obstruaient la vue sans pour autant protéger les cavaliers du soleil. De temps à autre, une grappe de paysans hébétés par la chaleur autant que par le spectacle qui défilait sous leurs yeux avec une allure de procession rompaient cette monotonie, mais ils restaient obstinément silencieux, et nombreux étaient les chapeaux qui ne se soulevaient même pas. Aucun, pourtant, n'osait un geste de défi ou de provocation, tant ce déploiement d'hommes en armes inspirait le respect à des villageois qui savaient par atavisme de quelles atrocités peut être capable une armée en déroute. Parfois, il arrivait qu'une jeune fille sortant de sa maison et portant une cruche vienne offrir à boire de l'eau tirée du puits aux femmes et aux enfants prisonniers de leur carrosse. Certains officiers mettaient alors un pied puis un genou à terre et demandaient que l'on veuille bien leur vider sur la tête le reste du cruchon avant de s'ébrouer comme le font les chiens ou les chevaux, en déclenchant les rires des enfants.

À *Paris, au Palais-Royal*

Depuis deux jours, les ministres du lieutenant général du royaume travaillaient, une épée républicaine dans les reins, à la rédaction d'une nouvelle version de la Charte. Louis-Philippe, qui voulait simplement se laisser glisser vers le trône de ses cousins comme par accident, restait attaché à la Charte concédée par Louis XVIII en 1814, mais les députés républicains, Bérard en tête, ne l'entendaient pas de cette oreille. Si le tour de passe-passe dynastique sauvait la monarchie, du moins ils exigeaient qu'elle soit établie sur une Constitution républicaine. Les conditions posées étaient rudes, car Bérard et ses soutiens de l'Hôtel de Ville réclamaient la responsabilité des ministres devant les Chambres, un statut légal pour les militaires, l'impossibilité pour les députés d'occuper des fonctions publiques, l'abolition de la noblesse, l'épuration de la Chambre des pairs, l'abaissement du cens électoral, l'égalité de tous les cultes et enfin l'initiative des lois aux Assemblées. Rien de moins qu'un régime parlementaire dont le futur roi ne serait plus que l'ornement. Guizot et Broglie, restés abasourdis après la découverte de ce programme politique, s'ingéniaient depuis à tremper leur plume dans une encre moins rouge et à rédiger une charte qui ne soit pas la Constitution de 1791. Ils avaient même pris soin de préparer la candidature de Casimir Perier à la tête de l'Assemblée. Cependant la contestation ne viendrait pas de ce côté-là, et l'on pouvait compter sur la sagesse et la fortune immense de cet homme pour éviter que les débats parlementaires ne s'enlisent.

Mais c'était peine perdue, Louis-Philippe, qui en avait assez des pétitions, des délégations et des discussions, voulait en terminer au plus vite, et il céda sur tout, sauf sur l'origine de son pouvoir. Les républicains demandaient à cor et à cri d'inscrire dans la nouvelle loi fondamentale que le peuple avait choisi son roi ; lui, à l'inverse, ne concevait pas d'autre légitimité que celle qu'il tirait d'abord de sa naissance, puis de l'abdication du roi Charles X et du duc d'Angoulême. Sur ce point, le duc d'Orléans restait d'abord un Bourbon, et seul le sang de Saint Louis et d'Henri IV justifiait ses droits. La France n'avait pas le choix. Il n'existait qu'une seule dynastie légitime pour régner, la sienne.

Toute la journée, Louis-Philippe demeura intraitable. Il voulait bien condescendre à se baisser pour ramasser la couronne tombée dans le ruisseau mais refusait avec la plus grande énergie que le peuple la lui pose sur la tête.

Tout au long de la journée, les émissaires, les estafettes et les officiers d'ordonnances coururent à Paris d'un palais l'autre pour parvenir à un compromis entre le gouvernement qui ne quittait pas le prince et la Chambre des représentants encerclée par des Parisiens qui ne désarmaient pas.

À *L'Aigle*

Le jour déclinait tout juste lorsque l'interminable cortège parvint enfin à L'Aigle. Si la ville industrieuse et ouvrière n'inspirait aucune confiance, son château offrait au roi le premier séjour digne de lui depuis le départ de Maintenon, mais, pour y parvenir, il lui fallut traverser une foule compacte, dure et silencieuse qu'aucun cordon de gardes nationaux ne séparait de la file des voitures. Marmont tremblait à l'idée du moindre incident qui aurait pu mettre le feu aux poudres et livrer la famille royale à la fureur populaire. Les militaires posaient la main sur la garde de leur sabre et les commissaires, dont la voiture précédait le convoi, s'étaient mis sur les marchepieds agitant leurs chapeaux pour prévenir tout cri séditieux. Odilon Barrot fut soulagé à la vue d'une compagnie de gardes nationaux venue présenter les honneurs et assurer la tranquillité de l'étape. Enfin on passait les grilles du parc.

L'immense façade de brique rythmée par des avant-corps et d'élégants pavillons aux beaux toits d'ardoise était ingénieusement prolongée par de grandes terrasses qui descendaient jusqu'aux jardins. Le château fut regardé par le roi comme un palais de conte de fées. La belle maison du vicomte de Caudecoste était assez vaste pour que sa famille et sa suite soient convenablement logées, et les écuries immenses permettaient d'accueillir dignement ses chevaux et ses gens. Aussi, à peine sorti de la voiture, exigea-t-il du vicomte Hocquart qu'il rétablisse l'étiquette du grand couvert. Il dînerait en public avec sa famille, et l'on dresserait des tables réservées aux militaires dans tous les salons pour faire une grâce aux officiers de la garde. Le roi ajouta même qu'il recevrait après dîner ceux qui lui en feraient la demande à la condition bien sûr que leur nom ou leur grade soient dignes de cet honneur.

La soirée s'annonçait superbe, un soleil d'été rosissait davantage les briques du château, lustrait les ardoises et mettait de l'or sur les feuilles des tilleuls. Chacun, après être monté dans sa chambre pour se rafraîchir et changer de linge, redescendait dans l'espoir de profiter des terrasses et des jardins. Après une journée accablante, le serein, en tombant avec la soirée, offrait aux voyageurs fourbus un havre de grâce avant la mer. Les commissaires, auxquels aucun membre de la suite du roi n'adressait la parole à l'exception du maréchal Marmont, marchaient ensemble dans le parc pour se tenir mutuellement compagnie, mais les gardes du corps veillaient à ce que leur vue ne puisse jamais s'imposer à un membre de la famille royale. Par un ingénieux système de communication, ils étaient capables de prévenir de leur approche le dauphin et la dauphine qui se promenaient eux aussi pour prendre le frais. À leur signal, le couple princier bifurquait aussitôt pour prendre une autre allée que celle dans laquelle s'engageaient les émissaires de Louis-Philippe.

Odilon Barrot remontait vers le château lorsque le vicomte Hocquart vint à sa rencontre pour l'entretenir d'une question dont l'examen ne pouvait être différé. Le dîner de Sa Majesté devait être servi à six heures du soir, il était déjà près de cinq heures, et l'on ne trouvait pas de table. Le jeune avocat, rejoint par les autres commissaires inquiets de l'agitation marquée par le chambellan, fit part de son étonnement. Un château aussi magnifique ne pouvait pas manquer d'un meuble aussi essentiel... Hocquart, que cette remarque bourgeoise exaspéra, répondit avec agacement que le château ne manquait évidemment pas de tables, mais la seule que le vicomte de Caudecoste était en mesure de mettre à sa disposition était ronde. Or les rois de France ne prenaient pas leur repas sur une table de cette forme. Odilon Barrot, le maréchal Maison et le baron Schonen restèrent un moment interdits. La route avait été épuisante, la chaleur insupportable et l'entrée du cortège dans la ville pleine de risques, aussi cette discussion à propos d'un meuble les laissait-elle sans voix. Le chambellan finit par comprendre que l'étonnement de ces parvenus venait simplement de leur parfaite ignorance des usages de la cour de France, et il ne fut pas fâché de leur infliger une petite leçon d'étiquette. Le roi ayant pris la décision de dîner publiquement, et donc en compagnie de sa famille, chacun devait être placé selon son rang. Comment distribuer alors les places d'honneur autour d'une table ronde qui n'avait ni côté droit ni côté gauche ? Jamais Sa Majesté ne consentirait à se rendre complice d'un tel désordre des rangs qui porterait l'atteinte la plus grave à la dignité royale depuis que l'on avait contraint son frère le roi Louis XVI à lever son verre à la santé de la nation. Même dans les pires auberges de Courlande, lorsqu'il avait été chassé par le tsar du château de Mitau et qu'il n'avait plus pour tout soutien que le bras de sa nièce la duchesse d'Angoulême, le roi Louis XVIII n'avait jamais dîné en public sans respecter l'étiquette. Charles X préférerait donc être servi par terre plutôt que de vivre une telle humiliation.

Les commissaires se regardaient sans savoir quelle contenance ils devaient prendre devant ce qui pouvait être une simple provocation ou un coup de folie, mais l'extrême fébrilité du vicomte Hocquart ne plaidait pas pour la mauvaise plaisanterie, et l'heure avançait. Or, si le roi n'était pas servi à l'heure fixée, il faudrait renoncer à obtenir de lui l'audience du soir nécessaire au choix des étapes du lendemain. Odilon Barrot fit mine de réfléchir puis, d'une voix qui se voulait conforme à la gravité de la situation, suggéra que l'on scie la table pour lui donner la forme carrée nécessaire au respect de l'étiquette.

Le vicomte de Caudecoste accepta, bien sûr, le sacrifice de son magnifique mobilier d'acajou, et l'on envoya chercher un menuisier pour que le roi puisse être servi comme il se devait.

Le dîner, sans être gai, offrit néanmoins à la petite cour en voyage un moment de répit. Le roi se montra charmant et il eut un mot pour tous les officiers supérieurs chaque fois que l'huissier en grand uniforme annonçait leur nom et leur grade après les avoir autorisés à se présenter devant lui. Exceptionnellement, les enfants royaux se trouvaient admis à table et s'amusaient de ce spectacle mais, lorsque la famille royale fut contrainte de quitter la pièce car elle était trop exiguë pour que les valets en grande livrée puissent desservir en sa présence, la duchesse de Gontaut glissa à l'oreille de la jeune princesse :

— Mademoiselle aura soin de plier elle-même sa serviette car nous n'en avons pas d'autres pour demain...

Puis Sa Majesté, après avoir traversé les salons comme à Saint-Cloud, alla faire le tour des campements, remerciant les gardes du corps de leur service, se préoccupant de leur fatigue et faisant distribuer aux officiers des billets de logement dans la ville pour qu'ils puissent passer une nuit moins inconfortable.

Il était ainsi parvenu à retarder autant qu'il était possible le moment de rencontrer les commissaires qui attendaient, comme tous les soirs, d'être introduits auprès du roi par l'huissier de service. Ils insistaient. Aussi les fit-il annoncer l'un après l'autre dans un ordre qui respectait le grade, le titre et le rang de chacun.

Le maréchal Maison évitait le regard du roi, et le roi se refusait à regarder le baron Schönen qu'il tenait pour un furieux libéral et, puisqu'il considérait le jeune Odilon Barrot comme une sorte de commis auquel il était possible de parler sans autre conséquence, ce fut à lui qu'il décida de donner la parole. Le jeune homme remercia très respectueusement Sa Majesté mais ne lui dissimula pas que le gouvernement souhaitait que le rythme de leur chevauchée à travers la Normandie soit accéléré. L'accueil difficile de la ville, quelques heures plus tôt, démontrait combien l'on pouvait craindre que le moindre incident ne tourne au drame et ne mette en danger la famille royale, le plus sage était donc de limiter encore la suite et de se défaire des deux canons d'escorte qui ralentissaient leur marche.

Le roi, surpris de tant d'impertinence, fit une réponse qui trahissait sa colère. Il commença par accuser le gouvernement d'être à l'origine du mutisme des populations auxquelles des consignes étaient données par les libéraux pour les empêcher de lui manifester leur attachement. Il savait depuis des mois qu'un complot se tramait contre lui et sa famille. Il connaissait le nom de tous les conjurés et de tous leurs complices. C'était pour défendre l'État et la monarchie contre les menées de ces jacobins qu'il s'était résolu à signer les ordonnances de Saint-Cloud. Ceux qui interdisaient au peuple de l'acclamer étaient les mêmes qui encourageaient hier encore les incendiaires dont les méfaits avaient contraint une partie de l'armée à venir rétablir l'ordre en Normandie. Cette manœuvre odieuse n'avait eu d'autre but que de dégarnir Paris de ses troupes pour faciliter l'insurrection. Il le savait. Il connaissait les noms, les lieux, les dates... Jamais le roi ne s'était montré aussi disert en présence des commissaires avec lesquels il se refusait depuis Rambouillet à échanger plus de mots qu'il n'était nécessaire pour tracer une route à la mine de plomb sur une carte d'état-major mais, là, soudain, la colère le rendait bavard. Une colère longuement retenue éclatait comme un orage de plein été et se déversait dans la chambre où il paraissait souverainement galant quelques instants plus tôt. Jamais il n'accepterait de se séparer de ses gardes, de ses gentilshommes, de ses amis, de ses aumôniers, de ses serviteurs, de ses chevaux ou de ses canons. Déjà les chiens avaient été abandonnés à Rambouillet, et c'était là un très grand sacrifice. Enfin, on l'avait indignement privé de ses ministres qui, n'étant plus placés sous sa protection, étaient contraints de se cacher pour échapper à la vindicte des libéraux. Cela suffisait.

Le roi, dont la lippe gonflée d'un afflux de sang tremblait de rage, scandait chacun de ses mots d'un coup de pied au sol qui faisait craquer le parquet et, après chaque coup de pied, il répétait : « Jamais ! Jamais ! Jamais ! » Comme un enfant en colère que l'on prive d'un jouet. Les commissaires baissaient le regard, n'osant rien répondre. En cet instant, ils se rappelaient qu'ils restaient à la merci d'une petite armée qui les accusait d'avoir menti au roi au moment de la marche sur Rambouillet et dont bien des soldats auraient réclamé, le soir même, l'honneur de les fusiller au bord d'un talus. La colère d'un roi, même en chemin pour l'exil, leur en imposait encore, et ce d'autant plus qu'un cri plus haut que l'autre lancé à travers les fenêtres grandes ouvertes sur la cour pouvait signer leur arrêt de mort.

Les trois hommes demandèrent alors à prendre congé, ce qui leur fut accordé mais, au moment où ils se retiraient, inclinés et marchant à reculons, le roi, changeant brusquement de ton, leur souhaita gaiement le bonsoir et les remercia avec grâce d'avoir dispersé la manifestation ouvrière qui menaçait de lui interdire l'entrée de sa bonne ville de L'Aigle. Ils respirèrent un peu mais abandonnèrent dans leur fuite les canons sur le champ de bataille. Les deux bouches à feu restaient au roi. Il dormirait d'un sommeil plus léger.

Visites secrètes

Samedi 7 août 1830

À *Paris, au Palais-Royal*

Un aide de camp du prince et deux valets de pied attendaient depuis un bon quart d'heure déjà sous le passage du palais débouchant sur la cour des Fontaines[*] lorsqu'un fiacre s'arrêta. Un homme d'une trentaine d'années portant un lourd portefeuille sous le bras en descendit. Il avait cette élégance sobre, presque aristocratique, propre aux grands notaires parisiens qui, siècle après siècle, s'occupent en France d'administrer les fortunes les plus enracinées. La coupe de son habit de drap gris était parfaite mais ne s'autorisait aucune fantaisie, son chapeau avait le soyeux d'une robe de femme sans pour autant hurler son prix, et l'éclat de son linge suffisait à rappeler qu'il le faisait blanchir à Londres.

L'empressement et même la déférence avec lesquels l'officier et les deux valets se précipitèrent sur cet élégant tabellion pour le débarrasser de ses effets avaient de quoi surprendre le passant mis en présence de cette étrange scène, mais certainement pas les habitués du

---

[*] L'actuelle place de Valois.

Palais-Royal. Maître Dentend, notaire royal à Paris, n'était autre que le fils naturel du duc de Montpensier, frère cadet du duc d'Orléans mort en exil, et donc à ce titre son neveu de la main gauche. C'était là un véritable secret de polichinelle.

Le visiteur venait d'être introduit dans le salon de famille, et ils étaient tous là. Madame Adélaïde ne put réprimer un élan du cœur vers ce jeune homme dont les traits un peu poupins lui rappelaient un frère qu'elle avait tant aimé, et elle aurait fait rosser publiquement le premier domestique lui manquant d'égards. Louis-Philippe, qui depuis un mois se montrait familier avec tout ce qui se présentait au Palais-Royal sans même y avoir été invité, témoignait au jeune homme une attention distante qui marquait par sa retenue même une sorte d'adoption. Seule la duchesse d'Orléans, ivre de sa naissance, peinait à traiter ce bâtard autrement qu'en serviteur mais, soucieuse de ne pas irriter son mari et sa belle-sœur, elle chercha au moment de saluer ce surgeon à mettre dans sa voix une intonation si douce qu'elle pouvait être prise pour quelque chose comme de la considération. En réalité, l'idée même que ce bourgeois pommadé puisse être du même sang que ses fils lui soulevait le cœur.

Les laquais qui avaient reçu des ordres avancèrent toutes les chaises en même temps après que le prince eut pris place, mais Adélaïde prit soin de ne s'asseoir complètement qu'une fois que le fils caché de son frère fut parfaitement installé. Ces afféteries de vieille fille sevrée d'enfants exaspérèrent la duchesse d'Orléans mais elle n'en montra rien car, depuis quelques minutes déjà, son regard ne quittait plus le lourd portefeuille dont le jeune notaire venait de sortir une énorme liasse de papiers timbrés reliés entre eux par une cordelette de soie tressée couleur bleu pâle. Une écriture fine et serrée couvrait chaque feuille, et seuls la marge et l'alignement des items laissaient encore un peu de blancheur à la page.

Sur un simple signe de tête du prince, le notaire commença la lecture. Les noms de terres, de châteaux, de provinces, de maisons, de lieux-dits, de réserves de chasse, de forêts, de bois, de taillis, de rivières, de droits et de pacages, s'égrenèrent avec la régularité monotone d'un sac de blé que l'on vide sous la meule. Il semblait que l'on procédait là à une sorte d'inventaire de la France, mais ce n'était en réalité que la simple recension de l'immense fortune des Orléans. Une famille qui, depuis près de deux siècles, entassait les dots et empilait les héritages les plus fabuleux. Une fortune anéantie par la Révolution et reconstruite en moins de quinze ans grâce à la rapacité du couple princier et à la complicité dédaigneuse de la branche aînée qui, se sachant héritière du plus beau royaume du monde, marquait un souverain mépris pour la voracité de leur cousin Philippe. Eux préféraient courre le cerf en forêt de Fontainebleau plutôt que les dots.

Le soir même, car le prince en était informé depuis la veille, les deux Chambres voteraient la vacance du trône pour lui offrir la place. Dès qu'il serait roi, tous ses biens viendraient rejoindre le domaine de la Couronne et seraient rendus inaliénables ; sa fortune ne lui appartiendrait plus en propre pour devenir celle de la nation. Or, le couple princier voulait bien régner sur la France, mais à condition de ne pas se ruiner, aussi la décision avait été prise de partager la totalité de leur immense fortune entre leur descendance. Le peuple voulait une monarchie républicaine, ils seraient donc des souverains pauvres comme Job, et leurs enfants des princes riches à millions. Enfin presque, car les deux époux se réservaient bien entendu l'usufruit de cette fortune et donc l'entière jouissance de tous leurs revenus. Évidemment, cet acte devait rester un secret de famille, et c'était la raison pour laquelle il était rédigé par un notaire qui, sans porter leur nom, était de leur sang. Quand toutes les démarches furent achevées, le partage accepté et les actes signés, Louis-Philippe se félicita d'avoir acheté au fils de son frère l'une des plus riches charges notariales de Paris. Ce n'était pas de l'argent placé à fonds perdus.

À L'Aigle

Le relais de poste bourdonnait encore du départ du roi et de sa suite lorsque lord Caradock, son domestique et son serviteur hindou descendirent de voiture. En d'autres temps, leur seule présence eût suffi à alimenter les rumeurs de la petite ville pendant plus d'une semaine mais, ce jour-là, ils passèrent presque inaperçus, et il fallut toute l'agitation obséquieuse du postillon pour qu'un garçon d'écurie daigne s'occuper de leurs bagages et qu'un déjeuner leur soit servi. Le maître de poste, qui avait enfin repéré le voyageur de marque, ne cessait de se lamenter de l'appétit des chevaux et des soldats de la garde. Il ne lui restait plus une botte de foin dans les mangeoires, et c'était à peine si les cuisines pouvaient fournir au noble étranger et à ses domestiques un vin et une fricassée à la hauteur de leur faim. Plus de mille cinq cents hommes et presque autant de chevaux, pensez donc ! Autant dire une armée, ne cessait-il de répéter en mâchonnant la tige d'un épi de blé et avec ça des ordres et des contre-ordres qui tombaient de tous côtés à vous faire tourner les sangs. Ne sachant trop dans quel camp pouvait bien être placé ce milord taiseux et fastueux, le Normand ne prit aucun risque, il avait trouvé le roi fort triste, la dauphine fort digne, la petite princesse fort charmante, les officiers très corrects – tous des messieurs de la noblesse –, et les commissaires du gouvernement d'une grande exactitude dans l'estimation de la dépense. Ah, bien sûr, ce n'était pas avec cette invasion de sauterelles casquées qu'il ferait son bénéfice, mais au moins on ne l'avait pas volé, et c'était déjà beaucoup car, avec les gens de guerre et les révolutions qui leur courent toujours après, on ne savait jamais à quoi s'en tenir. D'ailleurs, on ne savait pas très bien quoi penser de tous ces événements. Dans la nuit, des mauvais plaisants avaient gratté les fleurs de lys sur les portières royales. Ah, il n'aimait pas ça ! Chacun pouvait avoir ses idées, mais on ne s'attaquait pas à la beauté du travail, parce que, des carrosseries comme celles-là, il n'en avait jamais vu, et pourtant il s'y connaissait, en bétaillères ! Un vernis d'un poli si fin que c'était à s'y regarder dedans, des rechampis d'une délicatesse à se croire dans une boîte à musique et des dorures d'une richesse que c'était à tomber à genoux dans la boue comme au passage du saint sacrement. Alors ça ouiche, il comprenait tout à fait que le peuple de Paris ait pris la défense de la Charte – « Ce qui est donné est donné » –, mais on ne pouvait pas non plus reprocher au roi d'avoir ordonné quelques coups de fusil pour garder sa couronne et ses carrosses. Lui-même, tout pacifique qu'il était, n'hésiterait pas à faire le coup de feu si on venait lui abîmer ses voitures, enfin Paris, la capitale, le roi, le gouvernement, tout ça c'était bien loin, et qu'allait-on gagner à tout ce fantastique charivari? Heula! Ben on n'en savait fichtre rien. Lord Caradock écoutait, sans prononcer un mot, tirant de temps à autre une bouffée sur un cigare pendant que son valet agenouillé tentait de rendre à ses bottes leur éclat vernissé mais, lorsqu'il demanda un cheval pour pouvoir continuer sa route, ce fut le retour des lamentations. Un cheval? Mais, grand Dieu, où voulait-il qu'il en trouve un? on ne savait même pas comment faire pour atteler le courrier de la journée, et il fallait bien, révolution ou pas, que les lettres et les journaux arrivent. Tout avait été réquisitionné, on attendait certes des chevaux frais des haras royaux – pardon, nationaux –, mais c'était uniquement pour le cortège du roi et le service de la poste. Les ordres étaient clairs, tout pour le service, rien pour les particuliers. Rien du tout, pas même une mule. Le voyageur anglais, lui, continuait à mâchonner son cigare pendant qu'il indiquait de la pointe de sa badine l'endroit de ses bottes qu'il ne jugeait pas suffisamment lustré, le jeta enfin à terre, l'écrasa consciencieusement du bout du pied puis il fit signe au postillon de s'approcher et lui glissa quelques mots à l'oreille. Deux heures plus tard, un très beau cheval de monte l'attendait, scellé et pansé, dans la cour du relais de poste.

Lorsque le cavalier anglais eut quitté le maître de poste en lui confiant ses deux domestiques et ses bagages, le vieux maquignon appela le postillon pour lui donner de la main à la main sa part du marché conclu avec l'Anglais et, se tournant vers l'Hindou, se demanda à haute voix ce que pouvaient bien boire ces pèlerins-là.

À *Paris, au palais du Luxembourg*

Les voitures des pairs de France obstruaient la rue de Tournon, on se saluait gravement et l'on pressait le pas pour rejoindre la salle d'assemblée. Parmi tous ceux qui quelques jours plus tôt faisaient encore leur cour à Saint-Cloud, il était facile de reconnaître le duc de Mortemart, dont les pieds gardaient le souvenir douloureux de ses vaines pérégrinations à travers la capitale, le marquis de Sémonville, qui voyait enfin s'éloigner le spectre d'un Comité de salut public et ne tarissait pas d'éloges sur le sang-froid et l'abnégation de celui qu'il appelait encore le duc d'Orléans, et les ducs de Maillé et de Duras, auxquels Charles X avait confié les intérêts de son petit-fils avant de quitter Rambouillet. Dans un coin de la cour d'honneur se reformait le petit groupe des maréchaux d'Empire ralliés à tous les régimes et qu'un nouveau serment ne semblait pas contrarier outre mesure. Les visages restaient inquiets car l'avenir même de la Chambre des pairs et du principe d'hérédité qui en fondait la légitimité paraissait incertain. On espérait qu'un ralliement sans condition à Louis-Philippe la sauverait. Partout sur les poitrines, dont certaines avaient eu pourtant le cœur plus royaliste que le roi, fleurissaient maintenant des rubans tricolores achetés le matin même à des revendeuses qui chantaient « La Marseillaise » à tue-tête. L'arrivée du prince de Talleyrand, entouré d'une véritable cour et le plus élégamment décoiffé qu'il soit possible, déclencha des murmures d'approbation et même d'admiration. Une nouvelle fois, le diable boiteux avait tout prédit, tout prévu, tout préparé, et il survivait au régime qu'il avait contribué à installer mais dont le tort principal, à ses yeux, avait été de le négliger.

Quand chacun eut pris place dans ce brouhaha feutré propre aux assemblées, Pasquier, devenu président de la Chambre des pairs par la grâce de sa vieille maîtresse la comtesse de Boigne, lut la déclaration adoptée par les députés quelques heures plus tôt qui constatait la vacance du trône et l'offrait au duc d'Orléans sous le titre de «roi des Français» mais, avant de passer au vote, il appela les orateurs de la séance à monter à la tribune. Assis face à lui sur les plus hautes rangées de fauteuils, un homme qui ne s'était jusque-là mêlé à aucune conversation se leva et descendit les gradins, balayant lentement de sa supériorité et de son mépris tous les bancs de l'assemblée. Personne, pas même le président juché sur le perchoir, n'osait soutenir son regard, de peur que, en représailles, une phrase aussi assassine qu'inspirée ne vienne clouer à jamais l'imprudent au pilori de l'Histoire. Le génie a parfois des fulgurances qui brûlent un nom au fer rouge pour l'éternité et dont il convient de se garder.

Le silence se fit, il était celui de la honte. Alors Chateaubriand parla, il n'avait même pas besoin de lire les feuilles qu'il serrait dans sa main, tant il connaissait son discours. Il commença par fustiger la lâcheté avec laquelle ses collègues venaient d'accepter la radiation de la dernière fournée de pairs nommés par le roi Charles X, puis il convoqua l'Histoire et les différents régimes que la France avait connus pour les examiner du point de vue des principes, en dire les mérites, les dangers et les promesses. C'était à peine si quelques grosses mouches estivales gorgées de la sueur âcre de ces aristocrates affolés osaient encore voler. Talleyrand regardait et écoutait tout cela avec l'absence dédaigneuse qu'il aurait eue à l'Opéra, il attendait simplement que Chateaubriand en finisse avec ses roulades de castrat politique et quitte définitivement la scène du pouvoir car c'était lui, et lui seul, qui désormais tenait la salle sous son emprise.

L'orateur continuait, secouant parfois sa crinière poudrée ou jetant un regard fiévreux aux tribunes, il couvrait d'éloges antiques le peuple de Paris dont jamais la défense n'avait été plus légitime et plus héroïque puis, dans un magnifique balancement rhétorique, il se mit à fustiger cette «terreur de château organisée par des eunuques» qui avait «cru pouvoir remplacer la terreur de la république et le joug de fer de l'Empire». Les pairs, soulagés de n'être pas la cible de cette philippique lancée contre le gouvernement Polignac, applaudirent dans un grand élan de lâcheté, mais Chateaubriand les souffleta sans crier gare en leur demandant si le trône dont ils s'apprêtaient à disposer était vacant. Talleyrand caressait le velours de son fauteuil comme il l'aurait fait avec un chat, et personne n'aurait pu dire si le ministre de tous les régimes écoutait ou s'il rêvait à la poitrine de sa nièce.

L'auteur du *Génie du christianisme* se lança aussitôt dans une défense acharnée des droits imprescriptibles du jeune Henri V qu'un assassin avait privé d'un père et que les anciens valets du roi Charles X, son grand-père, s'apprêtaient maintenant à priver d'une couronne. Talleyrand fermait à présent les yeux comme absorbé par des pensées plus hautes. Le marquis de Sémonville s'agaçait, et les ducs fixaient les boucles en diamant de leurs chaussures de satin. La voix, d'abord cassée par l'émotion, s'était faite plus forte, et désormais elle tonnait depuis la tribune, rappelant aux uns leurs serments, aux autres les bienfaits dont les Bourbons les avaient comblés, à toute l'assemblée enfin les obligations qu'elle avait envers un enfant innocent des crimes de ses pères et seul héritier légitime de quatorze siècles d'une longue histoire. Pointant le doigt sur tous ces fracs hérissés de décorations, l'écrivain désignait les cocardes en ajoutant que, si les trois couleurs protégeaient aujourd'hui de la fureur populaire ceux qui osaient les arborer, elles ne suffiraient pas à couvrir leur lâcheté demain. La violence du coup obligea cette fois l'assemblée à réagir. Il y eut quelques timides protestations, mais les pairs les plus compromis préféraient encore se taire plutôt que d'avoir les yeux crevés à coups de plume d'oie.

Le discours touchait à sa fin, car le vicomte en arrivait au duc d'Orléans qu'il n'avait désigné jusque-là que sous le titre de lieutenant général du royaume, alors même que cette séance n'avait pas d'autre objet que de le remplacer par celui de roi des Français. L'assistance retenait son souffle, et madame Récamier, dissimulée dans les tribunes, n'était plus très loin de rendre le sien. Son grand homme allait-il évoquer le futur maître du pays tenant une tête tranchée dans chaque main et signer ainsi son passeport pour l'exil ? Il n'en fut rien, et ce fut pire. Tout commença comme un ralliement pour finir, dans la même phrase, par la pire des prédictions :

— Si j'avais le droit de disposer d'une couronne, je la mettrais volontiers aux pieds de monsieur le duc d'Orléans. Mais je ne vois de vacant qu'un tombeau à Saint-Denis, et non un trône...

Le mot était terrible, et Talleyrand l'apprécia en connaisseur. Il allait faire le tour de Paris et viendrait hanter les nuits du Palais-Royal, mais au moins la diatribe s'achevait-elle et l'on pouvait passer au vote. Quant au barde malouin, après une sortie pareille, il ne viendrait plus jamais encombrer les antichambres de ses prédictions, et cela faciliterait grandement la composition des futurs gouvernements. Sur les cent-quatorze pairs ayant répondu à la convocation, la déclaration des députés fut votée par une majorité écrasante de quatre-vingt-neuf suffrages. Louis-Philippe n'avait plus qu'à accepter le résultat de cette délibération pour devenir enfin roi et, du haut de son fauteuil, Chateaubriand, épuisé par son propre talent, souriait amèrement à ce chiffre fatidique de quatre-vingt-neuf, qui renvoyait encore une fois la mesquinerie du présent au tragique de l'Histoire.

Au Merlerault

Au même instant, la famille royale atteignait l'étape du jour. Monsieur de La Roque, ancien officier des gardes du corps, offrit sa maison de la Grand-Rue pour la recevoir, mais l'on était loin de la majesté du château de L'Aigle. Aussi, depuis le matin que la nouvelle s'était répandue, tous les châteaux environnants envoyaient leurs plus beaux meubles pour améliorer son confort. C'était un embarras de charrettes et de chars à bras portant des salons en tapisserie et des pendules dans leurs caisses qui encombrait les rues de la petite ville. Les domestiques des maisons voisines étaient même venus prêter main-forte pour tout nettoyer de fond en comble. Charles X fut installé dans la grande chambre du rez-de-chaussée donnant sur le jardin et dont les carreaux de terre avaient été passés à l'encaustique sang-de-bœuf pour leur donner plus de brillant et de majesté. Hélas, ce bel apprêt passé trop tard n'était pas sec, et chaque pas que le roi faisait pour se rendre à la garde-robe laissait une marque au sol, ce qu'heureusement Sa Majesté, grâce à sa vue basse, ne remarqua même pas. Les enfants royaux, eux, se saisissaient de n'importe quel prétexte pour aller rendre visite à leur grand-père dans sa chambre et rapporter ensuite sous leurs semelles de quoi consteller la maison d'empreintes sanglantes, comme dans une pièce du boulevard du Crime. Ils éclataient de rire.

L'humeur générale était d'ailleurs ce soir-là à la gaieté. Le roi paraissait attendre quelque chose et prenait un plaisir évident à taquiner les commissaires en chipotant à dessein le parcours du lendemain. Le dauphin, que le simple déroulé d'une carte d'état-major mettait dans les transes, discutait chaque nouvelle proposition de trajet, commentant la difficulté des côtes à monter, la largeur des ponts à traverser, la profondeur des forêts à éviter ou la longueur des distances à parcourir. Il fallait au maréchal Maison tout le calme des vieilles troupes pour ne pas lui sauter au collet en hurlant.

La duchesse de Berry retrouvait des vêtements féminins et se promenait à travers les bivouacs, accompagnée de ses deux chiennes préférées, Lala et Fouliche, dont elle avait obstinément refusé de se séparer. Les soldats de la garde se trouvaient honorés de partager le dîner tiré de la marmite avec l'épagneule et la levrette qui se disputaient chaque morceau de gras-double avec une férocité de captives affamées. Pour une fois, la dauphine ne restait pas enfermée dans sa chambre pour y pleurer et paraissait presque enjouée. Le reste de ses fourgons à bagages abandonnés à Tonnerre au moment de sa fuite venaient de lui être renvoyés par le gouvernement provisoire et elle s'en faisait une joie, non pour les voitures elles-mêmes qui, trop pesantes, roulaient difficilement, mais parce qu'elle avait enfin des chemises à se mettre sur le dos.

Les bruits les plus réjouissants provenaient d'ailleurs de Paris. On disait que les combats reprenaient de plus belle, que La Fayette disputait désormais la présidence de la république au duc d'Orléans, et le roi ne cessait de clamer à qui vouait bien l'entendre : «Je vous avais bien dit que tout cela ne durerait pas cent jours !», et il ajoutait cette prédiction devenue rituelle depuis le départ de Rambouillet : «Je ne donne pas dix jours avant que la tête du duc d'Orléans ne roule dans un panier.»

Certains officiers se prenaient alors à rêver autour de monsieur de La Rochejaquelein à de nouvelles épopées. Le roi pourrait profiter des désordres de la capitale pour fausser compagnie aux commissaires du gouvernement, marcher à pas forcés à travers l'Avranchin et aller se fortifier dans Granville, où il rallierait à lui la chouannerie normande, en attendant l'arrivée de la flotte anglaise.

Après le dîner, le roi sortit faire quelques pas dans le campement puis s'installa à sa table de jeu pour faire sa partie de whist avant d'aller se coucher.

Le baron de Damas, venu pour l'assister, car le pauvre Hocquart ne pouvait suppléer seul à toutes les charges de cour, le surprit pourtant dans un grand état d'agitation qui rompait avec la bonhomie de la soirée.

Les lèvres du roi murmuraient des phrases sans suite, ses mains tremblaient, et son regard avait quelque chose d'aveugle. Craignant une crise d'apoplexie, le fidèle serviteur de la Couronne se précipita vers son maître pour l'aider à s'asseoir et lui demander si le médecin de service devait être appelé, mais Charles X repoussa violemment le baron et, en le regardant comme un homme que l'on a réveillé d'un cauchemar, lui lança d'un air mauvais :

— Je vous déteste, Damas ! Je déteste les pairs de France !

Interloqué, le gouverneur du jeune duc de Bordeaux interrogea doucement le roi qu'il crut pris de délire :

— Et pourquoi, Sire, me détestez-vous ?

Mais le roi, hors de lui, répéta pour toute réponse :

— Je vous déteste ! Je déteste les pairs !

Le baron, auquel l'étiquette interdisait de poser de nouveau la question, salua respectueusement puis se retira. Sur le guéridon installé au centre de la pièce, une lettre décachetée annonçait la proclamation de Louis-Philippe au trône de France à une majorité écrasante de la Chambre des pairs. Le télégraphe avait parlé.

Sur la route entre L'Aigle et Le Merlerault

Le colonel de l'armée anglaise était parvenu à mi-chemin lorsque l'orage s'abattit sur lui et sa monture, aussi soudain que violent. Un de ces orages du mois d'août qui couchent les blés avant la moisson, martèlent les épis et font perdre une récolte. Des paquets de pluie transperçaient son manteau léger, transformaient son chapeau en gouttière, au point qu'il dut s'arrêter et chercher abri dans une maison du bord de route où il fut accueilli avec cette charité méfiante des gens de la campagne. L'élégance de sa mise, la richesse de sa chaîne de montre et la lourde chevalière qu'il portait au petit doigt rassurèrent la maisonnée – ce grand seigneur devait être à la recherche du roi –, et on lui offrit aussitôt le gîte sans plus lui poser de question, mais il le refusa. Il attendrait la fin du déluge avant de repartir et demandait simplement une couverture pour son cheval et un auvent pour lui. On conduisit le cheval à l'écurie et l'on proposa une chaise de paille au cavalier dont les bottes fumaient désormais presque autant que le cigare qu'il venait d'allumer. Lord Stuart avait été clair. Sa mission était double. Elle devait permettre à Louis-Philippe de dialoguer avec le roi en fuite sans se compromettre tout en ménageant à l'Angleterre des chemins diplomatiques de traverse. L'ambassadeur ne croyait pas à cette révolution et préférait que le gouvernement de son pays garde deux fers au feu tant que la pièce qui se jouait à Paris n'était pas terminée. Il poussait simplement le talent jusqu'à les faire tenir par la même main en confiant à un seul émissaire deux messages contradictoires. Dans tous les cas, l'Angleterre aurait fait le bon choix. Sir John Hobart Caradock savourait cette duplicité de chancellerie en esthète et surtout en parfait Lovelace, qui n'avait jamais misé tout son charme sur une seule héritière. Rien n'était plus fashionable que de faire une cour distante et marmoréenne à deux jeunes filles de la bonne société dont l'une finissait toujours par céder. Le mariage n'était ensuite qu'une question de contrat.

L'orage un peu calmé et sa monture séchée, le cavalier repartit pour faire les deux lieues qui le séparaient encore de sa destination. L'or qu'il avait négligemment répandu sur la table de ferme au moment de s'en aller brillait encore dans les yeux de ses hôtes bien après son départ. Ce voyage coûtait une petite fortune aux fonds secrets de la Couronne britannique, mais la France était décidément un pays plein de divertissements.

Au Merlerault

Ils étaient dans l'étreinte, à cet instant précis où survient le grand frisson de la petite mort, lorsqu'on frappa à la porte pour les ramener à la médiocrité de la vie. L'officier plongea sous le lit, et la duchesse, les joues en feu et rabattant sa chemise, demanda ce que c'était. Le roi la priait de descendre. La pendule éclairée par un rayon de lune marquait deux heures du matin. Il n'en fallut pas moins pour que l'esprit romanesque de la princesse prenne de nouveau feu. On lui proposa d'appeler sa femme de chambre pour l'habiller. Elle répondit qu'elle n'avait besoin de personne pour s'envelopper dans un châle mais d'autres mains que les siennes l'aidèrent à lacer son corsage à la hâte. Elle noua ses cheveux à la Fontange avec une jarretière qui traînait sur le somno d'acajou, enfila des mules, glissa ses petits pistolets dans sa ceinture et descendit.

L'huissier ensommeillé mais revêtu de la livrée royale la fit entrer. Le roi en robe de chambre et bonnet de nuit était assis dans son lit. Il parlait à un homme trempé jusqu'aux os mais dont l'élégance naturelle frappa la princesse. Le roi expliqua les choses en peu de mots. Leur cousin, le duc d'Orléans que les Chambres appelaient au trône, n'avait pas encore donné sa réponse et proposait de devenir le tuteur du jeune duc de Bordeaux pour lui remettre la Couronne à sa majorité. La duchesse de Berry écoutait avec attention, croyant enfin à la réalisation de ses plans politiques, mais il y avait une condition : l'enfant devait être confié, le soir même, à cet officier anglais et ramené seul à Paris.

La duchesse de Berry ne fut pas moins étonnée que si son beau-père lui avait versé le contenu de son vase de nuit sur la tête. Elle exigea aussitôt des explications. Qui était cet homme ? Comment pouvait-on lui accorder confiance au point de le recevoir trempé comme un matelot au beau milieu de la nuit et imaginer au surplus de lui confier l'héritier de tant de rois ?

Le ton montait. Tout cela ressemblait à un piège tendu par ceux-là mêmes qui, dix ans après avoir assassiné son mari sous ses propres yeux, voulaient maintenant achever leur forfait pour faire tranquillement égorger son fils dans la nuit d'un chemin creux. Le roi, sans prendre la peine de répondre, tendit à sa belle-fille une petite feuille de papier qui avait dû être pliée de façon très serrée et sur laquelle était écrit : « *Croyez, Sire, ce que le colonel vous dira de ma part.* » C'était indiscutablement l'écriture du duc d'Orléans.

Il n'en fallut pas davantage pour que la surprise le cède à la colère et les rougeurs du plaisir à celles de la fureur. À cet instant, son regard louchait tout à fait. Jamais, jamais, au grand jamais elle n'accepterait de se séparer d'un fils dont elle avait accouché dans les larmes du deuil et l'horreur d'une profonde nuit – elle aimait follement le théâtre – pour le confier à un prince félon qui l'empoisonnerait à la première occasion ou le ferait crever à petit feu dans le donjon du château de

Vincennes. On savait bien de quoi les Orléans étaient capables. Ces gens-là avaient le poison de la trahison dans le sang. Le nombre de leurs victimes ne se comptait plus depuis Henriette d'Angleterre en passant par le duc et la duchesse de Bourgogne, morts à quelques semaines d'intervalle sous le regard impuissant et désespéré du roi Louis XIV. La voix de la mère prenait maintenant tout à fait des accents de tragédienne, le colonel Caradock se croyait au Théâtre-Français et admirait en connaisseur la passion de cette femme en déshabillé qui, sans être belle, devait pouvoir vous allumer un feu au ventre. La princesse continuait à déclamer des imprécations à réveiller toute la maisonnée et, de temps à autre, quelques gros jurons napolitains alternaient avec des insultes bien françaises comme pour réconcilier les deux théâtres. Enfin, fallait-il rappeler le régicide dont cette famille resterait à jamais éclaboussée? Et c'était à ces gens-là que l'on venait en pleine nuit lui demander de confier son fils? Alors elle se tut, sortit de sa ceinture ses deux petits pistolets, menaçant d'abattre le premier qui oserait approcher le fruit de ses entrailles ou de se brûler la cervelle. Par prudence, le bel officier anglais recula de quelques pas tout en se disant que venir à bout d'une telle résistance devait être un plaisir de roi. Il aimait le lit des princesses dont il s'était fait une sorte de chasse gardée en Angleterre et aurait donné beaucoup pour rejoindre celui de cette femme. Charles X, tête baissée, laissa passer l'orage, puis, la relevant et se tournant vers le cavalier qui s'égouttait sur le pavé de terre cuite, lui dit qu'il n'avait pas d'autre réponse à faire.

C'est alors que le colonel Caradock demanda au roi la permission de lui délivrer un autre message qui émanait non plus cette fois du duc d'Orléans mais de lord Stuart en personne. La lettre adressée par le roi quelques jours plus tôt au duc de Wellington avait bien été transmise à Londres et prise en considération. Paris restait en proie à l'émeute, et Louis-Philippe, qui avait gravi les marches du trône, une baïonnette dans les reins, pouvait en être transpercé d'un moment à l'autre, livrant le pays à l'anarchie révolutionnaire, ce que son gouvernement ne pourrait pas accepter bien longtemps. L'Angleterre serait alors en mesure d'intervenir pour défendre les intérêts du duc de Bordeaux, devenus par la faute des Parisiens insurgés ceux de toute l'Europe. Il suffisait de gagner du temps, et pour cela de ralentir la marche du convoi le plus longtemps possible et ne quitter la France qu'à la dernière extrémité, de façon à rester en mesure de profiter d'un retournement de la situation à Paris.

Le regard de la duchesse de Berry changea aussitôt, son strabisme n'était plus qu'une simple coquetterie, elle écoutait calmement ce bel Anglais qui, à la réflexion, ne manquait pas d'intérêt.

Le roi, qui n'avait pas quitté son lit pendant tout le temps que dura l'entretien, remercia sa bru mais voulut retenir l'officier quelques instants pour justifier sa politique depuis la signature des ordonnances à Saint-Cloud par l'existence de cette conjuration qui se préparait dans l'ombre contre sa personne et donc contre l'État. Le colonel Caradock écoutait le vieux roi ratiociner sous son bonnet de nuit sans oser prononcer un seul mot, car sa mission d'agent double était accomplie. Charles X interpréta ce silence comme la mise en doute de son propos, et il tenta d'emporter l'adhésion de son interlocuteur, et peut-être même de l'Angleterre, en ajoutant :

— Si j'étais debout et que j'eusse le loisir de chercher dans mes papiers, je vous montrerais des preuves irrécusables de ce que j'avance.

Mais le roi se garda bien de joindre le geste à la parole, et il finit par congédier le messager de l'Angleterre qui repartit sans tarder sous une pluie diluvienne, emportant sous la semelle de ses bottes un peu de cette cire rouge qui teintait les tommettes de la chambre.

D'un sacre l'autre

Dimanche 8 et lundi 9 août 1830

À Argentan

L'hiver, comme il arrive parfois en Normandie, s'invitait en plein mois d'août. Aux chaleurs accablantes qu'endurait le pays depuis plus de six semaines succédaient désormais une pluie froide et un vent glacé qui pénétraient les uniformes, fouettaient les montures épuisées et détrempaient les équipages. Les princesses, dont les bagages ne contenaient que du linge d'été, grelottaient dans des habitacles ouverts à tous les vents coulis, les voitures manquaient de s'embourber à chaque ornière, la crinière des casques s'égouttait dans les cols d'uniforme, une boue noire maculait les pantalons de coutil blanc et les fers des chevaux collaient à la terre. Lors d'une halte, sur le bord du chemin, la duchesse de Berry s'était résolue à acheter, pour elle et ses enfants, quelques-unes de ces houppelandes de serge grossièrement rayée de bleu et à large capuchon qui protègent les bergers normands des griffures du norois. Elle s'y emmitoufla en rêvant de chevauchées à travers la lande entourée de chouans aux yeux clairs et aux muscles bien saillants. La duchesse de Gontaut elle-même n'avait pas renâclé devant ce chaud déguisement. À leur suite, tous les hommes en avaient fait autant, et c'est ainsi qu'une véritable armée de capuches rustiques escortait désormais les voitures royales au grand ébahissement des foules désœuvrées par le mauvais temps et accourues, de dix lieues à la ronde, pour voir passer le roi.

On approchait d'Argentan, mais l'état des chemins ralentissait la marche déjà lente de cette cour en déroute. Le bocage resserrait toujours l'horizon quand une trouée se fit, découvrant quelques champs ouverts puis un grand morceau de plaine battue de vent, et, enfin, le lourd clocher de l'église Saint-Martin, posé comme un énorme brasero au milieu de la campagne, apparut aux premiers éclaireurs. De loin, le jeu des lanternons, des lancées d'ogives et des contreforts donnait l'impression que cette grosse tour avait été percée de part en part pour laisser passer une lumière trop rare et offrir aux voyageurs une sorte de fanal dans de cette mer d'herbages, de haies et de taillis où le pays d'Ouche venait mourir pour donner naissance au pays d'Auge.

La ville, moins hostile que les cités ouvrières et populeuses traversées jusque-là par le cortège, ne fit pas mauvais accueil au roi, même si la garde nationale se refusa, là encore, à lui rendre les honneurs. Le maire, un brave notaire qui n'aimait pas le désordre, avait exigé de ses administrés qu'ils respectent les malheurs d'un vieillard, et il parcourait les rues appelant au calme et à la dignité. Charles X eut ainsi le loisir de loger non pas dans l'ancien château des ducs où siégeait depuis peu sa justice mais dans une belle maison[*] de la longue rue Saint-Martin allant à l'église.

---

[*] Actuellement 56, rue Saint-Martin.

Ce séjour plaisait à Sa Majesté qui, fatiguée de sa chevauchée, décida que la halte se prolongerait de quelques jours et demanda au maréchal Marmont d'en informer les commissaires qui n'osaient pas se présenter devant lui sans y être expressément invités par l'huissier de service ou le chambellan de l'hôtel. Le malheureux baron de Schonen crut bon ce jour-là de ne pas respecter les distances imposées par l'étiquette et chercha à s'adresser à la dauphine pour lui proposer ses services au moment où l'on installait les appartements, mais il s'attira pour toute réponse un cri venu du cœur qui le cingla plus durement qu'un coup de cravache :

— Suis-je donc condamnée à avoir toujours devant moi le visage de cet homme ?

Alertés, les gardes du corps se placèrent immédiatement entre le commissaire du gouvernement et la fille de Louis XVI.

Le bonhomme battit en retraite pour ne plus se montrer de la journée.

À Paris

Rue Saint-Florentin, le prince de Talleyrand, satisfait du vote des deux Chambres en faveur du changement de dynastie, avait fort bien dormi dans son lit de plumes. Au matin, et avant la cérémonie de son grand lever où ne manqueraient pas de se précipiter tous ceux qui n'aiment rien tant que de jurer fidélité à un pouvoir naissant lorsqu'il est sûrement instauré, il prit le temps de les faire attendre afin d'écrire à son ami le baron d'Entraigues, alors absent de la capitale. Il commençait ainsi sa lettre : «*Nous voilà établis – la quatrième race commence… Tout s'est passé hier avec sagesse et émotion.*

Nous allons entrer dans les affaires... » À plus de soixante-seize ans, l'ancien évêque d'Autun n'avait rien perdu de son appétit légendaire ni de son cynisme, et ce fut à peine si ses lèvres esquissèrent l'inflexion d'un sourire lorsque son fidèle secrétaire vint l'informer que l'anti-chambre était pleine d'admirateurs et de solliciteurs comme aux plus beaux jours de l'Empire.

Au Palais-Royal, en revanche, on ressassait des inquiétudes. Certes, la veille, les députés et les pairs étaient venus en procession déposer la couronne de France aux pieds de Louis-Philippe qui avait même poussé l'habileté jusqu'à refuser de prendre le nom de Philippe VII pour celui, plus neuf, plus démocratique et parfaitement ridicule, de Louis-Philippe Ier, mais depuis deux jours le prince restait sans nouvelle de Charles X et de son voyage. En effet, après le départ précipité de Rambouillet, les commissaires avaient pris l'habitude de faire un rapport circonstancié sur les faits et gestes de la famille royale et de sa petite escorte. Les rapports étaient expédiés quotidiennement au nouveau ministre de l'Intérieur, François Guizot, et à Adolphe Thiers, qui suivaient donc à l'aide d'une carte militaire et avec une attention scrupuleuse la lente, trop lente progression de ce dernier voyage d'un roi de France que, pour la première fois de l'histoire du pays, on enterrait de son vivant. Or, depuis deux jours, pas la moindre nouvelle, pas un rapport, pas une lettre, pas un télégraphe, rien. Comme si le roi, sa famille, ses voitures, ses bagages, ses gardes du corps, ses aumôniers, ses valets et tout son train s'étaient soudainement évaporés au milieu du bocage. Les rumeurs les plus inquiétantes circulaient, et elles étaient malheureusement corroborées par certaines notes préfectorales. À Nantes, le général Despinois levait une armée de volontaires pour se porter au secours de Charles X, et l'on assurait qu'une partie du 10ᵉ régiment d'infanterie s'était jointe à ce soulèvement au lieu de prêter serment au gouvernement provisoire. La Vendée se réveillait, mademoiselle de La Rochejaquelein, dont le nom était à lui seul un cri de ralliement pour toute la vieille chouannerie, faisait, à en croire le nouveau préfet, sonner le tocsin partout où elle passait pour rameuter ses paysans. Si l'on n'y prenait garde, la guerre civile embraserait bientôt le Grand Ouest, de Valognes à Bordeaux. Il fallait prendre des mesures rapides et énergiques. L'idée vint au Palais-Royal de répéter le coup de Rambouillet, mais avec une véritable armée cette fois.

À Argentan

Dès son lever, le roi décida qu'il n'assisterait pas à une messe célébrée sur le marbre d'une commode mais d'un autel. Il sortit, salua machinalement la petite foule massée autour de la maison pendant que les gardes du corps lui rendaient les honneurs, et c'est en procession que la famille royale et sa suite marchèrent jusqu'à l'église Saint-Martin toute proche. On ne criait pas « Vive le roi » mais l'on se poussait du coude en disant « T'as vu le roi ? », les uns le trouvaient encore droit pour son âge, les autres remarquaient sa démarche un peu hésitante. Tous s'apitoyaient sur la duchesse de Berry et ses jeunes enfants qui avaient bien du malheur. Personne ne reconnut le dauphin sous les traits de ce pauvre maniaque dont les clignements d'yeux et les tressautements d'épaules prêtaient à rire, mais l'on regardait passer la dauphine comme on s'étonnerait de voir processionner une relique par un jour ordinaire du calendrier liturgique. La nouvelle de cette traversée se colporta à travers toute la ville d'un pas plus rapide que celui de Charles X, si bien que, au moment de l'introït, la nef était presque aussi pleine que pour la grand-messe du dimanche. Il y avait là autant de curieux que de fidèles, mais les riches familles de marchands et d'industriels continuaient à céder le pas à la noblesse du pays venue prendre possession de ses bancs et de ses chapelles armoriées pour renouveler au roi les vieux serments vassaliques. Personne n'osait arborer la cocarde tricolore dans la maison de Dieu. La révolution était invitée à attendre dehors sous une pluie fine.

Les hautes volées d'arcades, la clarté obscure tombant des vitraux encrassés, l'odeur d'encens froid mêlée à une humidité de crypte, la voix du prêtre psalmodiant les Évangiles guidaient l'esprit du roi ensommeillé vers des rites plus anciens et, lorsque la foule tombant à genoux fit rouler sous la nef le grondement sourd de ses «*amen*», il se vit prosterné cinq ans plus tôt dans la cathédrale de Reims, face contre terre, anéanti devant Dieu dont il allait, comme ses prédécesseurs, recevoir l'onction par l'imposition du saint chrême. Le tintement des clochettes au moment de la consécration ramena brutalement à lui le monarque déchu dont la pensée s'égarait désormais tout à fait. Il ouvrit les yeux, regarda alentour sans vraiment comprendre où il se trouvait avant que sa tête ne lui retombe entre les mains, car les voix des chantres qui lançaient des giclées d'alléluias graciles vers le ciel, et les murmures des célébrants le portaient de nouveau sur la route de Reims. Le roi entendit de façon très distincte les paroles prononcées ce jour-là par monseigneur de Latil s'adressant directement à Dieu pour appeler ses bénédictions sur le successeur de Clovis : « Honoré de l'amour dont il est digne, qu'il affermisse et gouverne en paix, par Votre grâce, le trône de ses pères pendant une longue suite de jours. » Hélas, la suite des jours s'était brisée, le trône de ses pères avait été renversé, la couronne était tombée aux pieds du duc d'Orléans qui venait de la ramasser dans le sang de l'émeute et lui, l'héritier de ses pères, fuyait misérablement avec ses enfants devant une révolution dont il avait cru exorciser définitivement le spectre. Le roi enfouit alors encore davantage son visage dans le creux de ses mains jointes pour cacher des larmes de honte, et ce fut un visage déformé qui apparut à l'aumônier venu respectueusement lui apporter la communion.

À Paris

On avait fait enlever dans l'urgence les échafaudages qui encombraient la salle des délibérations du Palais-Bourbon, placés là quelques semaines plus tôt pour les travaux d'été. Le trône restait à sa place, mais les tapissiers des barricades l'avaient emmailloté de tant de drapeaux tricolores qu'il était à peine visible. Posés à même les tables habituellement utilisées par les greffiers de séance, on pouvait distinguer, assoupis sur de trop larges coussins de velours rouge, la couronne de France, le sceptre, l'épée de Charlemagne et la main de justice du bon roi Saint Louis. Quelques esprits chagrins s'étonnaient que personne n'ait pensé à dresser un crucifix au-dessus de la tribune, mais leurs questions demeuraient sans réponse. Les pairs et les députés en simple costume de ville s'étaient répartis sur les gradins de l'hémicycle, l'orage de la veille avait certes un peu rafraîchi Paris, mais il fit très vite une chaleur suffocante au fond de ce puits d'acajou fermé d'une verrière. Vers deux heures et demie de l'après-midi, Louis-Philippe, toujours revêtu de cet uniforme de général de la garde nationale qu'il ne quittait plus depuis une semaine, entra sous les acclamations, ses deux fils aînés, les ducs de Chartres et de Nemours, l'escortaient. Ils étaient eux aussi en uniforme. Tous les trois portaient pour seule décoration le grand cordon de la Légion d'honneur. Les vieux ordres de famille, celui de Saint-Louis et celui du Saint-Esprit, avaient été prudemment abandonnés dans leurs écrins armoriés de couronnes fermées. Celui qui n'était le duc d'Orléans que pour quelques minutes à peine s'avança d'un pas de plus vers le trône, ses fils le suivirent, et tous les trois prirent place sur de simples tabourets installés là comme lors de la journée du 3 août. Chacun alors put s'asseoir, et Casimir Perier, nouveau président de la Chambre des députés, ouvrit enfin la séance par une lecture solennelle de la déclaration du 7 août qui appelait le lieutenant général du royaume à occuper un trône devenu vacant à la suite de la double abdication de Rambouillet. Louis-Philippe l'écouta d'un air grave et pénétré avant d'inviter le baron Pasquier à venir approuver cette déclaration au nom de la Chambre des pairs. Ce dernier s'exécuta avec la célérité des courtisans qui changent d'antichambre. Dupont de l'Eure, relique du Directoire, ennemi acharné des Bourbons et nouveau garde des Sceaux, vint présenter à Louis-Philippe le texte du serment qu'il devait prononcer devant les deux Chambres réunies. Un silence impressionnant se fit. Le nouveau roi des Français se découvrit, leva la main droite et lut à haute voix une feuille de papier sur laquelle il était écrit :

— « *En présence de Dieu, je jure d'observer fidèlement la Charte constitutionnelle, avec les modifications exprimées dans la déclaration ; de ne gouverner que par les lois ; de faire rendre bonne et exacte justice à chacun selon son droit, et d'agir en toutes choses dans la seule vue de l'intérêt, du bonheur et de la gloire du peuple français.* »

De nouvelles acclamations vinrent sceller ce beau serment, et certains, parmi les pairs, se surprirent eux-mêmes à s'entendre crier sans rire : « Vive Louis-Philippe Ier ! Vive le roi des Français ! » À cet instant précis, quatre maréchaux de France, tous auréolés de la gloire de l'Empire et poudrés de ses fastes, s'avancèrent. Il y avait là Macdonald, Oudinot, Mortier et Molitor. Les quatre soldats n'en étaient ni à leur premier serment, ni à leur première trahison, ni à leur premier sacre, mais ils n'en conservèrent pas moins un sérieux de revue militaire. Chacun d'eux présentait au nouveau roi l'un des quatre symboles de la monarchie. C'étaient des régalias réinventés pour Napoléon puis pour Charles X et auxquels le peuple de Paris avait offert une promenade de santé au retour de Rambouillet. Louis-Philippe les regarda avec respect mais n'osa pas y porter la main, puis il se décida à faire quelques pas vers le trône où il s'assit enfin. La cérémonie se termina par un discours vague, prononcé d'une voix émue où il était question d'une France heureuse au-dedans et forte au-dehors, et ces mots sans grand relief suffirent à déclencher l'enthousiasme de parlementaires épuisés par quinze jours d'une peur intense. Ce fut à peine si l'on remarqua que, à aucun moment, le roi des Français n'avait reçu la bénédiction d'un prélat. Certes il n'y avait pas là d'autre évêque que Talleyrand, qui ne célébrait plus depuis longtemps.

À *Argentan*

La nuit tombée, un courrier arriva de Paris. Il était escorté par des soldats étoilés de la cocarde tricolore et apportait deux lettres. L'une adressée par la duchesse d'Orléans à la duchesse de Gontaut pour la rassurer sur ses biens et sa famille, et l'autre signée par Guizot à destination des commissaires. Le ton était pressant, presque dur, car le ministre demandait aux représentants du gouvernement provisoire de prendre toutes les dispositions, même les plus rigoureuses, pour que le roi Charles X presse enfin le pas et se décide à quitter le pays une bonne fois pour toutes. Un quatrième commissaire, monsieur de La Pommeraye, député de Caen, était même annoncé pour leur venir en aide, ou au besoin les suppléer, dans leur tâche. On ne pouvait être plus clair.

Les trois commissaires s'affligeaient. Donner des instructions depuis Paris était une chose, donner des ordres à un roi entouré de ses gardes du corps et de sa famille en était une autre, mais il fallait bien obéir.

Ce fut donc l'air grave mais déférent qu'Odilon Barrot fit son entrée dans la chambre du roi pour l'audience quotidienne. Sa Majesté, pour sa part, paraissait sereine, elle se sentait bien à Argentan, la population lui semblait mieux disposée, et l'église, bien que vieille, ne manquait pas d'une certaine grandeur. La nouvelle du couronnement civil de son cousin lui était parvenue sans paraître l'avoir affecté outre mesure. Cette cérémonie ridicule ne faisait pas un roi de France, pas plus sous le regard de Dieu que sous celui des puissances étrangères. Ce pauvre Louis-Philippe n'était plus qu'un jouet aux mains de la canaille, comme l'avait été son propre père, Philippe Égalité, quarante ans plus tôt, et il finirait, comme lui, la tête dans un panier et le reste du corps jeté dans une fosse commune. Dans quelques jours, Paris serait de nouveau en révolution, les héros de la veille seraient fusillés par les héros du lendemain et, dans ce chaos sanglant, seul le nom de son petit-fils serait alors en mesure de rallier les gens qui n'avaient pas perdu tout sens commun. Il suffisait d'attendre, et le mieux était encore de le faire, ici, au milieu de ces sujets fidèles.

Les propositions abruptes des commissaires contraignirent pourtant le roi à abandonner son sourire bienveillant. Au début, il crut que sa mauvaise oreille lui jouait encore des tours et se fit répéter par Marmont ce qu'Odilon Barrot venait de dire. Le pays n'étant pas sûr, la famille royale devait remonter directement vers le nord et brûler les étapes jusqu'à Caen, l'armée avait même reçu des ordres pour barrer la route du cortège si le roi s'entêtait dans ses projets. Le vieux roi en parut tout étourdi. Si le cortège devait remonter brusquement vers le nord comme le gouvernement l'exigeait, il devenait impossible de s'enfoncer plus avant dans le bocage et de pousser jusqu'à Granville. Odilon Barrot continuait à dérouler imperturbablement les instructions reçues. On démobiliserait les troupes, on abandonnerait serviteurs et bagages pour n'emporter que le strict nécessaire, et surtout on devait se délester de ces deux maudits canons qui ne servaient à rien et qui se traînaient plus lamentablement que des corbillards. Charles X mit un certain temps à comprendre que ces gens ne lui donnaient plus des conseils respectueux mais des ordres et, lorsque l'un des commissaires suggéra que le roi pouvait tout aussi bien emprunter la malle-poste si ces conditions de voyage ne lui convenaient pas, il laissa éclater sa colère. On le mettait une nouvelle fois au supplice en cherchant à le séparer de ses effets, de ses amis, de ses chevaux et de ses plus fidèles serviteurs. Quant aux canons, il ne fallait pas compter qu'il les abandonne, le sujet avait été évoqué, et il était clos. Le comte de Mesnard, premier écuyer de la duchesse de Berry, ajouta que ces deux pièces d'artillerie étaient la seule véritable garantie militaire qui restât aux troupes chargées de la protection du roi et de sa famille. On ne pouvait donc pas prendre le risque de s'en délester alors que, en remontant au nord vers des villes industrieuses, le convoi allait à la rencontre de populations ouvrières échauffées par des agitateurs à la solde du gouvernement. Le ton montait, chacun parlait, osant même s'exprimer sans y être invité par le roi.

Le maréchal Maison, inquiet de la tournure prise par les choses, cherchait à convaincre Marmont qu'il fallait faire preuve d'un peu de bon sens et d'un peu d'autorité si l'on voulait en sortir. Le baron de Schonen, se croyant profond, eut alors la maladresse d'évoquer le sort de Napoléon à Sainte-Hélène en ajoutant d'un air pénétré :

— Nous ne sommes pas des Hudson Lowe[*], et le roi verra qu'il vaut mieux se confier au peuple qu'à des rois…

***

[*] Le sinistre geôlier de Napoléon à Sainte-Hélène.

Marmont, chatouilleux sur le chapitre de Napoléon, vit le moment où il allait demander raison à ce pékin de ses insinuations, mais il pensa aussitôt que ce médiocre libéral n'en valait pas la peine et ne s'adressa plus qu'au seul maréchal Maison, à l'oreille duquel il glissa en aparté à propos de la famille royale :

— Je ne puis concevoir ces gens-là. Ils veulent fuir solennellement alors qu'ils devraient se cacher dans un trou de souris !

Les deux sabreurs de l'Empire continuèrent leur conciliabule un peu à l'écart pour ne pas être entendus, puis Marmont s'approcha doucement du roi, dont plus personne n'osait soutenir le regard perdu, en expliquant avec lenteur pour être certain d'être compris que les deux canons irritaient inutilement la foule et qu'il paraissait sage de s'en séparer. D'un bref hochement de tête, le roi acquiesça contre toute attente, et il n'en fallut pas davantage pour que les commissaires se retirent.

Soucieux de battre le fer pendant qu'il était encore chaud, Odilon Barrot convoqua l'artilleur en charge des deux canons pour lui donner l'ordre de quitter la colonne et de rejoindre le camp militaire de Vaugirard. L'officier, que les airs impériaux de ce phraseur en redingote indisposaient, regimba, et rien du dialogue qui s'engagea n'échappa alors aux gardes du corps en faction :

— Monsieur, je ne connais que les ordres du roi. Je n'en ai point à recevoir de vous.

— Monsieur, je vous enjoins de partir pour le camp de Vaugirard.

— Monsieur, je n'ai point d'ordre à recevoir de vous.

— Monsieur, je vous déclare en état de rébellion.

— Vous ? Vous me déclarez en état de rébellion ?

— Oui, monsieur.

— Eh bien, monsieur ! Sachez que je m'en fous…

— Monsieur, je vous récidive que je vous déclare en état de rébellion.

— Eh bien, moi, monsieur, je vous récidive que je m'en fous !

Alerté, le comte de Choiseul, ancien chef d'état-major de l'armée des princes en Italie, intervint alors pour empêcher que les choses n'en viennent aux mains et donna ordre à l'officier d'artillerie d'obtempérer. L'instruction émanant d'un officier supérieur doublé d'un gentilhomme, le maître des canons obéit sans faire la moindre observation.

Resté seul dans la chambre du roi pour aider le chambellan à faire son office, Marmont, que la violence de cette scène avait profondément navré, cherchait à le convaincre que les commissaires, malgré la dureté des ordres qu'ils recevaient tous les jours du gouvernement, se conduisaient à son égard en véritables gentilshommes et n'avaient pas d'autre préoccupation que sa sécurité et celle de sa famille. Il s'attira pour seul commentaire un :

— Au fait et au prendre, ce ne sont là que deux coquins et un renégat, puis Charles X, agenouillé sur un prie-Dieu, dit ses prières et se mit au lit.

Après tout, le Christ lui-même avait été livré par un renégat et crucifié entre deux coquins, alors si telle était la volonté de Dieu…

Maisons brûlées

Mardi 10 et mercredi 11 août 1830

Sur la route de Falaise

Si la veille l'ordre du départ avait été donné trois fois puis chaque fois révoqué, la sonnerie se fit entendre ce matin-là dès quatre heures du matin et, une heure plus tard, la colonne s'ébranlait. Le temps n'était plus à la pluie, mais une journée d'orage et deux jours d'ornières boueuses laissaient les hommes et les chevaux dans un état pitoyable. La plupart des palefreniers manquaient à l'appel depuis Dreux, car ces domestiques militaires n'avaient pas pour le roi l'attachement des gardes du corps, tous officiers d'excellente naissance. Aussi ce petit peuple en uniforme avait-il commencé à s'égailler dans les bosquets et les premiers chemins creux dès que la solde leur fut payée avec moins de régularité. Certains emportèrent même dans leur fuite les portemanteaux dont ils avaient la charge, mais qui appartenaient à leurs supérieurs, et grâce au contenu desquels ils espéraient bien se dédommager de n'avoir pas fait le coup de feu du bon côté de la barricade. C'était en quelque sorte leur façon à eux de participer au pillage des Tuileries.

Leur départ nuisait à la bonne tenue de la maison du roi car, les jeunes gens bien mis de la garde n'ayant pas l'habitude de soigner eux-mêmes leur monture, les magnifiques chevaux élevés et dressés dans les haras royaux n'étaient plus pansés ni bouchonnés et s'étonnaient de se voir à ce point négligés. Il fallait reconnaître que le désordre des uniformes de leurs cavaliers n'avait rien à envier à la décrépitude des équipages. Les chenilles de crin noir qui se dressaient avec tant de panache au sommet de casques étincelants les jours de grande revue sur la place du Carrousel pendaient maintenant lamentablement sur le côté, gorgées d'eau de pluie et rabattues par les vents contraires. La houppelande des bergers remplaçait parfois la soubreveste, la casquette du roulier le shako, et les sacs de corde achetés aux vendeuses des chemins la sabretache réglementaire. Les officiers supérieurs conservaient meilleure mine car quelques maréchaux des logis continuaient à les servir, et ils avaient dans leur ceinturon de quoi s'attacher les derniers palefreniers restés fidèles par habitude autant peut-être que par intérêt.

Les pluies diluviennes des derniers jours engluaient la poussière sur les chemins, et le cortège de la maison du roi n'était plus annoncé à dix lieues à la ronde par le nuage gris qui précède toujours la troupe par temps sec, mais on pouvait malgré tout le voir de très loin s'étirer le long de la route, gravissant péniblement les coteaux, les voitures tirées par des chevaux de trait réquisitionnés par le gouvernement. Les bêtes s'épuisaient et elles avaient faim car, en dépit des ordres de réquisition, le ravitaillement se faisait mal, le fourrage disparaissait comme par enchantement à l'arrivée du cortège pour réapparaître une étape plus loin, mais à un prix exorbitant. Les cavaliers vendaient leurs chaînes de montre ou leurs élégantes châtelaines pour nourrir leur cheval et, lorsque l'avoine venait à manquer, ils versaient sur les maigres rations obtenues à prix d'or quelques pintes de cidre pour lui donner un coup de fouet.

De loin en loin, au sommet d'une colline ou à flanc de vallon, les ruines calcinées d'une ferme ou d'un pressoir venaient rappeler que, quelques mois plus tôt, la région avait été en proie à une mystérieuse série d'incendies jetant le désarroi parmi des paysans pourtant connus pour leur placidité, mais qui menaçaient désormais de brûler eux-mêmes les incendiaires si la gendarmerie ne sévissait pas. C'était dans le but de mettre fin à ces troubles et de rassurer les populations que plusieurs régiments d'élite s'étaient dirigés vers la Normandie, laissant la capitale dégarnie au moment des émeutes de juillet. Certains officiers de la garde prétendaient à haute voix, de façon à être entendus de la voiture des commissaires, que ces incendies étaient l'œuvre des carbonari et prouvaient que la révolution était bien le fruit d'un complot fomenté par des lâches aux dépens des bonnes gens. Les journaux expliquaient au contraire que le feu avait été mis aux biens des libéraux et des voltairiens par des bigotes auxquelles leurs curés faisaient croire qu'elles purifiaient la France de ce choléra qu'était le libéralisme. Les officiers ne lisaient pas les journaux, et les commissaires se gardaient bien de les commenter. Ils n'oubliaient pas qu'ils étaient quatre et que les soldats du roi étaient encore plus de mille. Chacun hochait donc la tête d'un air entendu, mais personne ne prenait le risque d'ouvrir le débat.

Le roi aurait voulu faire halte à Falaise car la route avait été trop longue à son goût et il se souvenait de l'accueil triomphal que la ville lui avait réservé lors de son passage en 1777, mais c'était jour de foire à Guibray, les auberges étaient pleines et les places de la ville grosses de monde. Les nouvelles de Paris pouvaient avoir échauffé les esprits ; aussi au moment d'entrer dans la ville, on conseilla humblement au roi de continuer à marcher quelques lieues de plus en se dirigeant vers Caen. Le 10 août n'était pas une bonne date pour un roi de France, et le mieux était encore de passer son chemin. Sa Majesté traversa donc la ville de Falaise à pas lents en faisant mine de lire attentivement les dépêches que lui communiquait le duc de Luxembourg pour garder une contenance, mais il refusa catégoriquement de prendre la direction de Caen. Il voulait marcher à l'ouest et pas au nord. Il prétexta que l'interminable file des fourgons à bagages était déjà engagée sur la route de Condé-sur-Noireau et qu'il ne voulait manquer ni de drap ni de vaisselle au cours de son voyage. Monsieur de La Pommeraye, député du Calvados envoyé en renfort par le gouvernement pour épauler les commissaires, tenta de le raisonner, mais il reçut pour toute réponse l'ordre d'avancer dans la direction choisie par le roi. Pendant ce temps, le duc d'Angoulême saluait la foule avec de grands éclats de rire.

Un autre incident égaya cette longue journée de marche. L'infatigable Hocquart avait choisi d'accommoder le déjeuner du roi dans une belle propriété construite au milieu des bruyères de Vallembras. Les fourriers l'avaient précédé pour dresser les tables selon les ordres mais, au lieu de prendre le bon embranchement au croisement indiqué, la colonne continua sa route vers l'ouest, et Charles X refusa d'ordonner un demi-tour. Une estafette partie informer le pauvre chambellan de ce changement de programme qui lui déchira le cœur. Où Sa Majesté allait-elle donc déjeuner? Les corbeilles d'argenterie et de vaisselle n'auraient jamais le temps de le rattraper, et la nourriture, une nouvelle fois, se perdait. C'était une catastrophe, mais Charles X n'en marqua aucun déplaisir. Le roi de France était partout chez lui et déjeunait où bon lui semblait. Les ducs de Luxembourg et de Polignac, qui n'avaient rien avalé depuis le départ d'Argentan, trouvaient l'aventure saumâtre et regrettaient déjà les poulets rôtis et les pâtés en croûte dont l'abandon leur paraissait un crime. Lorsque, un peu avant midi, les voitures de la famille royale avancèrent devant une auberge de très mince apparence, le roi demanda à un paysan médusé le nom du pays. Ce n'était là ni une ville ni un village car on venait de passer le bourg de Noron, mais un simple lieu-dit qui répondait au curieux nom de Miette. Sa Majesté s'en amusa et décida de déjeuner à l'auberge avec sa famille; il y avait bien longtemps qu'il ne s'était contenté de miettes, et c'était certainement là un signe du Ciel pour les inviter à emprunter le chemin de l'humilité sur cette route de Bretagne. Dès que la décision du roi fut connue, les gardes du corps se précipitèrent pour faire place nette et chasser les équipes de moissonneurs déjà attablés, mais ils en furent empêchés. Sa Majesté déjeunerait, comme Henri IV, au milieu de ses peuples. Il n'avait besoin que d'une planche et de deux tréteaux pour y asseoir sa famille, et les auberges de campagne ne connaissaient pas le luxe déplacé des tables rondes. La longue table des moissonneurs permettait au moins de garantir l'ordre des rangs. L'aubergiste, bonnet à la main et tête baissée, attendait les consignes mais n'osait pas regarder ce grand vieillard dont on ne cessait de lui dire qu'il était le roi sans que ces mots parviennent jusqu'à son entendement. Sa femme, plus frottée, avait changé de tablier à la hâte, ajusté sa coiffe des dimanches ; elle essuyait la table avec un chiffon propre tiré de son trousseau, donnait des consignes tout en complimentant la duchesse de Berry sur ses beaux enfants qui devaient avoir bien faim après une si longue route. Enhardie par la gentillesse et la simplicité de la princesse, la bonne femme, ne connaissant pas les usages de cour, s'approcha de la dauphine, restée prudemment à l'écart avec les officiers qui ne la quittaient jamais du regard, pour l'inviter à s'avancer tout en lui faisant un brin de conversation car, après tout, on était entre femmes et on aimait à causer. Elle reçut pour toute réponse un regard terrible, un regard d'animal traqué dont il s'échappait autant de peur que de haine. La dauphine était aux prises avec une angoisse incontrôlable, celle de ses souvenirs. Cette auberge perdue, ce bord de route, ces gens à l'obséquiosité maladroite et à l'insolence empressée, tout lui rappelait l'arrestation de Varennes et l'épicerie Sauce. Les mêmes jambons pendaient aux mêmes poutres, la même soupe bouillonnait dans le même âtre. La même odeur de suif et de transpiration âcre la prenait à la gorge. Son regard se brouillait, sa tête tournait, elle se sentait au plus mal et allait s'affaisser quand son mari, la saisissant par le bras avec beaucoup de délicatesse, la fit asseoir. Il savait et lui sourit car, dans ces moments-là, aucun tic ne venait déformer son visage. Le roi, lui, avait faim et ne voulait surtout pas faire attendre tous ces braves gens qui n'osaient plus tremper leur pain dans la soupe tant que la famille royale n'en ferait pas autant.

On passa donc à table, et les journaliers ouvrirent leurs couteaux à manche de buis qu'ils avaient gardés fermés jusque-là autant par respect que par peur d'une réaction trop vive des hommes d'armes. La curiosité étant plus forte encore chez ces Normands que la peur ancestrale de la troupe, l'auberge ne désemplissait pas, des fermiers des environs arrivaient pour voir cette étrange chose qu'un roi et sa famille assis à table avec des paysans. Les hommes en entrant enlevaient leurs chapeaux comme à la messe ou devant le curé, les femmes dont le père avait été assez riche pour les envoyer au pensionnat à Falaise ou à Caen trouvaient là un moyen historique d'esquisser la révérence apprise chez les sœurs. Une file se formait qui faisait lentement le tour de la table. Le roi mangeait de bon appétit, habitué qu'il était à prendre ses repas en public, et répondait obligeamment aux questions parfois posées à voix haute par les regards curieux qui scrutaient ses faits et gestes. De temps à autre, un gentilhomme venu d'un château des alentours entrait accompagné de sa famille, et la foule paysanne s'écartait respectueusement pour le laisser passer et arriver à la hauteur du roi. Certains tombaient à genoux, prenant la main de Charles X pour la baiser, d'autres lui tendaient leurs vieilles épées, tous portaient les grands ordres royaux ou l'ordre du Lys, qui avait récompensé le zèle des partisans de la Restauration en 1814. À chacun le roi répétait les mêmes mots en désignant son petit-fils assis sur un banc en face de lui :

— Messieurs, gardez ces sentiments pour cet enfant qui seul peut vous sauver tous.

Le déjeuner dura une heure, comme aux Tuileries, puis le roi se leva, donnant le signe du départ. En sortant de l'auberge, un innocent qui entonnait une mélopée incompréhensible s'approcha du jeune duc de Bordeaux. Personne ne s'interposa, pas même la duchesse de Berry, car les simples sont connus pour être souvent les messagers de Dieu, et celui-ci, après avoir poussé une nouvelle fois sa petite chanson, offrit au prince une baguette de coudrier soigneusement enrubannée. Une sorte de sceptre champêtre dont l'héritier des Capétiens refusa obstinément de se séparer tout au long de la journée malgré les objurgations de la duchesse de Gontaut qui craignait un peu la sorcellerie.

À *Condé-sur-Noireau*

La bourgade de Condé étant fort vieille et mal bâtie, les fourriers rencontrèrent bien des difficultés à faire les logements. La population ouvrière employée aux filatures paraissait très mal disposée, mais les gardes du corps tirèrent le sabre, et les fortes têtes furent ramenées dans leurs logis par des femmes qui ne voulaient surtout pas voir leur maison envahie de soldats. Le roi fut reçu dans l'une des rares habitations confortables de cette ville affreusement tassée dont le propriétaire vint en personne s'excuser auprès de Sa Majesté de n'être pas catholique mais protestant. Charles X, toujours gentilhomme, le remercia en lui rappelant que son propre ancêtre le roi Henri IV avait été longtemps dans cette même erreur. L'autre ne dit mot.

À peine le roi avait-il pris ses quartiers chez son hôte calviniste que la ville fut de nouveau en proie à l'agitation. Un demi-solde blessé à la bataille de Salamanque en juillet 1812 venait de reconnaître le maréchal Marmont, et la maison où il logeait se trouva aussitôt assiégée par une foule hostile. Les plus exaltés appelaient au meurtre et juraient de traiter le duc de Raguse comme les royalistes avaient traité le maréchal Brune massacré par la foule en 1815. Le maréchal Maison eut toutes les peines du monde à ramener le calme pour venir en aide à son frère d'armes et, pendant qu'il parlementait, son aide de camp évacuait discrètement Marmont par les arrières. Le pas des chevaux de la garde et le cliquetis des sabres finirent de disperser la foule, mais toute la nuit il régna dans les rues de la petite ville une atmosphère d'insurrection, et les gardes du corps restèrent sur pied et l'arme au poing jusqu'au petit jour.

Paris, rue d'Enfer

Après avoir fait porter son uniforme de pair de France chez un fripier qui lui compta sept cents francs pour les dragonnes, franges, torsades, épaulettes et galons d'or, monsieur de Chateaubriand rentra chez lui pour se mettre à sa table et écrire une lettre qu'il ne tenait pas à différer davantage. Elle s'adressait au nouveau président de la Chambre des pairs et disait ceci :

> *Ne pouvant prêter serment de fidélité à Louis-Philippe d'Orléans comme roi des Français, je me trouve frappé d'une incapacité légale qui m'empêche d'assister aux séances de la Chambre héréditaire. Une seule marque des bontés du roi Louis XVIII et de la munificence royale me reste : c'est une pension de pair de douze mille francs, laquelle me fut donnée pour maintenir, sinon avec éclat, du moins avec l'indépendance des premiers besoins la haute dignité à*

laquelle j'avais été appelé. Il ne serait pas juste que je conservasse une faveur attachée à l'exercice de fonctions que je ne puis remplir. En conséquence, j'ai l'honneur de résigner entre vos mains ma pension de pair.

Il relut la lettre à haute voix, la sabla pour éviter qu'en la pliant l'encre mal séchée ne fasse des pâtés puis la cacheta. Cette lettre le ruinait, mais il ne regrettait pas la leçon qu'il donnait à tous ceux qui oubliaient leurs serments et à celles qui avaient cru pouvoir l'acheter en lui faisant miroiter des châteaux en Italie…

À Condé-sur-Noireau

Le lendemain, le roi, tenu éloigné de l'agitation de la veille par un bon sommeil, fut informé des troubles de la nuit. Les commissaires, pour se dédouaner, expliquèrent que la population, exaspérée par les incendies du début de l'été, se montrait particulièrement hostile. Ils profitèrent de ces incidents pour exiger que tous les domestiques qui suivaient la Cour depuis le départ de Saint-Cloud quittent leurs livrées brillantes et galonnées afin d'éviter d'exciter davantage les habitants de la province. Le roi consentit à ce dernier sacrifice de sa grandeur puis donna l'ordre du départ dont il fixa l'heure après la messe du matin qu'il comptait bien entendre, comme tous les jours, avant de prendre la route. Soucieux de remercier son hôte pour son hospitalité, il l'invita à suivre la célébration avec lui. C'était là un honneur rarement accordé par Sa Majesté mais qui mit le malheureux propriétaire à la torture car il ne pouvait être question pour un protestant d'aller entendre la messe, fût-ce à l'invitation du roi. Charles X parut surpris et même blessé de ce refus désobligeant et incompréhensible. Le Seigneur avait fait sacrifice de sa vie pour racheter les péchés du monde, la sainte messe en rappelait éternellement le souvenir et, protestant ou pas, on se devait d'y assister. Il continuait à pleuvoir, le roi pour garder une contenance face à cet entêtement demanda à son hôte un parapluie et le quitta sans plus lui adresser la parole.

La sortie de Condé se fit dans un ordre serré, l'escorte marchait en peloton et sabre à l'épaule de façon à repousser toute attaque, puis, très vite, en l'absence du moindre danger, le cortège retrouva sa formation normale. Les gendarmes des chasses reconnaissables à leur habit bleu à retroussis écarlates assuraient l'avant-garde, suivis par les deux premières compagnies de gardes du corps précédant les voitures de la famille royale. Le roi quitta la sienne pour un cheval dès que l'on eut dépassé Condé d'une petite lieue et fut aussitôt rejoint par le maréchal Marmont dépouillé de son uniforme et de toutes les plaques de ses ordres à l'exception de celle du Saint-Esprit, pour se placer sous sa protection directe. Marmont, qui n'avait pas aimé la scène de la veille, pensait que personne n'oserait porter la main sur lui en présence du vieux roi et, par ailleurs, il savait, en bon militaire, que jamais les gardes ne laisseraient approcher aussi près de Sa Majesté des gens mal intentionnés. Le roi eut pour lui des mots rassurants, et les deux hommes prirent ainsi l'habitude de marcher botte à botte. Le roi aimait à distinguer par ces petits manquements à l'étiquette les services éminents de ceux qui l'entouraient.

Au château du Coisel à Burcy

Le vieux poète, informé la veille que Charles X et sa famille passeraient par Tinchebray pour remonter ensuite sur Vire, prit ses dispositions. Il savait que tout espoir était perdu et que les Chambres venaient de proposer la couronne au duc d'Orléans, mais il souhaitait aller à la rencontre de son roi. Aussi, monsieur de Chênedollé, l'ami de Chateaubriand qui avait espéré si longtemps la main de sa sœur Lucille, voulut-il revêtir son vieil uniforme de l'armée de Condé dans laquelle il s'était engagé en 1791 en rejoignant l'émigration. Il demanda également que la femme de chambre rassemble ses cheveux qu'il avait encore abondants pour son âge et lui tresse la queue-de-rat réglementaire au camp de Worms. Ce fut donc un fantôme poudré qui sortit sur le perron sous les yeux ébahis du fermier qui venait d'apporter le tilbury. Conformément aux instructions données au jardinier, trois énormes brassées de lys attachées par un ruban de moire blanche attendaient à l'intérieur de la voiture d'être offertes au roi, à la dauphine et à la duchesse de Berry.

Le roi les accepta lorsque l'on relaya à Tinchebray, mais il les fit jeter par la fenêtre à une lieue de là car il n'en supportait pas leur odeur, et cette sensiblerie de poète l'agaçait.

À Vire

La ville fut atteinte en fin de journée, et le convoi passa sous la grosse tour d'horloge comme l'aurait fait un roi du Moyen Âge. La population resta paisible, les gardes nationaux formèrent la haie d'honneur mais sans porter leurs uniformes, pour ne pas offenser la famille royale. Le roi était reçu chez monsieur de Peyronny qui mettait à sa disposition le joli petit château de Cotin*. Sa Majesté prit ses quartiers à l'étage. La fin d'après-midi était superbe, le beau temps ayant fait son retour depuis quelques heures. Les fenêtres ouvraient sur le jardin où les enfants royaux, maintenus pendant des heures à l'intérieur de leur voiture, se dépensaient avec ivresse. Le duc de Bordeaux armé d'une immense faluche attrapait des papillons qu'il relâchait aussitôt après en avoir fait les honneurs à son grand-père qui lui envoyait des signes de la main.

Le dîner fut très gai car on raconta au roi et à sa famille que, lors de la messe du dimanche, le curé de Vire, brave homme mais soucieux de ne pas manquer aux obligations du Concordat, marqua un instant d'hésitation à la fin de l'office au moment de chanter le traditionnel *Domine, salvum fac regem* ; il réfléchit un instant, puis, au lieu de prononcer le mot *regem*, et tout heureux de sa trouvaille politique, il s'écria d'une voix tonitruante à travers la nef: «*Domine, salvum fac...* le gouvernement provisoire !» Ce fut dit en français car aucune formule latine propre à traduire cette nouveauté institutionnelle ne lui était venue à l'esprit.

Depuis quatre jours, toute la ville ne parlait plus que de cette innovation surprenante, et le roi en rit de bon cœur lui aussi. Quant au pauvre curé, il n'osa pas se

---

* Le château de Cotin, en réalité un bel hôtel particulier, a miraculeusement échappé aux bombardements de la Seconde Guerre mondiale, il porte aujourd'hui le n° 48 de la rue André-Halbout.

montrer, et Sa Majesté préféra faire célébrer la messe par ses aumôniers dans sa chambre plutôt que de s'exposer à de telles incongruités. Dieu avait autre chose à faire que d'étendre sa protection à un gouvernement de protestants et de déistes, ce qui était d'ailleurs à ses yeux à peu près la même chose.

Après le dîner eut lieu la conférence habituelle avec les commissaires qui revenaient à la charge tous les soirs pour obtenir du roi qu'il accepte d'accélérer sa marche en parcourant quotidiennement des étapes plus longues. Mais, ce soir-là, Sa Majesté ne céda pas car elle hésitait de nouveau sur l'attitude à adopter. En effet, Charles X venait d'être rejoint par son filleul monsieur de Charette, le neveu du héros des guerres de Vendée, qui l'exhortait à aller se jeter au milieu de cette province catholique où le peuple n'attendait que sa présence pour se soulever. La petite duchesse de Berry trépignait littéralement à l'évocation de ces soldats qui se faisaient broder le cœur sanglant de Jésus sur la poitrine pour détourner les balles des bleus et ne rêvait que chevauchées, châteaux en flammes, souterrains mystérieux et conseil de guerre sous la lune. Le roi, lui, hésitait toujours et rabrouait même sa bru à laquelle il reprochait d'avoir trop lu Walter Scott. Certes il tenait le baron de Charette en très grande estime et lui était reconnaissant d'avoir poussé le dévouement à la dynastie jusqu'à épouser une des deux bâtardes anglaises de son fils le duc de Berry*, mais il n'aimait pas les aventures militaires qui pouvaient se terminer dans

---

* Louise Charlotte Marie de Bourbon née en Angleterre en 1809 des amours du duc de Berry avec Amy Brown et titrée comtesse de Vierzon.

un fossé du château de Vincennes face à un peloton d'exécution. Curieusement, il croyait davantage à la force de la révolution qui, après l'avoir abattu, ne tarderait pas à emporter le duc d'Orléans et sa couronne de théâtre. Alors le vieux roi finassait, gagnait du temps, certain que les événements allaient se retourner, d'un jour à l'autre, en faveur de son petit-fils. Aussi, lorsqu'il fut question de donner les ordres nécessaires pour emprunter la route de Caen dès le lendemain, il s'y opposa de nouveau fermement en ajoutant :

— Je n'en ferai rien, j'ai maintenant mes habitudes, et je suis bien aise de passer encore sur la terre de France le plus de jours que je peux.

Il fallut donc se résigner de marquer l'étape à Saint-Lô. Ce voyage ne finirait jamais, et le ministère haussait le ton à chaque nouvelle dépêche. Comme tous les soirs, pourtant, les commissaires s'inclinèrent en se retirant sans même que le roi ait pris la peine de les congédier. Son silence suffisait à leur faire comprendre qu'ils devenaient importuns.

Coup de chaud

Jeudi 12 août 1830

Sur la route de Saint-Lô

Le soleil étant revenu, la duchesse d'Angoulême reprit l'habitude de descendre de voiture pour parcourir le chemin à pied. C'était là son seul remède contre le raidissement des nerfs. Madame de Sainte-Maure, sa dame de compagnie, ne pouvait faire autrement que de la suivre à trois pas, selon l'étiquette. La dauphine s'amusait à voir la ligne des faucheurs sous lesquels pliaient les blés mûrs avancer plus vite que la file interminable des voitures et des fourgons à bagages. De temps à autre, elle s'arrêtait sur le bord de la route et demandait à une femme un peu d'eau fraîche tirée de la cruche puis échangeait quelques mots avec elle sur les espoirs de récolte ou le temps du lendemain. Jamais personne ne reconnut dans cette voyageuse, couverte de poussière et à la voix rauque, l'orpheline du Temple pour laquelle les prêtres réfractaires d'autrefois disaient tant de messes secrètes dans les abbayes abandonnées. Parfois elle parlait seule comme son mari, et les gardes à cheval qui réglaient leurs pas sur les siens n'osaient évidemment pas la regarder, de peur de voir ses larmes. Il faisait de nouveau très chaud, une chaleur lourde d'orages à venir, et les mouches bourdonnaient aux tempes des hommes avant de venir s'agglutiner sous les yeux purulents des bêtes mal soignées. Les moissonneurs s'arrêtaient un instant pour observer cet étrange spectacle, appuyés sur le manche de leurs faux, mais ils reprenaient bien vite la besogne car le vent d'ouest sentait déjà la pluie qui, la veille, avait fait bien du dégât.

Tout à coup, à trois lieues de Saint-Lô, la colonne royale fit halte, et l'ordre vola de bouche en bouche depuis l'avant-garde jusqu'au cœur du cortège. Une élégante voiture découverte tirée par six chevaux luisants de poil et conduite par un cocher en grande tenue barrait la route. Quatre hommes en descendirent. La duchesse de Gontaut accourut lorsqu'un officier vint lui dire que ses deux gendres, le prince de Léon et le général comte de Bourbon Busset, qu'elle croyait emportés par la violence révolutionnaire, venaient lui donner des nouvelles rassurantes de sa famille. Le prince de Bauffremont les accompagnait. Heureux de cette visite inattendue, le roi mit pied à terre, et toute la famille royale le suivit. On installa à la hâte des couvertures et des pliants sur l'herbe pour prendre le temps d'échanger des nouvelles de Paris. Le comte de Bourbon Busset qui, pour sa part, arrivait directement du camp militaire de Lunéville, jeta un froid lorsqu'il raconta que son régiment s'était mis en marche pour venir mater l'émeute parisienne mais qu'il avait reçu, à mi-chemin, un contre-ordre signé du baron de Damas lui-même. Le roi hocha la tête et ne dit rien alors que la dauphine interrogeait son mari du regard et que la duchesse de Gontaut, ravie de cette réunion de famille improvisée sur un bord de route, tentait de combler le silence par son babillage de femme du meilleur monde. Les nuages du soupçon se dissipèrent lorsque le même comte de Bourbon Busset annonça à la duchesse de Berry qu'il était parvenu à récupérer ses diamants et qu'il lui remit le glaive de cérémonie de son mari, dont le manche d'or constellé d'émeraude valait à lui seul une fortune. Le quatrième homme était le comte d'Estourmel. La veille, il était encore préfet de la Manche, mais il venait de signer sa lettre de démission. Lorsqu'une dépêche officielle reçue le matin même lui apprit que le roi passerait par Saint-Lô, il mit aussitôt la cocarde blanche à son chapeau, remplaça l'uniforme de préfet qu'il ne voulait plus porter par celui de gentil-homme de la chambre pour aller au-devant du roi, prendre ses ordres et mettre la préfecture à sa disposition comme il l'aurait fait en temps normal.

À Torigni-sur-Vire

Le convoi longea lentement le parc de l'immense château vide que les princes de Monaco tenaient des Matignon, mais personne ne parut aux grilles ni aux fenêtres pour saluer le roi, et c'est à La Varignière, chez le maire de la ville, qu'un déjeuner attendait Charles X et sa famille. Il fut très gai, car Sa Majesté n'aimait rien tant que la meilleure compagnie, et l'ar-rivée de ces quelques grands seigneurs renouvelaient avec éclat les visages qui l'entouraient depuis le départ de Rambouillet. Par ailleurs, le duc de Luxembourg, qui entretenait une correspondance suivie et secrète avec le gouvernement anglais, venait de recevoir des nouvelles très rassurantes car, depuis que les commis-saires s'étaient montrés un peu trop pressants et que le baron Schonen avait maladroitement cité Hudson Lowe, le geôlier de Bonaparte à Sainte-Hélène, la famille royale craignait d'être déportée contre son gré aux États-Unis. Or, aucun séjour ne paraissait plus affreux aux Bourbons que cette république protestante présidée par des planteurs de coton où aucune étiquette n'était respectée ni même établie. Le courrier du gouvernement anglais était sans équivoque : le roi embarquerait à Cherbourg sur des bateaux qui avaient ordre de le conduire où il le souhaitait, à condition que ce ne soit pas en direction des îles Anglo-Normandes ou de la Belgique, jugée trop proche des frontières françaises. Au sortir de la salle à manger, Charles X prit à part le comte d'Estourmel pour lui faire à voix basse une confession qui ressemblait bien à des instructions :

— J'ai abdiqué : maintenant, c'est sur le duc de Bordeaux qu'il faut tout reporter. Si quelque part on se rassemble en son nom, j'y reviendrai aussitôt.

Le préfet démissionnaire se garda bien d'y répondre autrement que par un silence respectueux car, loin du soulèvement espéré, son département était en proie à une agitation qui ne lui disait rien de bon. À Paris, que la lenteur du cortège exaspérait, le maréchal Gérard, ministre de la Guerre, donnait encore l'avant-veille des instructions claires pour que l'on pousse le roi jusqu'à la mer en lui collant à nouveau une épée dans les reins. Aussi, dès que le refus du souverain de prendre la direction de Caen avait été connu, un détachement du 12e régiment de ligne avait quitté les casernes de cette ville pour suivre le cortège à une distance respectueuse, mais suffisamment menaçante, de façon à faire entendre raison au monarque déchu.

La feuille de route officielle était de venir en aide aux quatre compagnies de gardes du corps dans le cas où la famille royale serait en danger, mais il s'agissait en fait de lui couper la route si, par aventure, le roi décidait de se jeter dans le bocage et de gagner la Bretagne ou la Vendée. Plus grave encore, le général Hulot, dont la carrière militaire devait pourtant tout aux Bourbons, voulant faire oublier son tortil de baron flambant neuf, ses grades, ses décorations et ses prébendes, déployait depuis deux jours un zèle excessif. Le 8 août, il quittait Cherbourg où il attendit vainement l'arrivée du roi puis se porta au-devant de lui à Carentan. Interprétant les ordres reçus d'une façon très large, il mobilisa, en plus des hommes du 6e de ligne, un bataillon du 64e, deux canons de quatre, et battit le rappel de la garde nationale de toutes les villes du Cotentin dont il assurait pouvoir exercer le commandement. Pour donner un peu de cœur au ventre à ces milices bourgeoises qu'il méprisait souverainement, ce général borgne et manchot, que Napoléon exécrait, n'hésita pas à laisser entendre que le roi conduisait une véritable armée composée de plusieurs régiments Suisses dans le seul but de s'emparer du port militaire de Cherbourg et de l'ouvrir à la flotte anglaise. Cette seule perspective suffit à mettre les populations du pays en émoi et déjà, dans certains villages côtiers, on sonnait le tocsin.

Pour couronner le tout, plusieurs officiers de la compagnie des gendarmes des chasses, qui assuraient l'arrière-garde du convoi en protégeant les voitures de suite et les fourgons de service, étaient venus informer discrètement le duc de Raguse que, loin de désarmer, les agitateurs bonapartistes qui cherchaient à lui faire un mauvais sort à Vire se montraient de loin en loin et semblaient attendre le moment propice pour s'emparer de sa personne. Charles X donna alors ordre au maréchal Marmont de ne plus le quitter, ce qui fit dire au comte d'Estourmel que le roi gardait le duc de Raguse, bien plus que le duc de Raguse ne gardait le roi. Toute cette agitation ne faisait pas l'affaire des commissaires, lesquels, depuis qu'ils avaient obtenu de Charles X l'abandon de ses canons, craignaient le moindre incident susceptible de porter atteinte à l'honneur ou à la sûreté de la famille qui leur était confiée. Odilon Barrot avait reçu des instructions précises de la part de celui qui était maintenant le roi Louis-Philippe lors de leur entrevue du Palais-Royal, et il avait bien l'intention de les exécuter à la lettre sans tenir compte d'initiatives ministérielles plus ou moins coordonnées.

À *Saint-Lô*

L'arrivée à Saint-Lô se révéla particulièrement pénible, car la ville se hérissa aussitôt de drapeaux tricolores jusque sur le clocher des églises et les croix de mission, les troupes régulières refusèrent même de présenter les armes au passage du roi. La foule lançait des cris hostiles aux gardes du corps qui répondaient en se moquant de cette ville, qu'ils trouvaient affreusement bâtie, et du patois grossier de ses habitants.

Les choses auraient pu très mal tourner sans la présence du comte d'Estourmel dont on ignorait encore la démission en ville et que les habitants de Saint-Lô craignaient comme on craignait alors partout en France la puissance d'un préfet. Le roi fut dédommagé de cette entrée malveillante par l'accueil qu'il reçut à l'hôtel de la préfecture où tout avait été préparé comme si Sa Majesté fût en voyage officiel. Chaque membre de la famille royale et de sa suite disposait d'un bel appartement, et seule mademoiselle Vachon poussa les hauts cris lorsqu'elle apprit qu'elle devrait partager le sien avec le maréchal Marmont que l'on cacherait sous son lit dans la crainte d'un coup de main contre la préfecture. La vieille fille menaçait de se jeter par la fenêtre si on la contraignait à ce concubinage. Le roi, touché par tant de larmes, recommanda alors la vertu de l'institutrice de sa petite-fille au duc de Raguse qui, malgré les dangers qui l'entouraient depuis deux jours, jura en riant de ne rien faire qui puisse être contraire à son sens de l'honneur. La duchesse de Gontaut ne pouvait pas raconter la scène sans être gagnée par un irrépressible fou rire sous l'œil courroucé d'une demoiselle Vachon au désespoir. Le soir, un dîner à grand service fut donné sous la houlette du baron Hocquart en habit de maître de l'hôtel du roi, et tous les domestiques servirent à table revêtus de la grande livrée royale qu'ils avaient été contraints de quitter sur injonction des commissaires. Ils s'offraient là une revanche de domestiques. Chacun reçut un placement selon l'étiquette la plus stricte, et l'ordre des plats et des services fut rigoureusement identique à celui que l'on respectait au palais des Tuileries. Les princesses, qui en étaient encore quelques jours auparavant à repriser le bas de leur robe, se présentèrent magnifiquement parées, car Marie-Amélie, nouvelle reine des Français, venait de leur faire envoyer une partie de leur garde-robe. Loin de lui en montrer la moindre reconnaissance, la duchesse de Berry, que la duplicité de sa tante mettait hors d'elle-même, répétait aux courtisans qui la complimentaient sur l'élégance de sa mise :

— Ah ça, Louis-Philippe prend soin de nos nippes mais il nous prend notre couronne... !

Dès le dernier service, la dauphine, prétextant une grande fatigue, demanda au roi la permission de se retirer et de monter à ses appartements. Là elle congédia aussitôt les femmes de chambre, s'empara du sac de voyage vert dont elle ne se séparait jamais, en sortit une boîte en carton bouilli recouverte d'un papier aux motifs très défraîchis qu'elle posa sur le marbre d'une table, alla tirer les rideaux, puis revint sur ses pas pour l'ouvrir. Avec d'infinies précautions, Marie-Thérèse en sortit de menus objets qu'elle disposa soigneusement devant elle selon un cérémonial qui paraissait immuable. Il y avait là de petits étuis dont le vernis Martin montrait des traces d'usure, une vieille chaussure, des épingles à cheveux, un mouchoir de col à l'ancienne mode, une montre de femme, un écrin contenant plusieurs portraits miniatures, un portefeuille de dame en broderies de perles effilochées, une aumônière marquée aux armes de France, des lettres liées entre elles par un ruban, quelques jouets d'enfant grossièrement sculptés dans du frêne à la peinture écaillée par endroits, un livre de messe auquel des pages trop souvent tournées donnaient l'air d'un vieux soufflet, plusieurs médaillons contenant des compositions en cheveux portant des inscriptions minuscules et, enfin, posé au milieu de ce capharnaüm de poche, un simple crucifix d'ébène. C'était celui que l'abbé Henry Essex Edgeworth, son dernier confesseur, avait présenté au roi Louis XVI avant qu'il ne pose la tête sur le billot.

La dauphine, maintenant agenouillée à même le sol, priait devant les reliques de sa famille massacrée alors que, à l'extérieur, un rassemblement hostile tenu à distance par la garde lui criait des insultes. Lorsque la marquise de Sainte-Maure, sa fidèle dame de compagnie habituée à ce rituel intime, vint l'aider à se relever, la dauphine, lui désignant la rue d'où montaient les cris, laissa échapper :

— Quelle différence !

Elle se souvenait de l'accueil délirant d'enthousiasme que la population de Saint-Lô lui avait réservé un an plus tôt alors qu'elle rendait visite à la rade de Cherbourg. En moins d'une année, tout avait été une nouvelle fois renversé.

Au moment où, de son côté, le roi se couchait, il fallut bien l'entretenir des mouvements de troupes qui menaçaient la tranquillité de son voyage. Personne n'osa évidemment lui dire que, à Caen, certains exaltés réclamaient que tous les membres de la famille royale soient enfermés sous bonne garde dans une forteresse pour qu'ils puissent servir d'otages en cas d'invasion étrangère ou de guerre civile. Charles X, surpris par la gravité de la situation, s'informa auprès de ses interlocuteurs des raisons pour lesquelles on en voulait à sa personne et chercha à savoir qui dirigeait des opérations si contraires à l'honneur. Lorsqu'il apprit que c'était le général Hulot dont il appréciait particulièrement la belle-sœur, la maréchale Moreau, il ne laissa rien paraître de sa surprise et se tourna vers les commissaires, qui ne savaient plus où se mettre, tant la situation les mettait dans la gêne, et leur dit :

— Je vous laisse le soin, messieurs les commissaires, d'achever avec honneur la tâche que vous avez commencée ; je ne puis croire que mes enfants et moi soyons en péril au milieu des Français.

Le maréchal Maison, furieux de ne pas avoir été tenu informé des ordres donnés au général Hulot par le ministre de la Guerre, et qui regrettait amèrement cette mission indigne de sa gloire militaire, demanda la permission de quitter Saint-Lô dans l'instant pour mettre un terme à ces folies. Il se proposait de botter le cul du général Hulot et de renvoyer la troupe dans ses casernes. De tout le voyage, ce fut le seul moment où le roi lui adressa directement la parole pour le remercier de faire ainsi diligence.

Ce soir-là, comme la veille, les soldats restèrent l'arme au pied, et les officiers auxquels on avait distribué des billets de logement pour passer confortablement la nuit chez les bourgeois de la ville reçurent l'ordre de dormir au bivouac avec leurs chevaux et leurs hommes. On doubla les tours de garde.

Quant aux commissaires, ils ne dormirent pas du tout. Pendant que le maréchal Maison prenait la route de Carentan en pleine nuit pour dire son fait au général Hulot, Odilon Barrot, revêtu par le général La Fayette la veille de son départ de Paris du haut commandement sur les gardes nationaux de toutes les villes qu'il traverserait, s'employait à les démobiliser et à les convaincre de retourner d'où ils venaient. Des messagers partirent sur toutes les routes afin d'intercepter les colonnes armées qui convergeaient vers la presqu'île du Cotentin et, pour s'assurer de la bonne exécution de ces mouvements de troupe, monsieur de La Pommeraye, député de Caen, avait été envoyé en éclaireur à Carentan, où sa réputation de libéral devait aider à convaincre les derniers récalcitrants de rentrer chez eux.

La remontée du Cotentin

Vendredi 13 août 1830

Sur la route de Carentan

Au petit matin, Sa Majesté reçut l'assurance qu'elle pouvait continuer tranquillement sa route mais à condition de doubler l'étape et de ne pas faire halte pour la nuit à Carentan comme il était initialement prévu.

Peu à peu, le bocage cédait la place aux marais, l'espace s'ouvrait pour que la mer s'y engouffre, et l'aumônier de Sa Majesté profitait de ce changement de paysage pour lui rappeler que Moïse, lui aussi chassé par Pharaon, avait dû faire une terrible traversée mais qu'au bout de l'exode se trouvait la Terre promise. On croisait sur le chemin des petits détachements de milices bourgeoises démobilisées dans la nuit qui rentraient chez eux en maugréant. Tout au plus montraient-ils le poing au passage de la garde mais sans risquer davantage, de peur de recevoir en retour un coup de plat de sabre sur le dos.

Il pleuvait de nouveau ; on marchait néanmoins d'un bon pas lorsqu'un nouvel incident obligea le convoi à s'immobiliser quelques lieues à peine avant d'entrer dans Carentan. Un détachement d'une centaine de gardes nationaux venus de Cherbourg et rejoints par quelques rares miliciens de Valognes refusait toujours de céder la place, et ce malgré les exhortations de La Pommeraye arrivé en pleine nuit avec leur ordre de démobilisation. Ces hommes ne voulaient pas se séparer avant de s'être emparés du prince de Polignac qui se cachait selon eux dans l'une des nombreuses voitures de suite du cortège royal. Ils prétendaient donc fouiller tout le convoi avant de permettre au roi de continuer son chemin. Quelques heures plus tôt, ils s'étaient même permis d'arrêter un malheureux prélat venu saluer la famille royale, convaincus que l'ancien Premier ministre se cachait sous la mosette épiscopale ! Le pauvre ecclésiastique en avait été quitte pour la peur. Les plus enragés allaient même jusqu'à exiger des gardes du corps qu'ils arborent la cocarde tricolore pour les autoriser à suivre le roi jusqu'à Cherbourg.

Le ton monta très vite. Charles X fit répondre à ces exigences que ses gardes ne porteraient pas d'autre cocarde que la sienne et que jamais – il prononça le mot deux fois – il ne prendrait la cocarde tricolore. La dauphine poussait d'affreux soupirs, son mari préparait intérieurement son examen de conscience pour affronter sereinement la mort, et la petite duchesse de Berry sortait ses jolis pistolets de voyage de leur écrin de bois précieux. Les gardes, eux, ne riaient plus du tout et menaçaient ouvertement de faire sauter la cervelle du premier insolent qui oserait approcher du roi et de ses berlines. Une fois encore, la voiture des commissaires remonta la colonne au trot pour s'interposer, Odilon Barrot en sortit et, depuis le marchepied, fit une belle harangue aux gardes nationaux pour qu'ils retournent chez eux en les menaçant des foudres du général La Fayette en personne dans le cas où ils refuseraient d'obtempérer. Comme derrière lui la première compagnie de gardes du corps, au moment même où il parlait, s'était déjà rangée en bataille, l'éclair des sabres que l'on tire des fourreaux leur donna soudain à réfléchir et les petits-bourgeois éméchés se rangèrent aussitôt de chaque côté de la route, et le roi passa au milieu d'eux sans leur jeter même un regard. Ces braves gens, à présent dessoûlés, adossés aux barrières, faisaient en revanche l'admiration des vaches qui, ruminant non loin de là, n'avaient jamais vu autant de couleurs d'uniformes en bordure de leur pré où il ne passait jamais personne en dehors de la malle-poste trois fois la semaine. Pour ces belles normandes aux mufles humides et au regard si doux, la révolution était une fête.

À *Carentan*

Lorsque le cortège arriva aux portes de Carentan, le roi eut l'heureuse surprise de voir la garnison prête à lui rendre les honneurs. Le capitaine de Busselot, commandant militaire de la place, avait donné les ordres les plus stricts pour que Charles X soit accueilli en roi et non en proscrit, puis il vint lui-même rendre ses devoirs à la famille royale qui le reçut avec bonté. Ce vieux militaire au visage grêlé de petite vérole et couturé de batailles restait coi d'émotion, la main posée sur la poitrine, triturant sa croix de Saint-Louis pendant que Sa Majesté le félicitait de la bonne tenue de ses hommes. Le dauphin, qui se pensait un grand capitaine car il pouvait réciter de tête les tableaux d'avancement de chaque corps d'armée, crut bon de prendre la parole pour louer publiquement la fidélité du soldat, les états de service de l'officier et l'excellente naissance du gentilhomme. L'esprit de cour régnant en maître jusque sur les routes de l'exil, tous les officiers généraux qui assistaient à la scène firent alors chœur avec les louanges du prince, et chacun de se rappeler les occasions, réelles ou imaginaires, qui leur avaient permis d'en éprouver la justesse. Loin de se courber sous les éloges, le vieux capitaine resté silencieux jusque-là se rembrunit puis, prenant à témoin tous ces uniformes chamarrés qui lui tressaient des lauriers, leur demanda tout à trac pourquoi, alors que ses mérites leur étaient à ce point connus, ils avaient toujours fait en sorte de le tenir éloigné de la Cour et des princes. La charge ne s'arrêta pas là car, emporté par son élan, le capitaine de Busselot les accusa nommément d'avoir tenu le roi enfermé au palais des Tuileries, loin des réalités de la France, et d'être à l'origine de la catastrophe qui s'abattait sur lui. Ces déclarations firent évidemment l'effet d'une bombe d'eau jetée au beau milieu d'un concert, le dauphin dont l'élocution l'abandonnait dès qu'il se trouvait pris au dépourvu mâchonnait des mots sans suite pendant que le roi, protégé par sa surdité sénile de toute parole trop vive prononcée en sa présence, souriait à ce qu'il croyait être un échange d'aimables propos entre soldats.

On préféra alors se pencher aux fenêtres pour entendre les jolies bourgeoises de la ville s'émerveiller de la beauté des enfants royaux et plaindre leur innocence plutôt que les récriminations déplacées de ce vieux grincheux qui ne savait pas accepter les compliments lorsqu'ils venaient.

Sur la route qui va de Carentan à Valognes

Malgré les bonnes dispositions de la garnison, le convoi quitta Carentan pour reprendre sa route à travers la presqu'île du Cotentin, immense bras de haies, de prés, de chemins creux et d'eaux dormantes, jeté en travers de la Manche.

On fit halte à Saint-Côme-du-Mont pour le déjeuner. Le roi s'attabla tout simplement dans la dernière maison du village pendant que, sur un coup de tête, la duchesse de Berry, profitant d'une magnifique éclaircie, décidait d'improviser un déjeuner sur l'herbe avec ses enfants et leur gouvernante. Le baron Hocquart fit aussitôt déployer la vaisselle de porcelaine et d'argent sur d'immenses nappes damassées arrachées nuitamment aux tables du château de Saint-Cloud, et l'on servit la collation comme si l'on se trouvait encore dans les jardins du Trocadéro. Le marquis de Rosanbo s'empressait auprès de la jolie princesse, au point que leurs apartés n'échappaient plus à personne, quand on vit soudain danser dans le soleil des channes de cuivre étincelantes portées sur leurs têtes par de jeunes paysannes venues proposer le produit de leur traite au jeune Henri et à sa sœur.

Au moment de remonter en selle, le roi vit approcher plusieurs gentilshommes venus là pour le défendre dès que les manœuvres du général Hulot avaient été connues. On lui présenta monsieur d'Argenton et monsieur de Parfouru qui venaient de parcourir plus de dix lieues en une seule nuit. Il y avait aussi messieurs de Galard et de Ghauville, deux braves hobereaux dont l'un grelottait de fièvre, car il se relevait à peine de la scarlatine. Hébétés de se retrouver en face du roi de France, ils n'osèrent pas lui avouer qu'ils étaient partis à sa recherche voilà plus de dix jours pour lui apporter leur aide et leur or, plus d'un an de fermage, qu'ils s'étaient perdus et que, sans l'aide de monsieur de Chênedollé, ils auraient continué à tourner en rond et à courir après Sa Majesté sans jamais la trouver. Ému, Charles X les remercia et reçut de bonne grâce le jet de louis d'or que les deux hommes faisaient pisser de leurs ceintures comme le don gratuit de sa bonne noblesse normande.

Un peu plus loin, des paysans se tenaient sur les bords du grand chemin pour voir le roi en agitant leur chapeau en signe de bienvenue. Certains tombaient à genoux, d'autres offraient du cidre aux soldats. Tous se montraient respectueux, et parfois des larmes coulaient sur les visages les plus anciens. Au croisement de Montebourg, une foule plus nombreuse, des paroisses entières conduites par un curé, s'enhardissait jusqu'à entourer la voiture des princes dans le but de leur toucher les mains et de demander leur bénédiction. Il fallait alors faire halte pour répondre à ces sollicitations insistantes, et les princesses descendues de voiture échangeaient quelques mots, allant parfois jusqu'à prendre un nouveau-né dans les bras ou à féliciter de jeunes promis. Si le roi lui-même restait entouré d'un respect craintif, les apparitions du duc de Bordeaux tenant la main de sa mère transformaient ces démonstrations muettes en un concert de lamentations bruyantes. Les femmes aux coiffes immenses soigneusement tuyautées pleuraient beaucoup avant que les hommes, après avoir prudemment regardé de droite et de gauche, confessaient : «On nous a dit qu'il fallait bien se garder de crier "Vivent les Bourbons!"; mais nous on s'en moque bien, et vivent les Bourbons! Vive le duc de Bordeaux! Revenez bientôt, revenez bientôt.» Alors retentissaient ces «Vive le Roué» qui avaient sonné aux oreilles de Louis XVI lors de son propre voyage à Cherbourg, et c'était une autre France, une France oubliée, une France ancienne, une France perdue, fidèle à son Dieu et à son roi, qui surgissait de derrière les haies pour y disparaître tout aussi soudainement lorsque l'ordre de marche résonnait de nouveau.

Fortement ébranlée par ces témoignages, la duchesse de Berry, ivre d'émotion et peut-être un peu grisée par le vin servi des belles mains de Rosanbo, refusa tout net de remonter en voiture à la sortie du village de Montebourg où, s'accrochant à la portière, elle cria comme une forcenée de la Salpêtrière :

— Arrêtons-nous ici! Attachons-nous à un arbre, à une borne mais, pour l'amour de Dieu, n'allons pas plus loin!

Une violente averse et la colère du roi eurent vite raison de son héroïsme. La voiture repartit. Sa Majesté voulait atteindre Valognes avant la nuit.

Les adieux de Valognes
Samedi 14 et dimanche 15 août 1830

La veille de l'arrivée de Charles X et de sa famille, une cinquantaine de voitures armoriées convergeaient déjà vers la petite ville de Valognes à travers les chemins creux du Cotentin. On avait fermé précipitamment les châteaux pour faire ouvrir les maisons, enlever les housses des meubles, secouer les rideaux, battre les tapis, accorder les instruments à cordes, remonter les horloges, car tout devait être prêt pour recevoir le roi et loger ses gardes du corps dont l'ancienneté des noms tiendrait lieu, dans la ville la plus farouchement aristocratique du royaume, de billet de logement. C'était donc une procession de noblesse comme le pays n'en avait pas vu depuis le grand recensement de 1778. Ils arrivaient de Saint-Sauveur, de Pont-Rilly, du Quesnay, de Crosville, de Néhou, de Canisy, de Coutainville, de Barneville, de Querqueville, de Tourlaville, de Rauville et parfois de plus loin encore, afin de reprendre possession d'une ville qu'ils n'occupaient, en temps normal, que les mois d'hiver lorsque les vents venus de la mer trempent jusqu'aux draps des lits et s'engouffrent en hurlant dans les conduits de cheminée.

Que le premier de leur lignée à s'arracher de la glèbe originelle ait été compagnon de Guillaume le

604

Conquérant, corsaire sur le rocher de Granville ou riche maltôtier, ils étaient nobles, de cette noblesse parcheminée qui ne se mélangeait pas et préférait désormais laisser mourir ses filles vierges plutôt que de les voir mésalliées. Quant à ceux qui n'étaient pas tout à fait assurés de l'ancienneté de leurs titres, du prestige de leurs alliances ou de la pureté de leurs origines, ils se montraient évidemment les plus intraitables et s'interrogeaient gravement pour savoir si l'on pouvait, sans déshonorer sa maison, recevoir sous son toit un ancien maréchal d'Empire.

Paris chassait le roi légitime ; Valognes lui ouvrait ses salons car, dans cette petite ville que la noblesse peuplait depuis deux siècles de ses hôtels, de ses serviteurs et de ses fournisseurs, la monarchie était chez elle. On en voulait pour preuve que le seul drapeau tricolore qui flottait maintenant au-dessus des toits était celui de l'hôtel de ville et encore le maire avait-il été contraint de le faire venir de Cherbourg, car personne n'aurait eu l'idée de conserver chez soi l'étendard ensanglanté de la Révolution et de l'Empire. Il était flambant neuf, et ses couleurs très vives portaient encore des traces si nettes de pliage que cela faisait rire les gens.

Dans les rues où l'on ne voyait passer par temps calme que de vieilles dévotes allant à l'office régnait depuis quelques heures une activité de jour de foire, et des femmes lourdement fardées avaient fait, elles aussi, le voyage sur des chars à bancs depuis Cherbourg et Barfleur. Ces messieurs de la garde, habitués aux raffinements poivrés des entresols du Palais-Royal, devraient se contenter des caresses frustes de filles à marins mais, trois semaines sans permission et le cul sur la selle, c'était déjà bien long pour des officiers de vingt ans. Les aumôniers, le curé et ses vicaires ne chômeraient pas le lendemain matin.

Sa Majesté logeait rue des Religieuses, chez les Mesnildot, une famille qu'elle avait déjà honorée de sa présence en 1816[*] et, les rois étant des gens d'habitude, Charles X n'avait pas imaginé, quatorze ans plus tard, s'arrêter dans une autre maison. Elle était vaste, solidement bâtie et bien distribuée, mais pas suffisamment pour loger convenablement la famille royale qui refusait d'être séparée et dont les lourdes berlines d'apparat se serraient les unes contre les autres dans la petite cour d'honneur. Alors on s'arrangea. Si le maître des lieux céda, comme un honneur insigne, ses plus beaux appartements au roi et à la dauphine, le dauphin, la duchesse de Berry et sa fille durent se contenter des étages supérieurs. Quant au petit duc de Bordeaux et sa suite, ils se retrouvèrent dans l'aile sur cour, au-dessus des remises, assez mal logés dans de minces entresols. Le chevalier de Lavillatte, premier valet de chambre chargé de veiller au bon ordre des entrées, occupait la première antichambre, le baron de Damas la chambre à alcôve, et le prince se contentait d'un minuscule cabinet de toilette adjacent dont le seul luxe se résumait à une demi-fenêtre ouvrant sur les jardins. Un garde du corps interdisait, nuit et jour, l'accès de cet appartement de

---

[*] Épargné pendant la Seconde Guerre mondiale, l'hôtel dit Mesnildot de la Grille situé au 18 de la rue des Religieuses existe toujours. Il abrite depuis 1898 un établissement d'enseignement catholique. Une plaque posée sur sa façade principale en 1930 rappelle le passage du roi Charles X. Pendant la guerre, il a été utilisé par l'occupant comme prison.

régisseur auquel on accédait par un minuscule escalier mais selon le même cérémonial qu'au palais des Tuileries. Il était même encore plus strict, car celui qui portait désormais le nom d'Henri V aux yeux de tous les monarchistes restés fidèles à la branche légitime avait la colique. La duchesse de Gontaut craignait un empoisonnement à l'arsenic, mais ce n'était qu'un effet de la gourmandise du jeune roi qui, très heureux d'avoir cueilli la veille des pommes trop vertes, avait tenu à manger sa récolte.

Quant au reste des domestiques attachés au service de la famille royale, ils se distribuèrent les chambres de bonne et, pour les moins chanceux, les bottes de paille disposées comme autant de matelas dans les greniers à foin.

La soirée se révéla aussi animée que parée. Les maisons ouvertes éclairées *a giorno* comme pour le bal et les immenses volées d'escalier dont chaque palier était encombré de laquais en livrées ne désemplissaient pas. On y croisait les officiers de la garde et même de vieux gentilshommes normands qui n'avaient pas hésité à revêtir de nouveau l'habit blanc à revers et parements roses des vieux régiments d'Aunis et du Perche dont les officiers formèrent le premier noyau de l'armée des princes en 1791, ou encore la veste verte à retroussis blanc des légions de volontaires royalistes levées en 1815 pour empêcher, sans grand succès, l'envol de l'Aigle. Tous venaient offrir au roi leur vieux sang et leur épée rouillée pour la défense de sa famille et de son honneur. Les officiers généraux étaient accueillis sous les hauts plafonds de salons immenses par des douairières qui portaient encore, accrochées à leurs coiffes, les longues barbes de dentelles noires comme sous le règne de Louis XV, heureuses de raconter à leurs hôtes les exploits de la chouannerie en montrant, dissimulés dans les boiseries ou derrière des verdures d'Aubusson, les réduits secrets qui, pendant la Terreur, avaient vu célébrer la sainte messe par des curés réfractaires. Celles dont la vertu dansait, quarante ans plus tôt, au camp de Vaussieux rappelaient en chuchotant comment la belle Aimée de Spens était parvenue à détourner l'attention des bleus en se déshabillant à sa fenêtre, sauvant ainsi la vie du chevalier des Touches au prix de sa pudeur. Dans les embrasures, quelques jeunes filles aux cernes et aux lèvres chlorotiques rêvaient à des saillies impossibles en mâchonnant des feuilles de réséda arrachées aux belles jardinières d'acajou.

Les cabarets et les estaminets, eux non plus, ne désemplissaient pas, les cruchons d'eau-de-vie de cidre volaient de table en table, les hommes discutaient en s'échauffant des derniers événements de Paris, leurs voix s'élevaient pour défendre des théories politiques qui se perdaient dans la plus grande confusion avec la nuit. Le comte de Trogoff s'était mis à faire publiquement l'appel de tous ceux qui auraient dû avoir la décence et le courage de rejoindre le roi pour l'escorter jusqu'à l'embarcadère et qui, au lieu de cela, s'étaient déjà précipités au Palais-Royal pour faire acte de soumission au nouveau pouvoir. Chaque fois que l'ancien gouverneur de Saint-Cloud lançait un nom, les gardes du corps le saisissaient à la volée pour le déchirer à coups de plaisanteries. C'était drôle et cruel. On riait, on divulguait de petits secrets, on rappelait de féroces appétits d'honneurs et surtout de grands ridicules. Les vaincus se vengeaient ainsi de l'Histoire en se moquant de ses éternels figurants.

Personne ne voulait aller se coucher car, à l'exception des officiers supérieurs, les huit escadrons de la maison du roi avaient été mis au bivouac sur les promenades qui ceinturaient la ville, et la pluie tombait depuis la veille avec une telle violence que les hommes qui n'avaient pas trouvé à se loger chez l'habitant préféraient continuer à boire plutôt que d'aller s'étendre dans la boue.

Le lendemain, jour de la fête de l'Assomption, il y eut, dès le matin, beaucoup de remue-ménage dans le petit entresol du duc de Bordeaux. Le roi, inquiet de la santé de son petit-fils, était venu prendre de ses nouvelles et, lorsque le prince, qui jouait sur son lit, aperçut son grand-père, il s'écria en le repoussant :

— Ah, Bon Papa, allez-vous-en, il y a des puces ici, mais il y en a !

Et il lui montrait son matelas sur lequel fourmillait tout un bestiaire agité et minuscule.

Le roi, que ces petites misères domestiques ne semblaient pas affecter outre mesure car il avait connu à Versailles des puciers d'une autre grandeur, répondit d'un ton résigné :

— Que veux-tu, mon enfant, tu en sentiras bien d'autres...

Le jeune Henri, qui riait aux éclats, voulut aussi montrer à son aïeul un meuble étrange. Il s'agissait d'une simple table de bois blanc sur laquelle le frère et la sœur avaient pris la veille au soir leur chocolat chaud et qui présentait la curieuse particularité de faire verser les tasses dès que l'on s'approchait d'elle. Le roi demanda à voir ce mystère qu'une simple démonstration suffit à révéler. La table était tout simplement bancale, et il n'en existait pas de semblable dans les appartements des châteaux royaux. Le roi se retira, cédant la place à la duchesse de Berry puis au dauphin et à la dauphine qui venaient, eux aussi, prendre des nouvelles de la santé de l'enfant. Pour occuper le malade auquel les médecins interdisaient de quitter la chambre, mademoiselle Vachon, l'institutrice de Mademoiselle, improvisa une leçon d'italien dont la duchesse de Berry voulut évidemment se mêler. On cria beaucoup, et cela finit par faire rire la dauphine elle-même. De temps à autre, le baron de Damas demandait au duc de Bordeaux d'aller se montrer à la fenêtre de la cour pour saluer une délégation qui réclamait à le voir, puis il retournait se coucher.

Après le retour de la messe que la famille royale alla entendre à l'église Saint-Malo, les groupes de paysans venus des alentours qui s'agglutinaient aux grilles de fer forgé furent écartés par les gendarmes des chasses en faction pour laisser passer une colonne de gardes du corps qui marchaient par quatre, accompagnés de leurs officiers et précédés des porte-étendards. Les douze gardes les plus anciens de chaque compagnie avaient été désignés pour déposer leurs drapeaux aux pieds du roi. Malgré les émeutes de juillet et l'interminable retraite depuis les Tuileries, malgré la route, malgré la chaleur étouffante, malgré les campements de fortune et surtout les terribles orages des derniers jours, leurs tenues étaient aussi impeccables que pour une prise d'armes au Carrousel. Le duc de Luxembourg et le prince de Croÿ, bâton de commandement en main, guidaient la cadence de leurs pas. Une fois monté le petit perron, ils parcoururent le couloir étroit qui conduisait au bel escalier de pierre. Arrivé au premier étage, la colonne se déploya dans les deux grands salons en enfilade et tendus de soie jaune. Le roi les attendait. Comme à Rambouillet au lendemain de son abdication, il avait quitté son uniforme militaire pour un simple frac de gros drap bleu à boutons de métal et ne portait plus aucune de ses décorations, pas même le cordon du Saint-Esprit, qu'il avait pourtant reçu des mains de son grand-père, le roi Louis XV, le jour de sa naissance. Il tenait le duc de Bordeaux par l'épaule. Son fils, le duc d'Angoulême, occupait sa gauche et sa femme, la dauphine, sa droite. Le reste de la famille ainsi que les principaux officiers généraux formaient autour d'eux une sorte de chœur antique réduit au silence. Lorsque les hommes portant les drapeaux de la première compagnie arrivèrent devant le roi, le silence tomba sur ce salon de province comme une pierre au fond d'un puits, et ce fut long. Personne n'osait parler et personne ne bougeait jusqu'à ce qu'un officier s'effondre en larmes, entraînant une nouvelle crise de la dauphine qui se mit à hoqueter bruyamment. Tous se mirent à genoux, chacun se saisissant de la main la plus proche, qu'elle appartienne au roi, aux princes ou aux princesses, pour l'embrasser.

Ce fut la voix de Charles X qui rappela tous ces hommes à leur devoir et à leur dignité en leur disant d'un ton à leur faire honte :

— Allons, mes amis, calmez-vous ; faudra-t-il que ce soit moi qui vous console ?

Soldats et officiers reformèrent alors immédiatement les rangs, et chaque porte-étendard remit au roi le drapeau de sa compagnie. Sa Majesté en caressa la soie puis, élevant la voix, prononça une de ces phrases auxquelles elle avait pensé bien longtemps avant d'en faire usage :

— Messieurs, je reprends vos drapeaux ; ils sont sans tache ; un jour mon petit-fils vous les rendra. Je vous remercie de votre dévouement, de votre fidélité et de votre sagesse. Je n'oublierai jamais les preuves d'attachement que vous m'avez données, ainsi qu'à ma famille. Vous êtes jeunes, continuez à servir la France notre cher pays avec honneur car, de ce jour, je vous délie de vos serments. Adieu, et soyez heureux !

Ce dernier échange mit un terme à la solennité du moment, car les soldats rompirent de nouveau les rangs, et ce fut une ruée vers la famille royale à laquelle chacun voulait dire un mot, apporter un témoignage, raconter un souvenir, une anecdote ou demander une dernière faveur. Une poignée de minutes suffirent à remplacer le silence religieux qui régnait jusque-là en un invraisemblable brouhaha rythmé par le cliquetis des sabres qui s'entrechoquaient et le bruit des semelles de bottes martelant le parquet. La dauphine maintenant ne pleurait plus, cherchait à dire à chacun un mot aimable, ce qui lui était toujours un effort, et regardait étonnée son neveu, le petit duc de Bordeaux, que certains gardes du corps, oubliant le respect dû aux fils de Saint Louis, prenaient dans leurs bras pour le soulever de terre et se le passer de l'un à l'autre en l'embrassant sur les deux joues. D'un geste tiré de l'un de ces romans pour grisette dont elle se faisait faire la lecture à Rosny pendant ses grossesses clandestines, la duchesse de Berry se saisit des petits ciseaux d'or qui pendaient à sa ceinture pour couper quelques mèches blondes des cheveux de son fils et les distribuer autour d'elle comme autant de brevets d'honneur et de dévouement. Il fallut un regard impatienté du roi pour éviter que le petit duc de Bordeaux ne se retrouve entièrement tondu par sa mère.

Au bout d'une demi-heure de ce désordre, les officiers, qui voulaient empêcher que ces effusions ne deviennent importunes, donnèrent ordre à leurs hommes de reformer la colonne et de se retirer. Il était déjà plus de deux heures de l'après-midi, et de nombreux visiteurs attendaient dans les escaliers de pouvoir faire individuellement leurs adieux à la famille royale.

Dans la cour de l'hôtel, un attroupement se forma autour d'un vétéran de la garde qui, très ému, racontait qu'il avait déjà assisté aux adieux de Napoléon à Fontainebleau le 20 avril 1814 ; il comparait les deux monarques tout en s'interrogeant sur la vanité des règnes et l'inconstance de la France. La duchesse de Berry à laquelle on relatait cette coïncidence, loin de réfléchir à la fragilité du pouvoir, fut prise d'une grande panique à l'idée qu'elle serait peut-être un jour, elle aussi, séparée de son fils et envoyée à Sainte-Hélène. Cette terreur, devenue une sorte d'obsession, ne la quitta plus, et elle promettait à qui voulait bien l'entendre qu'elle préférerait se jeter à la mer plutôt que de vivre un tel exil. La dauphine considérait avec mépris l'explosion théâtrale de ces terreurs enfantines car elle avait connu au Temple bien pire qu'une île des antipodes, et l'agitation de sa belle-sœur, déjà à peine supportable aux Tuileries, lui devenait franchement odieuse.

On vit un peu plus tard le roi se présenter sur le perron de l'hôtel et regarder pendant un court moment la petite foule agglutinée aux grandes grilles. Il aurait voulu s'adresser à elle, prononcer quelques paroles historiques, mais, outre qu'il craignait de ne pas maîtriser son émotion, il ne savait pas quoi dire à tous ces gens.

Pendant qu'à Valognes Saint-Cloud se croyait à Versailles, une véritable escorte militaire accompagnait une voiture pesante qui roulait vers Cherbourg. Les rideaux des portières restaient toujours fermés, et lorsque le petit convoi relayait, les maîtres de poste s'étonnaient de ne voir aucun passager en descendre. La voiture était gardée jour et nuit par des hommes armés qui interdisaient d'en approcher, et c'était là beaucoup de mystère pour une voiture qui, depuis Paris, ne transportait en réalité personne, mais cela, les maîtres de poste l'ignoraient.

Pendant ces deux journées qui avaient vu l'ancienne cour jeter ses derniers feux au milieu du bocage, une intense correspondance s'était échangée entre Charles X cherchant un port d'attache pour sa famille et le gouvernement effrayé à l'idée que le vieux roi et surtout son petit-fils ne s'éloignent pas suffisamment de la France. Louis-Philippe se souvenait parfaitement avec quelle habileté politique, au moment des Cent-Jours, Louis XVIII, loin de repasser en Angleterre, avait attendu tranquillement à Gand la défaite de Napoléon, rappelant par sa seule présence de l'autre côté de la frontière qu'il n'était pas question pour lui d'abandonner la partie et qu'il faudrait toujours compter avec l'héritier d'Hugues Capet. Précaution qui n'avait pas manqué de refroidir bien des dévouements à l'Empereur. Il ne pouvait donc pas être question dans l'esprit du nouveau roi des Français de régner sous la menace permanente de trois rois en puissance, prêts à traverser la frontière aux premiers troubles pour rassembler leurs partisans et venir réclamer la couronne de leurs ancêtres. Il préférait donc placer une mer entière entre eux et lui. Aussi les chevaux crevaient-ils sous les coups d'éperon des estafettes chargées de porter les messages des uns aux autres. Charles X pensa d'abord à Ostende, puis à Amsterdam, mais la réponse fut catégorique, il n'était pas question que le nouveau gouvernement accepte la présence des exilés aux Pays-Bas. Alors, habitué à reculer toujours plus loin, le vieux roi proposa Hambourg, mais là encore c'était inenvisageable, car deux cents lieues n'étaient pas suffisantes. Le roi d'Angleterre tardait, pour sa part, à répondre aux courriers de l'ancien roi de France. Les négociations s'enlisaient pour le plus grand plaisir de Charles X qui appréciait le Cotentin, mais la diplomatie de Louis-Philippe finit par obtenir que ses cousins puissent se retirer provisoirement au-delà de la Manche. Les bateaux, qui attendaient maintenant depuis près de dix jours dans le port de Cherbourg, venaient de recevoir l'ordre de débarquer le roi et sa famille à Portsmouth.

Lorsque les commissaires demandèrent à voir le roi pour l'informer de sa future destination, ce dernier leur fit étonnamment très bon accueil. Sa Majesté avait aimé ses adieux à la garde et souhaitait se montrer jusqu'au bout gentilhomme ; aussi, lorsque les ultimes détails du départ furent arrêtés, le monarque déchu tint à témoigner sa gratitude à ces hommes qu'il méprisait mais qui avaient permis à son voyage de se dérouler dans la sûreté et la dignité :

— Messieurs, nous allons bientôt nous quitter, j'éprouve donc le besoin de vous remercier des soins dont vous m'avez entouré dans des circonstances tout à la fois si pénibles et si périlleuses.

Les commissaires, habitués aux rebuffades et aux dédains de cette famille qui les regardait tout à la fois comme des geôliers et des domestiques, n'en demandaient pas tant et se répandirent aussitôt en propos déférents accompagnés de protestations de dévouement pour le roi, sa personne et sa famille. Charles X, bien décidé à rester d'une bienveillance toute royale avec ces importuns qui lui étaient imposés depuis Rambouillet, continuait à sourire lorsque le maréchal Maison, croyant le moment favorable, voulut assurer son ancien maître qu'il n'aurait jamais accepté une telle mission si ce n'était pour lui manifester sa reconnaissance. Dans ces circonstances particulières, le mot claqua comme un juron lancé sur le passage de la procession du Saint-Sacrement car le roi, qui se souvenait parfaitement d'avoir remis lui-même le bâton de maréchal à ce général félon, trouvait que la reconnaissance d'un militaire aurait pu se manifester d'une tout autre façon. Aussi interrompit-il sur l'instant ces effusions déplacées en répliquant :

— Ne parlons plus de cela ! avant de lui tourner ostensiblement le dos.

Il ne resta plus au maréchal qu'à se retirer.

Dans l'entresol au-dessus des écuries, on assistait au coucher du duc de Bordeaux auquel son gouverneur et son aumônier faisaient dire sa prière. L'enfant roi se mit au lit presque à regret en jurant au baron de Damas qu'il n'aurait pas le mal de mer.

L'embarquement à Cherbourg
Lundi 16 août 1830

À *Valognes*

Depuis le matin, un soleil inattendu réveillait l'austérité janséniste des pierres de Valognes, et la ville habituellement si cauteleuse grouillait d'une vie de foire. Les soldats se préparaient au départ, les aubergistes garnissaient les havresacs, et les paysans se pressaient sur les places aussi nombreux qu'un jour de marché. Toujours revêtus de leurs habits du dimanche, et leur femme portant des Saint-Esprit étincelants sur la poitrine, ils n'étaient pas retournés à leurs travaux, les champs restaient donc à moitié moissonnés à cinq lieues à la ronde. Le peuple des campagnes attendait d'assister au départ du roi avant de retourner à ses activités séculaires, la rue des Religieuses était noire de monde, et l'on accédait avec peine jusqu'aux grilles de l'hôtel de Mesnildot. À l'intérieur de la cour, Charles X ne cessait de dire adieu à tous ceux qui venaient à lui. Il portait encore le simple frac bleu sans décorations mais il était mis, ce matin-là, avec énormément de soin. Ses cheveux blanc d'argent dont la masse faisait depuis longtemps son orgueil lui offraient une sorte de couronne naturelle. Un teint frais et reposé contrastait avec le visage cireux et les yeux ourlés de sang des jours précédents.

Ses bottes brillaient comme si elles avaient été frottées de beurre, il se tenait droit comme la main de Justice et paraissait dix ans de moins que la veille, contrairement à son fils le dauphin tassé dans un triste frac noir qui donnait à ce prince des allures de vieux rentier taraudé par la banqueroute. Pendant que le roi remerciait chacun selon son rang, la petite duchesse de Berry sautillait sur le perron d'une marche l'autre pour vérifier l'ampleur de sa robe coupée en amazone qui devait lui permettre de sauter à cheval si la nécessité venait à l'exiger. La princesse rêvait toujours d'une nouvelle armée catholique et royale qui se lèverait à l'ouest pour les enlever, elle et son fils, avant qu'ils n'embarquent.

Le convoi n'attendait plus que le duc de Bordeaux retenu dans ses appartements par de nombreux gardes du corps qui lui demandaient comme une grâce de signer l'ordre du jour, le dernier, par lequel Charles X les remerciait de leur fidélité et qui irait bientôt rejoindre les vieux chartriers et les lettres d'anoblissement dans leurs archives familiales comme une preuve supplémentaire de leur attachement à la monarchie légitime et à la dynastie. Le roi, impatienté et peut-être un peu piqué par la popularité de son petit-fils, le fit presser, et l'enfant arriva enfin. Il n'était pas encore tout à fait remis de sa colique et craignait la mer. Son grand-père, auquel ces petites faiblesses physiques déplaisaient prodigieusement, lui dit alors d'un ton un peu roide qui n'était pas dans ses habitudes :

— Eh bien, es-tu décidé à ne pas être malade sur le bateau ?

L'enfant, dont le ventre allait vite démentir son propos en gargouillant, répondit avec le plus de conviction qu'il lui fut possible de mettre dans sa voix :

618

— Vous verrez, Bon Papa, que je me tiendrai bien. Lavillatte m'a dit comment il fallait faire...

Le dauphin, toujours dans l'ombre de son père, se contenta d'exprimer ses doutes par une grimace de dégoût.

La cour, la rue, les fenêtres et même les toits étaient maintenant noirs de monde. Les broderies des vestes paysannes se mêlaient aux fastes des uniformes et des grands habits de cour revêtus autant par respect pour la personne du monarque que pour braver une dernière fois tous ces gens du juste milieu qui triomphaient à Paris.

La berline royale manœuvrait difficilement dans la cour de l'hôtel trop étroite pour prendre position devant le perron et, malgré le soin des postillons et des quelques garçons des écuries restés attachés à leur charge, elle présentait un aspect épouvantable. Ses portières étaient toujours en deuil des grandes armes de France grattées à L'Aigle par des mains anonymes, l'équipage avait perdu depuis longtemps les harnachements de maroquin rouge doré aux petits fers, les housses d'apparat, galonnées, frangées et torsadées de soie n'étaient plus qu'un souvenir, la carrosserie d'or verni était rayée de tous côtés, et la lourde caisse pesait considérablement sur des suspensions épuisées par les ornières et le cahot des routes de France. Les essieux ne grinçaient plus, ils pleuraient de misère au heurt de chaque pavé. Le cocher dont la livrée s'était perdue avec une partie de ses bagages arborait une tenue bourgeoise passablement disparate et ne portait, en lieu et place du tricorne réglementaire, qu'un chapeau rond fort délabré. Quant aux chevaux, les nattes savantes de leurs crinières n'étaient plus qu'un lointain souvenir, ils se présentaient, la queue en bataille, l'œil morne et le poil triste. Un mauvais fiacre de la place Louis-XV n'aurait pas été plus mal tenu.

Comme à Rambouillet le soir du départ, Charles X hésitait, il marchait le long de la voiture délabrée sans se résoudre à y monter, s'arrêtait un instant puis reprenait sa divagation, regardait autour de lui tous ces gens, cherchait à parler et ne trouvait qu'à se taire. Enfin il prit place à l'intérieur de la caisse, et le cortège put se mettre en branle. Le maréchal Marmont, pour lequel on craignait un coup de fusil parti d'un toit ou de derrière une haie, venait de refuser de monter avec le roi qui lui proposait pourtant la protection de son habitacle. Il resterait à cheval jusqu'au bout, préférant la mort à la honte. Depuis quelques jours en effet circulait dans la colonne une méchante rumeur, le gouvernement aurait exigé et obtenu de Charles X qu'il abandonne le maréchal à la justice révolutionnaire en échange de sa propre liberté et de celle de sa famille. Marmont savait, bien sûr, qu'il n'en était rien, car les commissaires lui avaient signé un passeport parfaitement en ordre et le roi lui-même s'était fait le garant de sa sécurité mais, dès l'aube, plusieurs officiers étaient venus le conjurer d'abandonner son uniforme pour l'habit bourgeois qui offrait moins de prise à un tireur embusqué. Le maréchal avait repoussé cette lâcheté avec dédain. Il commandait la garde, et il en conserverait l'uniforme jusqu'à l'embarquement. La veille, alors même que le roi, très démoralisé, était tout près de céder aux commissaires qui lui recommandaient de n'entrer à Cherbourg qu'escorté d'une simple garde d'honneur, il s'y était opposé catégoriquement. Sa Majesté devait être accompagnée de sa maison militaire jusqu'au terme de son voyage, c'était une question d'honneur, de dignité mais aussi de sûreté. Cherbourg n'était pas Valognes mais un port dans lequel les ouvriers faisaient la loi. Charles X, qui craignait les classes laborieuses, se ravisa, et les commissaires fléchirent.

Le silence était maintenant total, aucun cri ne se faisait entendre même lorsque la gendarmerie d'élite dut repousser en s'aidant de ses fusils tenus à deux mains la masse des paysans curieux qui gênait l'ouverture des grilles.

Il était donc déjà dix heures du matin lorsque les voitures de la famille royale précédées par la compagnie du prince de Croÿ, dont les hommes marchaient au pas, botte à botte et quatre par quatre, sortirent enfin de la ville. Les gens s'étaient massés des deux côtés de la route sur plus d'une lieue. Les hommes enlevaient leur chapeau au passage du roi mais ne manifestaient rien. Le duc de Bordeaux et sa sœur se comportaient comme ils l'avaient appris lorsqu'ils passaient devant une foule, saluaient à la fenêtre de leur voiture, envoyaient des baisers de droite et de gauche, ce qui provoquait des attendrissements chez les femmes.

Sur la route de Valognes à Cherbourg

Une fois que la foule se fut dispersée, le roi quitta sa voiture pour continuer à cheval mais, avant de monter en selle, il s'écarta sur le chemin pour aller faire de l'eau contre un arbre. Marmont pensa que si, mille ans plus tôt, Charlemagne avait agi de même, l'arbre serait devenu un but de pèlerinage, et une chapelle aurait été élevée à cet emplacement pour garder pieusement le souvenir de cet événement mémorable. Au lieu de quoi on plantait maintenant dans tous les villages traversés des arbres de la liberté pavoisés comme des mâts de cocagne. La dauphine, qui profitait de cette halte pour se dégourdir les jambes et apprécier la douceur de l'air, s'était arrêtée à une ferme avec sa dame de compagnie, la marquise de Sainte-Maure. Elle avait demandé à boire un peu de lait tiré du pis de la vache et parlait avec les fermiers abasourdis de voir cette fille de roi traîner le bas de ses jupes dans la fange de leur basse-cour. La conversation fut interrompue par la sonnerie à cheval, et la dauphine regagna le convoi mais, alors que les gardes du corps rangeaient respectueusement leur monture à sa vue pour lui permettre de regagner sa berline, elle lança de sa voix rogue :

— Non ! Non ! Je vais monter dans la voiture du roi.

Des hommes se précipitèrent aussitôt pour baisser le marchepied et lui permettre de rejoindre la famille royale qui se trouvait désormais au grand complet dans la même berline.

Soudain, alors que les voitures s'étaient engagées sur la côte des Rouges Terres, la mer déjà précédée par le cri des mouettes depuis une demi-lieue s'imposa à tous les regards. Elle était là, immense, placide, presque un peu bête sous les caresses d'un soleil bien trop généreux pour de telles circonstances. Dieu avait certainement la tête ailleurs. Pour les enfants royaux, c'était enfin la promesse de longues vacances alors que leur départ pour Dieppe était différé depuis trois bonnes semaines par des événements parfaitement incompréhensibles mais très amusants.

Un couple de paysans assis sur un talus observait cet étrange défilé quand le mari dit à sa femme :

— Ven donc, ven par c'te p'tit chemin, en se coulant par là nous serons arrivés à la croix pleureuse* bien avant eux.

Et la femme lui répondit :

— Heula ! Mais laisse-moi, laisse-moi donc les voir tout à mon aise. Je veux voir les pauvres petits enfants ! Ah ! Mon Dieu, si petits et déjà si à plaindre...

Et la vieille pleurait dans son mouchoir avec cette émotion que le peuple a toujours aimé manifester devant le malheur des grands.

À l'entrée de Cherbourg, la colonne marqua brutalement le pas sans en avoir reçu l'ordre. Le prince de Croÿ fit dire au roi par l'intermédiaire du marquis de Courbon qu'un détachement de la garde nationale, accompagné de beaucoup d'ouvriers en blouse et casquette, s'était mis en travers de la route pour arrêter le convoi au cas où les gardes du corps ne se décideraient pas à arborer la cocarde tricolore.

Le roi écouta cette revendication puis répondit simplement :

— Marchez toujours !

La première compagnie reprit aussitôt sa marche, Marmont tira son sabre, convaincu que la catastrophe tant redoutée depuis le départ de Trianon allait se produire alors que l'on touchait enfin au but du voyage. Tous les officiers supérieurs firent de même, prêts à se

---

* En Normandie l'expression «Voilà la croix pleureuse» indique que l'on vient d'arriver à l'endroit où il faut se séparer.

mettre en ordre de bataille pour frayer un passage au roi en tranchant à travers la populace.

À la vue des casques qui étincelaient au soleil de midi et de l'éclat des sabres, dont le miroitement à l'horizon en disait assez sur les intentions de la garde, la petite troupe ombrageuse battit en retraite, et Charles X entra dans Cherbourg en roi.

À Cherbourg

Au même moment, par des chemins plus discrets, la lourde voiture aux rideaux toujours tirés qui avait tant intrigué les maîtres de poste à chaque relais entrait dans la cour de la préfecture maritime. Elle était vide mais disposait d'un double fond blindé et, dès que l'on eut fait jouer le mécanisme du faux plancher, des hommes de confiance en sortirent plusieurs caisses qui contenaient six cent mille francs en doublons d'Espagne. Si cette voiture équipée pour les transports de fonds avait été mise à la disposition du gouvernement par la banque Rothschild, l'or sortait directement des coffres de la Banque de France sur ordre de Louis-Philippe qui tenait à payer les frais du voyage d'une famille devenue trop encombrante. C'était le général de Girardin, passé discrètement au service du nouveau régime, que l'on avait chargé de cette mission de confiance.

Sur l'instruction des commissaires du gouvernement qui craignaient les réactions des ouvriers de l'arsenal, le 64e de ligne encadrait le passage du cortège royal pour empêcher tout débordement, les hommes de troupe présentaient les armes, et les officiers saluaient du sabre à la vue des princes. Certains d'entre eux avaient poussé la délicatesse jusqu'à porter leur shako à l'envers pour éviter que le regard du roi ne vienne se heurter à la cocarde tricolore. Quelques cris hostiles se firent néanmoins entendre, mais ils ne parvinrent jamais jusqu'à la mauvaise oreille du roi, d'autant que le duc de Luxembourg toussait chaque fois pour en couvrir l'injure, se plaignant de la poussière du chemin pourtant admirablement pavé. Seule la dauphine, dont le visage couvert de plaques rouges était profondément altéré par l'angoisse, s'obstinait à demander aux officiers qui marchaient à sa portière ce que criaient tous ces gens. Alors les cavaliers, rapprochant leur monture de la voiture, alourdissaient le pas de leurs chevaux pour emmêler le bruit du peuple avec celui de leurs fers frappant le sol. Quand une trogne hostile se montrait d'un peu trop près, les gardes du corps lui décochaient un sale coup de botte.

Il fut plus difficile de dissimuler l'hostilité de la foule à l'approche du port militaire où la population, plus nombreuse et plus agitée qu'en ville, proférait des menaces très distinctes. Les soldats de la gendarmerie d'élite distribuaient les coups de crosse pour faire taire les ouvriers de l'arsenal et ouvrir la voie au cortège, mais ces derniers ne refluaient pas. Ils se montrèrent même de plus en plus violents, au point que les gendarmes étant près de se faire déborder, il fallut une intervention des grenadiers du 64e régiment de ligne lancés au pas de charge pour mater ce début de mutinerie. Marmont, dont la main ne quittait plus la garde de son sabre, se félicitait à haute voix d'avoir insisté pour que ses hommes accompagnent le roi jusqu'au port car, pensa-t-il, jamais une simple escorte d'honneur n'aurait pu protéger le convoi de toute cette foule. Dans la voiture où se trouvait la famille royale, les femmes parlaient aux enfants pour dissiper l'inquiétude. Le roi récitait mentalement son chapelet, et le dauphin parcouru de tics faisait des grimaces involontaires qui amusaient beaucoup le duc de Bordeaux. La dauphine pleurait sous sa voilette de voyage, mais cet état lui étant presque naturel depuis son retour des eaux, plus personne n'y prêtait attention autour d'elle. Une fois les grilles du port fermées derrière eux, le calme revint, et les quatre compagnies se rangèrent face à la mer, pour un dernier hommage.

Deux paquebots de grand luxe battant pavillons américains, le *Great-Britain* et le *Charles-Carroll*, étaient à quai où ils attendaient leurs passagers depuis le 8 août. Ils avaient été choisis non seulement pour leur confort, mais aussi dans le but d'éviter que le roi et sa famille n'aient à voyager sur des bâtiments français, car Charles X avait clairement fait savoir qu'il ne prendrait jamais la mer sur des navires arborant les trois couleurs. Il préférait encore se jeter à la mer plutôt que de supporter une telle offense faite à la mémoire des martyrs de sa famille. Personne ne se risqua à préciser au roi que les deux navires, loués pour la somme astronomique de cinquante mille francs, appartenaient à Paterson, le beau-père américain de Jérôme Bonaparte…

Depuis le matin, ces navires prenaient l'aspect d'une sorte d'arche de Noé car, de façon que la famille royale ne manque ni de lait ni d'œufs frais, le préfet maritime avait fait embarquer quatre vaches laitières et une quarantaine de poules. À quoi s'ajoutaient trente-huit caisses de conserves dont le poids dépassait largement les trois tonnes. Il ne manquait aucune commodité à bord, pas même une couchette conjugale pour le duc et la duchesse d'Angoulême qui, au grand étonnement de la Cour, ne dormaient jamais dans des lits séparés.

On vit d'abord descendre de la première voiture le baron de Damas, le comte de Mesnard, le duc de Guiche et la duchesse de Gontaut qui, au moment de saluer le maréchal Maison en grand uniforme, ne put s'empêcher de lui dire :

— Qu'il est cruel, monsieur le maréchal, de quitter la France... avant de s'effondrer en larmes.

C'était la troisième fois de sa vie qu'elle partait pour l'émigration, et elle possédait suffisamment de sens politique pour penser que, désormais, l'exil serait sans retour.

Ensuite la voiture de la famille royale, toujours tirée par huit chevaux à bout de force, vint se placer devant le ponton. Le jeune duc de Bordeaux tenant la main du duc d'Angoulême fut le premier à en descendre, mais son oncle dut le lâcher pour donner le bras à sa femme, la dauphine, qui se soutenait à peine. La duchesse de Berry qui, pour sortir d'une voiture tout au moins, n'avait pas besoin des bras d'un homme, sauta directement sur le quai. Elle tendit aussitôt sa main à baiser à tous les officiers qui venaient lui dire adieu en pressant certaines avec plus d'ardeur que d'autres. Quelques-uns d'entre eux poussèrent la hardiesse jusqu'à l'embrasser sans qu'elle s'y oppose. Enfin le roi parut et, contrairement à l'image qu'il donnait le matin même au départ de Valognes, il semblait de nouveau abattu et accusait une grande fatigue morale mais restait parfaitement maître de lui-même.

Un officier arrivé de Paris avec la voiture des frères Rothschild fit un signe au duc d'Angoulême qui le reconnut et se précipita vers lui pour avoir des nouvelles fraîches. Ils échangèrent quelques mots, mais on entendait seulement les réponses du prince qui riait aux éclats en agitant ses épaules :

— Eh bien ! On est tranquille là-bas maintenant ? Ha ! Ha ! Ha ! Et les barricades ? Il n'en reste plus de traces ? Ha ! Ha ! Ha ! Ils n'ont donc plus peur !

Ces rires, accompagnés de quelques pas d'une danse joyeuse, laissaient les témoins confondus et perplexes. Aussitôt la dauphine, qui surveillait toujours du coin de l'œil le comportement déroutant de son mari, s'approcha à grandes enjambées des deux hommes, congédia d'un mot sans réplique l'officier qui provoquait cette hilarité inconvenante et fit cesser les sautillements nerveux du duc d'Angoulême en lui posant la main sur l'épaule.

Un petit pont couvert de drap bleu permettait de monter sur le premier des deux paquebots. Le roi s'avança, reconnut monsieur Pouyer, le préfet maritime, qu'il salua avec bonté ; il fit un simple signe de tête aux commissaires du gouvernement qui attendaient ses ordres tout en invitant le maréchal Maison à le suivre à l'intérieur du bateau. Odilon Barrot et le baron Schonen avaient eu le mauvais goût de se présenter devant le roi, l'un en uniforme de la garde nationale, l'autre avec celui de député, et cela avait déplu à Sa Majesté. La démarche hésitante, Charles X dut prendre discrètement appui sur un officier marchant à ses côtés pour emprunter la passerelle. Il était suivi, comme le voulait l'étiquette, du dauphin qui tenait toujours le jeune duc de Bordeaux par la main mais, au moment où l'enfant allait mettre le pied sur le pont, monsieur de Clermont-Tonnerre, emporté par l'exaltation, prit le jeune prince dans les bras et, l'élevant dans les airs, le montra à la foule. La duchesse de Gontaut, plus morte que vive, monta à son tour sur le bateau avec Mademoiselle. Enfin, arriva la duchesse de Berry appuyée sur monsieur de Charette et la dauphine soutenue par monsieur de La Rochejaquelein. C'était la chouannerie donnant le bras au malheur. Après les princesses, il était facile de reconnaître le duc de Luxembourg, le baron de Damas et le maréchal Marmont. Le reste de la suite royale, limitée à une quarantaine de personnes, prit place à bord du *Charles-Carroll* où le général Talon de la maison du roi venait de procéder à la distribution des cabines avec le même soin qu'il l'aurait fait à Saint-Cloud, Compiègne ou Fontainebleau.

Une fois à bord, le roi s'entretint pendant près d'une demi-heure en tête à tête avec le maréchal Maison puis, revenant à des sentiments plus doux à l'égard des autres commissaires, il les admit, une dernière fois, à son audience pour les remercier de nouveau des soins qu'ils avaient eus de sa personne comme de sa famille. Ensuite il tint à s'entretenir avec eux de questions touchant à ses intérêts privés. Il n'accepterait rien de son cousin Louis-Philippe et considérait les six cent mille francs mis à sa disposition comme une avance sur le produit de la coupe de ses bois. Les commissaires répétèrent que cette somme lui avait été allouée par le gouvernement pour couvrir les dépenses de son voyage et que, de ce fait, elle n'appelait pas de remboursement. Pour ce qui était de sa fortune personnelle, elle restait évidemment sa propriété, et il en était ainsi pour toute la famille royale. Louis-Philippe, toujours avisé, ne tenait pas à ce que le dépouillement de la branche aînée puisse faire un jour jurisprudence. Les domaines de la Couronne appartenaient à la France qui en offrait la jouissance à la famille régnante, mais les biens propres restaient des biens propres, et cette question ne faisait pas débat. Le roi écoutait ces précisions notariales d'une oreille distraite car un autre sujet le préoccupait. Il laissait en France de nombreux serviteurs et des familles restées fidèles jusque dans l'exil qui disposaient pour seul viatique des pensions versées sur la liste civile. Il craignait que le nouveau régime – à aucun moment il ne parla de Louis-Philippe comme d'un roi – n'interrompe ces versements et ne plonge nombre de braves gens dans la misère. Odilon Barrot s'apprêtait à se lancer dans une grande tirade sur la générosité de la France quand le roi l'interrompit. Il savait ce qu'il avait à dire, chaque terme avait été répété, et il tenait à les exposer clairement:

— Vous savez, messieurs, qu'il a été découvert un trésor considérable dans la casbah d'Alger. Il est inutile que je vous rappelle le principe de notre droit public. Ce trésor m'est acquis par le droit de la conquête, et j'ai décidé d'en disposer en faveur de mes malheureux pensionnaires.

Les commissaires restèrent muets de stupéfaction. Ils s'attendaient à tout sauf à ce que le roi Charles X réclame la totalité du butin de la prise d'Alger, tombée un mois plus tôt aux mains de l'armée française. Odilon Barrot, éminent juriste, cherchait désespérément dans sa mémoire contentieuse à quel principe de droit public Charles X faisait allusion et ne trouvait pas. Pour autant, il considéra qu'il était vain d'entrer avec le vieil homme dans une leçon de droit administratif et se contenta de l'assurer que ces généreuses dispositions seraient rapportées au gouvernement.

Le jeune avocat n'était pas au bout de ses surprises car, au moment où il s'apprêtait à quitter le navire, une personne attachée à la duchesse d'Angoulême vint lui remettre une lettre signée de sa main par laquelle elle donnait tout pouvoir au fidèle Charlet pour gérer ses affaires en France et qui devait être transmise en main propre. Odilon Barrot, qui s'était toujours tenu à distance respectueuse de la dauphine, convaincu que sa seule présence la révulsait, fut profondément touché de cette marque de confiance et assura le messager qu'il remplirait scrupuleusement sa mission auprès de l'intendant de la dauphine.

Il restait maintenant au roi à donner ses ordres au commandant de bord, le fameux Dumont d'Urville, le seul officier de marine à avoir accepté du nouveau ministère une mission qui consistait à servir de geôlier maritime à la famille royale. Monsieur Dumont d'Urville était d'un caractère un peu court et aussi grand libéral qu'il était grand navigateur. Les mauvaises langues ajoutaient même que sa fatuité se trouvait taillée aux dimensions des immenses océans qu'il avait si courageusement explorés. Les consignes reçues du gouvernement étaient très claires : le marin se devait d'obéir scrupuleusement aux désirs du roi tant que ceux-ci ne s'opposaient pas à la volonté du gouvernement. Dans le cas contraire, le capitaine pouvait user de la force et les deux bateaux escorte, *La Seine* et *Le Cutter*, qui effrayaient déjà la duchesse de Berry, étaient là pour rappeler aux voyageurs que leur liberté de mouvement s'arrêtait aux ponts, aux cabines et aux coursives.

Le roi indiqua donc au contre-amiral qu'il lui faudrait faire relâche à Cowes sur la rade de Spithead et que c'était là qu'il lui révélerait sa destination définitive. Dumont d'Urville, qui avait les manières d'un sauvage, tenta d'engager une conversation à laquelle Charles X opposa un silence polaire.

Marmont, accoudé au bastingage, paraissait avoir pris vingt ans. Il admirait ses quatre compagnies de gardes du corps dont il était le major général pour quelques instants encore tout en étant préoccupé par son propre avenir. Le roi lui avait proposé de le suivre dans son exil, mais à aucun moment Sa Majesté ne s'était préoccupée de la façon dont il subsisterait. Ses affaires étaient dans le plus grand délabrement, et la révolution n'allait pas les arranger car, si en quittant la France il s'épargnait un procès voire le peloton d'exécution, il perdait tous ses émoluments et surtout les fonds secrets de la Cour si utiles pour faire patienter les créanciers. Lui qui était tellement attaché aux petits luxes de l'existence s'inquiétait à la perspective de ces privations qui assombrissent une vieillesse et déplaisent souverainement aux femmes jeunes, mais il s'inquiétait par-dessus tout de ce que l'Histoire retiendrait de lui. On l'accusait d'avoir manqué à ses serments pour avoir sacrifié Napoléon à la tranquillité de la France et maintenant, alors qu'il sacrifiait son confort à un roi sans gloire auquel il avait juré fidélité, tout Paris se moquerait bientôt de lui pour avoir respecté sa parole avec un total manque d'à propos. Il espérait simplement que son exil ne durerait pas trop longtemps, quand il fut arraché à ses pensées par le mouvement du bateau qui larguait les amarres et le claquement des voiles. Il était deux heures et demie de l'après-midi.

Dès que les navires eurent quitté le port, tous les gardes du corps retirèrent la cocarde blanche de leurs casques et de leurs shakos comme ils s'y étaient engagés mais refusèrent de la remplacer par les trois couleurs. Ils s'apprêtaient à former les pelotons pour quitter l'enceinte du port militaire en ordre parfait lorsque l'on entendit des cris depuis la digue. L'une des embarcations faisait demi-tour. Les officiers se précipitèrent sur les quais. On craignait une manœuvre ou une mutinerie. La famille royale était peut-être en danger ou cherchait à regagner la côte. En réalité, ce n'était rien de tout cela. Le préfet maritime, qui échangeait depuis dix jours une importante correspondance administrative avec le ministère pour préciser chacun de ses faits et gestes et s'assurer que les jeux de cartes et les vases de nuit étaient prévus en nombre suffisant, avait tout simplement oublié de charger du pain. On dut faire porter des ordres de réquisition dans plusieurs boulangeries de la ville pour que l'on ne puisse pas dire que, en plus de leur voler la couronne, Louis-Philippe enlevait aux Bourbons le pain de la bouche.

Une heure plus tard, les deux voiliers et leur escorte prenaient la haute mer, emportant dans leurs cales une famille et une histoire dont la France ne voulait plus.

Épilogue tiré de *Choses vues* de Victor Hugo
Jeudi 24 février et vendredi 25 février 1848

Dix-huit ans après

Ce fut M. Crémieux qui dit au roi Louis-Philippe ces tristes paroles :

— Sire, il faut partir.

Le roi déjà avait abdiqué. Cette signature fatale était donnée. Il regarda M. Crémieux fixement.

On entendait au dehors la vive fusillade de la place du Palais-Royal, c'était le moment où les gardes municipaux du Château-d'Eau luttaient contre les deux barricades de la rue de Valois et de la rue Saint-Honoré.

Par moment d'immenses clameurs montaient et couvraient la mousqueterie. Il était évident que le peuple arrivait. Du Palais-Royal aux Tuileries, c'est à peine une enjambée pour ce géant qu'on appelle l'émeute.

M. Crémieux étendit la main vers ce bruit sinistre qui venait du dehors et répéta :

— Sire, il faut partir.

Le roi, sans répondre une parole, et sans quitter M. Crémieux de son regard fixe, ôta son chapeau de général qu'il tendit à quelqu'un au hasard près de lui, puis il ôta son cordon rouge, puis il ôta son uniforme à grosses épaulettes d'argent, et dit, sans se lever du large fauteuil où il était comme affaissé depuis plusieurs heures :

— Un chapeau rond ! une redingote !

On lui apporta une redingote et un chapeau rond. Au bout d'un instant, il n'y avait plus qu'un vieux bourgeois.

Puis il cria d'une voix qui commandait la hâte :

— Mes clefs ! mes clefs !

Les clefs se firent attendre.

Cependant le bruit croissait, la fusillade semblait s'approcher, la rumeur terrible grandissait.

Le roi répétait : Mes clefs ! mes clefs !

Enfin on trouva les clefs, on les lui apporta. Il en ferma un portefeuille qu'il prit sous son bras, et un plus gros portefeuille dont un valet de pied se chargea. Il avait une sorte d'agitation fébrile. Tout se hâtait autour de lui. On entendait les princes et les valets dire : Vite ! vite ! La reine seule était lente et fière.

On se mit en marche. On traversa les Tuileries. Le roi donnant le bras à la reine ou, pour mieux dire, la reine donnant le bras au roi. La duchesse de Montpensier s'appuyant sur M. Jules de Lasteyrie ; le duc de Montpensier sur M. Crémieux.

Le duc de Montpensier dit à M. Crémieux :

— Restez avec nous, Monsieur Crémieux, ne nous quittez pas. Votre nom peut nous être utile.

On arriva ainsi à la place de la Révolution. Là, le roi pâlit.

Il chercha des yeux les quatre voitures qu'il avait fait demander à ses écuries. Elles n'y étaient pas. Au sortir des écuries, le cocher de la première voiture avait été tué d'un coup de fusil. Et au moment où le roi les cherchait sur la place Louis-XV, le peuple les brûlait sur la place du Palais-Royal.

Il y avait au pied de l'obélisque un petit fiacre à un cheval, arrêté.

Le roi y marcha rapidement, suivi de la reine.

Dans ce fiacre il y avait quatre femmes portant sur leurs genoux quatre enfants.

Les quatre femmes étaient Mmes de Nemours et de Joinville et deux personnes de la Cour. Les quatre enfants étaient des petits-fils du roi.

Le roi ouvrit vivement la portière et dit aux quatre femmes :

— Descendez ! Toutes ! toutes !

Il ne prononça que ces trois mots.

Les coups de fusil devenaient de plus en plus terribles. On entendait le flot du peuple qui entrait aux Tuileries.

En un clin d'œil les quatre femmes furent sur le pavé – le même pavé où avait été dressé l'échafaud de Louis XVI.

Le roi monta, ou, pour mieux dire, se plongea dans le fiacre vide ; la reine l'y suivit. Mme de Nemours monta sur la banquette de devant. Le roi avait toujours son portefeuille sous le bras. On fit entrer l'autre grand portefeuille, qui était vert, dans la voiture avec quelque peine. M. Crémieux l'y fit tomber d'un coup de poing. Du reste le portefeuille ne contenait pas d'argent. Deux jours après, le gouvernement provisoire, apprenant que Louis-Philippe était à Trouville, empêché par le défaut d'argent, fit porter par M. de Lamartine à M. de Montalivet trois cent mille francs pour le roi.

— Partez ! cria le roi.

Le fiacre partit. On prit l'avenue de Neuilly.

Thuret, le valet de chambre du roi, monta derrière. Mais il ne put se tenir sur la barre qui tenait lieu de strapontin. Il essaya alors de monter sur le cheval, puis finit par courir à pied. La voiture le dépassa.

Thuret courut jusqu'à Saint-Cloud, pensant y retrouver le roi. Là, il apprit que le roi était reparti pour Trianon.

En ce moment Mme la princesse Clémentine et son mari, le duc de Saxe-Cobourg, arrivaient par le chemin de fer.

— Vite, Madame, dit Thuret, reprenons le chemin de fer et partons pour Trianon. Le roi est là.

Ce fut ainsi que Thuret parvint à rejoindre le roi.

Cependant, à Versailles, le roi s'était procuré une grande berline et une espèce de voiture omnibus. Il prit la berline avec la reine. Sa suite prit l'omnibus. On mit à tout cela des chevaux de poste et l'on partit pour Dreux.

Chemin faisant, le roi ôta son faux toupet et se coiffa d'un bonnet de soie noire jusqu'aux yeux. Sa barbe n'était pas faite de la veille. Il n'avait pas dormi. Il était méconnaissable. Il se tourna vers la reine, qui lui dit :

— Vous avez cent ans.

En arrivant à Dreux il y a deux routes, l'une à droite, qui est la meilleure, bien pavée, et qu'on prend toujours, l'autre à gauche, pleine de fondrières et plus longue. Le roi dit :

— Postillon, prenez à gauche.

Il fit bien, il était haï à Dreux. Une partie de la population l'attendait sur la route de droite avec des intentions hostiles. De cette façon il échappa au danger.

Le sous-préfet de Dreux, prévenu, le rejoignit et lui remit douze mille francs : six mille en billets, six mille en sacs d'argent.

La berline quitta l'omnibus, qui devint ce qu'il put, et se dirigea vers Évreux. Le roi connaissait là, à une lieue avant d'arriver à la ville, une maison de campagne appartenant à quelqu'un de dévoué, M. de...

Il était nuit noire quand on arriva à cette maison.

La voiture s'arrêta.

Thuret descendit, sonna à la porte, sonna longtemps. Enfin quelqu'un parut.

Thuret demanda :

— M. de... ?

M. de... était absent. C'était l'hiver ; M. de... était à la ville.

Son fermier, appelé Renard, qui était venu ouvrir, expliqua cela à Thuret.

— C'est égal, dit Thuret, j'ai là un vieux monsieur et une vieille dame de ses amis, qui sont fatigués, ouvrez-nous toujours la maison.

— Je n'ai pas les clefs, dit Renard.

Le roi était épuisé de fatigue, de souffrance et de faim. Renard regarda ce vieillard et fut ému.

— Monsieur et Madame, reprit-il, entrez toujours. Je ne puis pas vous ouvrir le château, mais je vous offre la ferme. Entrez. Pendant ce temps-là, je vais envoyer chercher mon maître à Évreux.

Le roi et la reine descendirent. Renard les introduisit dans la salle basse de la ferme. Il y avait grand feu. Le roi était transi.

— J'ai bien froid, dit-il.

Puis il reprit :

— J'ai bien faim.

Renard dit :

— Monsieur, aimez-vous la soupe à l'oignon ?

— Beaucoup, dit le roi.

On fit une soupe à l'oignon, on apporta les restes du déjeuner de la ferme, je ne sais quel ragoût froid, une omelette.

Le roi et la reine se mirent à table, et tout le monde avec eux. Renard le fermier, ses garçons de charrue, et Thuret, le valet de chambre.

Le roi dévora tout ce qu'on lui servit. La reine ne mangea pas.

Au milieu du repas, la porte s'ouvre. C'était M. de… ; il arrivait en hâte d'Évreux.

Il aperçoit Louis-Philippe et s'écrie :

— Le roi !

— Silence ! dit le roi.

Mais il était trop tard.

M. de… rassura le roi. Renard était un brave homme. On pouvait se fier à lui. Toute la ferme était pleine de gens sûrs.

— Eh bien ! dit le roi, il faut que je reparte tout de suite. Comment faire ?

— Où voulez-vous aller ? demanda Renard.

— Quel est le port le plus proche ?

— Honfleur.

— Eh bien ! je vais à Honfleur.

— Soit, dit Renard.

— Combien y a-t-il d'ici là ?

— Vingt-deux lieues.

Le roi effrayé s'écria :

— Vingt-deux lieues !

— Vous serez demain matin à Honfleur, dit Renard.

Renard avait un tape-cul dont il se servait pour courir les marchés. Il était éleveur et marchand de chevaux. Il attela à son tape-cul deux forts chevaux.

Le roi se mit dans un coin, Thuret dans l'autre, Renard, comme cocher, au milieu ; on mit en travers sur le tablier un gros sac plein d'avoine, et l'on partit.

Il était sept heures du soir.

La reine ne partit que deux heures après dans la berline, avec des chevaux de poste.

Le roi avait mis les billets de banque dans sa poche. Quant aux sacs d'argent, ils gênaient.

— J'ai vu plus d'une fois le moment où le roi allait m'ordonner de les jeter sur la route, me disait plus tard Thuret en me contant ces détails.

On traversa Évreux, non sans peine. À la sortie, près l'église Saint-Taurin, il y avait un rassemblement qui arrêta la voiture.

Un homme prit le cheval par la bride et dit :

— C'est qu'on dit que le roi se sauve par ici.

Un autre mit une lanterne sous les yeux du roi.

Enfin une espèce d'officier de garde nationale qui, depuis quelques instants, semblait toucher aux harnais des chevaux dans une intention suspecte s'écria :

— Tiens ! c'est le père Renard, je le connais, citoyens !

Il ajouta à voix basse en se tournant vers Thuret :

— Je reconnais votre compagnon du coin. Partez vite.

Thuret m'a dit depuis :

— Il m'a parlé à temps, cet homme-là. Car je croyais qu'il venait de couper les traits d'un cheval, et j'allais lui donner un coup de couteau. J'avais déjà mon couteau tout ouvert dans la main.

Renard fouetta et l'on quitta Évreux.

On courut toute la nuit. De temps en temps on s'arrêtait aux auberges du bord de la route, et Renard faisait manger l'avoine à ses chevaux. Il disait à Thuret :

— Descendez. Ayez l'air à votre aise. Tutoyez-moi.

Il tutoyait aussi un peu le roi.

Le roi abaissait son bonnet de soie noire jusqu'à son nez et gardait un silence profond.

À sept heures du matin on était à Honfleur. Les chevaux avaient fait vingt-deux lieues sans s'arrêter, en douze heures. Ils étaient harassés.

— Il est temps, dit le roi.

De Honfleur, le roi gagna Trouville. Là, la reine le rejoignit.

À Trouville, ils espéraient se cacher dans une maison autrefois louée par M. Duchâtel quand il venait prendre les bains de mer aux vacances. Mais la maison était fermée. Ils se réfugièrent chez un pêcheur.

Le général de Rumigny survint dans la matinée et faillit tout perdre. Un officier le reconnut sur le port.

Enfin le roi parvint à s'embarquer. Le gouvernement provisoire s'y prêtait beaucoup.

Cependant, au dernier moment, un commissaire de police voulut faire du zèle. Il se présenta sur le bâtiment où était le roi en vue de Honfleur et le visita du pont à la cale.

Dans l'entrepont, il regardait beaucoup ce vieux monsieur et cette vieille dame qui étaient là assis dans un coin et ayant l'air de veiller sur leurs sacs de nuit.

Cependant il ne s'en allait pas.

Tout à coup le capitaine tira sa montre et dit :

— Monsieur le commissaire de police, restez-vous ou partez-vous ?

— Pourquoi cette question ? dit le commissaire.

— C'est que, si vous n'êtes pas à terre en France dans un quart d'heure, demain vous serez en Angleterre.

— Vous partez ?

— Tout de suite.

Le commissaire de police prit le parti de déguerpir, fort mécontent et ayant vainement flairé une proie.

Le bâtiment partit.

En vue du Havre il faillit sombrer. Il se heurta – le temps était mauvais et la nuit noire – dans un gros navire qui lui enleva une partie de sa mâture et de son bordage. On répara les avaries comme on put, et le lendemain matin le roi et la reine étaient en Angleterre.

Selon d'autres sources, tout au long de sa fuite, alors qu'il était secoué par les cahots de la route, le roi Louis-Philippe ne cessa jamais de dire entre ses dents : « Pire que Charles X ! Pire ! Cent fois pire ! »

Versailles, janvier – octobre 2015
Versailles, février 2017 – Saint-Gorgon, avril 2018

Avertissement de l'éditeur

Si l'auteur ne s'est interdit aucun des artifices de la littérature pour écrire de l'histoire, les faits rapportés dans ce récit sont rigoureusement exacts, et l'intégralité des dialogues est tirée des mémoires ou des témoignages du temps.

Bibliographie

Sources d'inspiration

Anonyme, *Evénements de Paris des 26, 27, 28 et 29 juillet 1830, par plusieurs témoins oculaires, quatrième édition, continuée jusqu'au serment de Louis-Philippe Ier, et augmentée de la Charte avec l'indication comparée des nouvelles modifications, de plusieurs articles intéressants, et de la Marche parisienne de M. Casimir Delavigne avec la musique*, Paris, 1830.

Anonyme, *La Fuite de la famille royale*, s. l. n. d. (1830?)

Anonyme, *Précis des événements de Paris contenant les proclamations, les ordres du jour; les traités de patriotisme, d'intrépidité et de désintéressement qui ont signalé les trois journées du 26, du 27 et du 28 juillet 1830; plusieurs chants patriotiques; le rapport au roi et les ordonnances du 25 juillet*, Mons, s. d. (1830?)

Anonyme, *Relation intéressante du voyage d'exil et de l'embarquement de S. M. Charles X et de la famille royale; suivie du Modèle de la loyauté française. Ou lettre adressée par M. le duc de Montmorency-Laval, pair de France, à M. le président de la Chambre des pairs; d'une lettre adressée au même par M. le marquis de Chabannes, pair de France; d'une lettre adressée à M. le président de la Chambre des députés par M. de Pignerolles; d'un document authentique sur les prétendues dettes de S.A.R. madame la duchesse de Berri; et d'une lettre curieuse et historique sur les serments d'obéissance aux Constitutions*, Paris, 1830.

Almanach royal, pour l'an M DCCC XXX, présenté à Sa Majesté, Paris, 1830.

Almanach de la Cour, de la ville, et des départements pour l'année 1830, orné de gravures, Paris, s. d.

Dictionnaire des girouettes ou nos contemporains peints d'après eux-mêmes. Ouvrage dans lequel sont rapportés les discours ; proclamations, extraits d'ouvrages écrits sous les gouvernements qui ont eu lieu en France depuis vingt-cinq ans ; et les places, faveurs et titres qu'ont obtenus dans les différentes circonstances, les hommes d'État, gens de lettres, généraux, artistes, sénateurs, chansonniers, évêques, préfets, journalistes, ministres, etc., etc., etc., par une société de Girouettes, Paris, 1815.

ANNE, Théodore, *Journal de Saint-Cloud à Cherbourg ou Récit de ce qui s'est passé à la suite du roi Charles X, du 26 juillet au 16 août 1830 par monsieur Théodore ANNE, ex-garde du corps de la compagnie de Noailles*, Paris, 1830.

ANNE, Théodore, *Mémoires, souvenirs et anecdotes sur l'intérieur du palais, Charles X et les événements de 1818 à 1830*, s.l., 1831.

APPONYI, comte Rodolphe, *Journal*, publié par Ernest Daudet, Paris, 1926.

ARAGON, Louis, *La Semaine sainte*, Paris, 1998.

BALZAC, Honoré de, *Le Cabinet des antiques*, introduction, notes et appendices de Pierre-Georges Castex, professeur à la Sorbonne, édition illustrée, Paris, 1958.

BALZAC, Honoré de, *La Vieille Fille*, édition de Robert Kopp, Paris, 1978.

BARBEY D'AUREVILLY, Jules, *Œuvres romanesques complètes*, Gallimard, coll. « Bibliothèque de la Pléiade », Paris, 1989.

BARROT, Odilon, *Mémoires posthumes*, Paris, 1875.

BLANC, Louis, *Histoire de dix ans*, Paris, 1848.

BOIGNE, comtesse de, *Mémoires ou Récits d'une tante*, Paris, Le Temps Retrouvé, 1971, 1986 et 1999.

BROSSE, Jacques, sous la direction de, *Journal de ce qui s'est passé au Temple de Cléry; Dernières heures de Louis XVI par l'abbé Edgeworth de Firmont; Mémoire écrit par Marie-Thérèse-Charlotte de France*, Paris, 2006.

BULOZ, François, «Chroniques de la quinzaine – 30 septembre 1833», in *La Revue des Deux Mondes*, période initiale, tome 4, 1833.

CAPEFIGUE, Baptiste, *Histoire de la Restauration et des causes qui ont amené la chute de la branche aînée des Bourbons, par un homme d'État*, Paris, 1831-1833.

CHAPUS, Eugène, *Les Chasses de Charles X, souvenirs de l'ancienne cour*, Paris, 1837.

CHATEAUBRIAND, François-René de, *De la nouvelle proposition relative au bannissement de Charles X et de sa famille*, Paris, 1831.

CHATEAUBRIAND, François-René de, *Mémoires d'outre-tombe*, Garnier, coll. «Classiques Garnier», Paris, 1989-1998.

CISTERNES de COURTIRAS, vicomtesse de SAINT-MARS Gabrielle-Anna de, dite la comtesse DASH, *Mémoires des autres: Souvenirs anecdotiques sur Charles X. La révolution de Juillet*, Paris 1897.

CUVILLIER-FLEURY, Alfred-Auguste, *Journal et Correspondance intimes*, publiés par Ernest Bertin, Paris, 1903.

DAMAS, baron de, *Mémoires*, Paris, 1922-1923.

DUBOIS, Nicolas Auguste, *Histoire critique et véritable du règne de Charles X, jusqu'à l'avènement au trône de S. M. Louis-Philippe Ier*, Paris, 1834.

DUMAS, Alexandre, *J'ai vu les trois glorieuses*, extrait de ses mémoires, publiés par Christian Melchior-Bonne, Paris, s. d.

FONDARD, Théodore, *Le Grand Déménagement royal, par un volontaire parisien qui n'a pas eu le bonheur d'y contribuer, faute de fusil au moment du congé*, s. l. n. d. (1830?)

FONTAINE, Pierre, François, Léonard, *Plans de plusieurs châteaux, palais et résidences de souverains de France, d'Italie, d'Espagne et de Russie, dessinés sur une même échelle pour être comparés*, Paris, s.d.

GIRARD, Xavier, *Plan de la ville de Paris, divisé en 12 arrondissements et 48 quartiers indiquant tous les changements faits et projetés. Dressé par Xavier Girard, ex-géographe des postes, publié en 1820, revu et considérablement augmenté en 1830*, Paris, 1830.

GONTAUT, duchesse de, *Mémoires de la duchesse de Gontaut, gouvernante des enfants de France pendant la restauration, 1773-1836*, Paris, 1891.

GUERNON-RANVILLE, comte de, « Journal d'un ministre – œuvre posthume du comte de Guernon-Ranville », in *Mémoires de l'Académie des sciences, arts et belles-lettres de Caen*, Caen, 1874.

GUIZOT, François, *Mémoires pour servir à l'histoire de mon temps*, Paris, 1859.

HAUSSEZ, baron d', *Mémoires du baron d'Haussez, dernier ministre de la Marine sous la restauration, publiés par son arrière-petite-fille, la duchesse d'Alamazan, introduction et notes par le comte de Circourt et le comte de Puymaigre*, Paris, 1897.

HUGO, Victor, *Choses vues*, édition d'Hubert Juin, Paris, 1997.

LAMOTHE-LANGON, Étienne-Léon de, *Soirées de Sa Majesté Charles X, recueillies et mises en ordre, par M. le duc de *** auteur des soirées de Louis XVIII*, Paris, 1836.

LAUMIER, Charles, *Histoire du voyage de Charles X et de sa famille de Saint-Cloud à Cherbourg, pour servir de suite et de complément à l'histoire de la mémorable semaine de juillet 1830*, Paris, 1830.

LA VARENDE, Jean de, *Les Manants du roi, leur drame*, Paris, 1938.

MAILLE, duchesse de, *Souvenirs des deux Restaurations*, journal inédit présenté par Xavier de la Fournière, Paris, 1984.

MARC, Edmond, *Mes journées de juillet 1830*, journal inédit publié avec une introduction et des notes par Geoffroy de Grandmaison, Paris, 1930.

MARMONT, maréchal, duc de Raguse, *Mémoires de 1792 à 1841 imprimés sur le manuscrit original de l'auteur*, Paris, 1857.

MARTIGNAC, Jean-Baptiste, *Procès des derniers ministres de Charles X, devant la cour des pairs, en décembre 1830*, Paris, 1831.

MAZAS, Alexandre, *Saint-Cloud, Paris et Cherbourg, mémoires pour servir à l'histoire de la révolution de 1830, publiés par M. Alexandre Mazas, secrétaire du dernier président du Conseil des ministres, nommé par le roi Charles X, mission de M. le duc de Mortemart, pendant la semaine de juillet, nouveaux détails politiques sur le voyage à Cherbourg*, Paris, 1832.

MONTBEL, comte de, *1787-1831 : Souvenirs du comte de Montbel, ministre de Charles X*, publiés par son petit-fils Guy de Montbel, Paris, 1913.

MONTBEL, comte de, *Dernière Époque de l'histoire de Charles X, son dernier voyage, sa maladie, sa mort, ses funérailles, son caractère et ses habitudes, suivi des Actes et Procès-verbaux relatifs à son décès*, Paris et Versailles, s. d.

NAYLIES, Joseph vicomte de, *Relation fidèle du voyage du roi Charles X depuis son départ de Saint-Cloud jusqu'à son embarquement, par un garde du corps*, Paris, 1830.

NEVEU, Frédéric, *Notes sur les événements qui ont eu lieu à Rambouillet du 26 juillet au 5 août 1830*, manuscrit, fonds Frédéric Didier.

PASQUIER, Chancelier, *Mémoires publiés par M. le duc d'Audiffret Pasquier, de l'Académie française*, deuxième partie, *Restauration*, Paris, 1895.

PONCET de BERMOND, Hippolyte de, *La Garde royale pendant les événements du 26 juillet au 5 août 1830, par un officier employé à l'état-major*, Paris, 1830.

PUYMAIGRE, Théodore, comte de, *Souvenirs sur l'émigration, l'Empire et la Restauration*, Paris, 1884.

QUÉTEL, Claude, «Documents pour l'histoire de la Normandie. Un Caennais, ministre de Charles X, extraits du journal du comte de Guernon-Ranville», in *Annales de Normandie*, année 1981, 31-2, p. 189-197.

RÉAL, Pierre-François, comte, *Indiscrétions. 1790-1830. Souvenirs anecdotiques et politiques tirés du portefeuille d'un fonctionnaire de l'Empire, mis en ordre par Musnier-Desclozeaux*, Paris 1835.

RÉMUSAT, Charles de, *Correspondances*, Paris, 1883.

RÉMUSAT, Charles de, *Mémoires de ma vie*, Paris, 1958-1959.

ROCHECHOUART, Louis-Victor-Léon de, *Souvenirs sur la Révolution, l'Empire et la Restauration*, Paris, 1892.

ROSSIGNOL, François, et PHARAON, Joanny, *Histoire de la révolution de 1830 et des nouvelles barricades, ouvrage présenté au roi*, Paris, 1830.

ROUSSY, Eugène de, *De l'Empereur au roi, correspondance (1806-1830)*, présentée par François Houdecek et Chantal de Loth, Paris, 2012.

ROZET, Louis, *Chronique de juillet 1830*, Paris, 1832.

SÉMONVILLE, marquis de, «Mémoire sur la révolution de Juillet», in *La Revue de Paris*, 5e volume, septembre-octobre 1894.

STENDHAL, *Souvenirs d'égotisme*, édition de Béatrice Didier, Paris, 1983.

TILLY, comte de, *Mémoires*, Paris, 1929.

VERGNIOL, Camille, «La chute de Charles X (journal inédit de Dumont d'Urville)», in *La Revue de France*, 1er juin, 1er juillet, 15 juillet 1930, p. 290.

VÉRON, Louis-Désiré, *Mémoires d'un bourgeois de Paris. Comprenant la fin de l'Empire, la Restauration, la monarchie de Juillet, la république jusqu'au rétablissement de l'Empire*, Paris, 1858.

VIGNY, Alfred de, *Journal d'un poète*, Paris, 1867.

VIGNY, Alfred de, *Servitude et Grandeur militaires*, édition de Patrick Berhier, Paris, 1992.

VILLENEUVE, Pons Louis François de, *Charles X et Louis XIX en exil*, mémoires inédits, Paris, 1889.

VITROLLES, baron de, *Mémoires et Relations politiques*, publiés selon le vœu de l'auteur par Eugène Forgues, Paris, 1884.

Bibliographie mise à contribution

ANTONETTI, Guy, *Louis-Philippe*, Paris, 1994.

BECQUET, Hélène, *Marie-Thérèse de France : l'orpheline du Temple*, Paris 2012.

BERNET, Anne, *Histoire générale de la chouannerie*, Paris, 2016.

BERTIER, Philippe, *Le Paris de Stendhal*, Paris, 2017.

BERTIER de SAUVIGNY, Guillaume, *La Restauration*, Paris, 1990.

BLED, Jean-Paul, *Les Lys en exil ou la Seconde Mort de l'Ancien Régime*, Paris, 1992.

BOIS, Jean-Pierre, *La Fayette*, Paris, 2015.

BORY, Jean-Louis, *La Révolution de Juillet (29 juillet 1830)*, Paris, 1972.

BROGLIE, Gabriel de, *La Monarchie de Juillet*, Paris, 2011.

CABANIS, José, *Charles X, roi ultra*, Paris, 1972.

CASTELLUCCIO, Stéphane, *L'Éclairage, le Chauffage et l'Eau aux XVIIᵉ et XVIIIᵉ siècles*, Montreuil, 2016.

CASTELOT, André, *Madame Royale*, Paris, 1962.

CHALINE, Jean-Pierre, *La Restauration*, Paris, 1998.

CHARLETY, Sébastien, *Histoire de la monarchie de Juillet, 1830-1848*, présentation d'Arnaud Teyssier, Paris, 2018.

CLÉMENT, Jean-Paul, avec le concours de Daniel de Montplaisir, *Charles X : le dernier Bourbon*, Paris, 2015.

CONTAMINE, Henry, «Le convoi funèbre de la monarchie à travers la Normandie (août 1830)», in *Normannia*, 11-4, Caen, 1938, p. 231-261.

COUSTIN, François de, *Louis XIX, duc d'Angoulême*, Paris, 2017.

DELPIERRE, Madeleine, *Uniformes civils français, cérémonial, circonstances: 1750-1980*, Paris, 1982.

DÉMIER, Francis, *La France de la Restauration (1814-1830). L'impossible retour du passé*, Paris, 2012.

DESTREMAU, Noëlle, *Madame Royale et son mystère*, Paris, 1991.

DINFREVILLE, *Le Secret de Marie-Caroline, duchesse de Berry*, Louviers, 1982.

FONKENELL, Guillaume, *Le Palais des Tuileries*, Paris, 2010.

GARNIER, Jean-Paul, *Charles X. Le roi, le proscrit*, Paris, 1967.

GARNIER, Jean-Paul, «Louis-Philippe et le duc de Bordeaux», in *Revue des Deux Mondes*, 1968, n° 1, p. 38-52.

GASTEY, général, «La campagne de Saint-Cloud», in *Revue historique de l'armée*, 1954, p. 41-49.

GESLIN, Édouard-René de, présentation et notes de Joseph Valynseele, *Histoires de l'Histoire*, Paris, 1959, p. 73-79.

GIRARD, Louis, *Étude comparée des mouvements révolutionnaires en France en 1830, 1848 et 1870-71*, Paris, 1961.

GUIRAL, Pierre, *Adolphe Thiers, ou De la nécessité en politique*, Paris, 1986.

HAZAN, Éric, *Balzac, Paris*, Paris, 2018.

HILLERIN, Laure, *La Duchesse de Berry, l'oiseau rebelle des Bourbons*, Paris, 2010.

JACQUELINE, Bernard, «Le convoi funèbre des Bourbons de Carentan à Cherbourg (13-16 août 1830)», in *Revue du département de la Manche*, tome 2, fascicule 8, octobre 1960, p. 233-254.

LABROUSSE, Ernest, «1848-1830-1879 : comment naissent les révolutions», in *Actes du congrès historique du centenaire de la révolution de 1848*, Paris, 1948.

LE CANNELIER, Albert, «Sur la route de l'exil, séjour de Charles X à Valognes (août 1830)», in *Mémoire de la Société archéologique de Valognes*, tome 12, 1934-1938, Valognes, 1938, p. 93-110.

LECHAT, Jean-Baptiste, abbé, «Échos de la révolution de 1830 dans la Manche», *in* Société d'archéologie et d'histoire naturelle du département de la Manche, *Notices, mémoires et documents*, vol. 59, 1949, p. 28-35.

LIMOUZIN-LAMOTHE, Roger, *Monseigneur de Quelen, archevêque de Paris. Son rôle dans l'Église de France de 1815 à 1839*, d'après ses archives privées, Paris, 1955.

LIMOUZIN-LAMOTHE, Roger, «Le pillage de l'archevêché de Paris en juillet 1830 d'après un mémoire inédit du chapitre métropolitain», in *Revue d'histoire de l'Église de France*, volume 44, n° 141, 1958, p. 73-86.

MARTIN-FUGIER, Anne, *Louis-Philippe et sa famille*, Paris, 2012.

MULTON, Hilaire, «De Rambouillet à Cherbourg : l'exil du duc de Bordeaux (juillet-août 1830)», in *Les Lys et la République. Henri, comte de Chambord*, sous la direction de Waresquiel, Emmanuel de, Paris, 2015, p. 65-80.

MURATORI-PHILIP, Anne, *Madame Royale : fille de Louis XVI et de Marie-Antoinette*, Paris, 2016.

PAOLI, Dominique, *Madame Adélaïde : sœur et égérie de Louis-Philippe*, Paris, 2016.

PINKNEY, David M., *La Révolution de 1830 en France*, Paris, 1988.

POTIER, Olivier, «Passage de Charles X dans la Manche», *in* Société d'archéologie et d'histoire naturelle du département de la Manche, *Notices, mémoires et documents*, vol. 63, 1953, p. 6-13.

RAILLAT, Landric, *Charles X, le sacre de la dernière chance*, Paris, 1991.

TEYSSIER, Arnaud, *Louis-Philippe : le dernier roi des Français*, Paris, 2010.

TITEUX, Eugène, *Histoire de la maison militaire du roi de 1814 à 1830*, Paris, 1890.

VALANCE, Georges, *Thiers, bourgeois et révolutionnaire*, Paris, 2007.

VALYNSEELE, Joseph, «Avec Charles X sur la route de l'exil. Billets d'étapes de l'un de ses compagnons», in *Histoires de l'Histoire*, n° 2, mars 1959.

VAULABELLE, Achille de, *Histoire des deux Restaurations : jusqu'à l'avènement de Louis-Philippe, de janvier 1813 à octobre 1830*, Paris, 1860.

VIAL, Charles-Éloi, *Les Derniers Feux de la monarchie. La Cour au siècle des révolutions*, Paris, 2016.

VIAL, Charles-Éloi, *Le Grand Veneur de Napoléon Ier à Charles X*, Paris, 2016.

WAGENER, Françoise, *La Comtesse de Boigne (1781-1866)*, Paris, 1997.

WARESQUIEL, Emmanuel de, *Talleyrand, le prince immobile*, Paris, 2003.

WARESQUIEL, Emmanuel de, *C'est la Révolution qui continue ! La Restauration, 1814-1830*, Paris, 2015.

YVERT, Benoît, *La Restauration. Les idées et les hommes*, Paris, 2013.

YVERT, Sylvie, *Mousseline la Sérieuse*, Paris, 2015.

Collectifs

«Valognes : les hôtels particuliers», in *Vikland, la revue du Cotentin*, n° 17, avril-juin 2016.

CHAMPIER, Victor, et SANDOZ, G.-Roger, *Le Palais-Royal d'après des documents inédits (1629-1900),* nouvelle édition adaptée par Philippe Siguret, inspecteur des Monuments historiques, photographies de Christophe Adde, Paris, 1991.

CHEVALLIER, Bernard, sous la direction de, *Saint-Cloud, le palais retrouvé,* Paris, 2013.

GAUTIER, Jean-Jacques, et PREISS, Nathalie, sous la direction de, *Balzac, architecte d'intérieurs,* Paris, 2016.

LIBOUREL, Jean-Louis, sous la direction de, *Principes d'analyse scientifique, voitures hippomobiles : vocabulaire typologique et technique,* Paris, 2005.

Les Tuileries, grands décors d'un palais disparu, Paris, 2016.

WARESQUIEL, Emmanuel de, et YVERT, Benoît, *Histoire de la Restauration, 1814-1830, naissance de la France moderne,* Paris, 2002.

Remerciements

Mes remerciements vont d'abord à Caroline, bien sûr, première lectrice, patiente, tendre et vigilante, puis à Gérard Dubuisson et Yannick Guillou, relecteurs aussi attentifs qu'amicaux, à David Belugou, pour sa parfaite maîtrise du *Journal des Modes* et son talent d'esquisse par SMS, Philippe Bélaval et Renaud Serrette du Centre des monuments nationaux, qui ont guidé mes pas au château de Rambouillet, Gilles Mathis et Cyrille Beaufils, pour leur science de la vénerie, Sylvain Fort, qui maîtrise les programmations lyriques du XIXe siècle comme personne, Frédéric Didier, dont la bibliothèque personnelle m'est toujours restée ouverte, et Alexandre Gady, fin connaisseur du Paris détruit et des palais disparus.

Ces remerciements resteraient incomplets si je ne les adressais pas aussi à l'équipe des éditions Plon : Thierry Billard, Grégory Berthier-Gabrièle, Cécile Kilburg, Marie-Laure Nolet, Lorène Gnat-Bécart, Dominique de Chevilly et Bénédicte Avel qui ont lu, soutenu, corrigé et accompagné mon manuscrit.

Table

Une longue partie de whist

Le voyage à Cherbourg

Pour en savoir plus
sur les Éditions Plon
(catalogue, auteurs, vidéos, actualités…),
vous pouvez consulter notre site Internet :
www.plon.fr
et nous suivre sur les réseaux sociaux :

 **Editions Plon**

 **@EditionsPlon**

 **@editionsplon**

Achevé d'imprimer en janvier 2019
par Normandie Roto Impression s.a.s.
61250 Lonrai
N° d'impression : 1900008

Imprimé en France